셀파

해 법 수 학

sherpa

셀파

해 법 수 학

www.chunjae.co.kr

도움을 주신 선생님

김문선 서울대 수학과 졸 / (전) 종로학원 강사
김태형 서울대 수학과 졸 / (현) 종로학원 강사
김영곤 고려대 금속공학과 졸 / (현) 종로학원 강사
명백훈 서울대 수학과 졸 / (전) 종로학원 강사
손영표 서울대 재료학과 졸 / (현) 종로학원 강사
정두영 서울대 수학과 졸 / (현) 애드쿨학원 강사

자기주도 학습 *sherpa*

책머리에···

수학은 누구나 잘 할 수 있습니다.

셀파 해법수학과 함께 하는 여러분은 목표를 꼭 이룰 것입니다.

'어떻게 하면 지긋지긋한 수학을 쉽고 재미있게 공부할 수 있을까?'
하고 고민해본 경험은 누구에게나 한 번쯤은 있을 것입니다.
수학은 모든 학문의 바탕이 되는 과목입니다.
또한 대학입시에서도 매우 중요한 역할을 합니다.
그러나 안타깝게도 많은 학생들이 수학을 포기하는 것이 우리 현실입니다.

수학을 잘 하기 위해서는 무엇보다 수학과 친해져야 합니다.
그러기 위해서는 쉬운 문제부터 시작하여
기본 원리를 확실하게 터득해야 합니다.

이에 여러분 모두가 수학을 잘할 수 있기를 바라는 마음으로
셀파 해법수학을 만들었습니다.
수학을 쉽게 익힐 수 있는 셀파 해법수학 개념 기본서는
여러분의 수학 실력을 한 단계 더 높이는 데 도움을 줄 것입니다.

수학을 공부하다 보면
도대체 이 문제를 어떻게 푸는 걸까?
하며 힘들어 할 때가 생길 것입니다.
이렇게 도움이 필요한 순간마다 셀파 해법수학을 펼쳐 보십시오.
셀파 해법수학은 여러분의 수학 공부 도우미가 될 것입니다.

셀파 해법수학과 함께 하는 여러분의 성공을 기원합니다.

崔容準

개념 기본서 셀파 해법수학

구성과 특징

기본 개념을 확인하고 가자!

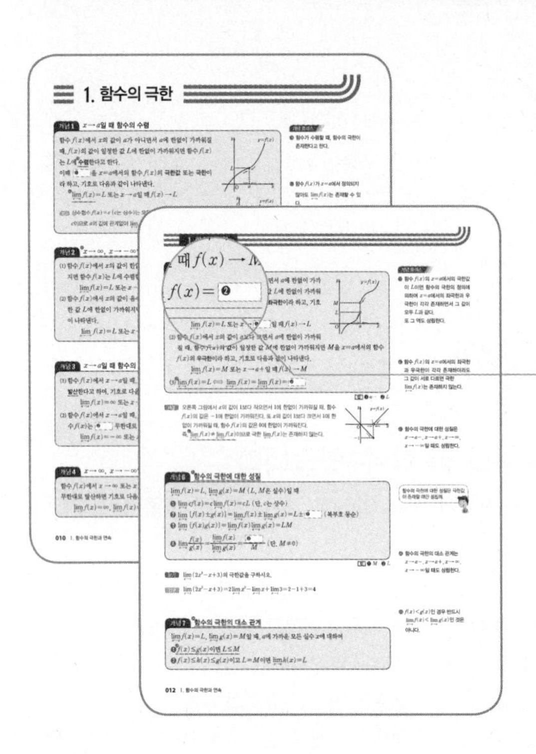

개념 정리

그 단원에서 다루는 개념을 가장 쉽고 정확하게 이해할 수 있도록 꼼꼼하고 상세하게 개념을 정리했습니다.

꼭 알아야 할 개념과 함께 보기 를 제시하여 개념이 문제 해결 과정에서 어떻게 이용되는지 알 수 있도록 하였습니다.

또한 부족한 개념은 개념 플러스 에서 정리하여 학습의 공백이 없도록 구성하였습니다.

빈칸 채우기를 통해 그냥 지나치기 쉬운 개념 정리 부분을 다시 한 번 짚고 넘어갈 수 있습니다.

개념 익히기

새로 배우는 개념을 좀 더 편리하게 학습할 수 있도록 다양한 형식의 가장 쉬운 문제를 제시하였습니다.

이 부분의 문제만 풀더라도 개념의 형성이 가능하도록 하였습니다.

같은 개념의 다른 문제를 한번 더 풀어봄으로써 기초를 확실히 다질 수 있도록 하였습니다.

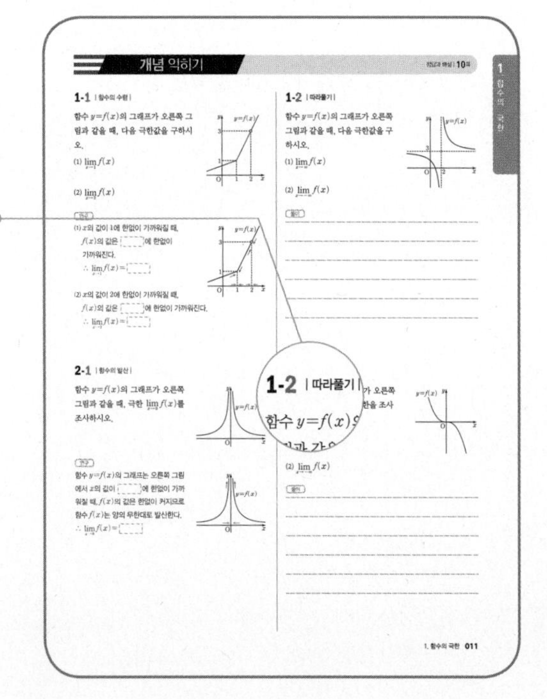

해법을 통해 문제 해결 방법을 익히자!

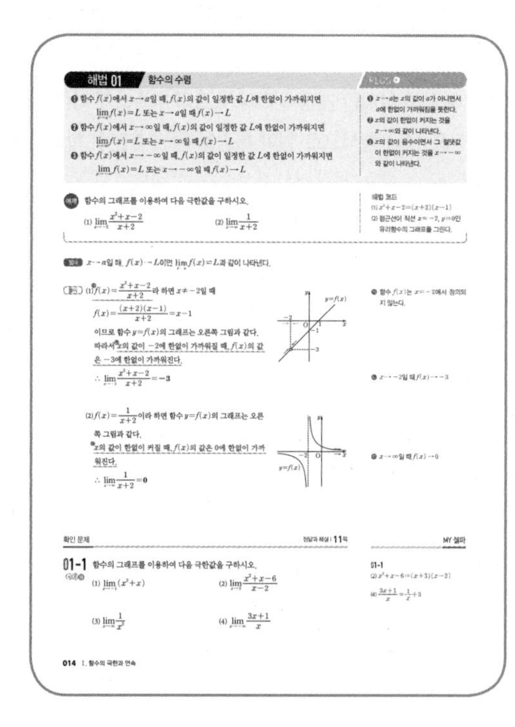
해법 01 함수의 수렴

❶ 함수 $f(x)$에서 $x \to a$일 때, $f(x)$의 값이 일정한 값 L에 한없이 가까워지면 $\lim_{x \to a} f(x) = L$ 또는 $x \to a$일 때 $f(x) \to L$

❷ 함수 $f(x)$에서 $x \to \infty$일 때, $f(x)$의 값이 일정한 값 L에 한없이 가까워지면 $\lim_{x \to \infty} f(x) = L$ 또는 $x \to \infty$일 때 $f(x) \to L$

❸ 함수 $f(x)$에서 $x \to -\infty$일 때, $f(x)$의 값이 일정한 값 L에 한없이 가까워지면 $\lim_{x \to -\infty} f(x) = L$ 또는 $x \to -\infty$일 때 $f(x) \to L$

예제 함수의 그래프를 이용하여 다음 극한값을 구하시오.

(1) $\lim_{x \to -2} \frac{x^2+x-2}{x+2}$ (2) $\lim_{x \to \infty} \frac{1}{x+2}$

확인 문제

01-1 함수의 그래프를 이용하여 다음 극한값을 구하시오.

(1) $\lim (x^2+x)$ (2) $\lim \frac{x^2+x-6}{x-2}$ (3) $\lim \frac{1}{x^2}$ (4) $\lim \frac{3x+1}{x}$

014 Ⅰ. 함수의 극한과 연속

:: 셀파 해법

각 단원에서 꼭 알아야 하는 대표적인 유형을 뽑아 그 해결 방법을 제시하였습니다. 더 필요한 내용 또는 참고할 내용은 PLUS ➕ 을 통해 반복함으로써 기억에 도움이 될 수 있도록 하였으며, 예제를 해결하는 데 꼭 필요한 개념을 해법 코드와 셀파로 정리하였습니다.

꼭 알아야 할 필수 유형만 뽑은 셀파 해법

틀렸던 문제 유형이라면 확실하게 이해할 수 있도록 도와줍니다. 또 복습할 때는 개념 설명만 따로 공부할 수 있습니다.

:: 확인 문제

예제에서 익힌 문제 해결 방법을 반복 학습할 수 있도록 예제와 닮은꼴 문제를 제시하였습니다.

확인 문제에서 처음 다루는 내용이나 문제 해결에 필요한 내용은 **MY 셀파**에서 도움말을 제공하여 어려움 없이 문제를 풀 수 있도록 하였습니다.

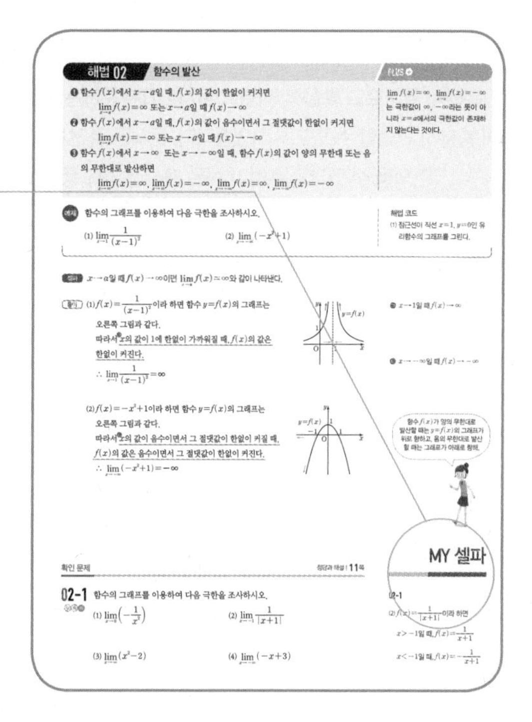
해법 02 함수의 발산

❶ 함수 $f(x)$에서 $x \to a$일 때, $f(x)$의 값이 한없이 커지면 $\lim_{x \to a} f(x) = \infty$ 또는 $x \to a$일 때 $f(x) \to \infty$

❷ 함수 $f(x)$에서 $x \to a$일 때, $f(x)$의 값이 음수이면서 그 절댓값이 한없이 커지면 $\lim_{x \to a} f(x) = -\infty$ 또는 $x \to a$일 때 $f(x) \to -\infty$

예제 함수의 그래프를 이용하여 다음 극한을 조사하시오.

(1) $\lim_{x \to 1} \frac{1}{(x-1)^2}$ (2) $\lim_{x \to \infty} (-x^2+1)$

확인 문제

02-1 함수의 그래프를 이용하여 다음 극한을 조사하시오.

구성과 특징

특별한 강의 셀파 특강

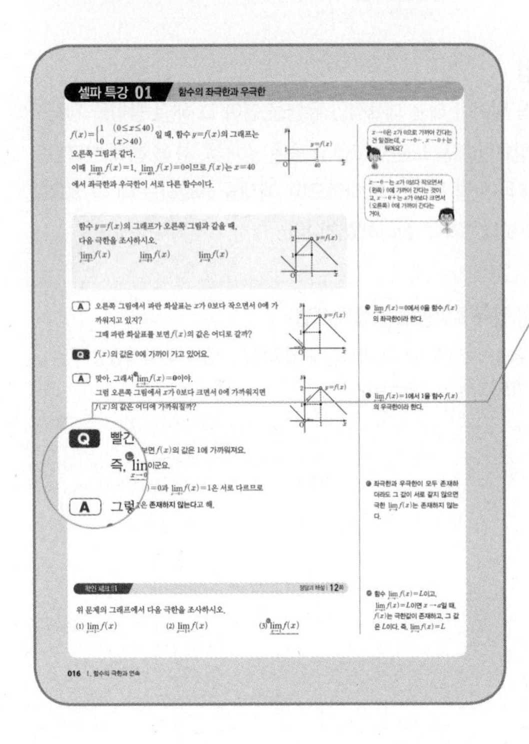

셀파 특강

고등학교 수학에서 꼭 알아야 하지만 개념 정리에서 조금 부족하게 다룬 내용은 대화 형식 또는 집중 탐구 형식으로 셀파 특강을 통해 충분히 학습할 수 있도록 하였습니다.

또 중요한 내용은 확인 체크 01 를 통해 다시 한 번 강조 하였습니다.

- 선생님이 바로 옆에서 가르쳐주는 것처럼 친절한 설명!

집중 연습

반복해서 풀어보고 확실히 익혀두어야 할 기본 문제는 집중 연습 코너를 두어 충분히 연습할 수 있도록 하였습니다. 문제를 풀면서 자연스럽게 공식을 외울 수 있고 실수하기 쉬운 계산 연습도 동시에 할 수 있습니다.

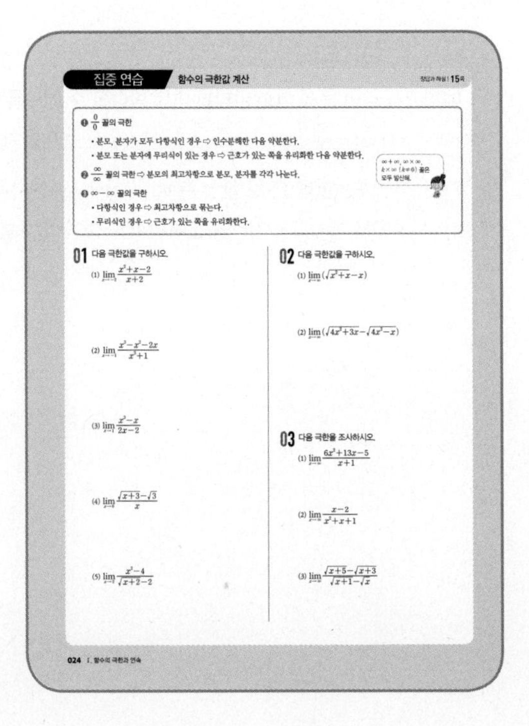

기본을 다지고 실력을 기르는 연습문제

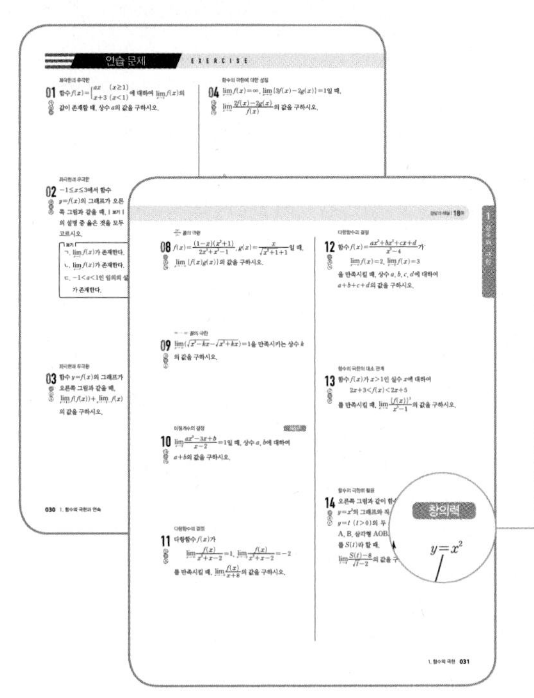

:: 연습 문제

대부분의 책에서 연습 문제는 본문과 조금 동떨어진 어려운 내용을 다뤄 실제로는 효과적인 학습이 이뤄지지 않았습니다. 그러나 셀파 해법수학의 연습 문제에서 제시하는 문제는 앞에서 다룬 내용을 바탕으로 하고 있습니다. 기본을 강화하는 데 도움이 되는 내용과 학교 시험에서 자주 나오는 내용뿐 아니라 실력을 한 단계 높일 수 있는 문제로 알차게 구성하였습니다.

- 창의력 문제, 여러 개념의 통합형 문제, 서술형 문제를 통해 실력을 한층 높일 수 있도록 하였습니다.

:: [별책] 정답과 해설

이해하기 쉽도록 과정을 자세하게 설명하였습니다.
또한 자기 주도 학습에 도움이 되도록 간단한 보충 설명에는 LECTURE 를 깊이 있는 설명이 필요한 부분에 셀파 세미나 를 제시하였습니다.

- 다양한 풀이 방법을 제시하여 사고력을 넓힐 수 있도록 하였습니다.

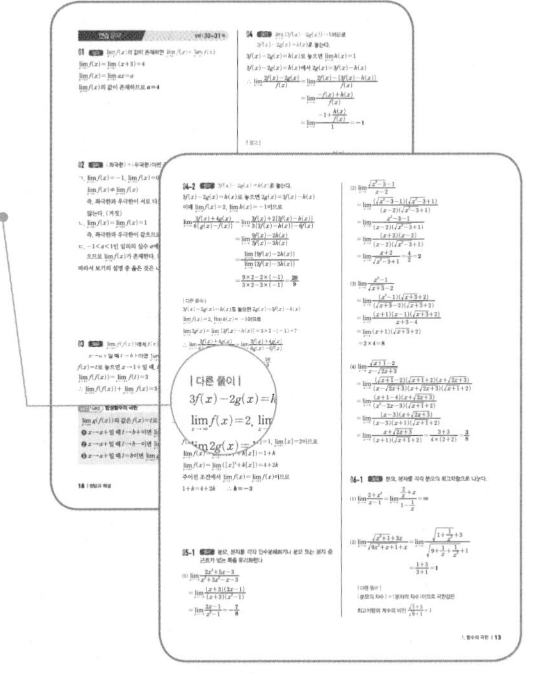

개념 기본서 셀파 해법수학

차례

Ⅰ 함수의 극한과 연속

1 함수의 극한 008

2 함수의 연속 032

Ⅱ 미분

3 미분계수 052

4 도함수 068

5 접선의 방정식과 평균값 정리 084

6 함수의 증가·감소와 극대·극소 100

7 방정식과 부등식, 속도와 가속도 122

Ⅲ 적분

8 부정적분 142

9 정적분 160

10 정적분의 활용 182

셀파 특강 차례

1 함수의 극한

01 함수의 좌극한과 우극한 016
02 가우스 기호를 포함한 함수의 극한 019
03 $x \longrightarrow -\infty$일 때 $x=-t$로 치환해 극한값 구하기 023

2 함수의 연속

01 함수의 연속과 불연속 038
02 불연속인 두 함수의 곱 047

3 미분계수

01 평균변화율과 순간변화율(미분계수) 057
02 그래프가 주어질 때 미분가능성 판단 065

4 도함수

01 미분법의 공식 유도 074
02 곱의 미분법 활용 079

5 접선의 방정식과 평균값 정리

01 롤의 정리의 증명 094
02 평균값 정리의 증명 096

6 함수의 증가·감소와 극대·극소

01 삼차함수 $f(x)$가 증가하면 왜 $f'(x) \geq 0$일까? 107
02 다항함수 $y=f(x)$의 그래프 그리는 방법 112

7 방정식과 부등식, 속도와 가속도

01 주어진 구간에서 부등식이 성립하는 경우 133

8 부정적분

01 함수의 연속과 부정적분 155

9 정적분

01 우함수와 기함수의 정적분 171
02 정적분으로 정의된 함수를 두 번 미분하는 경우 175

10 정적분의 활용

01 이차함수의 그래프와 넓이 192

집중 연습 차례

1 함수의 극한

함수의 극한값 계산 024

2 함수의 연속

함수가 연속일 조건 044

3 미분계수

$h \longrightarrow 0$일 때, 미분계수를 이용한 극한값 계산 061
$f(a), f'(a)$의 값이 주어질 때, 미분계수를 이용한 극한값 계산 063

4 도함수

곱의 미분법 078

6 함수의 증가·감소와 극대·극소

함수의 극대, 극소 114

7 방정식과 부등식, 속도와 가속도

극값의 부호를 이용한 삼차방정식의 근의 판별 131

8 부정적분

부정적분의 계산 150

9 정적분

정적분의 계산 168

먹고 싶은 음식이 너무 많습니다.
와구
와구
왜 울어?
최고 맛집인데
실망이야?
아니, 너무 맛있는
음식이 자꾸 줄어드는 것을
보니 슬퍼서 그래.
네가 먹으니까
없어지지…
실망하지마!
욕심을 반으로 줄이면
영원히 먹을 수
있는 방법이 있으니까.

1

함수의 극한

- 개념 1 $x \longrightarrow a$일 때 함수의 수렴
- 개념 2 $x \longrightarrow \infty$, $x \longrightarrow -\infty$일 때 함수의 수렴
- 개념 3 $x \longrightarrow a$일 때 함수의 발산
- 개념 4 $x \longrightarrow \infty$, $x \longrightarrow -\infty$일 때 함수의 발산
- 개념 5 함수의 좌극한과 우극한
- 개념 6 함수의 극한에 대한 성질
- 개념 7 함수의 극한의 대소 관계

1. 함수의 극한

개념 1 $x \to a$일 때 함수의 수렴

함수 $f(x)$에서 x의 값이 a가 아니면서 a에 한없이 가까워질 때, $f(x)$의 값이 일정한 값 L에 한없이 가까워지면 함수 $f(x)$는 L에 ㉠**수렴**한다고 한다.

이때 ❶ ☐ 을 $x=a$에서의 함수 $f(x)$의 **극한값** 또는 **극한**이라 하고, 기호로 다음과 같이 나타낸다.

㉡ $\lim\limits_{x \to a} f(x)=L$ 또는 $x \to a$일 때 $f(x) \to L$

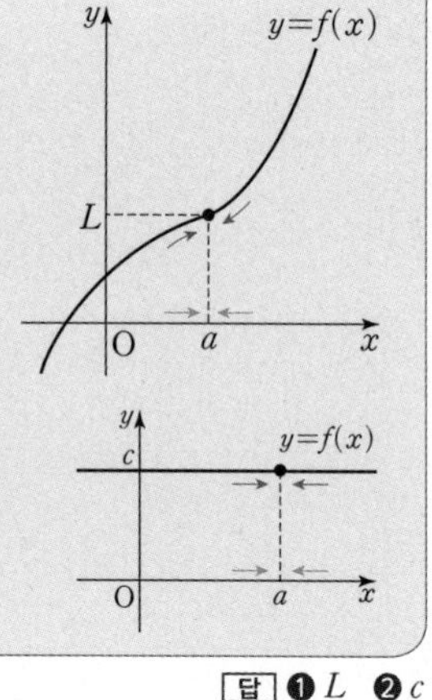

참고 상수함수 $f(x)=c$ (c는 상수)는 모든 실수 x에 대하여 함숫값이 항상 c이므로 a의 값에 관계없이 $\lim\limits_{x \to a} f(x)=\lim\limits_{x \to a} c=$ ❷ ☐

답 ❶ L ❷ c

개념 2 ㉢ $x \to \infty$, $x \to -\infty$일 때 함수의 수렴

(1) 함수 $f(x)$에서 x의 값이 한없이 커질 때, $f(x)$의 값이 일정한 값 L에 한없이 가까워지면 함수 $f(x)$는 L에 수렴한다고 하며, 기호로 다음과 같이 나타낸다.

$\lim\limits_{x \to \infty} f(x)=L$ 또는 $x \to$ ❶ ☐ 일 때 $f(x) \to L$

(2) 함수 $f(x)$에서 x의 값이 음수이면서 그 절댓값이 한없이 커질 때, $f(x)$의 값이 일정한 값 L에 한없이 가까워지면 함수 $f(x)$는 L에 수렴한다고 하며, 기호로 다음과 같이 나타낸다.

$\lim\limits_{x \to -\infty} f(x)=L$ 또는 $x \to$ ❷ ☐ 일 때 $f(x) \to L$

답 ❶ ∞ ❷ $-\infty$

개념 3 $x \to a$일 때 함수의 발산

(1) 함수 $f(x)$에서 $x \to a$일 때, $f(x)$의 값이 한없이 커지면 함수 $f(x)$는 ㉣양의 무한대로 발산한다고 하며, 기호로 다음과 같이 나타낸다.

$\lim\limits_{x \to a} f(x)=\infty$ 또는 $x \to a$일 때 $f(x) \to \infty$

(2) 함수 $f(x)$에서 $x \to a$일 때, $f(x)$의 값이 음수이면서 그 ❶ ☐ 이 한없이 커지면 함수 $f(x)$는 ❷ ☐ 무한대로 **발산**한다고 하며, 기호로 다음과 같이 나타낸다.

$\lim\limits_{x \to a} f(x)=-\infty$ 또는 $x \to a$일 때 $f(x) \to -\infty$

답 ❶ 절댓값 ❷ 음의

개념 4 $x \to \infty$, $x \to -\infty$일 때 함수의 발산

함수 $f(x)$에서 $x \to \infty$ 또는 $x \to -\infty$일 때, 함수 $f(x)$의 값이 양의 무한대 또는 음의 무한대로 발산하면 기호로 다음과 같이 나타낸다.

$\lim\limits_{x \to \infty} f(x)=\infty$, $\lim\limits_{x \to \infty} f(x)=-\infty$, $\lim\limits_{x \to -\infty} f(x)=\infty$, $\lim\limits_{x \to -\infty} f(x)=-\infty$

개념 플러스

㉠ 함수가 수렴할 때, 함수의 극한이 존재한다고 한다.

㉡ 함수 $f(x)$가 $x=a$에서 정의되지 않아도 $\lim\limits_{x \to a} f(x)$는 존재할 수 있다.

㉢ 함수 $f(x)=\dfrac{1}{x}$의 그래프에서

$\lim\limits_{x \to \infty} \dfrac{1}{x}=\lim\limits_{x \to -\infty} \dfrac{1}{x}=0$

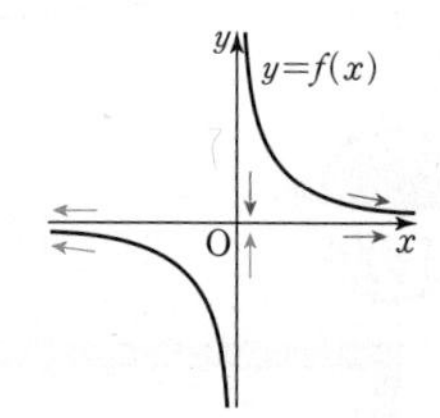

∞는 한없이 커짐을 뜻하는 기호로 무한대라 읽어.

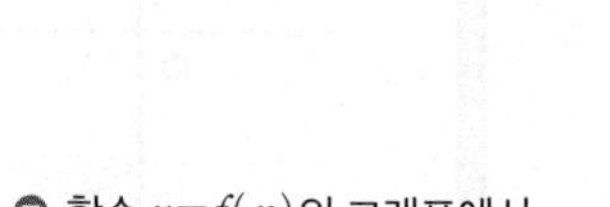

㉣ 함수 $y=f(x)$의 그래프에서 $x \to a$일 때, 함수 $f(x)$는 양의 무한대로 발산한다.

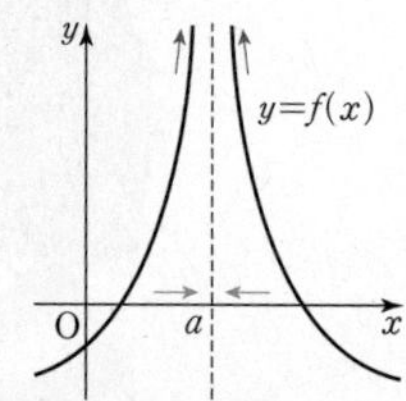

1-1 | 함수의 수렴 |

함수 $y=f(x)$의 그래프가 오른쪽 그림과 같을 때, 다음 극한값을 구하시오.

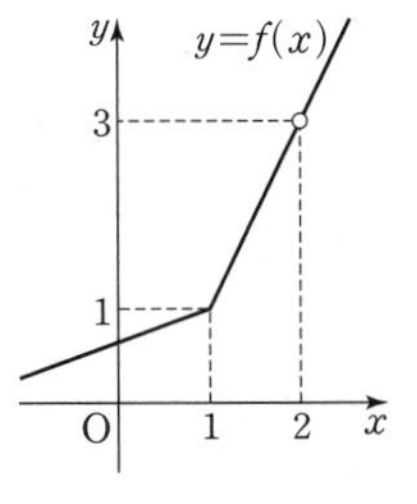

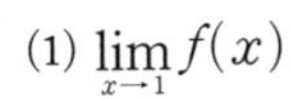

(1) $\lim_{x\to1}f(x)$

(2) $\lim_{x\to2}f(x)$

연구

(1) x의 값이 1에 한없이 가까워질 때, $f(x)$의 값은 $\square$에 한없이 가까워진다.

$\therefore \lim_{x\to1}f(x)=\square$

(2) x의 값이 2에 한없이 가까워질 때, $f(x)$의 값은 $\square$에 한없이 가까워진다.

$\therefore \lim_{x\to2}f(x)=\square$

1-2 | 따라풀기 |

함수 $y=f(x)$의 그래프가 오른쪽 그림과 같을 때, 다음 극한값을 구하시오.

(1) $\lim_{x\to\infty}f(x)$

(2) $\lim_{x\to-\infty}f(x)$

풀이

2-1 | 함수의 발산 |

함수 $y=f(x)$의 그래프가 오른쪽 그림과 같을 때, 극한 $\lim_{x\to0}f(x)$를 조사하시오.

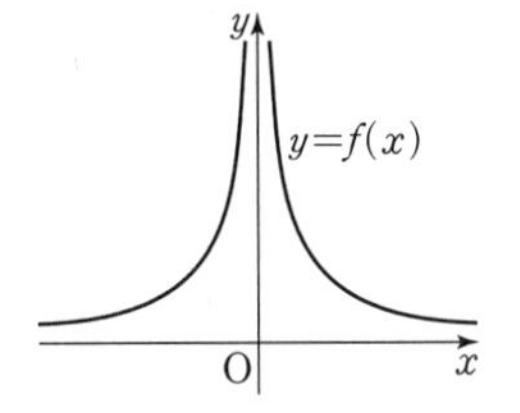

연구

함수 $y=f(x)$의 그래프는 오른쪽 그림에서 x의 값이 $\square$에 한없이 가까워질 때, $f(x)$의 값은 한없이 커지므로 함수 $f(x)$는 양의 무한대로 발산한다.

$\therefore \lim_{x\to0}f(x)=\square$

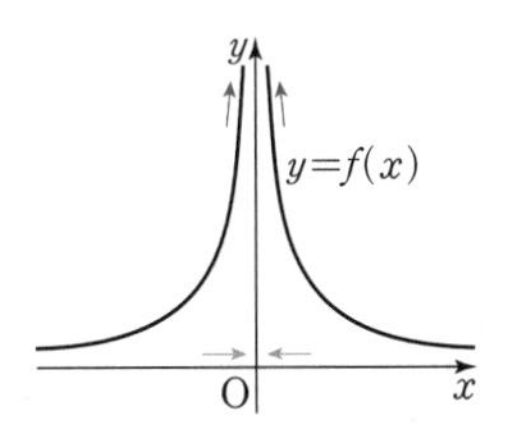

2-2 | 따라풀기 |

함수 $y=f(x)$의 그래프가 오른쪽 그림과 같을 때, 다음 극한을 조사하시오.

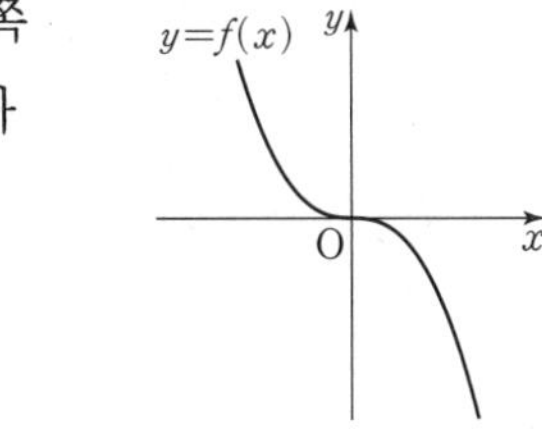

(1) $\lim_{x\to\infty}f(x)$

(2) $\lim_{x\to-\infty}f(x)$

풀이

개념 5 함수의 좌극한과 우극한

(1) 함수 $f(x)$에서 x의 값이 a보다 작으면서 a에 한없이 가까워질 때, 함수 $f(x)$의 값이 일정한 값 L에 한없이 가까워지면 L을 $x=a$에서의 함수 $f(x)$의 **좌극한**이라 하고, 기호로 다음과 같이 나타낸다.

$\lim_{x\to a-} f(x)=L$ 또는 $x\to$ ❶ ☐ 일 때 $f(x)\to L$

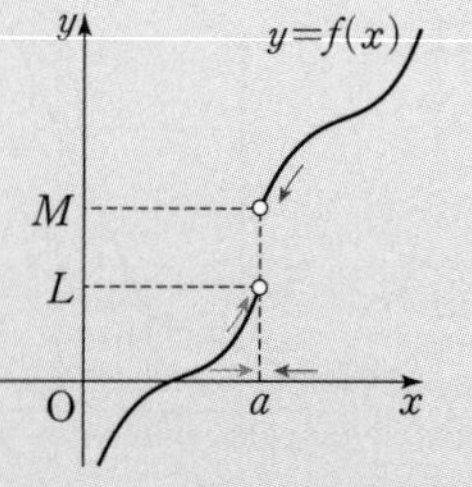

(2) 함수 $f(x)$에서 x의 값이 a보다 크면서 a에 한없이 가까워질 때, 함수 $f(x)$의 값이 일정한 값 M에 한없이 가까워지면 M을 $x=a$에서의 함수 $f(x)$의 **우극한**이라 하고, 기호로 다음과 같이 나타낸다.

$\lim_{x\to a+} f(x)=M$ 또는 $x\to a+$일 때 $f(x)\to M$

(3) ㉠ $\lim_{x\to a} f(x)=L \iff \lim_{x\to a-} f(x)=\lim_{x\to a+} f(x)=$ ❷ ☐

답 ❶ $a-$ ❷ L

해설 오른쪽 그림에서 x의 값이 1보다 작으면서 1에 한없이 가까워질 때, 함수 $f(x)$의 값은 -1에 한없이 가까워진다. 또 x의 값이 1보다 크면서 1에 한없이 가까워질 때, 함수 $f(x)$의 값은 0에 한없이 가까워진다.
즉, ㉡ $\lim_{x\to 1-} f(x)\neq\lim_{x\to 1+} f(x)$이므로 극한 $\lim_{x\to 1} f(x)$는 존재하지 않는다.

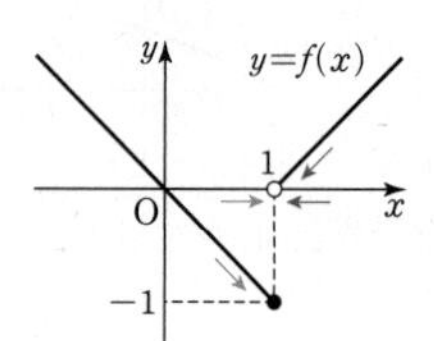

개념 6 ㉢ 함수의 극한에 대한 성질

$\lim_{x\to a} f(x)=L$, $\lim_{x\to a} g(x)=M$ (L, M은 실수)일 때

❶ $\lim_{x\to a} cf(x)=c\lim_{x\to a} f(x)=cL$ (단, c는 상수)

❷ $\lim_{x\to a} \{f(x)\pm g(x)\}=\lim_{x\to a} f(x)\pm\lim_{x\to a} g(x)=L\pm$ ❶ ☐ (복부호 동순)

❸ $\lim_{x\to a} \{f(x)g(x)\}=\lim_{x\to a} f(x)\lim_{x\to a} g(x)=LM$

❹ $\lim_{x\to a} \dfrac{f(x)}{g(x)}=\dfrac{\lim_{x\to a} f(x)}{\lim_{x\to a} g(x)}=\dfrac{❷ ☐}{M}$ (단, $M\neq 0$)

답 ❶ M ❷ L

함수의 극한에 대한 성질은 극한값이 존재할 때만 성립해.

보기 $\lim_{x\to 1} (2x^2-x+3)$의 극한값을 구하시오.

연구 $\lim_{x\to 1} (2x^2-x+3)=2\lim_{x\to 1} x^2-\lim_{x\to 1} x+\lim_{x\to 1} 3=2-1+3=\mathbf{4}$

개념 7 ㉣ 함수의 극한의 대소 관계

$\lim_{x\to a} f(x)=L$, $\lim_{x\to a} g(x)=M$일 때, a에 가까운 모든 실수 x에 대하여

❶ ㉤ $f(x)\le g(x)$이면 $L\le M$

❷ $f(x)\le h(x)\le g(x)$이고 $L=M$이면 $\lim_{x\to a} h(x)=L$

개념 플러스

㉠ 함수 $f(x)$의 $x=a$에서의 극한값이 L이면 함수의 극한의 정의에 의하여 $x=a$에서의 좌극한과 우극한이 각각 존재하면서 그 값이 모두 L과 같다.
또 그 역도 성립한다.

㉡ 함수 $f(x)$의 $x=a$에서의 좌극한과 우극한이 각각 존재하더라도 그 값이 서로 다르면 극한 $\lim_{x\to a} f(x)$는 존재하지 않는다.

㉢ 함수의 극한에 대한 성질은 $x\to a-$, $x\to a+$, $x\to\infty$, $x\to-\infty$일 때도 성립한다.

㉣ 함수의 극한의 대소 관계는 $x\to a-$, $x\to a+$, $x\to\infty$, $x\to-\infty$일 때도 성립한다.

㉤ $f(x)<g(x)$인 경우 반드시 $\lim_{x\to a} f(x)<\lim_{x\to a} g(x)$인 것은 아니다.

3-1 | 함수의 좌극한과 우극한 |

함수 $y=f(x)$의 그래프가 오른쪽 그림과 같을 때, 다음 극한값을 구하시오.

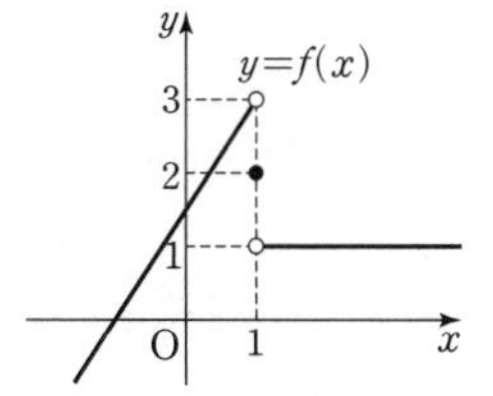

(1) $\lim_{x\to1-}f(x)$

(2) $\lim_{x\to1+}f(x)$

연구

(1) x의 값이 1보다 작으면서 1에 한없이 가까워질 때, $f(x)$의 값은 $\square$에 한없이 가까워진다.

$\therefore \lim_{x\to1-}f(x)=\square$

(2) x의 값이 1보다 크면서 1에 한없이 가까워질 때, $f(x)$의 값은 $\square$에 한없이 가까워진다.

$\therefore \lim_{x\to1+}f(x)=\square$

3-2 | 따라풀기 |

함수 $y=f(x)$의 그래프가 오른쪽 그림과 같을 때, 다음 극한값을 구하시오.

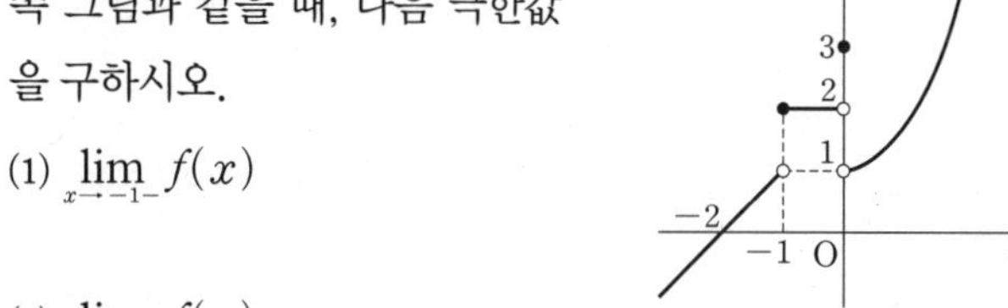

(1) $\lim_{x\to-1-}f(x)$

(2) $\lim_{x\to-1+}f(x)$

(3) $\lim_{x\to0-}f(x)$

(4) $\lim_{x\to0+}f(x)$

풀이

4-1 | 함수의 극한에 대한 성질 |

다음 극한값을 구하시오.

(1) $\lim_{x\to-1}(x-1)(x+3)$

(2) $\lim_{x\to-1}\dfrac{-3x+1}{x+2}$

연구

(1) $\lim_{x\to-1}(x-1)(x+3)=\lim_{x\to-1}(x-1)\times\lim_{x\to-1}(\square)$

$=(-1-1)\times(-1+3)$

$=-2\times2=\square$

(2) $\lim_{x\to-1}\dfrac{-3x+1}{x+2}=\dfrac{\lim_{x\to-1}(-3x+1)}{\lim_{x\to-1}(x+2)}$

$=\dfrac{\square\lim_{x\to-1}x+\lim_{x\to-1}1}{\lim_{x\to-1}x+\lim_{x\to-1}2}$

$=\dfrac{-3\times(-1)+1}{-1+2}=\square$

4-2 | 따라풀기 |

다음 극한값을 구하시오.

(1) $\lim_{x\to1}(3x+2)$

(2) $\lim_{x\to0}(x^2+5)$

(3) $\lim_{x\to3}\dfrac{x-2}{2x+3}$

(4) $\lim_{x\to2}\dfrac{-4}{(x-1)^2}$

풀이

해법 01 함수의 수렴

❶ 함수 $f(x)$에서 $x \to a$일 때, $f(x)$의 값이 일정한 값 L에 한없이 가까워지면

$\lim_{x \to a} f(x) = L$ 또는 $x \to a$일 때 $f(x) \to L$

❷ 함수 $f(x)$에서 $x \to \infty$일 때, $f(x)$의 값이 일정한 값 L에 한없이 가까워지면

$\lim_{x \to \infty} f(x) = L$ 또는 $x \to \infty$일 때 $f(x) \to L$

❸ 함수 $f(x)$에서 $x \to -\infty$일 때, $f(x)$의 값이 일정한 값 L에 한없이 가까워지면

$\lim_{x \to -\infty} f(x) = L$ 또는 $x \to -\infty$일 때 $f(x) \to L$

PLUS

❶ $x \to a$는 x의 값이 a가 아니면서 a에 한없이 가까워짐을 뜻한다.
❷ x의 값이 한없이 커지는 것을 $x \to \infty$와 같이 나타낸다.
❸ x의 값이 음수이면서 그 절댓값이 한없이 커지는 것을 $x \to -\infty$와 같이 나타낸다.

예제 함수의 그래프를 이용하여 다음 극한값을 구하시오.

(1) $\lim_{x \to -2} \frac{x^2+x-2}{x+2}$ (2) $\lim_{x \to \infty} \frac{1}{x+2}$

해법 코드
(1) $x^2+x-2=(x+2)(x-1)$
(2) 점근선이 직선 $x=-2$, $y=0$인 유리함수의 그래프를 그린다.

셀파 $x \to a$일 때, $f(x) \to L$이면 $\lim_{x \to a} f(x) = L$과 같이 나타낸다.

풀이 (1) ㉠ $f(x) = \frac{x^2+x-2}{x+2}$라 하면 $x \neq -2$일 때

$f(x) = \frac{(x+2)(x-1)}{x+2} = x-1$

이므로 함수 $y=f(x)$의 그래프는 오른쪽 그림과 같다.

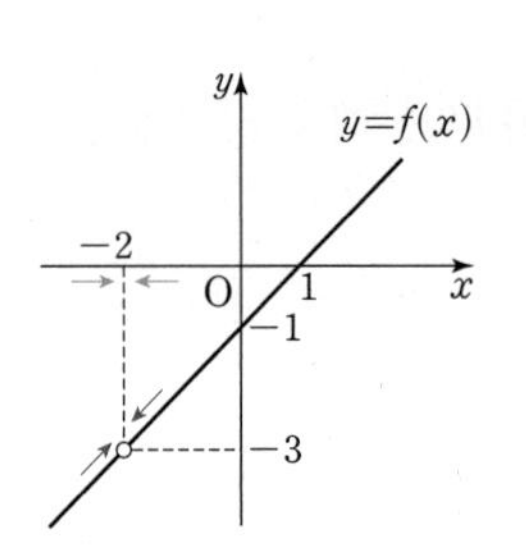

따라서 ㉡ x의 값이 -2에 한없이 가까워질 때, $f(x)$의 값은 -3에 한없이 가까워진다.

$\therefore \lim_{x \to -2} \frac{x^2+x-2}{x+2} = \mathbf{-3}$

㉠ 함수 $f(x)$는 $x=-2$에서 정의되지 않는다.

㉡ $x \to -2$일 때 $f(x) \to -3$

(2) $f(x) = \frac{1}{x+2}$이라 하면 함수 $y=f(x)$의 그래프는 오른쪽 그림과 같다.

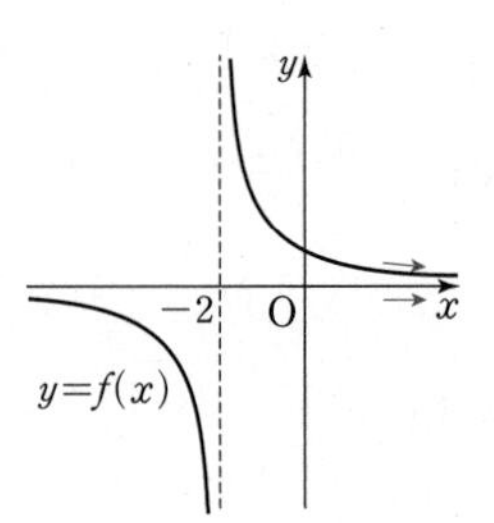

㉢ x의 값이 한없이 커질 때, $f(x)$의 값은 0에 한없이 가까워진다.

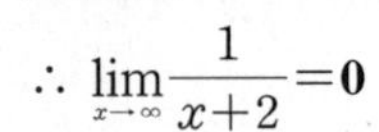
$\therefore \lim_{x \to \infty} \frac{1}{x+2} = \mathbf{0}$

㉢ $x \to \infty$일 때 $f(x) \to 0$

확인 문제

정답과 해설 | 11쪽

01-1 상중하 함수의 그래프를 이용하여 다음 극한값을 구하시오.

(1) $\lim_{x \to -1} (x^2+x)$ (2) $\lim_{x \to 2} \frac{x^2+x-6}{x-2}$

(3) $\lim_{x \to \infty} \frac{1}{x^2}$ (4) $\lim_{x \to -\infty} \frac{3x+1}{x}$

MY 셀파

01-1
(2) $x^2+x-6=(x+3)(x-2)$
(4) $\frac{3x+1}{x} = \frac{1}{x}+3$

해법 02 함수의 발산

❶ 함수 $f(x)$에서 $x \to a$일 때, $f(x)$의 값이 한없이 커지면

$\lim_{x \to a} f(x)=\infty$ 또는 $x \to a$일 때 $f(x) \to \infty$

❷ 함수 $f(x)$에서 $x \to a$일 때, $f(x)$의 값이 음수이면서 그 절댓값이 한없이 커지면

$\lim_{x \to a} f(x)=-\infty$ 또는 $x \to a$일 때 $f(x) \to -\infty$

❸ 함수 $f(x)$에서 $x \to \infty$ 또는 $x \to -\infty$일 때, 함수 $f(x)$의 값이 양의 무한대 또는 음의 무한대로 발산하면

$\lim_{x \to \infty} f(x)=\infty$, $\lim_{x \to \infty} f(x)=-\infty$, $\lim_{x \to -\infty} f(x)=\infty$, $\lim_{x \to -\infty} f(x)=-\infty$

PLUS ⊕

$\lim_{x \to a} f(x)=\infty$, $\lim_{x \to a} f(x)=-\infty$는 극한값이 ∞, $-\infty$라는 뜻이 아니라 $x=a$에서의 극한값이 존재하지 않는다는 것이다.

예제 함수의 그래프를 이용하여 다음 극한을 조사하시오.

(1) $\lim_{x \to 1} \frac{1}{(x-1)^2}$　　(2) $\lim_{x \to -\infty} (-x^2+1)$

해법 코드
(1) 점근선이 직선 $x=1$, $y=0$인 유리함수의 그래프를 그린다.

셀파 $x \to a$일 때, $f(x) \to \infty$이면 $\lim_{x \to a} f(x)=\infty$와 같이 나타낸다.

풀이 (1) $f(x)=\frac{1}{(x-1)^2}$이라 하면 함수 $y=f(x)$의 그래프는 오른쪽 그림과 같다.

따라서 ㉠x의 값이 1에 한없이 가까워질 때, $f(x)$의 값은 한없이 커진다.

$\therefore \lim_{x \to 1} \frac{1}{(x-1)^2}=\infty$

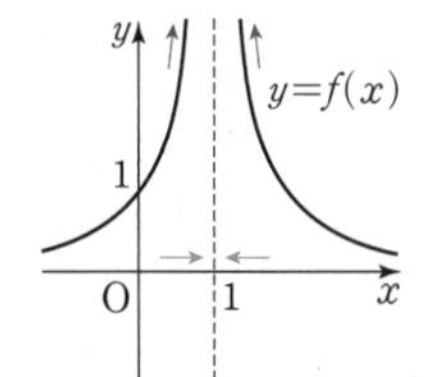

㉠ $x \to 1$일 때 $f(x) \to \infty$

(2) $f(x)=-x^2+1$이라 하면 함수 $y=f(x)$의 그래프는 오른쪽 그림과 같다.

따라서 ㉡x의 값이 음수이면서 그 절댓값이 한없이 커질 때, $f(x)$의 값은 음수이면서 그 절댓값이 한없이 커진다.

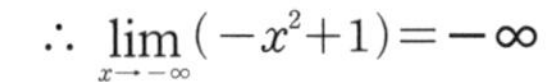
$\therefore \lim_{x \to -\infty} (-x^2+1)=-\infty$

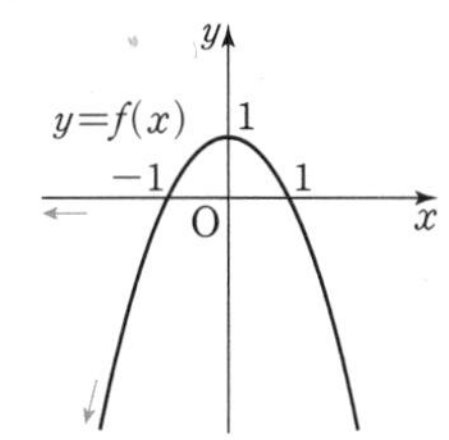

㉡ $x \to -\infty$일 때 $f(x) \to -\infty$

함수 $f(x)$가 양의 무한대로 발산할 때는 $y=f(x)$의 그래프가 위로 향하고, 음의 무한대로 발산할 때는 그래프가 아래로 향해.

확인 문제

정답과 해설 | 11쪽

02-1 함수의 그래프를 이용하여 다음 극한을 조사하시오.
상중하

(1) $\lim_{x \to 0} \left(-\frac{1}{x^2}\right)$　　(2) $\lim_{x \to -1} \frac{1}{|x+1|}$

(3) $\lim_{x \to \infty} (x^2-2)$　　(4) $\lim_{x \to -\infty} (-x+3)$

MY 셀파

02-1

(2) $f(x)=\frac{1}{|x+1|}$이라 하면

$x>-1$일 때, $f(x)=\frac{1}{x+1}$

$x<-1$일 때, $f(x)=-\frac{1}{x+1}$

셀파 특강 01 함수의 좌극한과 우극한

$f(x)=\begin{cases}1 & (0\le x\le 40)\\ 0 & (x>40)\end{cases}$ 일 때, 함수 $y=f(x)$의 그래프는 오른쪽 그림과 같다.

이때 $\lim_{x\to 40-}f(x)=1$, $\lim_{x\to 40+}f(x)=0$이므로 $f(x)$는 $x=40$에서 좌극한과 우극한이 서로 다른 함수이다.

$x\to 0$은 x가 0으로 가까이 간다는 건 알겠는데, $x\to 0-$, $x\to 0+$는 뭐예요?

$x\to 0-$는 x가 0보다 작으면서 (왼쪽) 0에 가까이 간다는 것이고, $x\to 0+$는 x가 0보다 크면서 (오른쪽) 0에 가까이 간다는 거야.

함수 $y=f(x)$의 그래프가 오른쪽 그림과 같을 때, 다음 극한을 조사하시오.

$\lim_{x\to 0-}f(x)$ $\lim_{x\to 0+}f(x)$ $\lim_{x\to 0}f(x)$

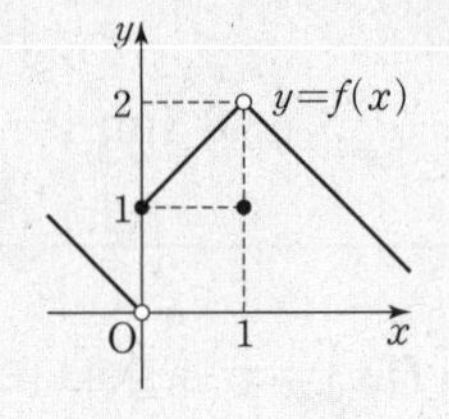

A 오른쪽 그림에서 파란 화살표는 x가 0보다 작으면서 0에 가까워지고 있지?
그때 파란 화살표를 보면 $f(x)$의 값은 어디로 갈까?

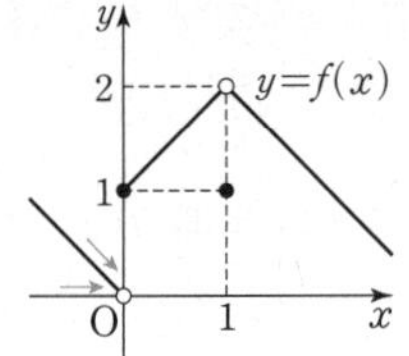
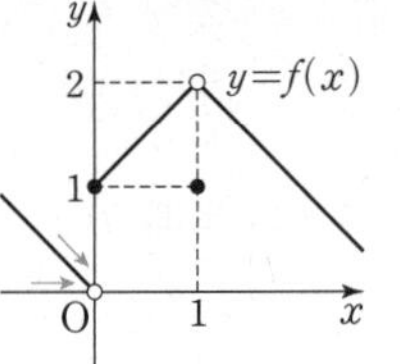

Q $f(x)$의 값은 0에 가까이 가고 있어요.

A 맞아. 그래서 ㉠$\lim_{x\to 0-}f(x)=\mathbf{0}$이야.
그럼 오른쪽 그림에서 x가 0보다 크면서 0에 가까워지면 $f(x)$의 값은 어디에 가까워질까?

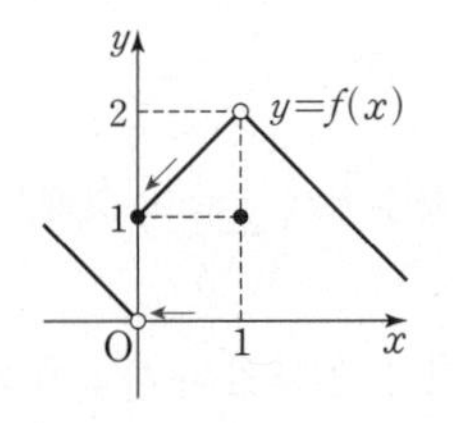

Q 빨간 화살표를 보면 $f(x)$의 값은 1에 가까워져요.
즉, ㉡$\lim_{x\to 0+}f(x)=\mathbf{1}$이군요.

A 그렇지. $\lim_{x\to 0-}f(x)=0$과 $\lim_{x\to 0+}f(x)=1$은 서로 다르므로 ㉢$\lim_{x\to 0}f(x)$의 값은 **존재하지 않는다**고 해.

㉠ $\lim_{x\to 0-}f(x)=0$에서 0을 함수 $f(x)$의 좌극한이라 한다.

㉡ $\lim_{x\to 0+}f(x)=1$에서 1을 함수 $f(x)$의 우극한이라 한다.

㉢ 좌극한과 우극한이 모두 존재하더라도 그 값이 서로 같지 않으면 극한 $\lim_{x\to 0}f(x)$는 존재하지 않는다.

확인 체크 01 정답과 해설 | 12쪽

위 문제의 그래프에서 다음 극한을 조사하시오.

(1) $\lim_{x\to 1-}f(x)$ (2) $\lim_{x\to 1+}f(x)$ (3) ㉣$\lim_{x\to 1}f(x)$

㉣ 함수 $\lim_{x\to a-}f(x)=L$이고, $\lim_{x\to a+}f(x)=L$이면 $x\to a$일 때, $f(x)$는 극한값이 존재하고, 그 값은 L이다. 즉, $\lim_{x\to a}f(x)=L$

해법 03 좌극한과 우극한

유리함수, 절댓값 기호를 포함한 함수와 같은 특수한 꼴의 함수인 경우에는 좌극한과 우극한이 각각 존재하더라도 그 값이 서로 다르면 극한값이 존재하지 않는다.
즉, 좌극한과 우극한이 같을 때만 극한값이 존재한다.

❶ $\lim_{x\to a-}f(x)=\lim_{x\to a+}f(x)$ ⇨ 극한 $\lim_{x\to a}f(x)$는 존재한다.
❷ $\lim_{x\to a-}f(x)\neq\lim_{x\to a+}f(x)$ ⇨ 극한 $\lim_{x\to a}f(x)$는 존재하지 않는다.

PLUS ⊕
$x\to a-$는 x의 값이 a보다 작으면서 a에 가까워지는 것을 나타내고, $x\to a+$는 x의 값이 a보다 크면서 a에 가까워지는 것을 나타낸다.

예제 함수의 그래프를 이용하여 다음 극한을 조사하시오.

(1) $\lim_{x\to 0}\frac{|x|}{x}$ (2) $\lim_{x\to -1}\frac{(x+1)^2}{|x+1|}$

해법 코드
(2) $x\neq -1$일 때
$\frac{(x+1)^2}{|x+1|}=|x+1|$

셀파 $\lim_{x\to a-}f(x)=\lim_{x\to a+}f(x)=L \Longleftrightarrow \lim_{x\to a}f(x)=L$

풀이 (1) 함수 ㉠ $y=\frac{|x|}{x}=\begin{cases}1 & (x>0)\\ -1 & (x<0)\end{cases}$ 의 그래프는 오른쪽 그림과 같다.

좌극한은 $\lim_{x\to 0-}\frac{|x|}{x}=-1$, 우극한은 $\lim_{x\to 0+}\frac{|x|}{x}=1$

따라서 $\lim_{x\to 0-}\frac{|x|}{x}\neq\lim_{x\to 0+}\frac{|x|}{x}$이므로 $\lim_{x\to 0}\frac{|x|}{x}$는 **존재하지 않는다.**

㉠ $x\neq 0$이므로
$|x|=\begin{cases}x & (x>0)\\ -x & (x<0)\end{cases}$

(2) ㉡ $x\neq -1$일 때, 함수 $y=\frac{(x+1)^2}{|x+1|}=|x+1|$의 그래프는 오른쪽 그림과 같다.

좌극한은 $\lim_{x\to -1-}|x+1|=0$, 우극한은 $\lim_{x\to -1+}|x+1|=0$

따라서 $\lim_{x\to -1-}|x+1|=\lim_{x\to -1+}|x+1|=0$이므로

$\lim_{x\to -1}\frac{(x+1)^2}{|x+1|}=\mathbf{0}$

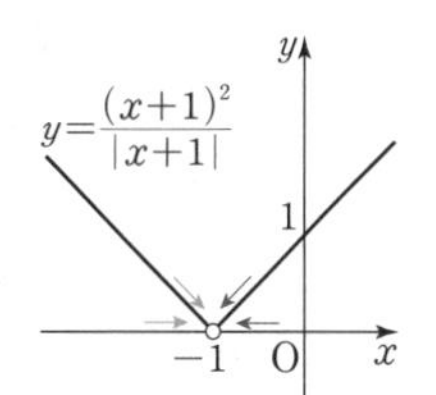

㉡ $x\to a$는 $x\neq a$임을 뜻한다.
$x\to -1$일 때 $x+1\neq 0$이므로 분모, 분자를 $|x+1|$로 약분하면
$\frac{(x+1)^2}{|x+1|}=\frac{|x+1|^2}{|x+1|}=|x+1|$

확인 문제

정답과 해설 | 12쪽

03-1 상중하
함수의 그래프를 이용하여 다음 극한을 조사하시오.

(1) $\lim_{x\to 0}(|x|-1)$ (2) $\lim_{x\to 1}\frac{x-1}{|x-1|}$ (3) $\lim_{x\to 1}\frac{x^2-x}{|x-1|}$

MY 셀파

03-1
절댓값 기호를 포함한 함수는 절댓값 기호 안의 식의 값이 0이 되는 x의 값을 기준으로 범위를 나누어 생각한다.

해법 04 함수의 극한에 대한 성질

두 함수 $f(x)$, $g(x)$에 대하여 $\lim_{x\to a}f(x)=L$, $\lim_{x\to a}g(x)=M$ (L, M은 실수)일 때

❶ $\lim_{x\to a}cf(x)=cL$ (단, c는 상수)

❷ $\lim_{x\to a}\{f(x)\pm g(x)\}=L\pm M$ (복부호 동순)

❸ $\lim_{x\to a}\{f(x)g(x)\}=LM$

❹ $\lim_{x\to a}\dfrac{f(x)}{g(x)}=\dfrac{L}{M}$ (단, $M\neq0$)

PLUS

함수의 극한에 대한 성질은 극한값이 존재할 때만 성립한다.

예제 두 함수 $f(x)$, $g(x)$에 대하여 $\lim_{x\to a}f(x)=-2$, $\lim_{x\to a}\{g(x)-f(x)\}=6$일 때,

$\lim_{x\to a}\dfrac{2f(x)-g(x)}{f(x)+g(x)}$의 값을 구하시오.

해법 코드

$g(x)-f(x)=h(x)$로 놓으면

$\lim_{x\to a}h(x)=6$이다.

셀파 두 함수의 합, 차, 곱, 몫의 극한 ⇨ 함수의 극한에 대한 성질을 이용한다.

풀이 $g(x)-f(x)=h(x)$로 놓으면 $g(x)=f(x)+h(x)$

이때 $\lim_{x\to a}f(x)=-2$, $\lim_{x\to a}h(x)=6$

$$\therefore \lim_{x\to a}\frac{2f(x)-g(x)}{f(x)+g(x)}=\lim_{x\to a}\frac{2f(x)-\{f(x)+h(x)\}}{f(x)+\{f(x)+h(x)\}}$$

$$=\lim_{x\to a}\frac{f(x)-h(x)}{2f(x)+h(x)}$$

$$=\frac{\lim_{x\to a}\{f(x)-h(x)\}}{\lim_{x\to a}\{2f(x)+h(x)\}}$$

$$=\frac{-2-6}{2\times(-2)+6}=\frac{-8}{2}=\mathbf{-4}$$

다른 풀이

$g(x)-f(x)=h(x)$로 놓으면

$g(x)=f(x)+h(x)$이고

$\lim_{x\to a}f(x)=-2$, $\lim_{x\to a}h(x)=6$

이므로

$\lim_{x\to a}g(x)=\lim_{x\to a}\{f(x)+h(x)\}$

$=-2+6=4$

$\therefore \lim_{x\to a}\dfrac{2f(x)-g(x)}{f(x)+g(x)}$

$=\dfrac{2\times(-2)-4}{-2+4}$

$=\dfrac{-8}{2}=-4$

확인 문제

정답과 해설 | 12쪽

04-1 다음 극한값을 구하시오.

상중하

(1) $\lim_{x\to-2}(x^2+1)(x^3-3x^2+5x)$

(2) $\lim_{x\to1}\dfrac{x+1}{x^2+x-6}$

04-2 두 함수 $f(x)$, $g(x)$에 대하여 $\lim_{x\to\infty}f(x)=2$, $\lim_{x\to\infty}\{3f(x)-2g(x)\}=-1$일 때,

상중하

$\lim_{x\to\infty}\dfrac{3f(x)+4g(x)}{6\{g(x)-f(x)\}}$의 값을 구하시오.

MY 셀파

04-1

(1) x 대신 -2를 대입한다.

(2) x 대신 1을 대입한다.

04-2

$3f(x)-2g(x)=h(x)$로 놓으면

$2g(x)=3f(x)-h(x)$이다.

셀파 특강 02 가우스 기호를 포함한 함수의 극한

A $[x]$는 x보다 크지 않은 최대의 정수일 때, 오른쪽 그래프 $y=[x]$에서 $x\to0-$일 때와 $x\to0+$일 때의 극한값을 구해 볼래?

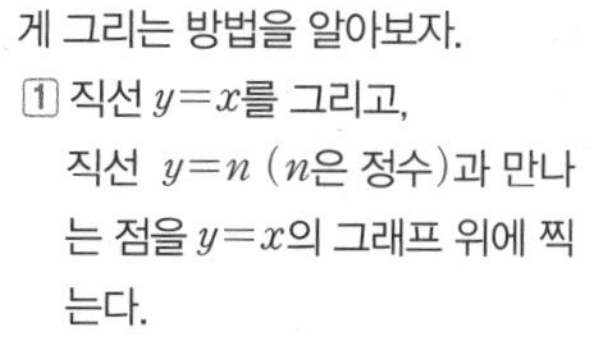

Q x가 0보다 작으면서 0에 가까워질 때 극한값은 -1이고, x가 0보다 크면서 0에 가까워질 때 극한값은 0이에요.

A 잘했어. 이걸 기호로 나타내면 $\lim_{x\to0-}[x]=-1$, $\lim_{x\to0+}[x]=0$이야.
또 $x\to1-$, $x\to1+$일 때의 극한값과 $x\to2-$, $x\to2+$일 때의 극한값을 구해 보면 $\lim_{x\to1-}[x]=0$, $\lim_{x\to1+}[x]=1$, $\lim_{x\to2-}[x]=1$, $\lim_{x\to2+}[x]=2$야.
이와 같이 가우스 기호를 포함한 함수 $y=[x]$는 정수 n을 기준으로 그 값이 달라져.
즉, 정수 n에 대하여 $\lim_{x\to n-}[x]=n-1$, $\lim_{x\to n+}[x]=n$이 성립하지.

Q 가우스 기호를 포함한 함수 $y=[x]$의 극한값은 정수 n에 대하여 $x\to n$일 때, 좌극한과 우극한이 항상 다르군요.

A 맞아. 그러니까 $x\to n$(n은 정수)일 때 가우스 기호를 포함한 함수의 극한을 구하는 문제에서는 좌극한과 우극한을 각각 구해서 비교해 봐야 해.
다음 예제를 풀어 보자.

▶ 가우스 기호 $[x]$는 x보다 크지 않은 최대의 정수를 말하므로 $[x]$는 x의 정수 부분을 의미한다.
이때 함수 $y=[x]$의 그래프를 쉽게 그리는 방법을 알아보자.
① 직선 $y=x$를 그리고, 직선 $y=n$ (n은 정수)과 만나는 점을 $y=x$의 그래프 위에 찍는다.

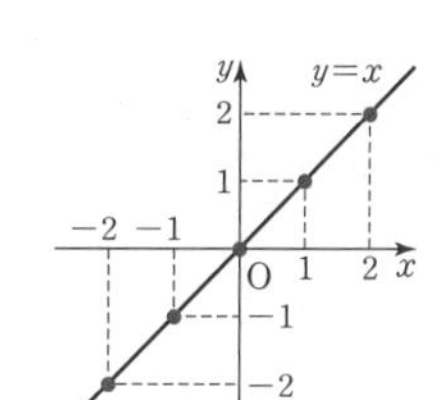

② 직선 $y=x$에서 정수 사이의 함숫값들은 가우스 기호의 정의에 따라 자신보다 작은 정수로 내려 함수 $y=[x]$의 그래프를 완성한다.

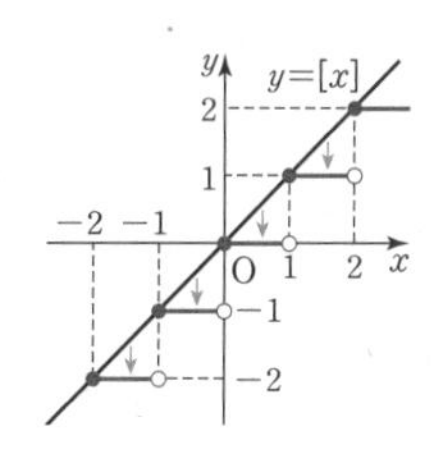

극한 $\lim_{x\to3}\dfrac{[x]^2+[x]}{x^2-x}$를 조사하시오.
(단, $[x]$는 x보다 크지 않은 최대의 정수이다.)

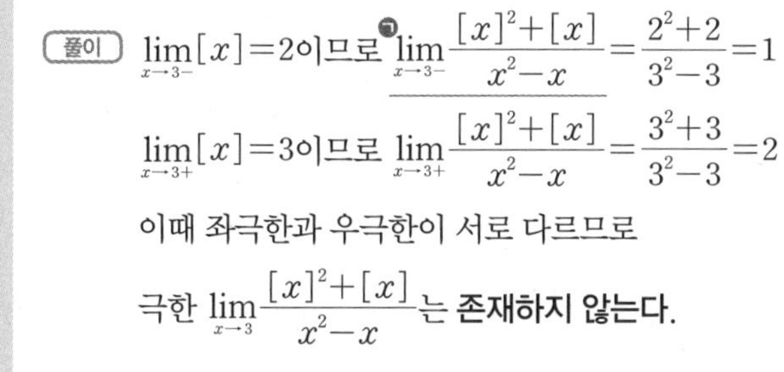

풀이 $\lim_{x\to3-}[x]=2$이므로 ㉠ $\lim_{x\to3-}\dfrac{[x]^2+[x]}{x^2-x}=\dfrac{2^2+2}{3^2-3}=1$

$\lim_{x\to3+}[x]=3$이므로 $\lim_{x\to3+}\dfrac{[x]^2+[x]}{x^2-x}=\dfrac{3^2+3}{3^2-3}=2$

이때 좌극한과 우극한이 서로 다르므로

극한 $\lim_{x\to3}\dfrac{[x]^2+[x]}{x^2-x}$는 **존재하지 않는다.**

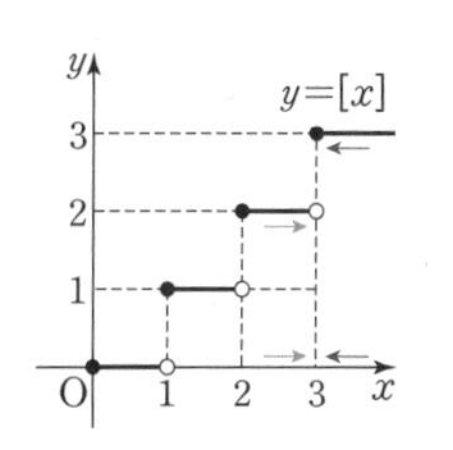

㉠ $\lim_{x\to3-}[x]^2$
$=\lim_{x\to3-}([x]\times[x])$
$=(\lim_{x\to3-}[x])\times(\lim_{x\to3-}[x])$
$=(\lim_{x\to3-}[x])^2=2^2=4$

확인 체크 02 정답과 해설 | 13쪽

함수 ㉡ $f(x)=[x]^2+k[x]$에 대하여 $\lim_{x\to2-}f(x)=\lim_{x\to2+}f(x)$를 만족시키는 상수 k의 값을 구하시오. (단, $[x]$는 x보다 크지 않은 최대의 정수이다.)

㉡ $\lim_{x\to2-}[x]=1$, $\lim_{x\to2+}[x]=2$를 이용하여 $\lim_{x\to2-}f(x)$, $\lim_{x\to2+}f(x)$의 값을 구해 본다.

해법 05 $\frac{0}{0}$ 꼴의 극한

❶ 분모와 분자가 모두 다항식인 경우

⇨ 분모, 분자를 각각 인수분해한 다음 공통인수로 약분한다.

❷ 분모 또는 분자에 무리식이 있는 경우

⇨ 근호가 있는 쪽을 유리화한 다음 공통인수로 약분한다.

PLUS ⊕

다항함수 $f(x)$에 대하여 $x \to a$일 때, $f(x) \to 0$이면 함수 $f(x)$는 $x-a$를 인수로 갖는다.

예제 다음 극한값을 구하시오.

(1) $\lim_{x \to -1} \frac{x^3+1}{x^3+x^2+x+1}$ (2) $\lim_{x \to 0} \frac{\sqrt{1+x}-1}{x}$ (3) $\lim_{x \to -2} \frac{2x+4}{\sqrt{x+11}-3}$

해법 코드

(1) 분모, 분자를 각각 인수분해한다.

(2) 분자를 유리화한다.

(3) 분모를 유리화한다.

셀파 $\frac{0}{0}$ 꼴 유리식 ⇨ 분모, 분자를 각각 인수분해한 다음 공통인수로 약분한다.

$\frac{0}{0}$ 꼴 무리식 ⇨ 분모 또는 분자를 유리화한 다음 공통인수로 약분한다.

풀이 (1) $\lim_{x \to -1} \frac{x^3+1}{x^3+x^2+x+1}$ ㉠ $= \lim_{x \to -1} \frac{(x+1)(x^2-x+1)}{(x+1)(x^2+1)}$

$= \lim_{x \to -1} \frac{x^2-x+1}{x^2+1} = \frac{(-1)^2-(-1)+1}{(-1)^2+1} = \mathbf{\frac{3}{2}}$

(2) $\lim_{x \to 0} \frac{\sqrt{1+x}-1}{x}$ ㉡ $= \lim_{x \to 0} \frac{(\sqrt{1+x}-1)(\sqrt{1+x}+1)}{x(\sqrt{1+x}+1)} = \lim_{x \to 0} \frac{(1+x)-1}{x(\sqrt{1+x}+1)}$

$= \lim_{x \to 0} \frac{x}{x(\sqrt{1+x}+1)} = \lim_{x \to 0} \frac{1}{\sqrt{1+x}+1} = \mathbf{\frac{1}{2}}$

(3) $\lim_{x \to -2} \frac{2x+4}{\sqrt{x+11}-3}$ ㉢ $= \lim_{x \to -2} \frac{(2x+4)(\sqrt{x+11}+3)}{(\sqrt{x+11}-3)(\sqrt{x+11}+3)}$

$= \lim_{x \to -2} \frac{(2x+4)(\sqrt{x+11}+3)}{(x+11)-9}$

$= \lim_{x \to -2} \frac{2(x+2)(\sqrt{x+11}+3)}{x+2}$

$= \lim_{x \to -2} 2(\sqrt{x+11}+3) = 2 \times (3+3) = \mathbf{12}$

㉠ x^3+x^2+x+1이 $x+1$을 인수로 가지므로 다음과 같이 조립제법을 이용하여 인수분해한다.

-1	1	1	1	1
		-1	0	-1
	1	0	1	0

㉡ 분모, 분자에 각각 $\sqrt{1+x}+1$을 곱하여 분자를 유리화하면 분모, 분자는 모두 x를 인수로 갖는다.

㉢ 분모, 분자에 각각 $\sqrt{x+11}+3$을 곱하여 분모를 유리화하면 분모, 분자는 모두 $x+2$를 인수로 갖는다.

확인 문제

정답과 해설 | 13쪽

05-1 다음 극한값을 구하시오.

(1) $\lim_{x \to -3} \frac{2x^2+5x-3}{x^3+3x^2-x-3}$ (2) $\lim_{x \to 2} \frac{\sqrt{x^2-3}-1}{x-2}$

(3) $\lim_{x \to 1} \frac{x^2-1}{\sqrt{x+3}-2}$ (4) $\lim_{x \to 3} \frac{\sqrt{x+1}-2}{x-\sqrt{2x+3}}$

MY 셀파

05-1

(1) 분모, 분자를 각각 인수분해하여 분모, 분자가 0이 되게 하는 공통인수로 약분한다.

(4) 분모와 분자를 모두 유리화한다.

해법 06 $\frac{\infty}{\infty}$ 꼴의 극한

❶ (분모의 차수)=(분자의 차수)일 때 ⇨ 극한값은 최고차항의 계수의 비이다.
❷ (분모의 차수)>(분자의 차수)일 때 ⇨ 극한값은 0이다.
❸ (분모의 차수)<(분자의 차수)일 때 ⇨ 발산한다.

PLUS
$\frac{\infty}{\infty}$ 꼴인 유리식에서는 분모의 최고차항으로 분모, 분자를 각각 나누어 극한값을 구한다.

 다음 극한을 조사하시오.

(1) $\lim_{x\to\infty}\frac{2x+5}{\sqrt{x^2+3}-1}$ (2) $\lim_{x\to\infty}\frac{-4x+1}{2x^2+3x-5}$ (3) $\lim_{x\to\infty}\frac{12x^3+x-4}{3x^2+1}$

해법 코드
분모, 분자를 각각 분모의 최고차항으로 나눈다.

셀파 $\frac{\infty}{\infty}$ 꼴의 극한 ⇨ 분모, 분자를 각각 분모의 최고차항으로 나눈다.

풀이 (1) 분모, 분자를 각각 ㉠분모의 최고차항인 x로 나누면

$$\lim_{x\to\infty}\frac{2x+5}{\sqrt{x^2+3}-1}=\lim_{x\to\infty}\frac{2+\frac{5}{x}}{\sqrt{1+\frac{3}{x^2}}-\frac{1}{x}}=\mathbf{2}$$

㉠ $x>0$일 때, $\sqrt{x^2}=x$이므로 분모의 최고차항인 x로 분모, 분자를 나눈다.

(2) 분모, 분자를 각각 분모의 최고차항인 x^2으로 나누면

$$\lim_{x\to\infty}\frac{-4x+1}{2x^2+3x-5}=\lim_{x\to\infty}\frac{-\frac{4}{x}+\frac{1}{x^2}}{2+\frac{3}{x}-\frac{5}{x^2}}=\mathbf{0}$$

(3) 분모, 분자를 각각 분모의 최고차항인 x^2으로 나누면

$$\lim_{x\to\infty}\frac{12x^3+x-4}{3x^2+1}=\lim_{x\to\infty}\frac{12x+\frac{1}{x}-\frac{4}{x^2}}{3+\frac{1}{x^2}}=\infty$$

참고 상수 k에 대하여 $\lim_{x\to\infty}\frac{k}{x}=0$, $\lim_{x\to\infty}\frac{k}{x^2}=0$, $\lim_{x\to\infty}\frac{k}{x^3}=0$

확인 문제

정답과 해설 | 13쪽

06-1  다음 극한을 조사하시오.

(1) $\lim_{x\to\infty}\frac{2+x^2}{x-1}$ (2) $\lim_{x\to\infty}\frac{\sqrt{x^2+1}+3x}{\sqrt{9x^2+x+1}+x}$

06-2 (상중하) 함수 $f(x)$에 대하여 $\lim_{x\to\infty}\frac{f(x)}{x}$의 값이 존재할 때, $\lim_{x\to\infty}\frac{4x^2+5f(x)}{x^2+f(x)}$의 값을 구하시오.

MY 셀파

06-1
분모, 분자를 각각 x로 나눈다.

06-2
$\lim_{x\to\infty}\frac{f(x)}{x}=k$ (k는 상수)로 놓고, $\lim_{x\to\infty}\frac{k}{x}=0$을 이용한다.

해법 07 ∞ − ∞ 꼴의 극한

❶ 다항식으로 주어진 경우

⇨ 최고차항으로 묶어 ∞ × (0이 아닌 상수) 꼴로 변형한다.

예 $\lim_{x\to\infty}(x^2-2x+3)=\lim_{x\to\infty}x^2\left(1-\frac{2}{x}+\frac{3}{x^2}\right)=\infty$,

$\lim_{x\to\infty}(-2x^2+x-1)=\lim_{x\to\infty}x^2\left(-2+\frac{1}{x}-\frac{1}{x^2}\right)=-\infty$

❷ 무리식으로 주어진 경우

⇨ 근호가 있는 쪽을 유리화하여 $\frac{\infty}{\infty}$ 꼴로 변형한다.

PLUS

무리함수 $f(x)$, $g(x)$에 대하여 $\lim_{x\to\infty}\{f(x)-g(x)\}$ 꼴의 극한값은 분모를 1로 보고 분자를 유리화한다.

예제 다음 극한값을 구하시오.

(1) $\lim_{x\to\infty}(\sqrt{x^2+2x}-x)$ (2) $\lim_{x\to\infty}\sqrt{x}(\sqrt{x+1}-\sqrt{x})$

해법 코드

(1) $\lim_{x\to\infty}\frac{\sqrt{x^2+2x}-x}{1}$

(2) $\lim_{x\to\infty}\frac{\sqrt{x}(\sqrt{x+1}-\sqrt{x})}{1}$

셀파 분모를 1로 보고 분자를 유리화한다.

풀이 (1) $\lim_{x\to\infty}(\sqrt{x^2+2x}-x)$ ㉠ $=\lim_{x\to\infty}\frac{(\sqrt{x^2+2x}-x)(\sqrt{x^2+2x}+x)}{\sqrt{x^2+2x}+x}$

$=\lim_{x\to\infty}\frac{(x^2+2x)-x^2}{\sqrt{x^2+2x}+x}=\lim_{x\to\infty}\frac{2x}{\sqrt{x^2+2x}+x}$

$=\lim_{x\to\infty}\frac{2}{\sqrt{1+\frac{2}{x}}+1}=\frac{2}{1+1}=\mathbf{1}$

(2) $\lim_{x\to\infty}\sqrt{x}(\sqrt{x+1}-\sqrt{x})=\lim_{x\to\infty}\frac{\sqrt{x}(\sqrt{x+1}-\sqrt{x})(\sqrt{x+1}+\sqrt{x})}{\sqrt{x+1}+\sqrt{x}}$

$=\lim_{x\to\infty}\frac{\sqrt{x}(x+1-x)}{\sqrt{x+1}+\sqrt{x}}=\lim_{x\to\infty}$ ㉡ $\frac{\sqrt{x}}{\sqrt{x+1}+\sqrt{x}}$

$=\lim_{x\to\infty}\frac{1}{\sqrt{1+\frac{1}{x}}+1}=\frac{1}{1+1}=\mathbf{\frac{1}{2}}$

㉠ $\sqrt{x^2+2x}-x=\frac{\sqrt{x^2+2x}-x}{1}$ 이므로 분모, 분자에 $\sqrt{x^2+2x}+x$를 곱해 분자를 유리화한다.

㉡ 분모의 최고차항인 $\sqrt{x}$로 분모, 분자를 나눈다.

∞는 숫자가 아니고 한없이 커지는 상태를 나타내니까 $\infty-\infty\neq0$임에 주의해.

확인 문제

정답과 해설 | 14쪽

07-1 상중하 다음 극한값을 구하시오.

(1) $\lim_{x\to\infty}(\sqrt{x^2+4x}-\sqrt{x^2-2x})$ (2) $\lim_{x\to\infty}(x-\sqrt{x^2+1})$

07-2 상중하 $\lim_{x\to\infty}(\sqrt{x^2+kx+3}-\sqrt{x^2+1})=3$을 만족시키는 상수 k의 값을 구하시오.

MY 셀파

07-1

분모를 1로 보고 분자를 유리화한다.

07-2

$\lim_{x\to\infty}\frac{\sqrt{x^2+kx+3}-\sqrt{x^2+1}}{1}$

셀파 특강 03 $x \to -\infty$일 때 $x=-t$로 치환해 극한값 구하기

$\lim_{x \to -\infty} \frac{\sqrt{x^2+4}-2}{x}$의 극한값을 구하시오.

Q 이 문제는 제가 풀어볼게요.

ㄱ $\lim_{x \to -\infty} \frac{\sqrt{x^2+4}-2}{x} = \lim_{x \to -\infty} \frac{\sqrt{1+\frac{4}{x^2}}-\frac{2}{x}}{1} = \frac{\sqrt{1+0}-0}{1} = 1$ 맞죠?

A $x \to \infty$가 아니라 $x \to -\infty$잖아. $x \to -\infty$인 경우에 $x^2 \to \infty$이므로 $\lim_{x \to -\infty} \frac{\sqrt{x^2+4}-2}{x}$에서 (분자)$\to \infty$, (분모)$\to -\infty$이고, 분모와 분자의 부호가 달라서 실수하는 경우가 많아. 이런 문제는 $x=-t$로 치환하면 편하지.

Q 네. ㄴ $x=-t$로 치환하면 $t=-x$이므로 $x \to -\infty$일 때 $t \to \infty$이네요.

A 그렇지. 또 $x^2=(-t)^2=t^2$이므로 주어진 식을 $\lim_{x \to -\infty} \frac{\sqrt{x^2+4}-2}{x} = \lim_{t \to \infty} \frac{\sqrt{t^2+4}-2}{-t}$로 바꿔 쓸 수 있어. 이 식의 분모, 분자를 각각 t로 나누면 $\lim_{t \to \infty} \frac{\sqrt{1+\frac{4}{t^2}}-\frac{2}{t}}{-1}$

여기서 $t \to \infty$일 때 $\frac{4}{t^2} \to 0$, $\frac{2}{t} \to 0$이므로 구하는 극한값은 $\frac{\sqrt{1+0}-0}{-1} = -1$

> **$x \to -\infty$일 때 극한값 계산**
> $x \to -\infty$일 때 극한값을 계산하는 경우 부호에서 실수하기 쉽다.
> 따라서 $x \to -\infty$일 때 극한값을 구하는 문제는 $x=-t$로 치환하여 $t \to \infty$일 때 $\frac{\infty}{\infty}$ 꼴 극한값을 구하는 문제로 식을 변형한 다음 계산한다.

$x \to -\infty$인 경우에 $x^2 \to \infty$, $x^3 \to -\infty$, $x^4 \to \infty$, $\cdots$이다. 이때 분모, 분자를 무엇으로 나누냐에 따라 분모, 분자 각각의 극한값의 부호가 달라지는 것에 주의하자.

ㄱ $x<0$일 때, $\sqrt{x^2}=|x|=-x$이므로 $x=-\sqrt{x^2}$이다.
즉, $x=-t$로 치환하지 않으면 다음과 같이 계산해야 한다.

$$\lim_{x \to -\infty} \frac{\sqrt{x^2+4}-2}{x} = \lim_{x \to -\infty} \frac{-\sqrt{\frac{x^2+4}{x^2}}-\frac{2}{x}}{1} = \lim_{x \to -\infty} \left(-\sqrt{1+\frac{4}{x^2}}-\frac{2}{x}\right) = -1-0=-1$$

ㄴ $x=-t$로 치환하면
$x^2=(-t)^2=t^2$,
$x^3=(-t)^3=-t^3$이고
$x \to -\infty$일 때 $t \to \infty$이다.

확인 체크 03

정답과 해설 | 14쪽

다음 극한값을 구하시오.

(1) $\lim_{x \to -\infty} \frac{x^2-1}{x^3+x}$

(2) $\lim_{x \to -\infty} \frac{x+1}{\sqrt{x^2+x}-x}$

(3) $\lim_{x \to -\infty} \frac{\sqrt{9x^2+1}+x}{\sqrt{x^2+x+1}-x}$

(4) $\lim_{x \to -\infty} (\sqrt{9x^2+6x+1}+3x)$ ㄷ

ㄷ $x=-t$로 치환하여 정리하면
$\sqrt{9t^2-6t+1}-3t$
이때 분모를 1로 보고 분모, 분자에 $\sqrt{9t^2-6t+1}+3t$를 곱해 분자를 유리화한다.

❶ $\frac{0}{0}$ 꼴의 극한

- 분모, 분자가 모두 다항식인 경우 ⇨ 인수분해한 다음 약분한다.
- 분모 또는 분자에 무리식이 있는 경우 ⇨ 근호가 있는 쪽을 유리화한 다음 약분한다.

❷ $\frac{\infty}{\infty}$ 꼴의 극한 ⇨ 분모의 최고차항으로 분모, 분자를 각각 나눈다.

❸ $\infty-\infty$ 꼴의 극한

- 다항식인 경우 ⇨ 최고차항으로 묶는다.
- 무리식인 경우 ⇨ 근호가 있는 쪽을 유리화한다.

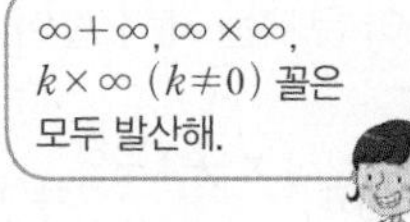

01 다음 극한값을 구하시오.

(1) $\lim_{x\to-2}\frac{x^2+x-2}{x+2}$

(2) $\lim_{x\to-1}\frac{x^3-x^2-2x}{x^3+1}$

(3) $\lim_{x\to1}\frac{x^3-x}{2x-2}$

(4) $\lim_{x\to0}\frac{\sqrt{x+3}-\sqrt{3}}{x}$

(5) $\lim_{x\to2}\frac{x^2-4}{\sqrt{x+2}-2}$

02 다음 극한값을 구하시오.

(1) $\lim_{x\to\infty}(\sqrt{x^2+x}-x)$

(2) $\lim_{x\to\infty}(\sqrt{4x^2+3x}-\sqrt{4x^2-x})$

03 다음 극한을 조사하시오.

(1) $\lim_{x\to\infty}\frac{6x^2+13x-5}{x+1}$

(2) $\lim_{x\to\infty}\frac{x-2}{x^2+x+1}$

(3) $\lim_{x\to\infty}\frac{\sqrt{x+5}-\sqrt{x+3}}{\sqrt{x+1}-\sqrt{x}}$

해법 08 $\infty \times 0$ 꼴의 극한

PLUS

❶ (유리식)×(유리식)인 경우

⇨ 식을 통분하여 $\frac{0}{0}$ 꼴 또는 $\frac{\infty}{\infty}$ 꼴로 변형한다.

❷ 무리식을 포함하는 경우

⇨ 근호가 있는 쪽을 유리화하여 $\frac{0}{0}$ 꼴 또는 $\frac{\infty}{\infty}$ 꼴로 변형한다.

$\frac{0}{0}$ 꼴은 분모, 분자를 인수분해하여 약분하고, $\frac{\infty}{\infty}$ 꼴은 분모의 최고차항으로 분모, 분자를 각각 나눈다.

예제 다음 극한값을 구하시오.

(1) $\lim_{x \to -2} \frac{1}{x+2}\left(2-\frac{3x}{x-1}\right)$　　(2) $\lim_{x \to 0} \frac{1}{x}\left(1-\frac{1}{\sqrt{1-x}}\right)$

해법 코드
식을 통분하여 간단히 한 다음 분모, 분자를 약분하거나 유리화한다.

셀파 $\infty \times 0$ 꼴 ⇨ $\frac{0}{0}$ 꼴 또는 $\frac{\infty}{\infty}$ 꼴로 변형한다.

풀이 (1) $\lim_{x \to -2} \frac{1}{x+2}\left(2-\frac{3x}{x-1}\right) \overset{㉠}{=} \lim_{x \to -2}\left(\frac{1}{x+2} \times \frac{2x-2-3x}{x-1}\right)$

$= \lim_{x \to -2}\left(-\frac{1}{x-1}\right)$

$= -\frac{1}{-2-1} = \mathbf{\frac{1}{3}}$

㉠ $\frac{1}{x+2} \times \frac{2x-2-3x}{x-1}$
$= \frac{1}{x+2} \times \frac{-(x+2)}{x-1}$
$= -\frac{1}{x-1}$

(2) $\lim_{x \to 0} \frac{1}{x}\left(1-\frac{1}{\sqrt{1-x}}\right) \overset{㉡}{=} \lim_{x \to 0}\left(\frac{1}{x} \times \frac{\sqrt{1-x}-1}{\sqrt{1-x}}\right)$

$= \lim_{x \to 0} \frac{(1-x)-1}{x\sqrt{1-x}(\sqrt{1-x}+1)}$

$= \lim_{x \to 0} \frac{-x}{x\sqrt{1-x}(\sqrt{1-x}+1)}$

$= \lim_{x \to 0} \frac{-1}{\sqrt{1-x}(\sqrt{1-x}+1)}$

$= \frac{-1}{1 \times 2} = \mathbf{-\frac{1}{2}}$

㉡ $\lim_{x \to 0} \frac{\sqrt{1-x}-1}{\sqrt{1-x}}$에서 $\lim_{x \to 0}(\sqrt{1-x}-1)=0$이고, $\lim_{x \to 0}\sqrt{1-x} \neq 0$이므로 분모는 유리화하지 않고, 분자만 유리화한다.

확인 문제

정답과 해설 | 15쪽

08-1 다음 극한값을 구하시오.

(1) $\lim_{x \to -1} \frac{1}{x+1}\left(\frac{5x-1}{x-1}+3x\right)$　　(2) $\lim_{x \to 0} x\left(\frac{1}{2x-1}+\frac{1}{x}\right)$

(3) $\lim_{x \to \infty} x\left(\frac{\sqrt{x}}{\sqrt{4x+1}}-\frac{1}{2}\right)$　　(4) $\lim_{x \to \infty} x(\sqrt{x^2+1}-\sqrt{x^2-1})$

MY 셀파

08-1
주어진 식을 통분하거나 무리식을 유리화하여 $\frac{0}{0}$ 꼴 또는 $\frac{\infty}{\infty}$ 꼴로 변형한다.

해법 09 미정계수의 결정

두 함수 $f(x)$, $g(x)$에 대하여 $\lim_{x \to a} \frac{f(x)}{g(x)}=k$ (k는 실수)일 때

❶ $\lim_{x \to a} g(x)=0$이면 $\lim_{x \to a} f(x)=0$

❷ $\lim_{x \to a} f(x)=0$이고 $k \neq 0$이면 $\lim_{x \to a} g(x)=0$

PLUS

$\lim_{x \to a} \frac{f(x)}{g(x)}=0$, $\lim_{x \to a} f(x)=0$

이면 $\lim_{x \to a} g(x) \neq 0$일 수도 있다.

예제 다음 등식이 성립하도록 하는 상수 a, b의 값을 구하시오.

(1) $\lim_{x \to 1} \frac{ax+b}{\sqrt{x+1}-\sqrt{2}}=4$

(2) $\lim_{x \to 1} \frac{x^2-4x+3}{x+a}=b$ (단, $b \neq 0$)

해법 코드

(1) (분모) → 0이므로 (분자) → 0

(2) (분자) → 0, (극한값) ≠ 0이므로 (분모) → 0이어야 한다.

셀파 $\lim_{x \to a} \frac{f(x)}{g(x)}=k$ (k는 실수)이고 $\lim_{x \to a} g(x)=0$ ⇨ $\lim_{x \to a} f(x)=0$

풀이 (1) $x \to 1$일 때 (분모) → 0이고 극한값이 존재하므로 (분자) → 0이다.

즉, $\lim_{x \to 1}(\sqrt{x+1}-\sqrt{2})=0$이므로 ㉠ $\lim_{x \to 1}(ax+b)=0$

$a+b=0$에서 $b=-a$를 주어진 식의 좌변에 대입하면

$$\lim_{x \to 1} \frac{ax-a}{\sqrt{x+1}-\sqrt{2}}=\lim_{x \to 1} \frac{a(x-1)(\sqrt{x+1}+\sqrt{2})}{x+1-2}=\lim_{x \to 1} a(\sqrt{x+1}+\sqrt{2})=2\sqrt{2}a$$

이때 $2\sqrt{2}a=4$이므로 $\sqrt{2}a=2$에서 $a=\sqrt{2}$

$\therefore$ $\boldsymbol{a=\sqrt{2}, b=-\sqrt{2}}$

(2) $x \to 1$일 때 (분자) → 0이고 0이 아닌 극한값이 존재하므로 (분모) → 0이다.

즉, $\lim_{x \to 1}(x^2-4x+3)=0$이므로 $\lim_{x \to 1}(x+a)=0$

$1+a=0$에서 $a=-1$을 주어진 식의 좌변에 대입하면

$$\lim_{x \to 1} \frac{x^2-4x+3}{x-1}=\lim_{x \to 1} \frac{(x-1)(x-3)}{x-1}=\lim_{x \to 1}(x-3)=-2=b$$

$\therefore$ $\boldsymbol{a=-1, b=-2}$

㉠ $\lim_{x \to 1}(ax+b)=\infty$이면

⇨ $\frac{\infty}{0}$ 꼴이므로 $\pm\infty$로 발산

$\lim_{x \to 1}(ax+b)=c$ ($c \neq 0$)이면

⇨ $\frac{c}{0}$ 꼴이므로 $\pm\infty$로 발산

따라서 $\lim_{x \to 1} \frac{ax+b}{\sqrt{x+1}-\sqrt{2}}$가 수렴하려면 $\lim_{x \to 1}(ax+b)=0$이다.

$x \to a$일 때, (분모) → 0이면 그 극한값이 0이든 아니든 상관없이 (분자) → 0이야.
그러나 (분자) → 0이면 극한값이 0이 아닌 경우에만 (분모) → 0이야.

확인 문제

정답과 해설 | 16쪽

09-1 다음 등식이 성립하도록 하는 상수 a, b의 값을 구하시오.

(1) $\lim_{x \to 2} \frac{\sqrt{x-a}+b}{x-2}=\frac{1}{4}$

(2) $\lim_{x \to 3} \frac{x^2+ax+b}{x-3}=14$

(3) $\lim_{x \to 2} \frac{x^2-(a+2)x+2a}{x^2-b}=3$

(4) $\lim_{x \to 1} \frac{x^2+ax-a-1}{\sqrt{x+3}-b}=12$

MY 셀파

09-1

(3), (4) 0이 아닌 극한값이 존재하고 (분자) → 0이면 (분모) → 0이어야 한다.

해법 10 다항함수의 결정

PLUS ⊕

두 다항함수 $f(x)$, $g(x)$에 대하여 $\lim_{x\to\infty}\frac{f(x)}{g(x)}=k$ ($k\neq0$인 실수)이면

❶ 분자 $f(x)$와 분모 $g(x)$의 차수는 같다.

❷ $k=\frac{(\text{분자 } f(x)\text{의 최고차항의 계수})}{(\text{분모 } g(x)\text{의 최고차항의 계수})}$

$\frac{\infty}{\infty}$ 꼴에서 분모의 차수가 분자의 차수보다 크면 극한값은 0이고, 분자의 차수가 분모의 차수보다 크면 ∞ 또는 $-\infty$이다.

예제 다항함수 $f(x)$가 다음 조건을 만족시킬 때, $f(7)$의 값을 구하시오.

> (가) $\lim_{x\to\infty}\frac{f(x)}{x^2+2x+3}=\frac{1}{2}$　　(나) $\lim_{x\to1}\frac{f(x)}{x-1}=1$

해법 코드

$\lim_{x\to\infty}\frac{f(x)}{x^2+2x+3}=\frac{1}{2}$에서 함수 $f(x)$는 이차항의 계수가 $\frac{1}{2}$인 이차식이다.

셀파 $x\to\infty$일 때, 유리식의 극한값이 0이 아닌 상수 ⇨ 분모, 분자는 같은 차수

풀이 조건 (가)에서 분자 $f(x)$와 분모 x^2+2x+3의 차수는 같으므로

함수 $f(x)$는 이차항의 계수가 $\frac{1}{2}$인 이차식이다.

조건 (나)에서 $x\to1$일 때 (분모)$\to0$이고 극한값이 존재하므로 (분자)$\to0$이다.

즉, $\lim_{x\to1}f(x)=0$이므로 $f(1)=0$

㉠ $f(x)=\frac{1}{2}(x-1)(x+a)$ (a는 상수)로 놓으면

$$\lim_{x\to1}\frac{f(x)}{x-1}=\lim_{x\to1}\frac{\frac{1}{2}(x-1)(x+a)}{x-1}=\lim_{x\to1}\frac{1}{2}(x+a)=\frac{1}{2}(1+a)$$

이때 $\frac{1}{2}(1+a)=1$이므로 $1+a=2$　　$\therefore a=1$

따라서 $f(x)=\frac{1}{2}(x-1)(x+1)$이므로 $f(7)=\frac{1}{2}\times6\times8=$**24**

㉠ $f(1)=0$에서 $f(x)$는 $x-1$을 인수로 갖고 $f(x)$는 이차항의 계수가 $\frac{1}{2}$인 이차식이므로 $f(x)=\frac{1}{2}(x-1)(x+a)$로 놓을 수 있다.

$x\to\infty$인 극한값에 대한 조건과 $x\to a$인 극한값에 대한 조건이 함께 주어졌을 때, 다항식의 차수를 결정하는 것은 $x\to\infty$인 조건이야.

확인 문제

정답과 해설 | 17쪽

MY 셀파

10-1 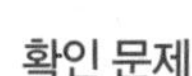 다항함수 $f(x)$가 $\lim_{x\to\infty}\frac{f(x)}{x^2-1}=-1$, $\lim_{x\to-1}\frac{f(x)}{x^2-1}=1$을 만족시킬 때, $f(0)$의 값을 구하시오.

10-1 함수 $f(x)$는 이차항의 계수가 -1인 이차식이다.

10-2 상중하 $\lim_{x\to\infty}\frac{f(x)}{x^2-2x+3}=2$를 만족시키는 다항함수 $f(x)$에 대하여 $\lim_{x\to1}\frac{f(x)}{x-1}$와 $\lim_{x\to2}\frac{f(x)}{x-2}$의 값이 존재할 때, $f(x)$를 구하시오.

10-2 함수 $f(x)$는 이차항의 계수가 2인 이차식이다.

해법 11 함수의 극한의 대소 관계

세 함수 $f(x)$, $g(x)$, $h(x)$에 대하여 $\lim_{x \to a} f(x)=L$, $\lim_{x \to a} g(x)=M$일 때, a에 가까운 모든 실수 x에 대하여 다음이 성립한다.

❶ $f(x) \le g(x)$이면 $L \le M$

❷ $f(x) \le h(x) \le g(x)$이고 $L=M$이면 $\lim_{x \to a} h(x)=L$

PLUS 두 함수 $f(x)$, $g(x)$가 모든 실수 x에 대하여 $f(x)<g(x)$라 해도 그 극한값은 같을 수 있다.
즉, $\lim_{x \to a} f(x) \le \lim_{x \to a} g(x)$이다.

예제 1. 함수 $f(x)$가 모든 실수 x에 대하여 $4x \le f(x) \le x^2+4$를 만족시킬 때, $\lim_{x \to 2} f(x)$의 값을 구하시오.

2. 함수 $f(x)$가 $x>1$인 실수 x에 대하여 $\dfrac{x-1}{2x+1}<f(x)<\dfrac{x^2+x+1}{2x^2-x-1}$을 만족시킬 때, $\lim_{x \to \infty} f(x)$의 값을 구하시오.

해법 코드
1. $\lim_{x \to 2} 4x$, $\lim_{x \to 2}(x^2+4)$의 값을 구해 본다.
2. $x \to \infty$일 때, 주어진 부등식의 각 변의 극한값을 구하여 비교한다.

셀파 $f(x) \le h(x) \le g(x)$이고, $\lim_{x \to a} f(x)=\lim_{x \to a} g(x)=L$이면 $\lim_{x \to a} h(x)=L$

풀이 1. $\lim_{x \to 2} 4x=8$, $\lim_{x \to 2}(x^2+4)=8$
따라서 함수의 극한의 대소 관계에 의하여 ㉠ $\lim_{x \to 2} f(x)=8$

2. $\lim_{x \to \infty} \dfrac{x-1}{2x+1}=\lim_{x \to \infty} \dfrac{1-\frac{1}{x}}{2+\frac{1}{x}}=\dfrac{1}{2}$

$\lim_{x \to \infty} \dfrac{x^2+x+1}{2x^2-x-1}=\lim_{x \to \infty} \dfrac{1+\frac{1}{x}+\frac{1}{x^2}}{2-\frac{1}{x}-\frac{1}{x^2}}=\dfrac{1}{2}$

따라서 함수의 극한의 대소 관계에 의하여 $\lim_{x \to \infty} f(x)=\mathbf{\dfrac{1}{2}}$

㉠ $8 \le \lim_{x \to 2} f(x) \le 8$일 때 $\lim_{x \to 2} f(x)=8$로 나타낸다.

$\lim_{x \to \infty} f(x)$의 값을 직접 구하는 것이 어려울 때는 대소 관계를 이용할 수 있는지 확인하자!

확인 문제

정답과 해설 | 17쪽

11-1 (상 중 하) 함수 $f(x)$가 모든 실수 x에 대하여 $-x^2-1 \le f(x) \le x^2+4x+1$을 만족시킬 때, $\lim_{x \to -1} f(x)$의 값을 구하시오.

11-2 (상 중 하) 함수 $f(x)$가 $x>1$인 실수 x에 대하여 $\dfrac{x^2-1}{3x+4}<f(x)<\dfrac{x^3-x^2+x-1}{3x^2+2}$을 만족시킬 때, $\lim_{x \to \infty} \dfrac{f(x)}{x-1}$의 값을 구하시오.

MY 셀파

11-1 $\lim_{x \to -1}(-x^2-1)$, $\lim_{x \to -1}(x^2+4x+1)$의 값을 구해 본다.

11-2 주어진 부등식의 각 변을 $x-1$로 나눈다.

해법 12 함수의 극한의 활용

좌표평면 위에 있는 도형이 주어지면 다음과 같이 극한값을 구한다.

1 함수 $y=f(x)$의 그래프 위에 있는 한 점의 좌표를 $(t,\ f(t))$로 나타낸다.

2 선분의 길이나 직선의 기울기를 t에 대한 식으로 나타낸 다음 극한값을 구한다.

PLUS

두 점 (x_1, y_1), (x_2, y_2)를 지나는 직선의 기울기는 $\frac{y_2-y_1}{x_2-x_1}$이고, 서로 수직인 두 직선의 기울기의 곱은 -1이다.

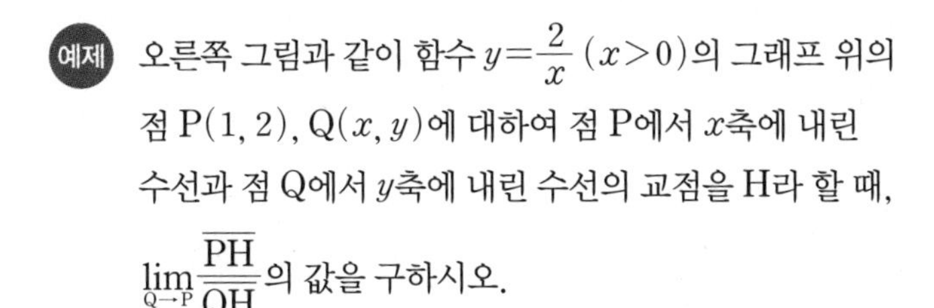

예제 오른쪽 그림과 같이 함수 $y=\frac{2}{x}\ (x>0)$의 그래프 위의 점 $\mathrm{P}(1, 2)$, $\mathrm{Q}(x, y)$에 대하여 점 P에서 x축에 내린 수선과 점 Q에서 y축에 내린 수선의 교점을 H라 할 때, $\lim\limits_{\mathrm{Q}\to\mathrm{P}}\frac{\overline{\mathrm{PH}}}{\overline{\mathrm{QH}}}$의 값을 구하시오.

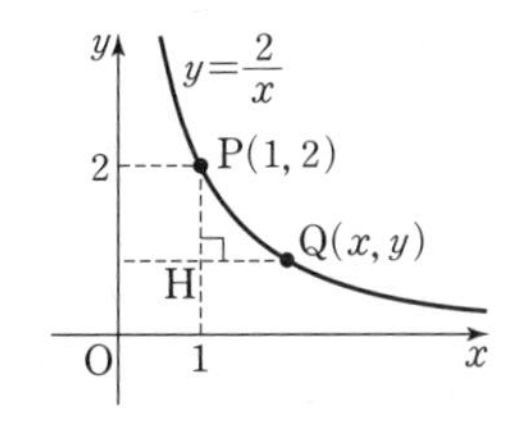

해법 코드

Q → P는 점 Q의 x좌표가 점 P의 x좌표로, 점 Q의 y좌표가 점 P의 y좌표로 이동한다는 것을 뜻한다.

셀파 도형 위를 움직이는 점 Q의 y좌표를 t에 대한 식으로 나타낸다.

풀이 함수 $y=\frac{2}{x}$의 그래프 위의 두 점 $\mathrm{P}(1, 2)$, ㉠$\mathrm{Q}\left(t,\ \frac{2}{t}\right)$에 대하여

$$\frac{\overline{\mathrm{PH}}}{\overline{\mathrm{QH}}}=|(\text{직선 PQ의 기울기})|=\left|\frac{\frac{2}{t}-2}{t-1}\right|$$

$$=\left|\frac{-\frac{2(t-1)}{t}}{t-1}\right|=\left|-\frac{2}{t}\right|=\frac{2}{t}\ (\because t>0)$$

이때 ㉡Q → P이면 $t\to1$이므로 $\lim\limits_{\mathrm{Q}\to\mathrm{P}}\frac{\overline{\mathrm{PH}}}{\overline{\mathrm{QH}}}=\lim\limits_{t\to1}\frac{2}{t}=\mathbf{2}$

㉠ 점 $\mathrm{Q}(x, y)$는 $y=\frac{2}{x}$의 그래프 위에 있는 점이므로 $\mathrm{Q}\left(t,\ \frac{2}{t}\right)$

㉡ $\mathrm{P}(1, 2)$, $\mathrm{Q}(x, y)$에서 Q → P는 $x\to1$, $y\to2$를 뜻한다. 이때 $x=t$이므로 Q → P는 $t\to1$

확인 문제

정답과 해설 | 17쪽

MY 셀파

12-1 (상 중 하) 오른쪽 그림과 같이 직선 $x=k\ (0<k<4)$가 두 곡선 $y=\sqrt{x+4}$, $y=\sqrt{-(x-4)}$ 및 x축과 만나는 점을 각각 A, B, C라 할 때, $\lim\limits_{k\to0+}\frac{\overline{\mathrm{OC}}}{\overline{\mathrm{AB}}}$의 값을 구하시오.

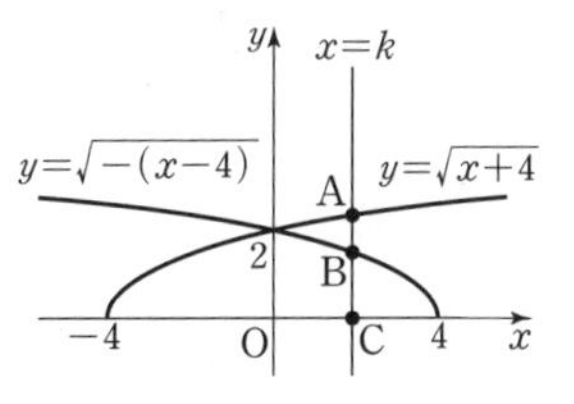

12-1

$\mathrm{A}(k, \sqrt{k+4})$, $\mathrm{B}(k, \sqrt{-(k-4)})$, $\mathrm{C}(k, 0)$일 때, $\overline{\mathrm{AB}}$, $\overline{\mathrm{OC}}$를 각각 k에 대한 식으로 나타낸다.

12-2 (상 중 하) 포물선 $y=x^2-2$ 위의 점 $\mathrm{A}(1, -1)$과 이 곡선 위를 움직이는 점 $\mathrm{P}(t, t^2-2)$를 지나는 직선에 수직인 직선의 기울기를 $f(t)$라 할 때, $\lim\limits_{t\to1}f(t)$의 값을 구하시오.

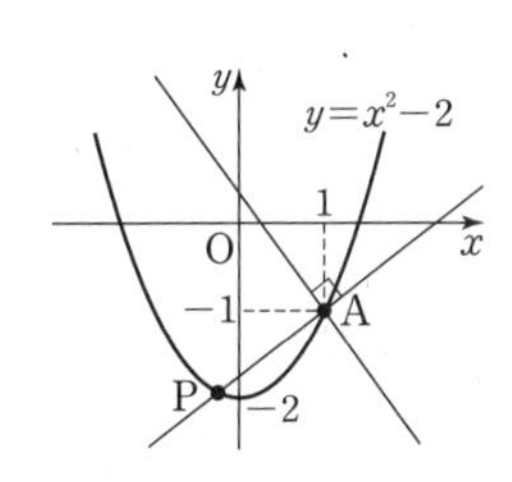

12-2

두 점 A, P의 좌표를 이용하여 직선 AP의 기울기를 t에 대한 식으로 나타낸다.

연습 문제 EXERCISE

좌극한과 우극한

01 함수 $f(x)=\begin{cases} ax & (x\geq 1) \\ x+3 & (x<1) \end{cases}$에 대하여 $\lim_{x\to 1}f(x)$의 값이 존재할 때, 상수 a의 값을 구하시오.

상 중 하

좌극한과 우극한

02 $-1\leq x\leq 3$에서 함수 $y=f(x)$의 그래프가 오른쪽 그림과 같을 때, | 보기 |의 설명 중 옳은 것을 모두 고르시오.

상 중 하

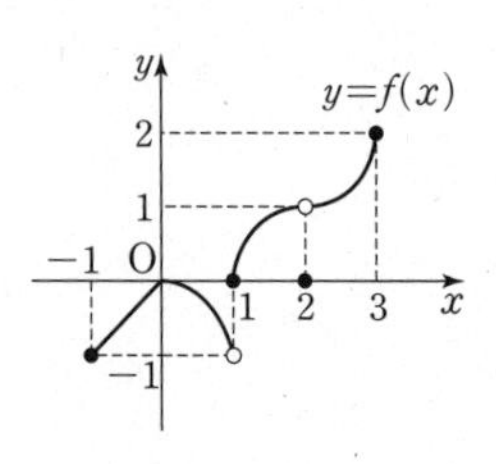

| 보기 |

ㄱ. $\lim_{x\to 1}f(x)$가 존재한다.

ㄴ. $\lim_{x\to 2}f(x)$가 존재한다.

ㄷ. $-1<a<1$인 임의의 실수 a에 대하여 $\lim_{x\to a}f(x)$가 존재한다.

좌극한과 우극한 융합형

03 함수 $y=f(x)$의 그래프가 오른쪽 그림과 같을 때, $\lim_{x\to 1+}f(f(x))+\lim_{x\to -1-}f(x)$의 값을 구하시오.

상 중 하

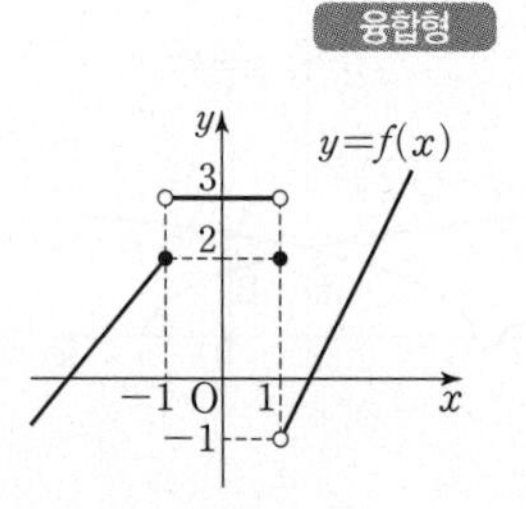

함수의 극한에 대한 성질

04 $\lim_{x\to\infty}f(x)=\infty$, $\lim_{x\to\infty}\{3f(x)-2g(x)\}=1$일 때, $\lim_{x\to\infty}\frac{2f(x)-2g(x)}{f(x)}$의 값을 구하시오.

상 중 하

$\frac{0}{0}$ 꼴의 극한

05 다항함수 $f(x)$가 모든 실수 x에 대하여 $\lim_{x\to 0}\frac{f(x)}{x}=6$을 만족시킬 때, $\lim_{x\to 2}\frac{f(x-2)}{x^3-8}$의 값을 구하시오.

상 중 하

$\frac{0}{0}$ 꼴의 극한

06 $f(x)+x-1=(x-1)g(x)$를 만족시키는 두 다항함수 $f(x)$, $g(x)$에 대하여 $\lim_{x\to 1}\frac{g(x)-2x}{x-1}$가 존재할 때, $\lim_{x\to 1}\frac{f(x)g(x)}{x^2-1}$의 값을 구하시오.

상 중 하

$\frac{0}{0}$ 꼴의 극한, $\frac{\infty}{\infty}$ 꼴의 극한

07 $\lim_{x\to 1-}\frac{x^2-x}{|x^2-1|}=a$, $\lim_{x\to\infty}\frac{\sqrt{9x^2+1}-1}{3x}=b$일 때, 실수 a, b에 대하여 $4a+b$의 값을 구하시오.

상 중 하

$\frac{\infty}{\infty}$ 꼴의 극한

08 $f(x)=\frac{(1-x)(x^2+1)}{2x^3+x^2-1}$, $g(x)=\frac{x}{\sqrt{x^2+1}+1}$일 때, $\lim_{x\to-\infty}\{f(x)g(x)\}$의 값을 구하시오.

상 중 하

$\infty-\infty$ 꼴의 극한

09 $\lim_{x\to\infty}(\sqrt{x^2-kx}-\sqrt{x^2+kx})=1$을 만족시키는 상수 k의 값을 구하시오.

상 중 하

미정계수의 결정 서술형

10 $\lim_{x\to2}\frac{ax^2-3x+b}{x-2}=1$일 때, 상수 a, b에 대하여 $a+b$의 값을 구하시오.

상 중 하

다항함수의 결정

11 다항함수 $f(x)$가

$$\lim_{x\to\infty}\frac{f(x)}{x^2+x-2}=1,\ \lim_{x\to-2}\frac{f(x)}{x^2+x-2}=-2$$

를 만족시킬 때, $\lim_{x\to-8}\frac{f(x)}{x+8}$의 값을 구하시오.

상 중 하

다항함수의 결정

12 함수 $f(x)=\frac{ax^3+bx^2+cx+d}{x^2-4}$가

$$\lim_{x\to\infty}f(x)=2,\ \lim_{x\to2}f(x)=3$$

을 만족시킬 때, 상수 a, b, c, d에 대하여 $a+b+c+d$의 값을 구하시오.

상 중 하

함수의 극한의 대소 관계

13 함수 $f(x)$가 $x>1$인 실수 x에 대하여

$$2x+3<f(x)<2x+5$$

를 만족시킬 때, $\lim_{x\to\infty}\frac{\{f(x)\}^3}{x^3-1}$의 값을 구하시오.

상 중 하

함수의 극한의 활용 창의력

14 오른쪽 그림과 같이 함수 $y=x^2$의 그래프와 직선 $y=t$ $(t>0)$의 두 교점을 A, B, 삼각형 AOB의 넓이를 $S(t)$라 할 때, $\lim_{t\to4}\frac{S(t)-8}{\sqrt{t}-2}$의 값을 구하시오.

상 중 하

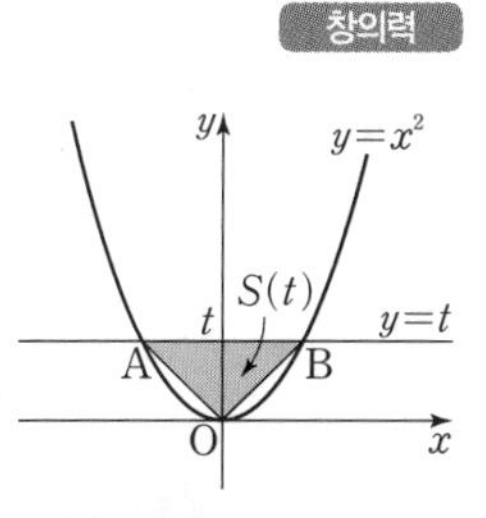

여행지 둘러보는데 시티버스가 최고입니다.
CITY BUS
시티 버스
city
버스가 왔다.
버스를 탔으니
관광지를 다 둘러볼
수 있겠지?
가만히 버스만 타고
있으면 도시 경관을
다 볼 수 있어.
둘러볼 만한 것들이
모두 연결되어 있네.
출발

2

함수의 연속

개념 1　함수의 연속과 불연속
개념 2　구간
개념 3　연속함수
개념 4　연속함수의 성질
개념 5　최대·최소 정리
개념 6　사잇값의 정리

2. 함수의 연속

개념 1 함수의 연속과 불연속

(1) 함수 $f(x)$가 실수 a에 대하여 다음 조건을 모두 만족시킬 때, 함수 $f(x)$는 $x=$ ❶ ☐ 에서 **연속**이라 한다.

❶ 함수 $f(x)$가 $x=a$에서 정의되어 있다. ⇨ 함숫값 존재

❷ 극한값 $\lim_{x \to a} f(x)$가 존재한다. ⇨ 극한값 존재

❸ $\lim_{x \to a} f(x)=f(a)$ ⇨ (극한값)=(함숫값)

(2) 함수 $f(x)$가 $x=a$에서 ❷ ☐ 이 아닐 때, 즉 위의 세 조건 중에서 어느 하나라도 만족시키지 않으면 ㉠ 함수 $f(x)$는 $x=a$에서 **불연속**이라 한다.

답 ❶ a ❷ 연속

보기 다음 함수가 $x=0$에서 연속인지 불연속인지 조사하시오.

(1) $f(x)=x$　　　　(2) $f(x)=\frac{x^2}{x}$

연구 (1) $f(0)=0$이고, $\lim_{x \to 0} f(x)=\lim_{x \to 0} x=0$이므로 $\lim_{x \to 0} f(x)=f(0)$이다.

따라서 함수 $f(x)$는 $x=0$에서 **연속**

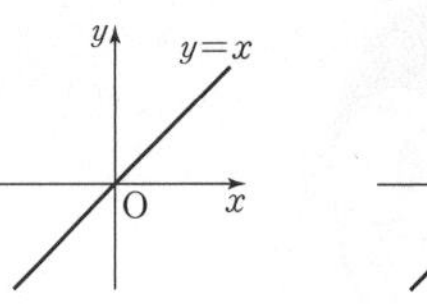

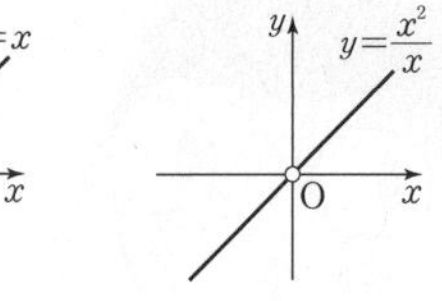

(2) ㉡ $x=0$에서 정의되어 있지 않으므로 $x=0$에서 **불연속**

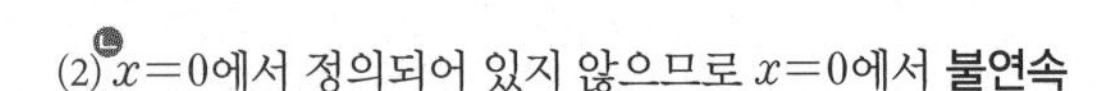

개념 2 구간

두 실수 a, b $(a<b)$에 대하여 집합

$\{x|a \le x \le b\}$, $\{x|a<x<b\}$,

$\{x|a \le x<b\}$, $\{x|a<x \le b\}$

를 **구간**이라 하고, 기호로 각각

㉢ $[a, b]$, (a, b), $[a, b)$, $(a, b]$와 같이 나타낸다.

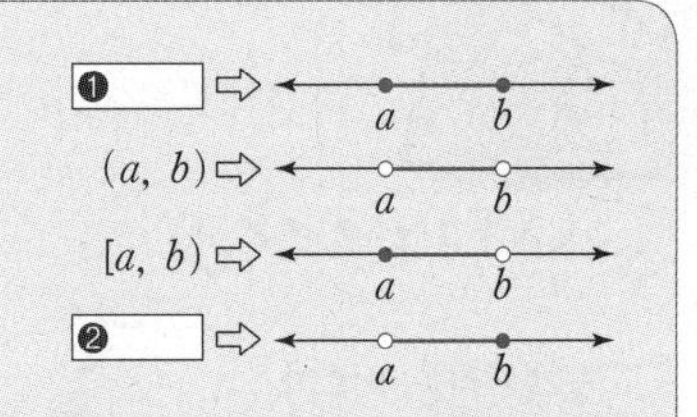

답 ❶ $[a, b]$ ❷ $(a, b]$

개념 3 연속함수

(1) 함수 $f(x)$가 어떤 구간에 속하는 모든 점에서 연속일 때, 함수 $f(x)$는 그 구간에서 ❶ ☐ 또는 그 구간에서 **연속함수**라 한다.

(2) 함수 $f(x)$가 다음 조건을 모두 만족시킬 때, 함수 $f(x)$는 닫힌구간 $[a, b]$에서 연속이라 한다.

❶ 열린구간 (a, b)에서 연속이다.

❷ $\lim_{x \to a+} f(x)=f($❷ ☐$)$, $\lim_{x \to b-} f(x)=f(b)$

답 ❶ 연속 ❷ a

개념 플러스

㉠ 함수 $f(x)$가 다음 세 가지 경우 중 어느 하나에 해당하면 함수 $f(x)$는 $x=a$에서 불연속이다.

❶ $f(a)$가 정의되어 있지 않다.

❷ $\lim_{x \to a} f(x)$가 존재하지 않는다.

❸ $\lim_{x \to a} f(x) \ne f(a)$

㉡ $f(x)=\frac{x^2}{x}$에서 $x \ne 0$일 때만 분모, 분자를 x로 나누어 $f(x)=x$라 할 수 있다.

㉢ $[a, b]$를 닫힌구간, (a, b)를 열린구간이라 하고, $[a, b)$, $(a, b]$를 반닫힌 구간 또는 반열린 구간이라 한다.

▶ 집합 $\{x|x \ge a\}$, $\{x|x>a\}$, $\{x|x \le a\}$, $\{x|x<a\}$도 각각 구간이라 하고, 기호로 각각 $[a, \infty)$, (a, ∞), $(-\infty, a]$, $(-\infty, a)$와 같이 나타낸다. 특히 실수 전체의 집합도 하나의 구간이며, 기호로 $(-\infty, \infty)$와 같이 나타낸다.

$[a, \infty)$ ⇨
(a, ∞) ⇨
$(-\infty, a]$ ⇨
$(-\infty, a)$ ⇨

함수 $f(x)$가 $x=a$에서 연속이라는 것은 $x=a$에서 함수 $f(x)$의 그래프가 이어져 있다는 거야.

1-1 | 함수의 연속과 불연속 |

함수 $y=f(x)$의 그래프가 오른쪽 그림과 같을 때, 다음 물음에 답하시오.

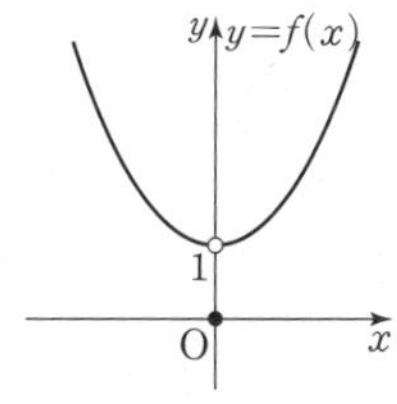

(1) 함수 $f(x)$가 $x=0$에서 정의되어 있는지 말하시오.

(2) $\lim_{x \to 0} f(x)$의 값을 구하시오.

(3) 함수 $f(x)$가 $x=0$에서 연속인지 불연속인지 말하시오.

연구

(1) $f(0)=$ ☐ 이므로 함수 $f(x)$는 $x=0$에서 **정의되어 있다.**

(2) $\lim_{x \to 0-} f(x) = \lim_{x \to 0+} f(x) =$ ☐ 이므로 $\lim_{x \to 0} f(x) = \mathbf{1}$

(3) $\lim_{x \to 0} f(x) =$ ☐, $f(0)=$ ☐ 에서

$\lim_{x \to 0} f(x) \neq f(0)$이므로 함수 $f(x)$는 $x=0$에서 **불연속**이다.

1-2 | 따라풀기 |

함수 $y=f(x)$의 그래프가 다음 그림과 같을 때, $x=-1$에서 불연속인 이유를 말하시오.

(1)

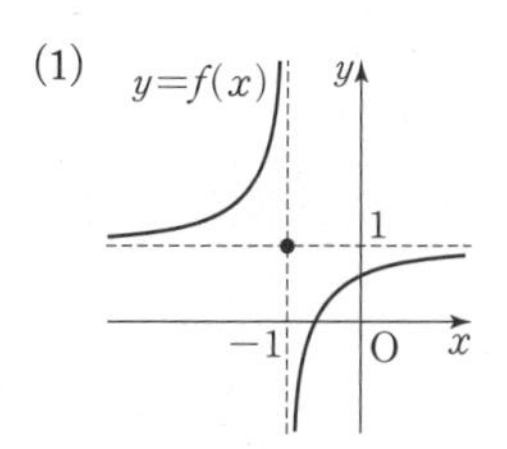

(2)

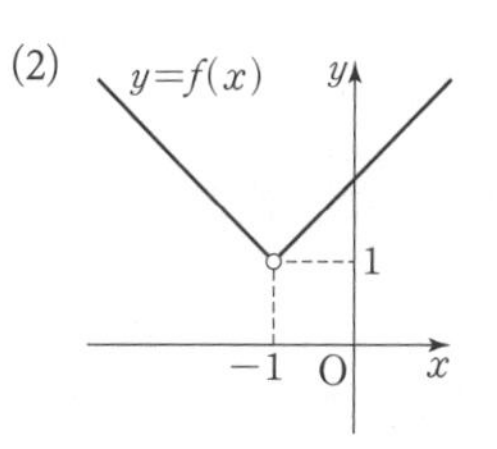

풀이

2-1 | 구간에서 함수의 연속 |

다음 함수가 연속인 점들의 집합을 구간의 기호를 사용하여 나타내시오.

(1) $f(x)=\sqrt{x+2}-1$ (2) $f(x)=\dfrac{2x}{x-1}$

연구

(1) 함수 $f(x)=\sqrt{x+2}-1$의 그래프는 오른쪽 그림과 같이 $x \geq$ ☐ 에서 이어져 있다.
따라서 함수 $f(x)$가 연속인 구간은 $\mathbf{[-2, \infty)}$

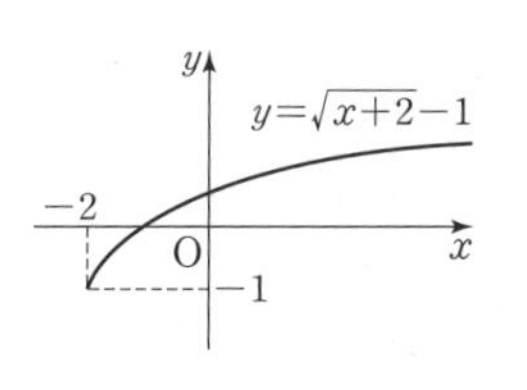

(2) 함수 $f(x)=\dfrac{2x}{x-1}$의 그래프는 오른쪽 그림과 같이 $x=$ ☐ 에서 끊어져 있다.
따라서 함수 $f(x)$가 연속인 구간은 $\mathbf{(-\infty, 1), (1, \infty)}$

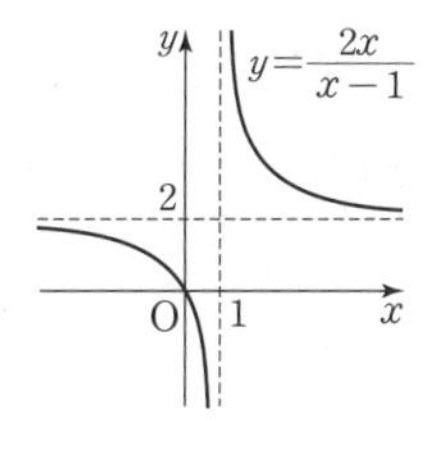

2-2 | 따라풀기 |

다음 함수가 연속인 점들의 집합을 구간의 기호를 사용하여 나타내시오.

(1) $f(x)=x^2+1$ (2) $f(x)=\sqrt{4-2x}$

풀이

개념 4 연속함수의 성질

두 함수 $f(x)$, $g(x)$가 $x=a$에서 연속이면 다음 함수도 $x=a$에서 ❶ [   ] 이다.

❶ $cf(x)$ (단, c는 상수)　　❷ $f(x)+g(x)$, $f(x)-g(x)$

❸ $f(x)g(x)$　　❹ $\frac{f(x)}{g(x)}$ (단, ㉠ ❷ [   ] $\neq 0$)

참고 어떤 구간에서 두 함수 $f(x)$, $g(x)$가 연속이면 ❶, ❷, ❸, ❹의 함수 모두 그 구간에서 연속이다.

답 ❶ 연속 ❷ $g(a)$

해설 일차함수 $y=x$는 모든 실수에서 연속이므로 연속함수의 성질 ❸에 따라 함수 $y=x^2$, $y=x^3$, $\cdots$, $y=x^n$ (n은 자연수)은 모든 실수에서 연속이다.
따라서 연속함수의 성질 ❶, ❷에 따라 이들 함수에 상수를 각각 곱하여 더한 다항함수 $y=a_nx^n+\cdots+a_1x+a_0$ (a_0, a_1, $\cdots$, a_n은 상수)도 모든 실수에서 연속이다.

개념 플러스

㉠ 유리함수는 (분모)=0이 되는 x의 값에서 정의되지 않는다.
예를 들어 함수 $f(x)=\frac{x+2}{x^2-4}$는 $x=\pm 2$에서 정의되지 않는다.
따라서 $x=\pm 2$에서 불연속이다.

모든 실수에서 연속이라는 것은 열린구간 $(-\infty, \infty)$에서 연속이라는 뜻이야.

개념 5 최대·최소 정리

함수 $f(x)$가 닫힌구간 $[a, b]$에서 ❶ [   ] 이면 $f(x)$는 이 닫힌구간에서 반드시 최댓값과 ❷ [   ] 을 갖는다.

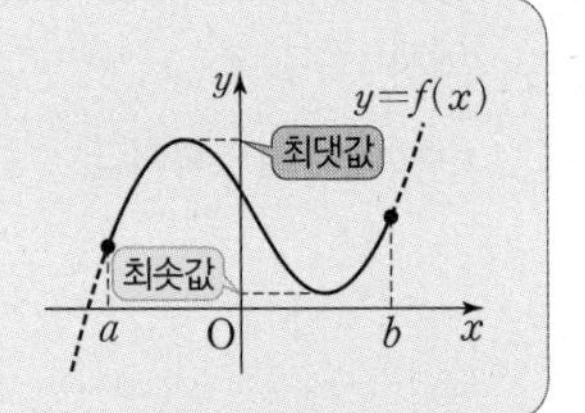

참고 닫힌구간이 아닌 구간에서 정의된 연속함수 $f(x)$는 최댓값 또는 최솟값을 갖지 않을 수도 있다.

답 ❶ 연속 ❷ 최솟값

보기 ㉡ 닫힌구간 $[0, 1]$에서 함수 $f(x)=x+1$의 최댓값과 최솟값을 구하시오.

연구 닫힌구간 $[0, 1]$에서 함수 $y=f(x)$의 그래프는 오른쪽 그림과 같으므로 $x=1$에서 **최댓값 2**, $x=0$에서 **최솟값 1**을 갖는다.

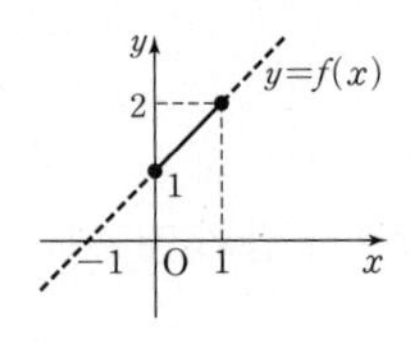

㉡ 함수 $f(x)$가 정의된 구간이 닫힌구간 $[0, 1]$이 아니고, 반열린 구간 $(0, 1]$일 때는 함수 $f(x)$의 최댓값은 $x=1$에서 2이지만 $x=0$에서 함숫값이 정의되지 않으므로 함수 $f(x)$의 최솟값은 정할 수 없다.

개념 6 사잇값의 정리

(1) 사잇값의 정리

함수 $f(x)$가 ㉢ 닫힌구간 $[a, b]$에서 연속이고 $f(a)\neq f(b)$이면 $f(a)$와 $f(b)$ 사이의 임의의 실수 k에 대하여 $f(c)=$ ❶ [   ] 인 c가 열린구간 (a, b)에 적어도 하나 존재한다.

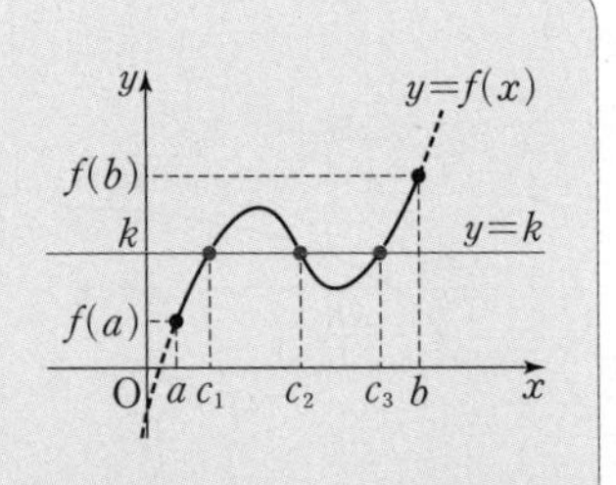

(2) 사잇값의 정리와 방정식의 실근

함수 $f(x)$가 닫힌구간 $[a, b]$에서 연속이고 $f(a)$와 $f(b)$의 부호가 서로 다르면 사잇값의 정리에 의하여 $f(c)=0$인 c가 열린구간 (a, b)에 적어도 하나 존재한다. 즉, 방정식 $f(x)=0$은 열린구간 (a, b)에서 적어도 하나의 ❷ [   ] 을 갖는다.

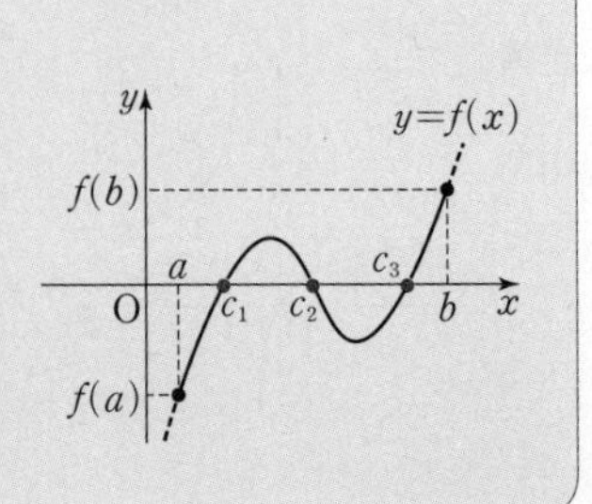

답 ❶ k ❷ 실근

㉢ 다음과 같이 함수 $f(x)$가 연속이 아닐 때, 사잇값의 정리가 성립하지 않는 경우도 있다.

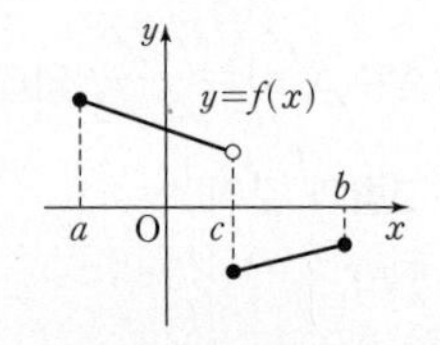

$x=c$에서 불연속인 함수 $f(x)$에서 $f(a)$의 부호와 $f(b)$의 부호가 서로 다르지만 방정식 $f(x)=0$의 근이 존재하지 않는다.

3-1 | 연속함수의 성질 |

두 함수 $f(x)$, $g(x)$가 $x=a$에서 연속일 때, | 보기 |의 함수 중 $x=a$에서 항상 연속인 함수를 모두 고르시오.

| 보기 |
ㄱ. $f(x)+2g(x)$　　ㄴ. $2f(x)-4g(x)$
ㄷ. $f(x)g(x)$　　ㄹ. $\dfrac{f(x)}{g(x)}$

연구

$\lim_{x\to a}f(x)=f(a)$, $\lim_{x\to a}g(x)=$ □

ㄱ. $\lim_{x\to a}\{f(x)+2g(x)\}=f(a)+2g(a)$이므로
함수 $f(x)+2g(x)$는 $x=a$에서 연속이다.

ㄴ. $\lim_{x\to a}\{2f(x)-4g(x)\}=2f(a)-4g(a)$이므로
함수 $2f(x)-4g(x)$는 $x=a$에서 연속이다.

ㄷ. $\lim_{x\to a}\{f(x)g(x)\}=f(a)g(a)$이므로
함수 $f(x)g(x)$는 $x=a$에서 □이다.

ㄹ. $\lim_{x\to a}\dfrac{f(x)}{g(x)}=\dfrac{f(a)}{g(a)}$에서 $g(a)=0$일 때, 불연속이므로
함수 $\dfrac{f(x)}{g(x)}$는 $x=a$에서 □이다.

따라서 $x=a$에서 연속인 함수는 ㄱ, ㄴ, ㄷ이다.

3-2 | 따라풀기 |

두 함수 $f(x)=x-1$, $g(x)=x^2+1$에 대하여 | 보기 |의 함수 중 실수 전체의 집합에서 연속인 함수를 모두 고르시오.

| 보기 |
ㄱ. $3f(x)+g(x)$　　ㄴ. $f(x)-2g(x)$
ㄷ. $\{f(x)\}^2$　　ㄹ. $\dfrac{f(x)}{g(x)}$

풀이

4-1 | 최대·최소 정리 |

함수 $y=f(x)$의 그래프가 오른쪽 그림과 같을 때, 다음 구간에서 함수 $f(x)$의 최댓값과 최솟값을 구하시오.

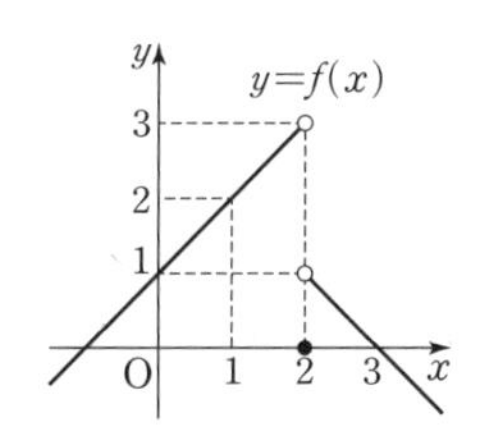

(1) $[0, 1]$　　(2) $[2, 3]$

연구

(1)

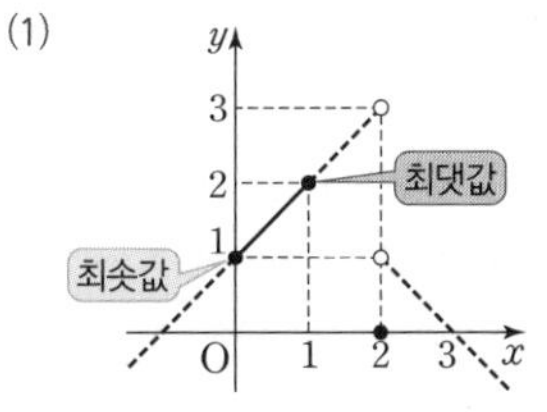

최댓값 : 2, 최솟값 : □

(2)

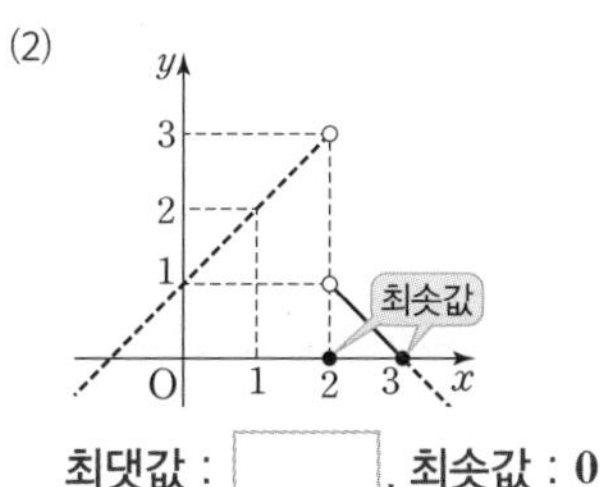

최댓값 : □, 최솟값 : 0

참고 (2)와 같이 $x=2$에서 불연속일 때는 최댓값은 없지만 최솟값은 있다. 따라서 최대·최소 정리가 성립하지 않는다.

4-2 | 따라풀기 |

함수 $y=f(x)$의 그래프가 오른쪽 그림과 같을 때, 구간 $[1, 2]$에서 함수 $f(x)$의 최댓값과 최솟값을 구하시오.

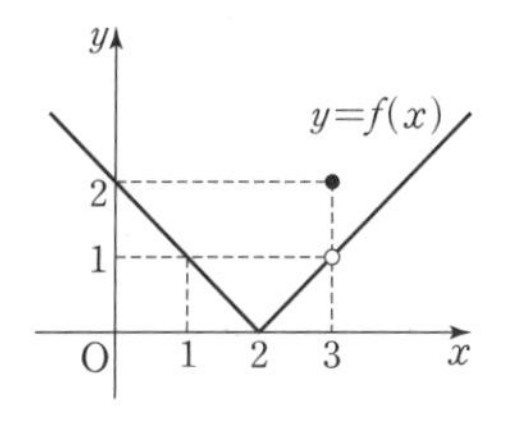

풀이

2 함수의 연속

셀파 특강 01 함수의 연속과 불연속

A 일상생활에서 '연속'과 '불연속'이라는 단어를 어떤 경우에 쓰지?

Q 이어져 있을 때 '연속'이라 하고, 중간중간 끊어져 있을 때 '불연속'이라 하잖아요.

A 맞아. 수학에서도 연속함수라는 것은 그래프가 이어져서 계속 연결된 함수를 말해. 그래프가 있다면 연속함수인지 아닌지 금방 파악할 수 있지만 항상 그래프를 그릴 수는 없으니까 이를 수학적으로 정의할 필요가 있어.

일상생활과 수학에서 '연속', '불연속'이라는 단어는 같은 의미네요?

그렇지. 수학에서는 수학 기호로 그 의미를 정의해 둔 거야.

> 다음 세 조건이 모두 성립할 때, 함수 $f(x)$는 $x=a$에서 연속이라 한다.
> ❶ $f(a)$의 값이 존재 ❷ $\lim_{x \to a} f(x)$의 값이 존재 ❸ $\lim_{x \to a} f(x)=f(a)$

Q 근데 이 세 조건이 왜 연속을 말하는 거죠? 왜 이런 조건들이 필요한지 모르겠어요.

A 반대로 연속이 아닌 경우를 보면 연속이기 위해 세 조건이 모두 필요한 이유를 알 수 있을 거야. 먼저 [그림 1]처럼 $f(a)$의 값이 존재하지 않으면 $x=a$에서 함수의 그래프가 끊어져 있으니까 그래프가 이어지려면 조건 ❶이 필요하지.

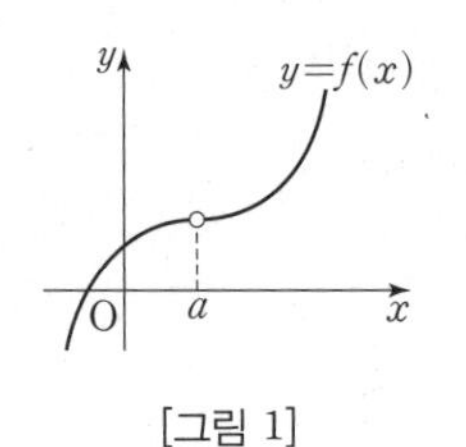

[그림 1]

Q [그림 2]처럼 $f(a)$의 값이 존재해도 좌극한과 우극한이 달라서 극한값 $\lim_{x \to a} f(x)$가 존재하지 않는 경우에도 함수가 끊어져 있겠네요?

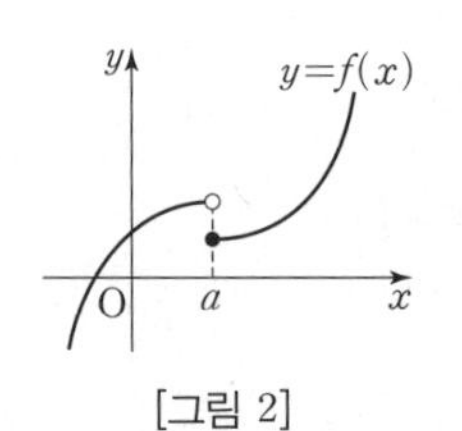

[그림 2]

A 그렇지. 또 [그림 3]처럼 $f(a)$의 값과 극한값이 모두 존재하는 경우라도 그 두 값이 같지 않으면 함수의 그래프가 끊어져 있어. 따라서 연속이 되기 위해서는 ❶, ❷, ❸ 세 조건이 모두 성립해야 한다는 걸 알 수 있어.

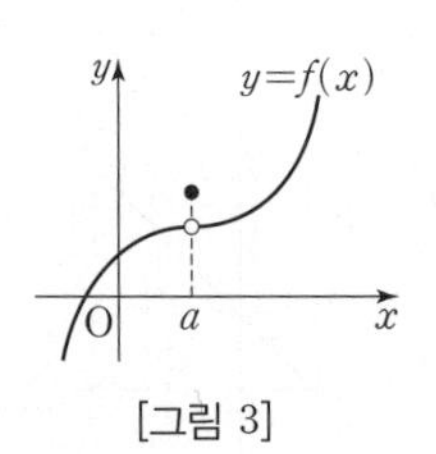

[그림 3]

Q 결국 ❶, ❷, ❸ 조건 중 어느 하나라도 성립하지 않으면 그 함수는 ㉠$x=a$에서 불연속이겠군요.

▶ **연속인 여러 가지 함수**

❶ 다항함수 $y=f(x)$
⇨ $(-\infty, \infty)$에서 연속이다.

❷ 유리함수 $y=\dfrac{f(x)}{g(x)}$
⇨ $f(x)$, $g(x)$가 다항함수일 때, $g(x)\neq0$인 x의 값의 범위에서 연속이다.

❸ 무리함수 $y=\sqrt{f(x)}$
⇨ $f(x)$가 다항함수일 때, $f(x)\geq0$인 x의 값의 범위에서 연속이다.

㉠ 다음 경우에 함수 $f(x)$는 $x=a$에서 불연속이다.

❶ $x=a$에서 함숫값 $f(a)$가 정의되어 있지 않다.

❷ 극한값 $\lim_{x \to a} f(x)$가 존재하지 않는다. 즉, 좌극한 또는 우극한이 존재하지 않거나 좌극한과 우극한이 서로 다르다.

❸ 함숫값 $f(a)$가 정의되고, 극한값 $\lim_{x \to a} f(x)$가 존재하지만 $\lim_{x \to a} f(x)\neq f(a)$이다.

확인 체크 01

정답과 해설 | 22쪽

다음 함수가 $x=1$에서 연속인지 불연속인지 조사하시오.

(1) $f(x)=x+1$ (2) $f(x)=\dfrac{x^2-1}{x-1}$

해법 01 함수의 연속과 불연속

함수 $f(x)$가 $x=a$에서 연속이려면 다음 세 조건이 모두 성립해야 한다.

❶ 함숫값 $f(a)$가 정의되어 있다.

❷ 극한값 $\lim_{x\to a} f(x)$가 존재한다.

❸ $\lim_{x\to a} f(x)=f(a)$

$\lim_{x\to a-} f(x)=\lim_{x\to a+} f(x)$이면 $\lim_{x\to a} f(x)$가 존재해.

PLUS ⊕

함수 $f(x)$가 어떤 구간에서 연속이면

❶ 그 구간에 속하는 $x=a$에 대하여 $\lim_{x\to a} f(x)=f(a)$

❷ 그 구간에서 함수 $y=f(x)$의 그래프가 이어져 있다.

예제 다음 함수가 $x=1$에서 연속인지 불연속인지 조사하시오.

(1) $f(x)=\begin{cases} \dfrac{|x-1|}{x-1} & (x\neq1) \\ 0 & (x=1) \end{cases}$ (2) $f(x)=\begin{cases} \dfrac{(x-1)^2}{|x-1|} & (x\neq1) \\ 0 & (x=1) \end{cases}$

해법 코드

절댓값 기호가 있는 함수는 절댓값 기호 안의 값이 0이 되도록 하는 x의 값, 즉 $x=1$을 기준으로 범위를 나누어 절댓값 기호를 없앤다.

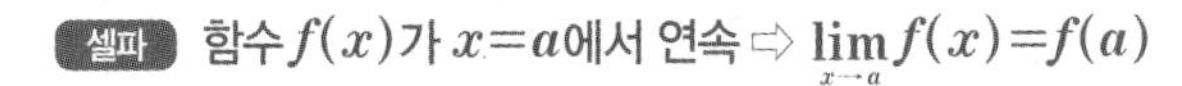

셀파 함수 $f(x)$가 $x=a$에서 연속 ⇨ $\lim_{x\to a} f(x)=f(a)$

풀이 (1) $x>1$일 때, $f(x)=\dfrac{x-1}{x-1}=1$이므로 $\lim_{x\to1+} f(x)=1$

$x<1$일 때, $f(x)=\dfrac{-(x-1)}{x-1}=-1$이므로 $\lim_{x\to1-} f(x)=-1$

즉, $\lim_{x\to1+} f(x)\neq\lim_{x\to1-} f(x)$이므로 $\lim_{x\to1} f(x)$의 값이 존재하지 않는다.

따라서 함수 $f(x)$는 ㉠ $x=1$에서 불연속

㉠ $x=1$에서 그래프가 끊어져 있으므로 함수 $f(x)$는 $x=1$에서 불연속이다.

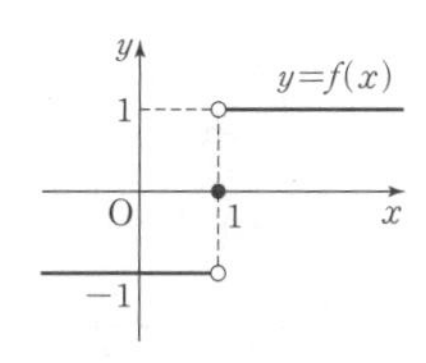

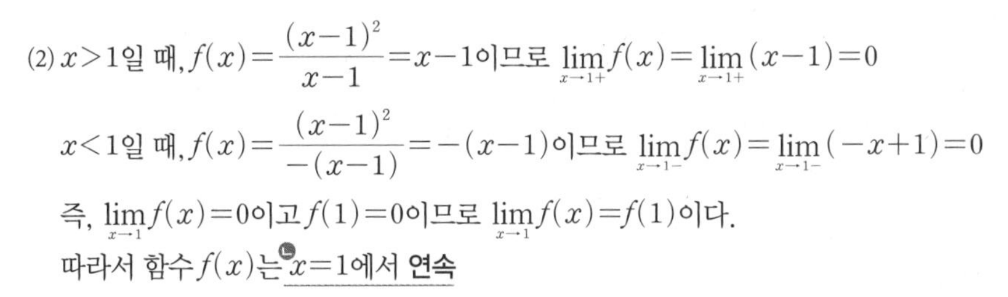

(2) $x>1$일 때, $f(x)=\dfrac{(x-1)^2}{x-1}=x-1$이므로 $\lim_{x\to1+} f(x)=\lim_{x\to1+}(x-1)=0$

$x<1$일 때, $f(x)=\dfrac{(x-1)^2}{-(x-1)}=-(x-1)$이므로 $\lim_{x\to1-} f(x)=\lim_{x\to1-}(-x+1)=0$

즉, $\lim_{x\to1} f(x)=0$이고 $f(1)=0$이므로 $\lim_{x\to1} f(x)=f(1)$이다.

따라서 함수 $f(x)$는 ㉡ $x=1$에서 연속

㉡ $x=1$에서 그래프가 이어져 있으므로 함수 $f(x)$는 $x=1$에서 연속이다.

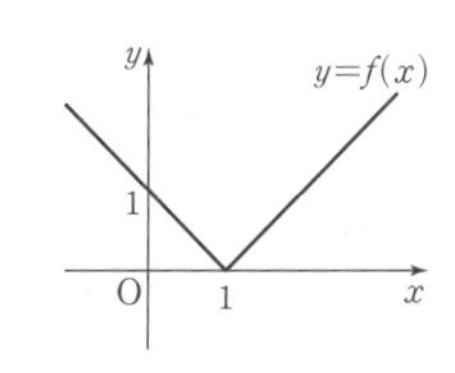

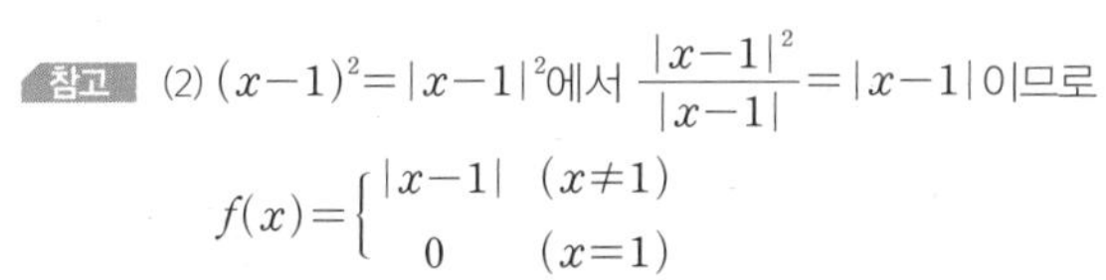

참고 (2) $(x-1)^2=|x-1|^2$에서 $\dfrac{|x-1|^2}{|x-1|}=|x-1|$이므로

$f(x)=\begin{cases} |x-1| & (x\neq1) \\ 0 & (x=1) \end{cases}$

확인 문제

정답과 해설 | 22쪽

01-1 다음 함수가 $x=-2$에서 연속인지 불연속인지 조사하시오.

상중하

(1) $f(x)=\begin{cases} \dfrac{x^2+x-2}{x+2} & (x\neq-2) \\ 3 & (x=-2) \end{cases}$ (2) $f(x)=\begin{cases} \dfrac{x^2-4}{|x+2|} & (x\neq-2) \\ -4 & (x=-2) \end{cases}$

MY 셀파

01-1

(1) $x=-2$에서 극한값과 함숫값을 비교한다.

(2) $x\to-2$일 때, 좌극한과 우극한을 비교한다.

해법 02 함수의 그래프와 연속 (1)

함수 $y=f(x)$의 그래프	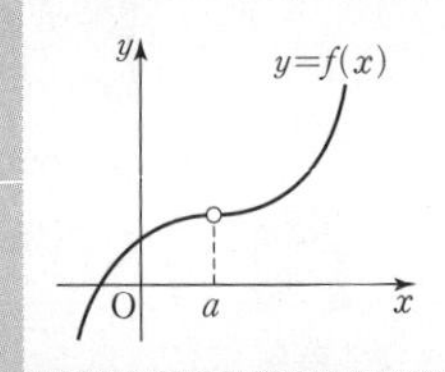	$y=f(x)$	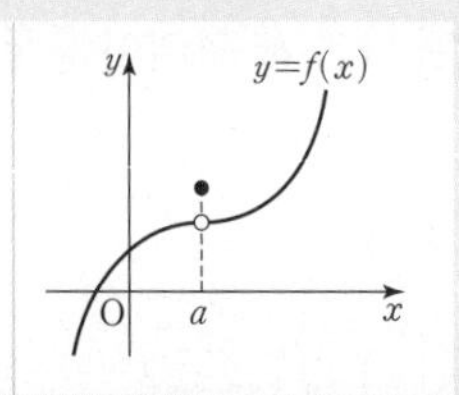
함수 $f(x)$가 $x=a$에서 불연속인 이유	❶ 함숫값 $f(a)$가 정의되어 있지 않다.	❷ 극한값 $\lim\limits_{x \to a} f(x)$가 존재하지 않는다.	❸ $\lim\limits_{x \to a} f(x) \neq f(a)$

PLUS ⊕

다음 세 조건이 모두 성립할 때, 함수 $f(x)$는 $x=a$에서 연속이다.
❶ 함숫값 $f(a)$가 정의되어 있다.
❷ 극한값 $\lim\limits_{x \to a} f(x)$가 존재한다.
❸ $\lim\limits_{x \to a} f(x) = f(a)$이다.
위 경우 중 어느 하나라도 성립하지 않으면 함수 $f(x)$는 $x=a$에서 불연속이다.

예제 열린구간 $(-4, 4)$에서 정의된 함수 $y=f(x)$의 그래프가 오른쪽 그림과 같을 때, 다음을 구하시오.

(1) 극한값이 존재하지 않는 x의 값의 개수

(2) 불연속인 x의 값의 개수

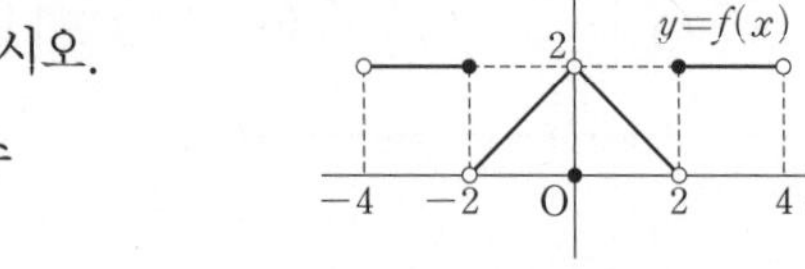

해법 코드
$x=-2$, $x=0$, $x=2$에서
(i) 함숫값이 정의되어 있는지
(ii) 좌극한과 우극한이 존재하고 그 값이 서로 같은지
(iii) 극한값과 함숫값이 같은지
를 조사한다.

셀파 $x=-2$, $x=0$, $x=2$에서 함수 $f(x)$의 연속성을 조사한다.

풀이 (i) $x \to -2$일 때의 극한값은

$\lim\limits_{x \to -2+} f(x)=0$, $\lim\limits_{x \to -2-} f(x)=2$에서 $\lim\limits_{x \to -2+} f(x) \neq \lim\limits_{x \to -2-} f(x)$이므로

ㄱ $\lim\limits_{x \to -2} f(x)$는 존재하지 않는다.

(ii) $x=0$에서의 함숫값은 $f(0)=0$

$x \to 0$일 때의 극한값은

$\lim\limits_{x \to 0+} f(x) = \lim\limits_{x \to 0-} f(x) = 2$에서 $\lim\limits_{x \to 0} f(x)=2$

즉, ㄴ $\lim\limits_{x \to 0} f(x) \neq f(0)$이므로 함수 $f(x)$는 $x=0$에서 불연속이다.

(iii) $x \to 2$일 때의 극한값은

$\lim\limits_{x \to 2+} f(x)=2$, $\lim\limits_{x \to 2-} f(x)=0$에서 $\lim\limits_{x \to 2+} f(x) \neq \lim\limits_{x \to 2-} f(x)$이므로

ㄷ $\lim\limits_{x \to 2} f(x)$는 존재하지 않는다.

(1) 극한값이 존재하지 않는 x의 값의 개수는 $x=-2$, $x=2$의 **2**

(2) 불연속인 x의 값의 개수는 $x=-2$, $x=0$, $x=2$의 **3**

ㄱ 극한값이 존재하지 않으므로 함수 $f(x)$는 $x=-2$에서 불연속이다.

ㄴ 극한값과 함숫값이 다르므로 함수 $f(x)$는 $x=0$에서 불연속이다.

ㄷ 극한값이 존재하지 않으므로 함수 $f(x)$는 $x=2$에서 불연속이다.

확인 문제

정답과 해설 | 22쪽

02-1 (상)(중)(하)

함수 $y=f(x)$의 그래프가 오른쪽 그림과 같다. 닫힌구간 $[0, 4]$에서 함수 $f(x)$의 극한값이 존재하지 않는 x의 값의 개수를 a, 불연속인 x의 값의 개수를 b라 할 때, a, b의 값을 구하시오.

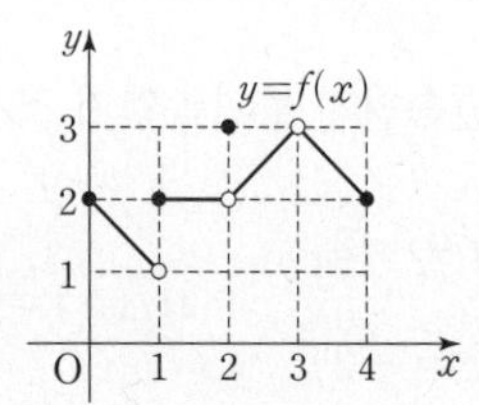

MY 셀파

02-1
함수 $y=f(x)$의 그래프가 $x=a$에서 끊어져 있으면 $f(x)$는 $x=a$에서 불연속이다.

해법 03 함수의 그래프와 연속 (2)

실수 전체의 집합에서 정의된 두 함수 $f(x)$, $g(x)$에 대하여 합성함수 $f(g(x))$가 $x=a$에서 연속이려면

$$\lim_{x\to a+}f(g(x))=\lim_{x\to a-}f(g(x))=f(g(a))$$

PLUS +

그래프가 주어진 두 함수 $f(x)$, $g(x)$를 합성한 함수 $f(g(x))$에서 $x\to a$일 때의 극한값 $\lim_{x\to a}f(g(x))$를 구할 때는 $g(x)=t$로 치환한다.

예제 닫힌구간 $[-2, 2]$에서 정의된 두 함수 $y=f(x)$, $y=g(x)$의 그래프가 오른쪽 그림과 같을 때, 다음 함수가 $x=0$에서 연속인지 불연속인지 조사하시오.

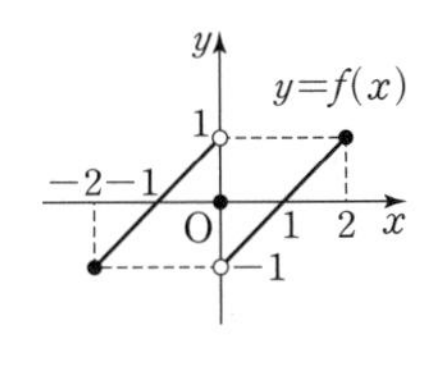

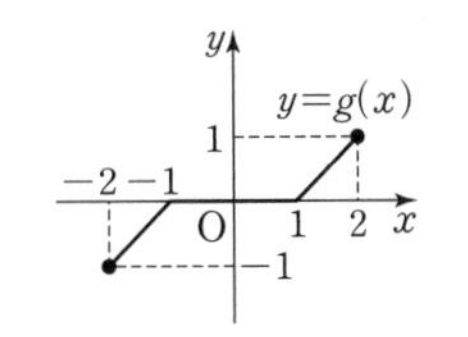

(1) $f(x)g(x)$ (2) $(g\circ f)(x)$

해법 코드

(2) $f(x)=t$로 치환하여 $x=0$을 기준으로 $g(f(x))$의 좌극한과 우극한을 각각 구한다.

셀파 $x=a$에서 함수 $f(g(x))$의 연속은 $f(g(a))$와 $\lim_{x\to a}f(g(x))$의 값을 비교한다.

풀이 (1) $x=0$에서의 함숫값은 $f(0)g(0)=0\times0=0$

$x\to0$일 때의 극한값은

ⓐ $\lim_{x\to0+}\{f(x)g(x)\}=-1\times0=0$, $\lim_{x\to0-}\{f(x)g(x)\}=1\times0=0$

즉, $\lim_{x\to0+}\{f(x)g(x)\}=\lim_{x\to0-}\{f(x)g(x)\}$이므로 $\lim_{x\to0}\{f(x)g(x)\}=0$

따라서 $\lim_{x\to0}\{f(x)g(x)\}=f(0)g(0)$이므로 함수 $f(x)g(x)$는 $x=0$에서 **연속**

(2) $x=0$에서의 함숫값은 $g(f(0))=g(0)=0$

$x\to0$일 때의 극한값은 ⓑ $f(x)=t$로 놓으면

$\lim_{x\to0+}g(f(x))=\lim_{t\to-1+}g(t)=0$, $\lim_{x\to0-}g(f(x))=\lim_{t\to1-}g(t)=0$

즉, $\lim_{x\to0+}g(f(x))=\lim_{x\to0-}g(f(x))$이므로 $\lim_{x\to0}g(f(x))=0$

따라서 $\lim_{x\to0}g(f(x))=g(f(0))$이므로 함수 $(g\circ f)(x)$는 $x=0$에서 **연속**

ⓐ $\lim_{x\to0+}\{f(x)g(x)\}$
$=\lim_{x\to0+}f(x)\times\lim_{x\to0+}g(x)$

ⓑ $x\to0+$일 때 $t\to-1+$이고 $x\to0-$일 때 $t\to1-$이다.

확인 문제

정답과 해설 | 22쪽

03-1 (상중하) 두 함수 $f(x)=\dfrac{2}{x+1}$, $g(x)=\dfrac{1}{x-2}$에 대하여 함수 $(f\circ g)(x)$가 $x=a$에서 불연속일 때, 상수 a의 값을 모두 구하시오.

03-2 (상중하) 함수 $y=f(x)$의 그래프가 오른쪽 그림과 같을 때, 함수 $f(f(x))$가 $x=1$에서 연속인지 불연속인지 조사하시오.

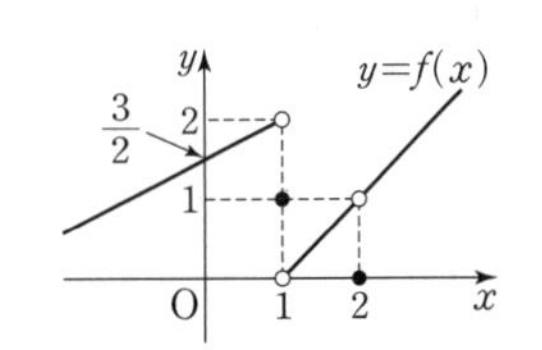

MY 셀파

03-1
유리함수는 분모가 0이 되는 x의 값에서 불연속이다.

03-2
$\lim_{x\to1+}f(f(x))$와 $\lim_{x\to1-}f(f(x))$의 값을 비교한다.

해법 04 함수가 연속일 조건 (1)

PLUS

$x<a$에서 연속인 함수 $g(x)$와 $x\geq a$에서 연속인 함수 $h(x)$에 대하여 함수

$$f(x)=\begin{cases} g(x) & (x<a) \\ h(x) & (x\geq a) \end{cases}$$

가 모든 실수 x에서 연속이려면 $\lim_{x\to a-} g(x)=h(a)$이어야 한다.

$y=g(x)$, $y=h(x)$, O, a, x, y

$\lim_{x\to a-} g(x)=h(a)$

예제 함수

$$f(x)=\begin{cases} ax+1 & (x\leq -1 \text{ 또는 } x\geq 4) \\ x^2-2x+b & (-1<x<4) \end{cases}$$

가 모든 실수 x에서 연속일 때, 상수 a, b의 값을 구하시오.

해법 코드
$\lim_{x\to -1+} f(x)=f(-1)$,
$\lim_{x\to 4-} f(x)=f(4)$

셀파 함수 $f(x)$가 $x=a$에서 연속 ⇨ $\lim_{x\to a} f(x)=f(a)$

풀이 함수 $f(x)$가 모든 실수 x에서 연속이려면

(i) $x=-1$에서 연속이어야 한다.

즉, ❶ $\lim_{x\to -1+} f(x)=f(-1)$이므로

$1+2+b=-a+1$에서 $a+b=-2$ ······㉠

(ii) $x=4$에서 연속이어야 한다.

즉, $\lim_{x\to 4-} f(x)=f(4)$이므로

$16-8+b=4a+1$에서 $4a-b=7$ ······㉡

㉠, ㉡을 연립하여 풀면 $\boldsymbol{a=1}$, $\boldsymbol{b=-3}$

❶ $x\to -1+$일 때
$f(x)=x^2-2x+b$이므로
$\lim_{x\to -1+}(x^2-2x+b)=1+2+b$
또 $x=-1$일 때
$f(x)=ax+1$이므로
$f(-1)=-a+1$

함수 $f(x)=ax+1$, $f(x)=x^2-2x+b$는 모든 실수 x에서 연속이므로 함수 $f(x)$의 연속은 $x=-1$, $x=4$에서만 확인하면 돼.

확인 문제

정답과 해설 | 23쪽

MY 셀파

04-1 (상중하) 함수 $f(x)=\begin{cases} x+2 & (x<1) \\ -x+a & (x\geq 1) \end{cases}$가 모든 실수 x에서 연속일 때, 상수 a의 값을 구하시오.

04-1
함수 $f(x)$가 모든 실수 x에서 연속이면 $x=1$에서 연속이어야 한다.

04-2 (상중하) 함수 $f(x)=\begin{cases} -2x+a & (x<-1) \\ x^2-b & (-1\leq x<1) \\ 3x+c & (x\geq 1) \end{cases}$가 모든 실수 x에서 연속이다.

$f(0)=-1$일 때, 상수 a, b, c의 값을 구하시오.

04-2
$x=-1$, $x=1$에서의 함숫값과 극한값을 비교한다.

해법 05 함수가 연속일 조건 (2)

PLUS ⊕

$x \neq a$에서 연속인 함수 $g(x)$에 대하여 함수

$$f(x)=\begin{cases} g(x) & (x \neq a) \\ k & (x=a) \end{cases} (k\text{는 상수})$$

가 모든 실수 x에서 연속이려면 $\lim_{x\to a} g(x)=k$이어야 한다.

극한값을 이용한 미정계수
분수 꼴의 함수에서 $x \to a$일 때 (분모) $\to 0$이고 극한값이 존재하면 (분자) $\to 0$이다.

예제 함수 $f(x)=\begin{cases} \dfrac{x^2-x+a}{x+1} & (x \neq -1) \\ b & (x=-1) \end{cases}$가 모든 실수 x에서 연속일 때, 상수 a, b의 값을 구하시오.

해법 코드

$\lim_{x\to -1} \dfrac{x^2-x+a}{x+1}=b$

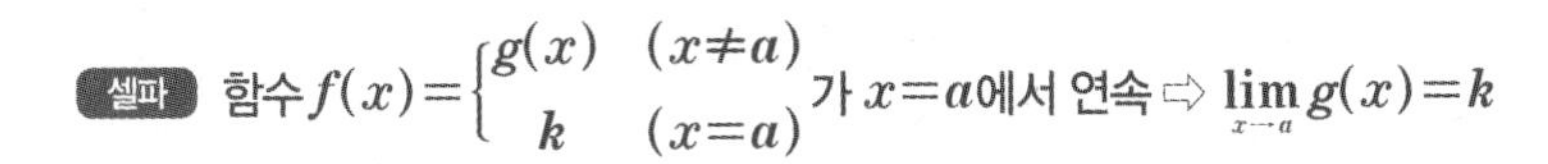

셀파 함수 $f(x)=\begin{cases} g(x) & (x \neq a) \\ k & (x=a) \end{cases}$가 $x=a$에서 연속 ⇨ $\lim_{x\to a} g(x)=k$

풀이 함수 $f(x)$가 모든 실수 x에서 연속이려면 $x=-1$에서 연속이어야 한다.

즉, $\lim_{x\to -1} f(x)=f(-1)$이므로

❶ $\lim_{x\to -1} \dfrac{x^2-x+a}{x+1}=b$ ……㉠

㉠에서 $x \to -1$일 때 (분모) $\to 0$이고 극한값이 존재하므로 (분자) $\to 0$이다.

$\lim_{x\to -1} (x^2-x+a)=0$에서 $(-1)^2-(-1)+a=0$이므로 $a=-2$ ……㉡

㉡을 ㉠의 좌변에 대입하면

❷ $\lim_{x\to -1} \dfrac{x^2-x-2}{x+1}=\lim_{x\to -1} \dfrac{(x+1)(x-2)}{x+1}$

$=\lim_{x\to -1} (x-2)=-3$

$\therefore$ $\boldsymbol{a=-2,\ b=-3}$

❶ 극한값이 존재하므로 (분모) $\to 0$일 때 (분자) $\to 0$임을 이용할 수 있다.

❷ $\dfrac{0}{0}$ 꼴의 함수의 극한이므로 분모, 분자의 공통인수로 약분한다.

확인 문제

정답과 해설 | 23쪽

05-1 (상중하) 함수 $f(x)=\begin{cases} \dfrac{x^2+2ax+b}{x-1} & (x \neq 1) \\ 4 & (x=1) \end{cases}$가 모든 실수 x에서 연속일 때, 상수 a, b의 값을 구하시오.

05-2 (상중하) 함수 $f(x)=\begin{cases} \dfrac{\sqrt{1+2x}-\sqrt{a-4x}}{x} & (x \neq 0) \\ b & (x=0) \end{cases}$가 $x=0$에서 연속일 때, 상수 a, b의 값을 구하시오.

MY 셀파

05-1

$\lim_{x\to 1} \dfrac{x^2+2ax+b}{x-1}=4$

05-2

$\lim_{x\to 0} \dfrac{\sqrt{1+2x}-\sqrt{a-4x}}{x}=b$

❶ 함수 $f(x)=\begin{cases} g(x) & (x\neq a) \\ k & (x=a) \end{cases}$가 $x=a$에서 연속이려면 ⇨ $\lim_{x\to a} g(x)=k$

❷ 함수 $f(x)=\begin{cases} g(x) & (x<a) \\ h(x) & (x\geq a) \end{cases}$가 $x=a$에서 연속이려면 ⇨ $\lim_{x\to a-} g(x)=h(a)$

01 다음 함수가 $x=-1$에서 연속일 때, 상수 a, b의 값을 구하시오.

(1) $f(x)=\begin{cases} \dfrac{2x^2+ax}{x+1} & (x\neq -1) \\ b & (x=-1) \end{cases}$

(2) $f(x)=\begin{cases} \dfrac{x^2+ax+b}{x+1} & (x\neq -1) \\ 5 & (x=-1) \end{cases}$

(3) $f(x)=\begin{cases} \dfrac{\sqrt{x^2+a}+b}{x+1} & (x\neq -1) \\ -\dfrac{1}{2} & (x=-1) \end{cases}$

02 다음 함수가 $x=2$에서 연속일 때, 상수 a, b의 값을 구하시오.

(1) $f(x)=\begin{cases} \dfrac{x^2-x+a}{x-2} & (x\neq 2) \\ b & (x=2) \end{cases}$

(2) $f(x)=\begin{cases} \dfrac{x^2-a}{x-2} & (x\neq 2) \\ b & (x=2) \end{cases}$

(3) $f(x)=\begin{cases} \dfrac{\sqrt{x^2+5}-a}{x-2} & (x\neq 2) \\ b & (x=2) \end{cases}$

03 다음 함수가 $x=1$에서 연속일 때, 상수 a, b의 값을 구하시오.

(1) $f(x)=\begin{cases} \dfrac{2x^2+ax}{x-1} & (x\neq 1) \\ b & (x=1) \end{cases}$

(2) $f(x)=\begin{cases} \dfrac{x^2+x+a}{x-1} & (x\neq 1) \\ b & (x=1) \end{cases}$

(3) $f(x)=\begin{cases} \dfrac{\sqrt{x+1}+a}{x-1} & (x\neq 1) \\ b & (x=1) \end{cases}$

해법 06 $(x-a)f(x)=g(x)$ 꼴의 함수의 연속

모든 실수 x에서 연속인 두 함수 $f(x)$, $g(x)$가 $(x-a)f(x)=g(x)$를 만족시키키면

⇨ $f(a)=\lim_{x\to a}f(x)=\lim_{x\to a}\frac{g(x)}{x-a}$

참고 $(x-a)f(x)=g(x)$에서 $x\neq a$일 때, $f(x)=\frac{g(x)}{x-a}$이다.

PLUS ⊕

$(x-a)f(x)=g(x)$일 때, 함숫값 $f(a)$를 직접 구할 수는 없지만 $f(x)$가 모든 실수에서 연속이면 $f(a)=\lim_{x\to a}\frac{g(x)}{x-a}$이므로 $f(a)$의 값을 구할 수 있다.

예제

1. 모든 실수 x에서 연속인 함수 $f(x)$가 $(x-3)f(x)=x^2-x-6$을 만족시킬 때, $f(3)$의 값을 구하시오.

2. 모든 실수 x에서 연속인 함수 $f(x)$가 $(x+2)f(x)=ax^2+bx$, $f(-1)=-1$을 만족시킬 때, 상수 a, b의 값을 구하시오.

해법 코드

1. $x\neq 3$일 때, $f(x)=\frac{x^2-x-6}{x-3}$

2. $x\neq -2$일 때, $f(x)=\frac{ax^2+bx}{x+2}$

셀파 모든 실수 x에서 $f(x)$가 연속일 때, $(x-a)f(x)=g(x)$ ⇨ $f(a)=\lim_{x\to a}\frac{g(x)}{x-a}$

풀이 1. $x\neq 3$일 때, $f(x)=\frac{x^2-x-6}{x-3}=\frac{(x-3)(x+2)}{x-3}=x+2$

함수 $f(x)$가 모든 실수 x에서 연속이므로 $x=3$에서도 연속이다.

$\therefore f(3)=\lim_{x\to 3}f(x)=\lim_{x\to 3}(x+2)=\mathbf{5}$

2. $x\neq -2$일 때, ㉠ $f(x)=\frac{ax^2+bx}{x+2}$

함수 $f(x)$가 모든 실수 x에서 연속이므로 $x=-2$에서도 연속이다.

$\therefore f(-2)=\lim_{x\to -2}f(x)=$ ㉡ $\lim_{x\to -2}\frac{ax^2+bx}{x+2}$

$x\to -2$일 때 (분모) $\to 0$이고 극한값이 존재하므로 (분자) $\to 0$이다.

$\lim_{x\to -2}(ax^2+bx)=0$에서 $4a-2b=0$ $\quad\therefore b=2a$ ……㉠

또 $f(-1)=-1$에서 $f(-1)=a-b$ $\quad\therefore a-b=-1$ ……㉡

㉠, ㉡을 연립하여 풀면 $\boldsymbol{a=1}$, $\boldsymbol{b=2}$

㉠ ax^2+bx와 $x+2$는 다항함수이므로 $f(x)$는 $x\neq -2$인 모든 실수에서 연속이다.

㉡ $\lim_{x\to -2}\frac{ax^2+bx}{x+2}=f(-2)$에서 극한값이 존재하므로 $x\to -2$일 때 (분모) $\to 0$ 이면 (분자) $\to 0$이라는 조건을 이용할 수 있다.

확인 문제

정답과 해설 | 25쪽

MY 셀파

06-1 (상 중 하) $x\geq -6$인 모든 실수 x에서 연속인 함수 $f(x)$가 $(x+2)f(x)=\sqrt{x+6}-2$를 만족시킬 때, $f(-2)$의 값을 구하시오.

06-1 $x\neq -2$일 때, $f(x)=\frac{\sqrt{x+6}-2}{x+2}$

06-2 (상 중 하) 모든 실수 x에서 연속인 함수 $f(x)$가 $(x^2-1)f(x)=x^3+px+q$를 만족시킬 때, $f(-1)+f(1)$의 값을 구하시오. (단, p, q는 상수)

06-2 $x\neq \pm 1$일 때, $f(x)=\frac{x^3+px+q}{x^2-1}$

해법 07 연속함수의 성질

두 함수 $f(x)$, $g(x)$가 $x=a$에서 연속이면 다음 함수도 $x=a$에서 연속이다.

❶ $cf(x)$ (단, c는 상수)　　❷ $f(x)+g(x)$, $f(x)-g(x)$

❸ $f(x)g(x)$　　❹ $\dfrac{f(x)}{g(x)}$ (단, $g(a)\neq 0$)

참고 두 함수 $f(x)$, $g(x)$가 $x=a$에서 연속이면 $\lim_{x\to a}f(x)=f(a)$, $\lim_{x\to a}g(x)=g(a)$이므로

$\lim_{x\to a}\{f(x)+g(x)\}=\lim_{x\to a}f(x)+\lim_{x\to a}g(x)=f(a)+g(a)$

$\lim_{x\to a}\{f(x)g(x)\}=\lim_{x\to a}f(x)\lim_{x\to a}g(x)=f(a)g(a)$

따라서 두 함수 $f(x)+g(x)$, $f(x)g(x)$도 $x=a$에서 연속이다.

PLUS

❶ 실수 전체의 집합에서 두 함수 $f(x)$, $g(x)$가 연속이면 함수 $g(f(x))$는 실수 전체의 집합에서 연속이다.

❷ 함수 $f(x)$가 $x=a$에서 연속이고 함수 $g(x)$가 $x=f(a)$에서 연속이면 함수 $g(f(x))$는 $x=a$에서 연속이다.

예제 두 함수 $f(x)=x^2-1$, $g(x)=x-1$에 대하여 다음 함수가 연속인 구간을 구하시오.

(1) $f(x)g(x)$　　(2) $\dfrac{g(x)}{f(x)-g(x)}$

해법 코드
(2) $g(x)$, $f(x)-g(x)$가 다항함수이므로 $f(x)-g(x)\neq 0$인 모든 실수 x에서 연속이다.

셀파 $f(x)$, $g(x)$가 $x=a$에서 연속 ⇨ $f(x)g(x)$, $\dfrac{f(x)}{g(x)}(g(a)\neq 0)$도 $x=a$에서 연속

풀이 두 함수 $f(x)=x^2-1$, $g(x)=x-1$은 모든 실수 x에서 연속이다.

(1) 연속함수의 성질 ❸에 의하여

$f(x)g(x)=(x^2-1)(x-1)=x^3-x^2-x+1$

이므로 함수 $f(x)g(x)$는 모든 실수, 즉 열린구간 $(-\infty, \infty)$에서 연속이다.

(2) 연속함수의 성질 ❹에 의하여

$\dfrac{g(x)}{f(x)-g(x)}=\dfrac{x-1}{x^2-1-(x-1)}\overset{㉠}{=}\dfrac{x-1}{x^2-x}$

이므로 함수 $\dfrac{g(x)}{f(x)-g(x)}$는 ㉡ $x^2-x\neq 0$인 모든 실수, 즉 열린구간 $(-\infty, 0)$, $(0, 1)$, $(1, \infty)$에서 연속이다.

㉠ $\dfrac{x-1}{x^2-x}=\dfrac{x-1}{x(x-1)}=\dfrac{1}{x}$ 과 같이 인수분해하여 $x\neq 0$인 모든 실수로 답하지 않도록 주의한다.

㉡ $x^2-x\neq 0$이므로 $x(x-1)\neq 0$에서 $x\neq 0$이고 $x\neq 1$이다.

확인 문제

정답과 해설 | 26쪽

07-1 (상중하) 두 함수 $f(x)=x$, $g(x)=x^2+x-6$에 대하여 다음 함수가 연속인 구간을 구하시오.

(1) $2f(x)+g(x)$　　(2) $f(x)g(x)$

(3) $\dfrac{f(x)}{g(x)}$　　(4) $\dfrac{f(x)+g(x)}{f(x)-g(x)}$

MY 셀파

07-1
(4) $f(x)+g(x)=x+x^2+x-6$
$=x^2+2x-6$
$f(x)-g(x)=x-x^2-x+6$
$=-x^2+6$

셀파 특강 02 불연속인 두 함수의 곱

두 함수 $y=f(x)$, $y=g(x)$의 그래프가 오른쪽 그림과 같을 때, 함수 $f(x)g(x)$가 $x=0$에서 연속인지 불연속인지 조사하시오.

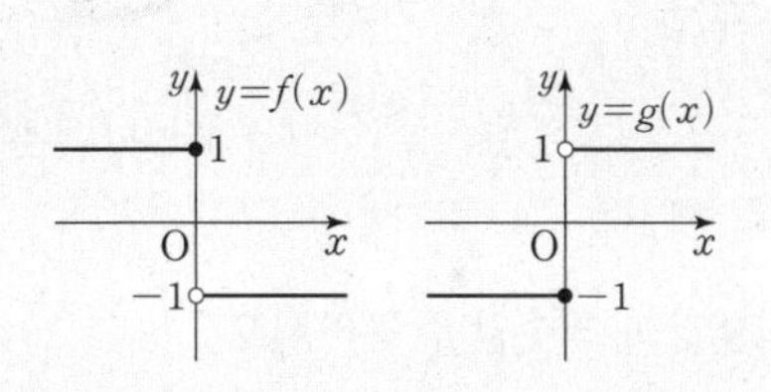

Q 연속함수의 성질에서 두 함수 $f(x)$, $g(x)$가 $x=a$에서 연속이면 두 함수의 곱 $f(x)g(x)$도 $x=a$에서 연속이었잖아요.
그러면 주어진 ㉠두 함수는 모두 $x=0$에서 불연속이므로 불연속인 함수의 곱도 불연속이 되나요?

A 항상 그런 건 아냐. 정확하게 확인하려면 연속의 정의를 이용해서 $x=0$에서 연속인지 불연속인지를 판단해야 해.

Q 그럼 $x=0$에서 함숫값 $f(0)g(0)$을 구한 다음 좌극한 $\lim_{x \to 0-} \{f(x)g(x)\}$와 우극한 $\lim_{x \to 0+} \{f(x)g(x)\}$를 비교하면 되겠네요.

A 그렇지. $f(0)=1$, $g(0)=-1$이므로 $f(0)g(0)=-1$이고,
$\lim_{x \to 0-} f(x)=1$, $\lim_{x \to 0-} g(x)=-1$이므로 $\lim_{x \to 0-} \{f(x)g(x)\}=-1$,
$\lim_{x \to 0+} f(x)=-1$, $\lim_{x \to 0+} g(x)=1$이므로 $\lim_{x \to 0+} \{f(x)g(x)\}=-1$이네.
그럼 이제 $x=0$에서 연속인지를 판단해 봐.

Q 네. $\lim_{x \to 0-} \{f(x)g(x)\}=\lim_{x \to 0+} \{f(x)g(x)\}=f(0)g(0)=-1$이므로 함수 $f(x)g(x)$는 $x=0$에서 연속이에요.

A 이와 같이 두 함수 $f(x)$, $g(x)$가 모두 $x=0$에서 불연속이라도 $f(x)$, $g(x)$가 어떤 함수냐에 따라 $f(x)g(x)$는 $x=0$에서 연속이 될 수도 있어.
일반적으로 두 함수 ㉡$f(x)$, $g(x)$가 $x=a$에서 불연속이라고 해서 두 함수의 곱 $f(x)g(x)$도 $x=a$에서 불연속이라 단정하지 말고 반드시 극한값 ㉢$\lim_{x \to a} \{f(x)g(x)\}$와 함숫값 $f(a)g(a)$를 구한 다음 비교해 보도록 해.

㉠ 두 함수 $y=f(x)$, $y=g(x)$는 모두 $x=0$에서 끊어져 있으므로 $x=0$에서 불연속이다.

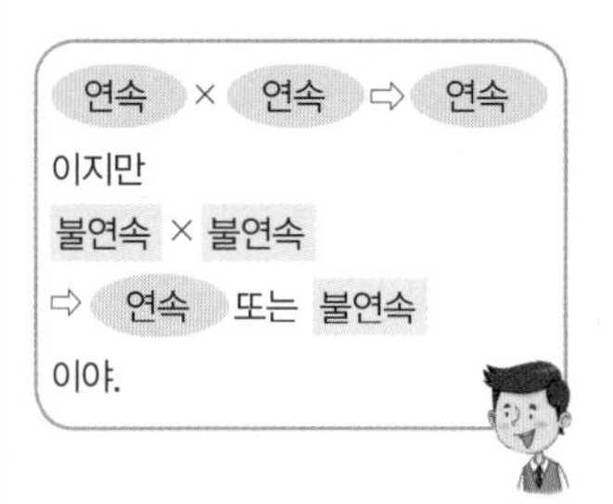

㉡ 두 함수 $f(x)$, $g(x)$ 중 어느 한 함수가 $x=a$에서 불연속이면 그 점에서 $f(x)g(x)$의 극한을 구할 때 반드시 좌극한과 우극한을 구한 다음 두 값이 같은지 확인해야 한다.

㉢ $\lim_{x \to a} \{f(x)g(x)\}=f(a)g(a)$가 성립하면 두 함수의 곱 $f(x)g(x)$는 $x=a$에서 연속이다.

확인 체크 02

정답과 해설 | 26쪽

두 함수 $y=f(x)$, $y=g(x)$의 그래프가 오른쪽 그림과 같을 때, 함수 $f(x)g(x)$가 ㉣$x=1$에서 연속인지 불연속인지 조사하시오.

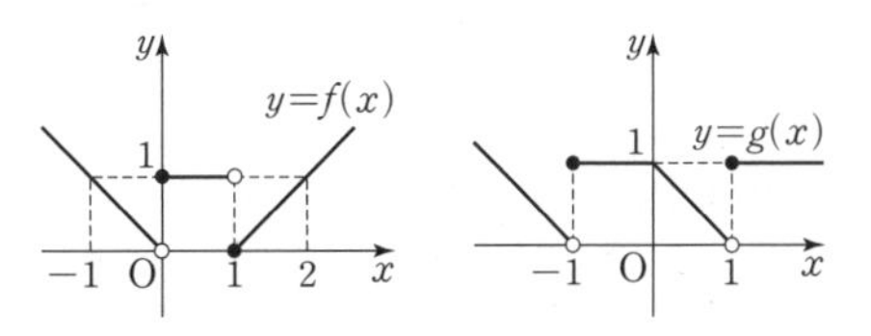

㉣ $x \to 1$일 때의 극한값 $\lim_{x \to 1} \{f(x)g(x)\}$와 함숫값 $f(1)g(1)$을 구해서 비교해 본다.

해법 08 최대·최소 정리

함수 $f(x)$가 닫힌구간 $[a, b]$에서 연속이면 $f(x)$는 이 닫힌구간에서 반드시 최댓값과 최솟값을 갖는다.

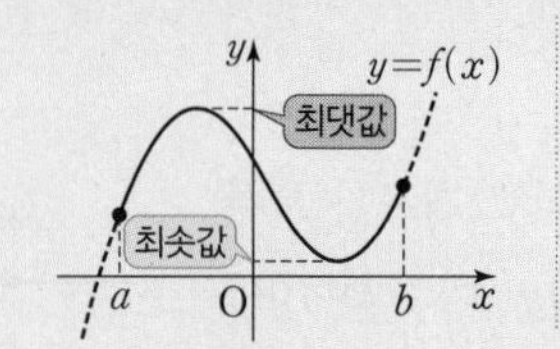

PLUS ⊕

닫힌구간이 아닌 구간에서 정의된 연속함수 $f(x)$는 최댓값 또는 최솟값을 갖지 않을 수도 있다.

주어진 구간에서 다음 함수의 최댓값과 최솟값을 구하시오.

(1) $f(x)=x^2-3x \quad [-1, 3]$ (2) $f(x)=\dfrac{2}{x-3} \quad [-2, 2]$

해법 코드

함수 $f(x)$의 그래프를 그린 다음 주어진 구간에서 연속인지 알아본다.

셀파 함수 $f(x)$의 최대·최소 ⇨ 함수 $y=f(x)$의 그래프를 그린다.

풀이 (1) 함수 ㉠ $f(x)=x^2-3x$는 닫힌구간 $[-1, 3]$에서 연속이고 닫힌구간 $[-1, 3]$에서 함수 $y=f(x)$의 그래프는 오른쪽 그림과 같다. 따라서 $f(x)$는

$x=-1$에서 **최댓값 4**, $x=\dfrac{3}{2}$에서 **최솟값 $-\dfrac{9}{4}$**

를 갖는다.

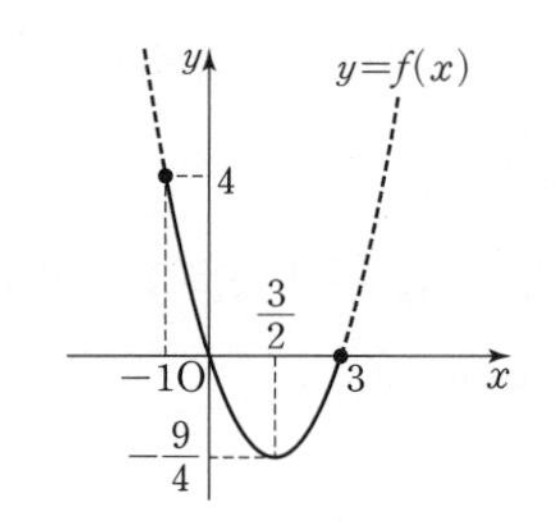

㉠ $f(x)=x^2-3x$
$=\left(x-\dfrac{3}{2}\right)^2-\dfrac{9}{4}$

(2) 함수 ㉡ $f(x)=\dfrac{2}{x-3}$는 닫힌구간 $[-2, 2]$에서 연속이고 닫힌구간 $[-2, 2]$에서 함수 $y=f(x)$의 그래프는 오른쪽 그림과 같다. 따라서 $f(x)$는

$x=-2$에서 **최댓값 $-\dfrac{2}{5}$**, $x=2$에서 **최솟값 -2**

를 갖는다.

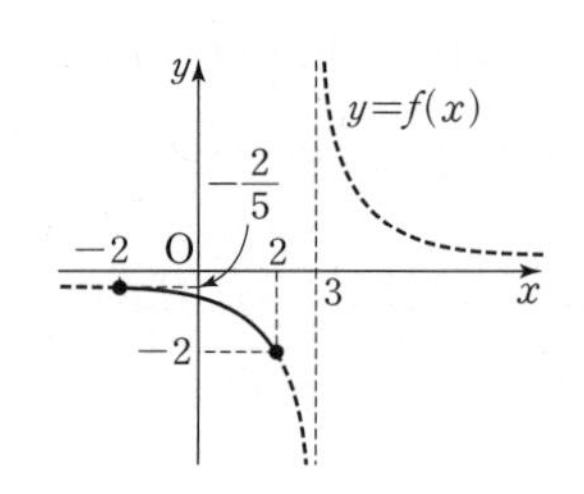

㉡ 점근선이 직선 $x=3$, $y=0$인 유리함수이다.

확인 문제

정답과 해설 | 26쪽

MY 셀파

08-1 주어진 구간에서 함수 $f(x)=x^2-2x$가 최댓값 또는 최솟값을 가질 때, 그 값을 구하시오.

(1) $[-1, 2]$ (2) $(-1, 2)$

(3) $[-1, 2)$ (4) $(-1, 2]$

08-1
$f(x)=x^2-2x=(x-1)^2-1$

08-2  주어진 구간에서 다음 함수의 최댓값과 최솟값을 구하시오.

(1) $f(x)=|x-1| \quad [-1, 4]$ (2) $f(x)=\sqrt{x+3}-2 \quad [-2, 6]$

08-2
(1) $x\ge1$일 때, $f(x)=x-1$
$x<1$일 때, $f(x)=-x+1$

해법 09 사잇값의 정리와 방정식의 실근

함수 $f(x)$가 닫힌구간 $[a, b]$에서 연속이고 $f(a)$와 $f(b)$의 부호가 다르면, 즉 $f(a)f(b)<0$이면 사잇값의 정리에 의하여 방정식 $f(x)=0$은 열린구간 (a, b)에서 적어도 하나의 실근을 갖는다.

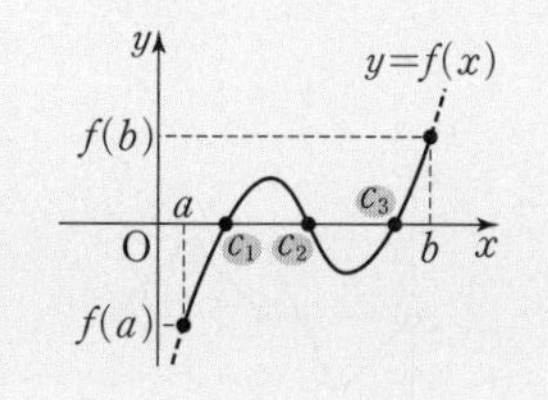

참고 오른쪽 그림에서 $f(x)=0$을 만족시키는 실근 c_1, c_2, c_3이 열린구간 (a, b)에 존재한다.

PLUS +

사잇값의 정리는 주로 방정식 $f(x)=0$의 실근이 존재하는 것을 보일 때 사용한다. 특히 방정식을 직접 풀어 해를 구하는 것이 어려운 경우에 편리하다.

예제

1. 방정식 $x^3-2x^2+3x+4=0$은 열린구간 $(-1, 1)$에서 적어도 하나의 실근을 가짐을 보이시오.

2. 방정식 $x^2-4x+k=0$이 열린구간 $(-1, 2)$에서 적어도 하나의 실근을 가질 때, 실수 k의 값의 범위를 구하시오.

해법 코드

1. $f(x)=x^3-2x^2+3x+4$로 놓고 $f(-1)f(1)<0$을 보인다.

2. $f(x)=x^2-4x+k$로 놓으면 $f(-1)f(2)<0$이 성립한다.

셀파 방정식 $f(x)=0$이 열린구간 (a, b)에서 실근을 갖는다. ⇨ $f(a)f(b)<0$

풀이

1. $f(x)=x^3-2x^2+3x+4$로 놓으면 함수 $f(x)$는 닫힌구간 $[-1, 1]$에서 연속이고
㉠$f(-1)=-2$, $f(1)=6$에서 $f(-1)f(1)<0$
따라서 사잇값의 정리에 의하여 방정식 $x^3-2x^2+3x+4=0$은 열린구간 $(-1, 1)$에서 적어도 하나의 실근을 갖는다.

2. $f(x)=x^2-4x+k$로 놓으면 함수 $f(x)$는 닫힌구간 $[-1, 2]$에서 연속이고
$f(-1)=k+5$, $f(2)=k-4$이므로
㉡$f(-1)f(2)<0$일 때, 사잇값의 정리에 의하여 방정식 $x^2-4x+k=0$이 열린구간 $(-1, 2)$에서 적어도 하나의 실근을 갖는다.
$f(-1)f(2)=(k+5)(k-4)<0$ $\therefore$ $\mathbf{-5<k<4}$

㉠ $f(-1)=-1-2-3+4=-2<0$
$f(1)=1-2+3+4=6>0$

㉡ $y=f(x)$의 그래프는 아래로 볼록하고 대칭축의 방정식이 $x=2$인 포물선이다. 그래프의 개형은 다음과 같다.

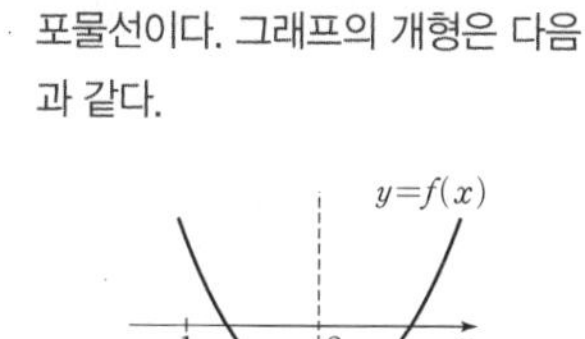

확인 문제

정답과 해설 | 27쪽

09-1 다음 방정식이 열린구간 $(0, 1)$에서 적어도 하나의 실근을 가짐을 보이시오. (상중하)

(1) $x^3+3x^2-1=0$ (2) $3x^4-x-1=0$

09-2 모든 실수 x에서 연속인 함수 $f(x)$에 대하여

$$f(-2)=1, f(0)=-2, f(1)=5, f(4)=-1$$

일 때, 방정식 $f(x)=0$은 열린구간 $(-2, 4)$에서 적어도 몇 개의 실근을 갖는지 구하시오.

MY 셀파

09-1
(1) $f(x)=x^3+3x^2-1$
(2) $f(x)=3x^4-x-1$
로 놓고 $f(0)f(1)<0$을 보인다.

09-2
$f(-2)f(0)<0$, $f(0)f(1)<0$, $f(1)f(4)<0$이다.

2 함수의 연속

연습 문제 EXERCISE

함수의 그래프와 연속

01 열린구간 $(0, 4)$에서 함수 $y=f(x)$의 그래프가 오른쪽 그림과 같을 때, | 보기 |의 설명 중 옳은 것을 모두 고르시오.

(상 중 하)

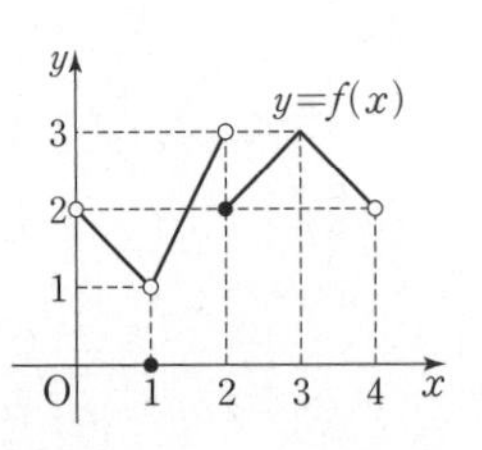

| 보기 |
ㄱ. 불연속인 x의 값의 개수는 2이다.
ㄴ. 극한값이 존재하지 않는 x의 값의 개수는 2이다.
ㄷ. 함수 $f(f(x))$는 $x=2$에서 연속이다.

함수의 그래프와 연속 융합형

02 두 함수 $f(x)=\begin{cases} 2-x & (x<1) \\ 2+x & (x\geq 1) \end{cases}$, $g(x)=x^2+ax$에 대하여 함수 $(g\circ f)(x)$가 $x=1$에서 연속일 때, 상수 a의 값을 구하시오.

(상 중 하)

함수가 연속일 조건

03 함수 $f(x)=\begin{cases} x^2+x+a & (x\geq 2) \\ x+b & (x<2) \end{cases}$가 $x=2$에서 연속일 때, 상수 a, b에 대하여 $a-b$의 값을 구하시오.

(상 중 하)

함수가 연속일 조건

04 함수 $f(x)=\begin{cases} \dfrac{\sqrt{1+3x}-\sqrt{1-3x}}{x} & (x\neq 0) \\ k & (x=0) \end{cases}$가 $x=0$에서 연속일 때, 상수 k의 값을 구하시오.

(상 중 하)

함수가 연속일 조건

05 함수 $f(x)=\begin{cases} \dfrac{x^3-ax+b}{(x-1)^2} & (x\neq 1) \\ c & (x=1) \end{cases}$가 $x=1$에서 연속일 때, 상수 a, b, c에 대하여 $a^2+b^2+c^2$의 값을 구하시오.

(상 중 하)

$(x-a)f(x)=g(x)$ 꼴의 함수의 연속 서술형

06 $x\geq -2$인 모든 실수 x에서 연속인 함수 $f(x)$가 $(x-2)f(x)=a\sqrt{x+2}-16$을 만족시킬 때, $f(2)$의 값을 구하시오. (단, a는 상수)

(상 중 하)

연속함수의 성질

07 두 함수 $f(x)=x-1$, $g(x)=x^2+x+1$에 대하여

상 중 하

함수 $h(x)=\dfrac{f(x)}{f(x)+g(x)}$가 연속인 구간을 구하시오.

연속함수의 성질

08 두 함수 $y=f(x)$, $y=g(x)$의 그래프가 다음 그림과 같을 때, | 보기 | 중 $x=0$에서 연속인 함수를 모두 고르시오.

상 중 하

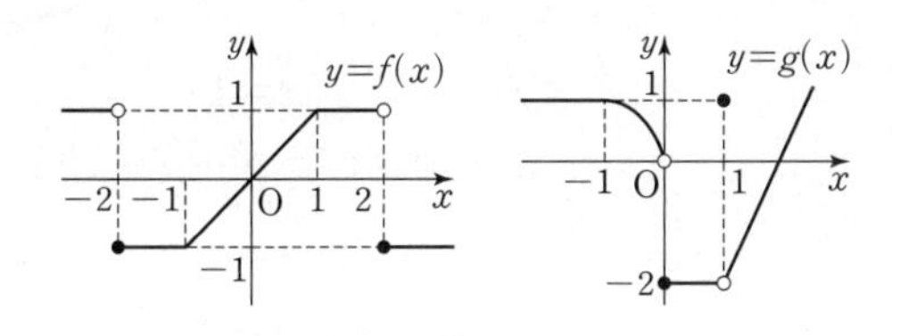

| 보기 |

ㄱ. $f(x)+g(x)$　ㄴ. $f(x)g(x)$　ㄷ. $g(x-1)$

최대·최소 정리

09 닫힌구간 $[0, 3]$에서 함수 $f(x)=x^2-2x-3$의 최댓값을 α, 최솟값을 β라 할 때, $\alpha+\beta$의 값을 구하시오.

상 중 하

최대·최소 정리

10 닫힌구간 $[1, 5]$에서 정의된 함수 $f(x)$에 대하여 $y=f(x)$의 그래프가 오른쪽 그림과 같다. 함수 $f(x)$에 대한 | 보기 |의 설명 중 옳은 것을 모두 고르시오.

상 중 하

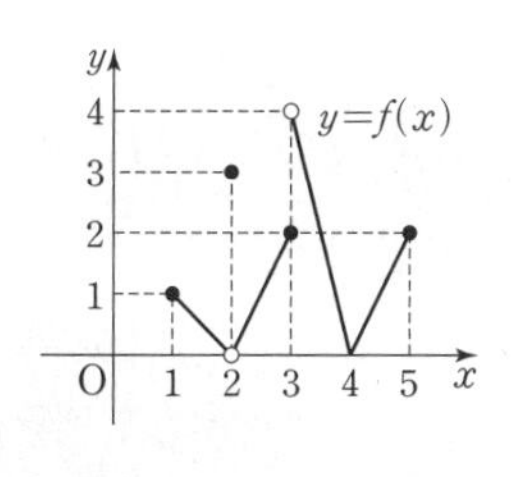

| 보기 |

ㄱ. 불연속인 x의 값의 개수는 2이다.

ㄴ. 닫힌구간 $[2, 3]$에서 최댓값과 최솟값을 갖는다.

ㄷ. 닫힌구간 $[4, 5]$에서 최댓값과 최솟값을 갖는다.

사잇값의 정리와 방정식의 실근

11 삼차방정식 $x^3+ax-5=0$은 열린구간 $(-1, 2)$에서 적어도 하나의 실근을 갖는다. 다음 중 상수 a의 값이 될 수 없는 것은?

상 중 하

① -7　② -6　③ -1

④ 0　⑤ 1

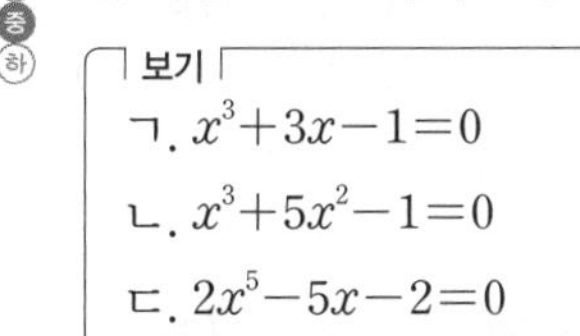

사잇값의 정리와 방정식의 실근

12 열린구간 $(0, 1)$에서 적어도 하나의 실근을 갖는 것만을 다음 | 보기 |에서 모두 고르시오.

상 중 하

| 보기 |

ㄱ. $x^3+3x-1=0$

ㄴ. $x^3+5x^2-1=0$

ㄷ. $2x^5-5x-2=0$

물놀이장에 왔습니다!
우와~
드디어 유명 워터파크에 놀러왔어.
워터슬라이드가 두 개나 있네.
A
B
내가 좀 겁이 많거든. 덜 무서운 코스를 선택하고 싶은데...
두 코스의 경사가 얼마나 되는지 물어 보면 되잖아.
경사도를 따져봅니다.
A코스는 평균변화율이 작아.
B코스는 평균변화율이 커.
A
B

3

미분계수

개념 1 평균변화율

개념 2 미분계수 (순간변화율)

개념 3 미분가능성과 연속성의 관계

3. 미분계수

개념 1 평균변화율

(1) 증분

함수 $y=f(x)$에서 x의 값의 변화량 $b-a$를 x의 **증분**, y의 값의 변화량 ❶ ______ $-f(a)$를 y의 **증분**이라 하고, 기호로 각각 $\boldsymbol{\Delta x}$, $\boldsymbol{\Delta y}$와 같이 나타낸다.

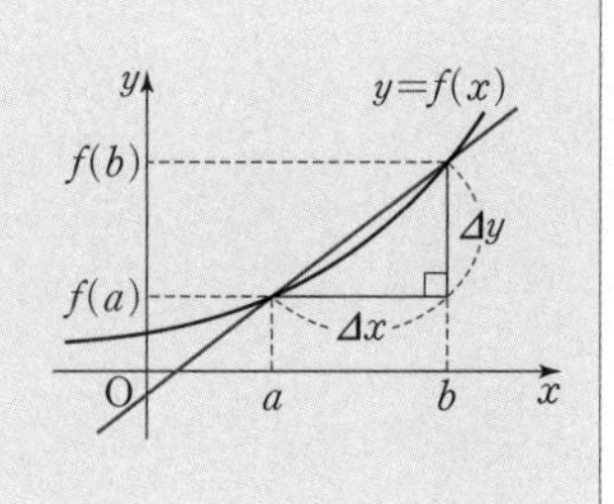

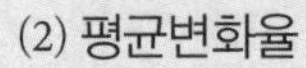

(2) 평균변화율

함수 $y=f(x)$에서 x의 값이 ❷ ______ 에서 b까지 변할 때의 **평균변화율**은

$$^{㉠}\frac{\Delta y}{\Delta x}=\frac{f(b)-f(a)}{b-a}=\frac{f(a+\Delta x)-f(a)}{\Delta x}$$

답 ❶ $f(b)$ ❷ a

개념 플러스

㉠ Δ는 차(差)를 뜻하는 영어 단어 Difference의 첫 글자인 D에 해당하는 그리스 문자로 'delta' 로 읽는다.

Δx는 Δ와 x의 곱이 아니라 x의 값의 변화량을 나타내. 마찬가지로 Δy는 y의 값의 변화량을 나타내지.

개념 2 미분계수 (순간변화율)

(1) 함수 $y=f(x)$의 $x=a$에서의 **미분계수**는

$$^{㉡}f'(a)=\lim_{\Delta x\to 0}\frac{\Delta y}{\Delta x}=\lim_{\Delta x\to 0}\frac{f(a+\Delta x)-❶\,\_\_\_\_}{\Delta x}$$

참고 $a+\Delta x=x$로 놓으면 위의 식은 $f'(a)=\lim_{x\to a}\frac{f(x)-f(a)}{x-a}$와 같이 나타낼 수 있다.

(2) 미분계수의 기하적 의미

함수 $y=f(x)$의 $x=$ ❷ ______ 에서의 미분계수 $f'(a)$는 곡선 $y=f(x)$ 위의 점 $\mathrm{P}(a, f(a))$에서의 접선의 기울기와 같다.

참고 $\Delta x\to 0$이면 점 Q는 곡선 $y=f(x)$ 위를 움직이면서 점 P에 한없이 가까워지고, 이때 직선 PQ는 점 P를 지나는 일정한 ㉢직선 PT에 한없이 가까워진다.

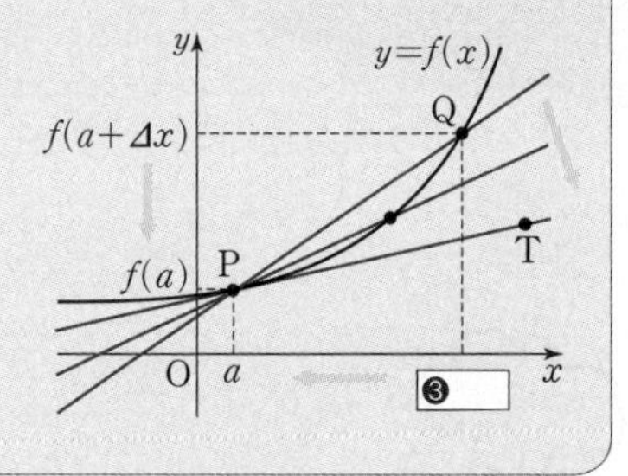

답 ❶ $f(a)$ ❷ a ❸ $a+\Delta x$

▶ 함수 $y=f(x)$에서 x의 값이 a에서 b까지 변할 때의 평균변화율 $\frac{f(b)-f(a)}{b-a}$는 함수 $y=f(x)$의 그래프 위의 두 점 $\mathrm{P}(a, f(a))$, $\mathrm{Q}(b, f(b))$를 지나는 직선의 기울기와 같다.

㉡ 미분계수 $f'(a)$는 'f prime a'로 읽는다.

㉢ 직선 PT를 곡선 $y=f(x)$ 위의 점 P에서의 접선이라 하며 점 P를 접점이라 한다.

개념 3 미분가능성과 연속성의 관계

(1) 함수 $y=f(x)$의 $x=a$에서의 ㉣미분계수 $f'(a)$가 존재하면 $f(x)$는 ❶ ______ 에서 **미분가능**하다고 한다.

(2) 함수 $y=f(x)$가 $x=a$에서 ❷ ______ 가능하면 $f(x)$는 $x=a$에서 연속이다. 그러나 그 역은 성립하지 않는다.

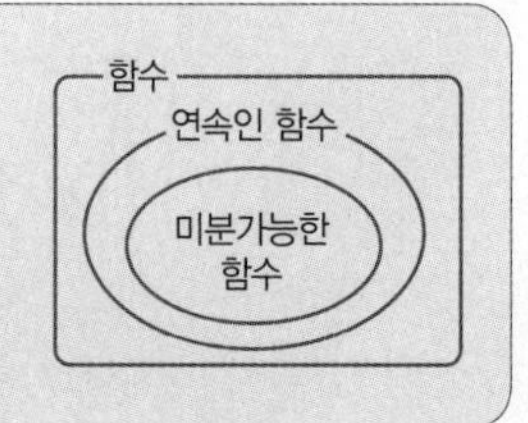

답 ❶ $x=a$ ❷ 미분

㉣ $f'(a)$가 존재, 즉 $x=a$에서 미분가능하다는 것은

$$\lim_{\Delta x\to 0+}\frac{f(a+\Delta x)-f(a)}{\Delta x}=\lim_{\Delta x\to 0-}\frac{f(a+\Delta x)-f(a)}{\Delta x}$$

가 성립한다는 뜻이다.

1-1 | 평균변화율 |

함수 $f(x)=-x^2+3x+2$에서 x의 값이 다음과 같이 변할 때의 평균변화율을 구하시오.

(1) -2에서 1까지　　(2) 0에서 4까지

연구

(1) $\frac{\Delta y}{\Delta x}=\frac{f(1)-f(\square)}{1-(-2)}$

$=\frac{(-1+3+2)-(-4-6+2)}{3}=\frac{4-(-8)}{3}$

$=\frac{12}{3}=\mathbf{4}$

(2) $\frac{\Delta y}{\Delta x}=\frac{f(4)-f(0)}{\square-0}$

$=\frac{(-16+12+2)-2}{4}=\frac{-2-2}{4}$

$=\frac{-4}{4}=\square$

1-2 | 따라풀기 |

함수 $f(x)=4x-1$에서 x의 값이 다음과 같이 변할 때의 평균변화율을 구하시오.

(1) -1에서 3까지　　(2) 1에서 6까지

풀이

2-1 | 순간변화율 |

함수 $f(x)=x^2$의 $x=1$에서의 미분계수를 구하시오.

연구

$f'(1)=\lim_{\Delta x\to 0}\frac{f(\square+\Delta x)-f(1)}{(1+\Delta x)-1}$

$=\lim_{\Delta x\to 0}\frac{(1+\Delta x)^2-1^2}{\Delta x}$

$=\lim_{\Delta x\to 0}\frac{\{1+2\Delta x+(\Delta x)^2\}-1}{\Delta x}$

$=\lim_{\Delta x\to 0}(\Delta x+\square)=\mathbf{2}$

다른 풀이

$f'(1)=\lim_{x\to 1}\frac{f(x)-f(1)}{x-1}$

$=\lim_{x\to 1}\frac{x^2-1}{x-1}$

$=\lim_{x\to 1}(x+1)=2$

2-2 | 따라풀기 |

다음 함수의 $x=0$에서의 미분계수를 구하시오.

(1) $f(x)=2x+1$　　(2) $f(x)=-x^2-4x$

풀이

해법 01 평균변화율

함수 $y=f(x)$에서 x의 값이 a에서 b까지 변할 때의 평균변화율은

$$\frac{\Delta y}{\Delta x}=\frac{f(b)-f(a)}{b-a}=\frac{f(a+\Delta x)-f(a)}{\Delta x}$$

⇨ 곡선 $y=f(x)$ 위의 두 점$(a,\ f(a))$,$(b,\ f(b))$를 지나는 직선의 기울기와 같다.

PLUS

$b-a=\Delta x$로 생각하면 $b=a+\Delta x$이므로 평균변화율을 $\frac{f(a+\Delta x)-f(a)}{\Delta x}$로 나타낼 수 있다.

예제 이차함수 $y=f(x)$의 그래프는 오른쪽 그림과 같이 축이 $x=2$이고, 직선 AB의 기울기는 1이다.
함수 $y=f(x)$에서 x의 값이 0에서 2까지 변할 때의 평균변화율을 구하시오.

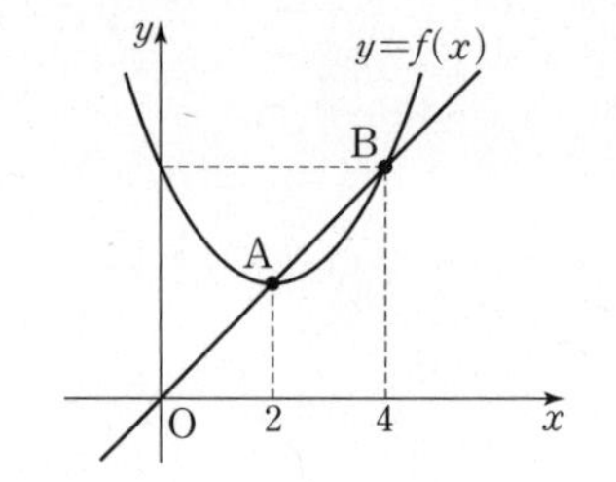

해법 코드
이차함수 $y=f(x)$의 그래프는 축 $x=2$를 기준으로 좌우대칭이므로 $f(0)=f(4)$

셀파 함수 $y=f(x)$에서 x의 값이 a에서 b까지 변할 때의 평균변화율

⇨ $\frac{\Delta y}{\Delta x}=\frac{f(b)-f(a)}{b-a}$

풀이 직선 AB의 기울기는 함수 $y=f(x)$에서 x의 값이 2에서 4까지 변할 때의 평균변화율과 같으므로

$\frac{\Delta y}{\Delta x}=\frac{f(4)-f(2)}{4-2}=\frac{f(4)-f(2)}{2}=1$

주어진 이차함수 $y=f(x)$의 그래프가 $x=2$를 기준으로 좌우대칭이므로

$f(0)=f(4)$

따라서 함수 $y=f(x)$에서 x의 값이 0에서 2까지 변할 때의 평균변화율은

㉠ $\frac{\Delta y}{\Delta x}=\frac{f(2)-f(0)}{2-0}=\frac{f(2)-f(4)}{2}=-\frac{f(4)-f(2)}{2}=\mathbf{-1}$

㉠

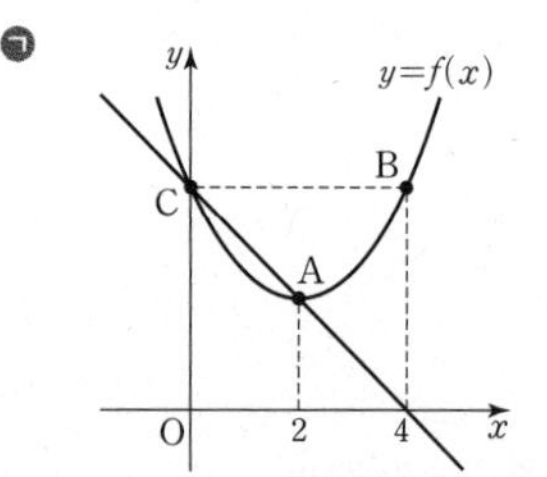

$\frac{\Delta y}{\Delta x}=\frac{f(2)-f(0)}{2-0}$은 직선 AC의 기울기이다.

확인 문제

정답과 해설 | **30쪽**

01-1 (상중하) 함수 $f(x)=ax^2-x+3$에서 x의 값이 0에서 2까지 변할 때의 평균변화율이 5일 때, 상수 a의 값을 구하시오.

01-2 (상중하) 함수 $y=f(x)$에서 x의 값이 -1에서 3까지 변할 때의 평균변화율이 2일 때, 두 점 $\mathrm{P}(-1,\ f(-1))$, $\mathrm{Q}(3,\ f(3))$을 지나는 직선 PQ의 기울기를 구하시오.

MY 셀파

01-1
함수 $y=f(x)$에서 x의 값이 0에서 2까지 변할 때의 평균변화율은 $\frac{f(2)-f(0)}{2-0}$

01-2
직선 PQ의 기울기는 함수 $y=f(x)$에서 x의 값이 -1에서 3까지 변할 때의 평균변화율과 같다.

Q 순간변화율의 뜻을 좀 더 자세히 설명해 주세요.

A 그전에 ㉠평균변화율을 알아야 하는데 평균변화율의 뜻을 알고 있니?

Q x의 증분 Δx에 대한 y의 증분 Δy의 비율 $\frac{\Delta y}{\Delta x}$이잖아요.

A 그렇다면 평균변화율의 기하적인 의미도 알고 있겠구나?

Q 곡선 $y=f(x)$ 위의 ㉡두 점 $\mathrm{P}(a,\ f(a))$, $\mathrm{Q}(b,\ f(b))$를 지나는 직선 PQ의 기울기를 나타내요.

A 맞아. 이때

x의 증분 $\Delta x=b-a$,

y의 증분 $\Delta y=f(b)-f(a)$

$=f(a+\Delta x)-f(a)$

이고 Δx가 0에 한없이 가까워지면 직선 PQ는 점 P에서의 접선 PT에 점점 가까워짐을 알 수 있어.

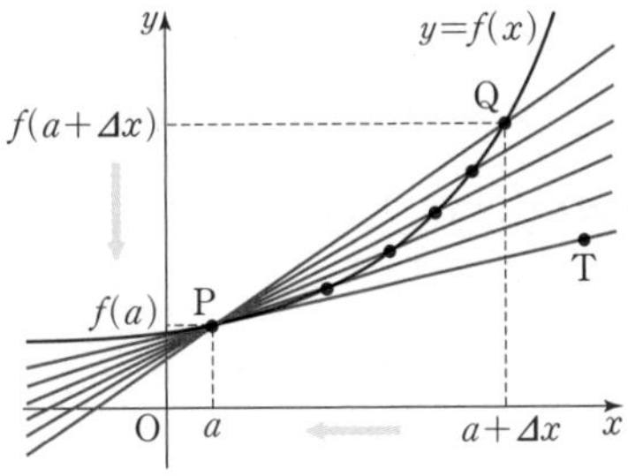

Q 아! 그렇다면 함수 $y=f(x)$에서 $x=a$일 때의 순간변화율은 곡선 $y=f(x)$ 위의 점 P에서의 접선 PT의 기울기를 나타낸다고 할 수 있네요.

A 그렇지. 미분계수는 결국 곡선 $y=f(x)$ 위의 두 점 P, Q에 대하여 점 Q가 점 P에 한없이 가까워질 때, 직선 PQ의 기울기가 한없이 가까워지는 값이라 할 수 있는 거야.

확인 체크 01

정답과 해설 | 31쪽

함수 $f(x)=x^2+1$에서 다음을 구하시오.

(1) x의 값이 2에서 4까지 변할 때의 ㉢평균변화율

(2) $x=2$에서의 ㉣미분계수

㉠ 함수 $y=f(x)$에서 x의 값이 a에서 b까지 변할 때의 평균변화율은
$\frac{\Delta y}{\Delta x}=\frac{f(b)-f(a)}{b-a}$

㉡

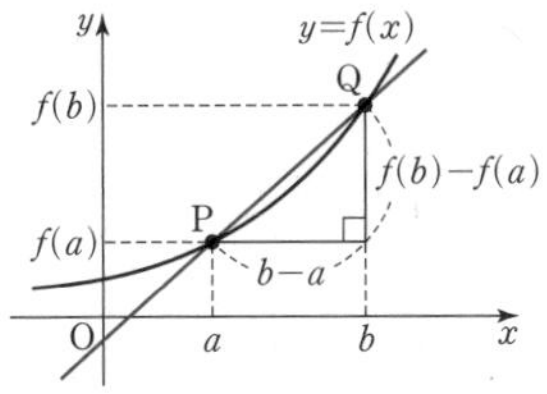

두 점 $\mathrm{P}(a,\ f(a))$, $\mathrm{Q}(b,\ f(b))$를 지나는 직선의 기울기는 $\frac{f(b)-f(a)}{b-a}$이다. 이때 $\frac{f(b)-f(a)}{b-a}$는 함수 $y=f(x)$에서 x의 값이 a에서 b까지 변할 때의 평균변화율과 같다.

일차함수 $y=ax+b$는 모든 실수 x에서 기울기가 a인 직선을 나타내므로 함수 $f(x)=ax+b$의 평균변화율은 언제나 a로 일정해!

㉢ 평균변화율 ⇨ $\frac{\Delta y}{\Delta x}$

㉣ 미분계수 ⇨ $\lim_{\Delta x \to 0}\frac{\Delta y}{\Delta x}$

해법 02 평균변화율과 순간변화율(미분계수)

함수 $y=f(x)$의 $x=a$에서의 순간변화율(미분계수) $f'(a)$는

$$f'(a)=\lim_{\Delta x\to 0}\frac{f(a+\Delta x)-f(a)}{\Delta x}=\lim_{x\to a}\frac{f(x)-f(a)}{x-a}$$

참고 $\lim_{\Delta x\to 0}\frac{f(a+\Delta x)-f(a)}{\Delta x}$에서 $a+\Delta x=x$로 놓으면 $\Delta x=x-a$이고, $\Delta x\to 0$일 때 $x\to a$이므로

$$\lim_{\Delta x\to 0}\frac{f(a+\Delta x)-f(a)}{\Delta x}=\lim_{x\to a}\frac{f(x)-f(a)}{x-a}$$

PLUS

순간변화율(미분계수) $f'(a)$는 곡선 $y=f(x)$ 위의 점 $(a, f(a))$에서의 접선의 기울기를 나타낸다.

예제 함수 $f(x)=x^2+4x$에서 x의 값이 1에서 5까지 변할 때의 평균변화율과 $x=a$에서의 미분계수가 같을 때, 상수 a의 값을 구하시오.

해법 코드

x의 값이 1에서 5까지 변할 때의 평균변화율은 $\frac{f(5)-f(1)}{5-1}$

셀파 함수 $y=f(x)$의 $x=a$에서의 순간변화율 ⇨ $f'(a)=\lim_{\Delta x\to 0}\frac{f(a+\Delta x)-f(a)}{\Delta x}$

풀이 x의 값이 1에서 5까지 변할 때의 함수 $y=f(x)$의 평균변화율은

$$\frac{\Delta y}{\Delta x}=\frac{f(5)-f(1)}{5-1}=\frac{(5^2+20)-(1^2+4)}{4}=\frac{45-5}{4}=10$$

함수 $y=f(x)$의 $x=a$에서의 미분계수는

$$\begin{aligned}f'(a)&=\lim_{\Delta x\to 0}\frac{f(a+\Delta x)-f(a)}{\Delta x}\\&=\lim_{\Delta x\to 0}\frac{\{(a+\Delta x)^2+4(a+\Delta x)\}-(a^2+4a)}{\Delta x}\\&=\lim_{\Delta x\to 0}\frac{(2a+4)\Delta x+(\Delta x)^2}{\Delta x}\\&\overset{㉠}{=}\lim_{\Delta x\to 0}\{(2a+4)+\Delta x\}=2a+4\end{aligned}$$

㉡ $2a+4=10$에서 $2a=6$ $\quad\therefore$ $\boldsymbol{a=3}$

㉠ $\lim_{\Delta x\to 0}\{(2a+4)+\Delta x\}$
$=\lim_{\Delta x\to 0}(2a+4)+\lim_{\Delta x\to 0}\Delta x$
$=(2a+4)+0$
$=2a+4$

㉡ 평균변화율 10과 $x=a$에서의 미분계수 $2a+4$가 같다.

확인 문제

정답과 해설 | 31쪽

02-1 (상중하) $f(a)=3$, $f'(a)=2$인 다항함수 $y=f(x)$에서 x의 값이 a에서 t까지 변할 때의 평균변화율을 $g(t)$라 할 때, $\lim_{t\to a}g(t)$의 값을 구하시오. (단, $t\neq a$)

02-2 (상중하) 함수 $f(x)=x^2+x+1$에서 x의 값이 1에서 3까지 변할 때의 평균변화율과 $x=c$에서의 순간변화율이 같을 때, 상수 c의 값을 구하시오.

MY 셀파

02-1

$g(t)=\frac{f(t)-f(a)}{t-a}$이므로

$\lim_{t\to a}g(t)=\lim_{t\to a}\frac{f(t)-f(a)}{t-a}$
$=f'(a)$

02-2

$\frac{f(3)-f(1)}{3-1}=f'(c)$

해법 03 미분계수

함수 $y=f(x)$의 $x=a$에서의 미분계수 $f'(a)$는

$$f'(a)=\lim_{\Delta x \to 0}\frac{f(a+\Delta x)-f(a)}{\Delta x}=\lim_{h \to 0}\frac{f(a+h)-f(a)}{h}$$

PLUS ⊕

$x=a$에서의 미분계수를

$f'(a)=\lim_{\blacktriangle \to 0}\frac{f(a+\blacktriangle)-f(a)}{\blacktriangle}$

꼴로 기억하고 활용한다.

예제 1. 함수 $f(x)=-x^2+2x$의 $x=1$에서의 미분계수를 구하시오.

2. 다이빙 선수가 도움닫기를 한 다음 x초 후의 수면에서의 높이 $f(x)$가 $f(x)=-3x^2+6x+10$이라 할 때, 함수 $y=f(x)$의 $x=2$에서의 미분계수를 구하시오.

해법 코드

1. $x=1$에서의 미분계수

⇨ $\lim_{h \to 0}\frac{f(1+h)-f(1)}{h}$

2. $x=2$에서의 미분계수

⇨ $\lim_{h \to 0}\frac{f(2+h)-f(2)}{h}$

셀파 함수 $y=f(x)$의 $x=a$에서의 미분계수 ⇨ $f'(a)=\lim_{h \to 0}\frac{f(a+h)-f(a)}{h}$

풀이 1. 함수 $f(x)=-x^2+2x$의 $x=1$에서의 미분계수 $f'(1)$은

$$\begin{aligned}f'(1)&=\lim_{h \to 0}\frac{f(1+h)-f(1)}{h}\\&=\lim_{h \to 0}\frac{\{-(1+h)^2+2(1+h)\}-(-1+2)}{h}\\&=\lim_{h \to 0}\frac{(-h^2+1)-1}{h}=\lim_{h \to 0}(-h)=\mathbf{0}\end{aligned}$$

2. 함수 $f(x)=-3x^2+6x+10$의 $x=2$에서의 미분계수 $f'(2)$는

$$\begin{aligned}f'(2)&=\lim_{h \to 0}\frac{f(2+h)-f(2)}{h}\\&=\lim_{h \to 0}\frac{\{-3(2+h)^2+6(2+h)+10\}-(-12+12+10)}{h}\\&=\lim_{h \to 0}\frac{(-3h^2-6h+10)-10}{h}\\&=\lim_{h \to 0}(-3h-6)=\mathbf{-6}\end{aligned}$$

다른 풀이

$f'(a)=\lim_{x \to a}\frac{f(x)-f(a)}{x-a}$

를 이용한다.

1. $f'(1)=\lim_{x \to 1}\frac{f(x)-f(1)}{x-1}$

$=\lim_{x \to 1}\frac{-x^2+2x-1}{x-1}$

$=\lim_{x \to 1}\{-(x-1)\}=0$

2. $f'(2)=\lim_{x \to 2}\frac{f(x)-f(2)}{x-2}$

$=\lim_{x \to 2}\frac{-3x^2+6x+10-10}{x-2}$

$=\lim_{x \to 2}\frac{-3x(x-2)}{x-2}$

$=\lim_{x \to 2}(-3x)$

$=-3\times2=-6$

확인 문제

정답과 해설 | 31쪽

03-1 (상중하) 함수 $f(x)=-x^3+6x^2+8$의 $x=a$에서의 미분계수가 9일 때, 상수 a의 값을 모두 구하시오.

03-2 (상중하) 곡선 $y=2x^2-3$ 위의 점 $(3, 15)$에서의 접선의 기울기를 구하시오.

MY 셀파

03-1

$f'(a)=\lim_{h \to 0}\frac{f(a+h)-f(a)}{h}$

03-2

점 $(3, 15)$에서의 접선의 기울기는 $x=3$에서의 미분계수와 같다.

해법 04 미분계수를 이용한 극한값의 계산 (1)

❶ $\lim_{h\to 0}\frac{f(a+mh)-f(a)}{h}=mf'(a)$

❷ $\lim_{h\to 0}\frac{f(a+mh)-f(a-nh)}{h}=(m+n)f'(a)$

$\lim_{▲\to 0}\frac{f(a+▲)-f(a)}{▲}$에서 ▲ 부분이 같게 되도록 주어진 식을 변형한다.

PLUS ⊕

$\lim_{h\to 0}\frac{f(a+mh)-f(a)}{nh}$

$=\frac{m}{n}f'(a)$

예제 함수 $f(x)$에서 $f'(2)=-1$일 때, 다음 극한값을 구하시오.

(1) $\lim_{h\to 0}\frac{f(2+2h)-f(2)}{h}$ (2) $\lim_{h\to 0}\frac{f(2+3h)-f(2)}{2h}$

(3) $\lim_{h\to 0}\frac{f(2+3h)-f(2-2h)}{h}$

해법 코드

(1), (2) 위 공식 ❶을 이용한다.

(3) 위 공식 ❷를 이용한다.

셀파 $\lim_{▲\to 0}\frac{f(a+▲)-f(a)}{▲}$에서 ▲ 부분이 서로 같아야 $f'(a)$가 된다.

풀이 (1) $(\text{주어진 식})=\lim_{h\to 0}\frac{f(2+2h)-f(2)}{2h}\times 2$

$=f'(2)\times 2=-1\times 2=\mathbf{-2}$

(2) $(\text{주어진 식})=\lim_{h\to 0}\frac{f(2+3h)-f(2)}{3h}\times\frac{3}{2}$

$=f'(2)\times\frac{3}{2}=-1\times\frac{3}{2}=\mathbf{-\frac{3}{2}}$

(3) $(\text{주어진 식})=\lim_{h\to 0}\frac{f(2+3h)-f(2)+f(2)-f(2-2h)}{h}$

$=\lim_{h\to 0}\frac{f(2+3h)-f(2)}{h}-\lim_{h\to 0}\frac{f(2-2h)-f(2)}{h}$

$\overset{㉠}{=}\lim_{h\to 0}\frac{f(2+3h)-f(2)}{3h}\times 3-\lim_{h\to 0}\frac{f(2-2h)-f(2)}{-2h}\times(-2)$

$=f'(2)\times 3-f'(2)\times(-2)$

$=5f'(2)=5\times(-1)=\mathbf{-5}$

㉠ $\lim_{h\to 0}\frac{f(2+3h)-f(2)}{3h}$

$=\lim_{h\to 0}\frac{f(2-2h)-f(2)}{-2h}$

$=f'(2)$

확인 문제

정답과 해설 | **31**쪽

04-1 함수 $f(x)$에서 $f'(-1)=6$일 때, $\lim_{h\to 0}\frac{f(-1+2h)-f(-1)}{3h}$의 값을 구하시오.

상 중 **하**

04-2 함수 $f(x)$에서 $f'(1)=3$일 때, $\lim_{h\to 0}\frac{f(1+3h)-f(1-h)}{h}$의 값을 구하시오.

상 **중** 하

MY 셀파

04-1

(주어진 식)

$=\lim_{h\to 0}\frac{f(-1+2h)-f(-1)}{2h}\times\frac{2}{3}$

04-2

$\lim_{h\to 0}\frac{f(1+mh)-f(1)}{mh}$ 꼴로 변형한다.

$h\to0$일 때, 미분계수를 이용한 극한값 계산

정답과 해설 | 32쪽

❶ $\lim_{h\to0}\frac{f(a+h)-f(a)}{h}=f'(a)$

❷ $\lim_{h\to0}\frac{f(a+mh)-f(a)}{h}=mf'(a)$

해설 $\lim_{h\to0}\frac{f(a+mh)-f(a)}{h}=\lim_{h\to0}\frac{f(a+mh)-f(a)}{mh}\times m=f'(a)\times m=mf'(a)$

❸ $\lim_{h\to0}\frac{f(a+mh)-f(a-nh)}{h}=(m+n)f'(a)$

해설 $\lim_{h\to0}\frac{f(a+mh)-f(a-nh)}{h}=\lim_{h\to0}\frac{f(a+mh)-f(a)+f(a)-f(a-nh)}{h}$

$=\lim_{h\to0}\frac{f(a+mh)-f(a)}{mh}\times m-\lim_{h\to0}\frac{f(a-nh)-f(a)}{-nh}\times(-n)$

$=mf'(a)-(-n)f'(a)=(m+n)f'(a)$

$\lim_{▲\to0}\frac{f(a+▲)-f(a)}{▲}=f'(a)$
에서 ▲는 서로 같아야 해!

01 함수 $f(x)$에서 $f'(a)=2$일 때, 다음 극한값을 구하시오.

(1) $\lim_{h\to0}\frac{f(a+2h)-f(a)}{h}$

(2) $\lim_{h\to0}\frac{f(a-3h)-f(a)}{h}$

(3) $\lim_{h\to0}\frac{f(a+3h)-f(a)}{2h}$

(4) $\lim_{h\to0}\frac{f(a+h)-f(a-h)}{h}$

02 함수 $f(x)$에서 $f'(3)=1$일 때, 다음 극한값을 구하시오.

(1) $\lim_{h\to0}\frac{f(3+3h)-f(3)}{h}$

(2) $\lim_{h\to0}\frac{f(3-2h)-f(3)}{3h}$

(3) $\lim_{h\to0}\frac{h}{f(3+3h)-f(3)}$

(4) $\lim_{h\to0}\frac{f(3+2h)-f(3-h)}{h}$

해법 05 미분계수를 이용한 극한값의 계산 (2)

❶ $\lim_{x\to a}\frac{f(x)-f(a)}{x-a}=f'(a)$

❷ $\lim_{★\to■}\frac{f(★)-f(■)}{★-■}=f'(■)$

$\lim_{x\to▲}\frac{f(x)-f(▲)}{x-▲}$에서
▲ 부분이 같게 되도록 주어진 식을 변형한다.

PLUS ⊕

주어진 식의 분모, 분자에 0이 아닌 같은 수 또는 식을 곱해 $\lim_{★\to■}\frac{f(★)-f(■)}{★-■}$ 꼴이 나오도록 정리한다.

예제 **1.** 함수 $f(x)$에서 $f'(2)=2$일 때, 다음 극한값을 구하시오.

(1) $\lim_{x\to2}\frac{f(x)-f(2)}{x^3-8}$　　(2) $\lim_{x\to2}\frac{x^2-4}{f(x)-f(2)}$

2. 함수 $f(x)$에서 $f(1)=2, f'(1)=3$일 때, $\lim_{x\to1}\frac{x^2f(1)-f(x^2)}{x-1}$의 값을 구하시오.

해법 코드

1. $\lim_{x\to2}\frac{f(x)-f(2)}{x-2}$ 꼴이 나오도록 주어진 식을 변형한다.

2. $\lim_{x\to1}\frac{f(x^2)-f(1)}{x^2-1}=f'(1)$

셀파 $\lim_{★\to■}\frac{f(★)-f(■)}{★-■}=f'(■)$ (단, ★끼리 같고, ■끼리 같다.)

풀이 **1.** (1) (주어진 식)$=\lim_{x\to2}\left\{\frac{f(x)-f(2)}{x-2}\times\frac{1}{x^2+2x+4}\right\}$

$=f'(2)\times\lim_{x\to2}\frac{1}{x^2+2x+4}=2\times\frac{1}{12}=\mathbf{\frac{1}{6}}$

(2) (주어진 식)$=$ ㉠ $\lim_{x\to2}\left\{\frac{x-2}{f(x)-f(2)}\times(x+2)\right\}$

$=\frac{1}{f'(2)}\times\lim_{x\to2}(x+2)=\frac{1}{2}\times4=\mathbf{2}$

2. (주어진 식)$=\lim_{x\to1}\frac{x^2f(1)-f(1)+f(1)-f(x^2)}{x-1}$

$=\lim_{x\to1}\frac{(x^2-1)f(1)}{x-1}-\lim_{x\to1}\frac{f(x^2)-f(1)}{x-1}$

$=\lim_{x\to1}(x+1)f(1)-$ ㉡ $\lim_{x\to1}\left\{\frac{f(x^2)-f(1)}{x^2-1}\times(x+1)\right\}$

$=2f(1)-2f'(1)$

$=2\times2-2\times3=\mathbf{-2}$

㉠ $\lim_{x\to2}\frac{x-2}{f(x)-f(2)}$
$=\lim_{x\to2}\frac{1}{\frac{f(x)-f(2)}{x-2}}$
$=\frac{1}{f'(2)}$

㉡ $\lim_{x\to1}\frac{f(x^2)-f(1)}{x^2-1}$에서
$x\to1$일 때, $x^2\to1$이므로
$\lim_{x\to1}\frac{f(x^2)-f(1)}{x^2-1}=f'(1)$

확인 문제

정답과 해설 | 32쪽

05-1 함수 $f(x)$에서 $f'(1)=3$일 때, 다음 극한값을 구하시오.

상중하

(1) $\lim_{x\to1}\frac{f(1)-f(x)}{x-1}$　　(2) $\lim_{x\to1}\frac{f(x^3)-f(1)}{x-1}$

(3) $\lim_{x\to1}\frac{f(x)-f(1)}{x^2-1}$　　(4) $\lim_{x\to1}\frac{x^3-1}{f(x)-f(1)}$

MY 셀파

05-1

$\lim_{x\to1}\frac{f(x)-f(1)}{x-1}$ 꼴이 나오도록 주어진 식을 변형한다.

$f(a)$, $f'(a)$의 값이 주어질 때, 미분계수를 이용한 극한값 계산

정답과 해설 | 33쪽

❶ $\lim_{x\to a}\frac{f(x)-f(a)}{x-a}=f'(a)$

❷ $\lim_{x\to a}\frac{af(x)-xf(a)}{x-a}=af'(a)-f(a)$

해설 $\lim_{x\to a}\frac{af(x)-xf(a)}{x-a}=\lim_{x\to a}\frac{af(x)-af(a)+af(a)-xf(a)}{x-a}=\lim_{x\to a}\frac{a\{f(x)-f(a)\}-(x-a)f(a)}{x-a}$

$=a\lim_{x\to a}\frac{f(x)-f(a)}{x-a}-\lim_{x\to a}\frac{(x-a)f(a)}{x-a}=af'(a)-f(a)$

❸ $\lim_{x\to a}\frac{x^2f(a)-a^2f(x)}{x-a}=2af(a)-a^2f'(a)$

해설 $\lim_{x\to a}\frac{x^2f(a)-a^2f(x)}{x-a}=\lim_{x\to a}\frac{x^2f(a)-a^2f(a)+a^2f(a)-a^2f(x)}{x-a}=\lim_{x\to a}\frac{(x^2-a^2)f(a)-a^2\{f(x)-f(a)\}}{x-a}$

$=f(a)\lim_{x\to a}\frac{(x+a)(x-a)}{x-a}-a^2\lim_{x\to a}\frac{f(x)-f(a)}{x-a}=2af(a)-a^2f'(a)$

01 함수 $f(x)$에서 $f'(2)=2$, $f'(4)=1$일 때, 다음 극한값을 구하시오.

(1) $\lim_{x\to 2}\frac{f(x)-f(2)}{x-2}$

(2) $\lim_{x\to 2}\frac{f(x^2)-f(4)}{x-2}$

(3) $\lim_{x\to 2}\frac{f(x)-f(2)}{x^2-4}$

(4) $\lim_{x\to 2}\frac{x^3-8}{f(x)-f(2)}$

02 함수 $f(x)$에서 $f(3)=3$, $f'(3)=2$일 때, 다음 극한값을 구하시오.

(1) $\lim_{x\to 3}\frac{f(x)-f(3)}{x-3}$

(2) $\lim_{x\to 3}\frac{f(x)-f(3)}{x^2-9}$

(3) $\lim_{x\to 3}\frac{3f(x)-xf(3)}{x-3}$

(4) $\lim_{x\to 3}\frac{x^2f(3)-9f(x)}{x-3}$

해법 06 미분가능성과 연속성의 관계

함수 $y=f(x)$가 $x=a$에서 미분가능하면
$f(x)$는 $x=a$에서 연속이다.

미분가능 ⇄ 연속 (미분가능 → 연속: ○, 연속 → 미분가능: ×)

일반적으로 위의 역은 성립하지 않는다.

PLUS ⊕

$x=a$에서 함수 $f(x)$의 미분가능성을 따질 때는 먼저 $x=a$에서 $f(x)$가 연속인지 확인한다.

예제 다음 함수 $f(x)$는 $x=0$에서 연속이지만 미분가능하지 않음을 보이시오.

(1) $f(x)=|x|$ (2) $f(x)=\begin{cases} x & (x\geq 0) \\ 0 & (x<0) \end{cases}$

해법 코드

$x=0$에서의 미분계수가 존재하는지 확인한다.

셀파 $\displaystyle\lim_{h\to 0+}\frac{f(0+h)-f(0)}{h}=\lim_{h\to 0-}\frac{f(0+h)-f(0)}{h}$ ⇨ $x=0$에서 미분가능

풀이 (1) (i) $f(0)=0$이고 $\displaystyle\lim_{x\to 0}f(x)=\lim_{x\to 0}|x|=0$이므로

$\displaystyle\lim_{x\to 0}f(x)=f(0)$

따라서 함수 $f(x)$는 $x=0$에서 연속이다.

(ii) $\displaystyle\lim_{h\to 0-}\frac{f(0+h)-f(0)}{h}=\lim_{h\to 0-}\frac{|h|}{h}=\lim_{h\to 0-}\frac{-h}{h}=-1$

$\displaystyle\lim_{h\to 0+}\frac{f(0+h)-f(0)}{h}=\lim_{h\to 0+}\frac{|h|}{h}=\lim_{h\to 0+}\frac{h}{h}=1$

따라서 $\displaystyle\lim_{h\to 0}\frac{f(0+h)-f(0)}{h}$이 존재하지 않으므로 함수 $f(x)$는 $x=0$에서 미분가능하지 않다.

(i), (ii)에서 함수 $f(x)$는 $x=0$에서 연속이지만 ㉠미분가능하지 않다.

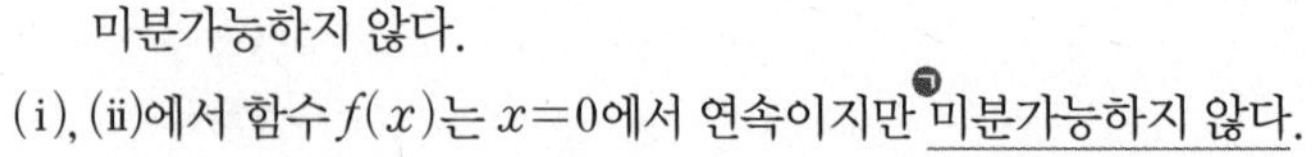

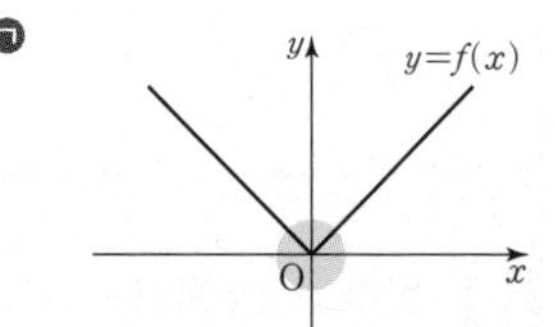

함수 $y=f(x)$의 그래프는 $x=0$에서 연속이지만 $x=0$에서 그래프가 꺾이므로 $x=0$에서 미분가능하지 않다.

(2) (i) $f(0)=0$이고 $\displaystyle\lim_{x\to 0+}x=\lim_{x\to 0-}0=0$에서 $\displaystyle\lim_{x\to 0}f(x)=0$이므로 $\displaystyle\lim_{x\to 0}f(x)=f(0)$

따라서 함수 $f(x)$는 $x=0$에서 연속이다.

(ii) $\displaystyle\lim_{h\to 0-}\frac{f(0+h)-f(0)}{h}=\lim_{h\to 0-}\frac{0}{h}=0$, $\displaystyle\lim_{h\to 0+}\frac{f(0+h)-f(0)}{h}=\lim_{h\to 0+}\frac{h}{h}=1$

따라서 $\displaystyle\lim_{h\to 0}\frac{f(0+h)-f(0)}{h}$이 존재하지 않으므로 함수 $f(x)$는 $x=0$에서 미분가능하지 않다.

(i), (ii)에서 함수 $f(x)$는 $x=0$에서 연속이지만 ㉡미분가능하지 않다.

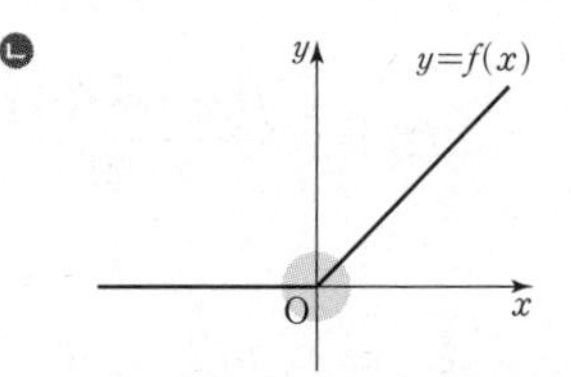

함수 $y=f(x)$의 그래프는 $x=0$에서 연속이지만 $x=0$에서 그래프가 꺾이므로 $x=0$에서 미분가능하지 않다.

확인 문제

정답과 해설 | 33쪽

06-1 상중하 다음 함수 $f(x)$는 $x=0$에서 연속이지만 미분가능하지 않음을 보이시오.

(1) $f(x)=\begin{cases} \dfrac{x^2-1}{x+1} & (x\geq 0) \\ -1 & (x<0) \end{cases}$ (2) $f(x)=x+|x|$

MY 셀파

06-1
$x=0$에서의 미분계수가 존재하는지 확인한다.

셀파 특강 02 그래프가 주어질 때 미분가능성 판단

Q 함수 $y=f(x)$의 그래프를 보고 $f(x)$의 미분가능성에 대해 알 수 있을까요?

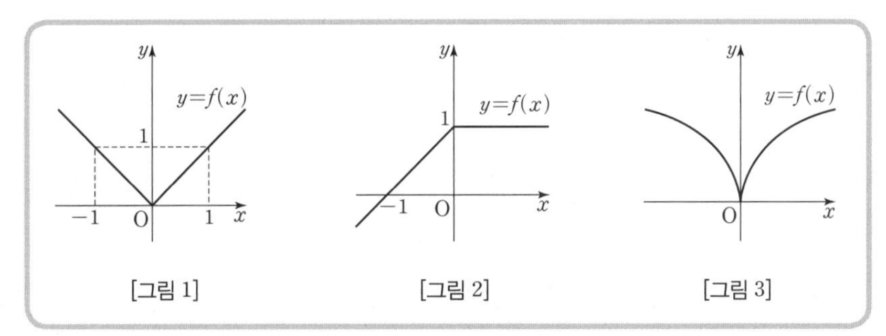

A 어떤 함수의 그래프에서 ㉠뾰족한 부분이 있으면 이 함수는 그 점에서 미분가능하지 않아. [그림 1]의 $y=f(x)$의 그래프는 $x=0$에서 뾰족하므로 미분가능하지 않지. [그림 2]처럼 어떤 점에서 미분가능하지 않은 함수의 그래프를 보면 그 점 부분을 확대하였을 때, 꺾이는 부분이 있어서 그 점 부근이 ㉡하나의 선분으로 보이지 않아.

Q [그림 2]의 $y=f(x)$의 그래프에서 점 $(0,\ 1)$ 부근을 확대하면 부드럽게 이어진 하나의 선분으로 보이지 않으므로 미분가능하지 않겠네요.

A 맞아. 그런데 대부분의 경우 확대한 그림에서 그 점 부분을 살펴보기보다는 함수의 그래프에서 뾰족한 부분이 있는지의 여부를 통해 미분가능성을 판단해.

Q [그림 3]의 $y=f(x)$의 그래프는 $x=0$에서 뾰족하므로 미분가능하지 않고, $x=0$을 제외한 나머지 부분에서는 부드럽게 이어진 곡선이므로 미분가능하겠네요.

㉠ 뾰족한 부분이 있는 함수

$f(x)=|x|$에서

$\lim_{x\to0+}\frac{|x|}{x}=\lim_{x\to0+}\frac{x}{x}=1$,

$\lim_{x\to0-}\frac{|x|}{x}=\lim_{x\to0-}\frac{-x}{x}=-1$

이므로 함수 $f(x)$는 $x=0$에서 미분가능하지 않다.

㉡ $f(x)=\begin{cases}1 & (x\geq0)\\ x+1 & (x<0)\end{cases}$에서

$\lim_{x\to0+}\frac{1-1}{x}=0$,

$\lim_{x\to0-}\frac{(x+1)-1}{x}=1$

이므로 함수 $f(x)$는 $x=0$에서 미분가능하지 않다.

이때 점 $(0,\ 1)$부분을 확대하면 다음 그림처럼 그 점 부근이 하나의 선분으로 보이지 않는다.

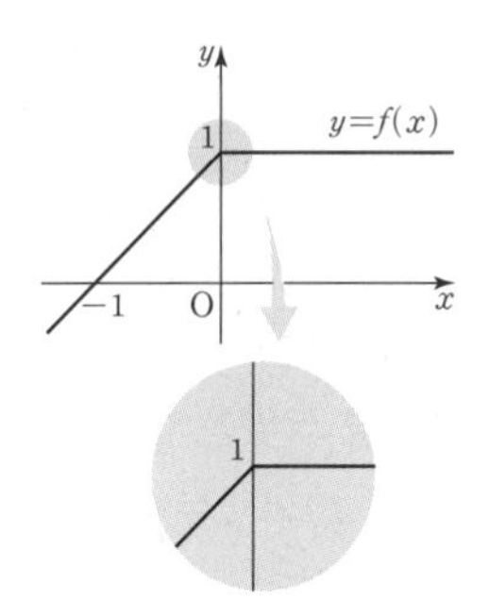

▶ 미분가능한 함수

$f(x)=\begin{cases}1 & (x\geq0)\\ -x^2+1 & (x<0)\end{cases}$의 그래프에서 점 $(0,\ 1)$ 부분을 확대하면 다음 그림처럼 그 점 부근이 부드럽게 이어진 하나의 직선으로 보인다.

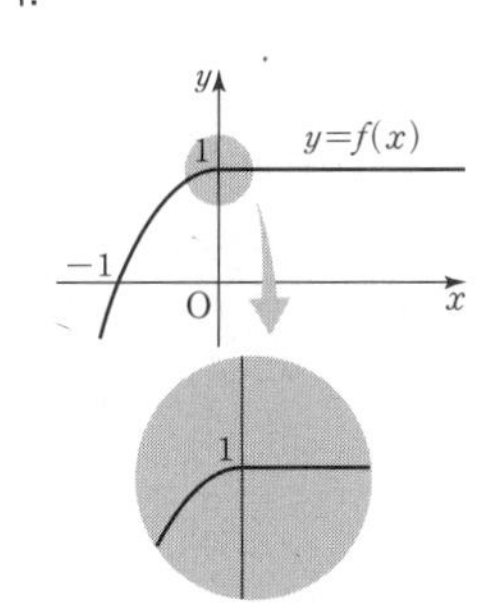

확인 체크 02

정답과 해설 | 34쪽

다음 | 보기 |의 함수 $y=f(x)$의 그래프 중에서 $x=a$에서 미분가능한 것을 모두 고르시오.

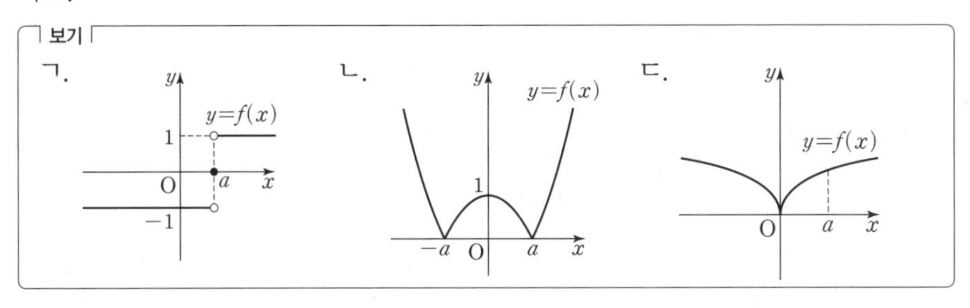

평균변화율

01 다음 함수에서 x의 값이 1에서 3까지 변할 때의 평균변화율을 구하시오.

상 중 하

(1) $f(x)=x+2$

(2) $f(x)=-2x^2+5$

평균변화율

02 다음 함수에서 x의 값이 1에서 $1+\Delta x$까지 변할 때의 평균변화율을 구하시오.

상 중 하

(1) $f(x)=-x+3$

(2) $f(x)=x^2-2x$

평균변화율 창의력

03 오른쪽 그림은 함수 $y=f(x)$와 $y=x$의 그래프이다. $0<a<b$일 때, | 보기 |의 설명 중 옳은 것을 모두 고르시오.

상 중 하

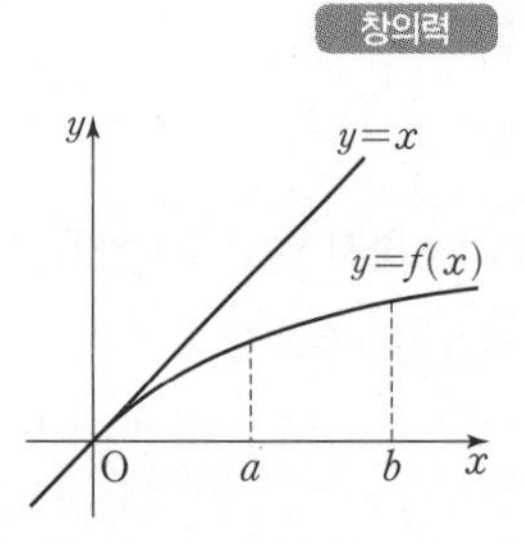

| 보기 |

ㄱ. $f(b)-f(a)>b-a$이므로 $\dfrac{f(b)-f(a)}{b-a}>1$ 이다.

ㄴ. 함수 $y=f(x)$의 그래프가 위로 볼록하므로 $\dfrac{f(a)}{a}<\dfrac{f(b)}{b}$이다.

ㄷ. 함수 $y=f(x)$에서 x의 값이 a에서 b까지 변할 때의 평균변화율은 1보다 작다.

순간변화율

04 함수 $f(x)=x^3$의 $x=2$에서의 미분계수를 구하시오.

상 중 하

평균변화율과 순간변화율 창의·융합

05 두 자동차 A, B가 같은 지점에서 동시에 출발하여 4시간 동안 달렸다. 두 자동차 A, B가 출발 후 x시간 동안 달린 거리 y km를 나타낸 그래프가 다음과 같을 때, 물음에 답하시오.

상 중 하

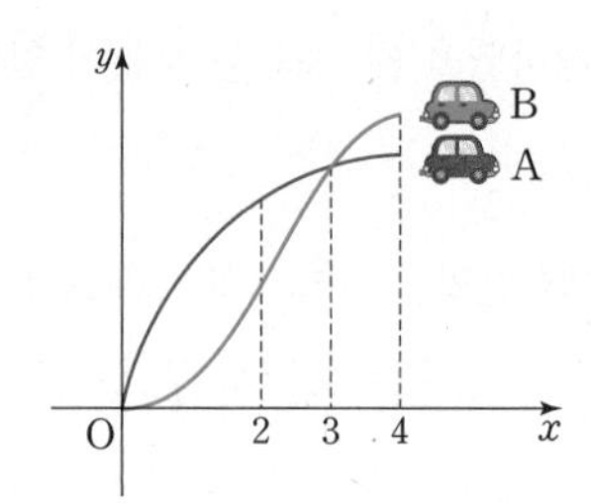

(1) 출발 후 2시간 동안 달린 거리의 평균변화율이 더 큰 자동차를 말하시오.

(2) 출발한 지 3시간이 되는 순간 달린 거리의 순간변화율이 더 큰 자동차를 말하시오.

평균변화율과 순간변화율 서술형

06 함수 $f(x)=x^2-2x$에서 x의 값이 a에서 b까지 변할 때의 평균변화율과 $x=1$에서의 순간변화율이 같을 때, 상수 a, b의 합 $a+b$의 값을 구하시오.

상 중 하

미분계수를 이용한 극한값의 계산

07 함수 $f(x)$에서 $f'(1)=2$일 때,

$\lim_{h \to 0}\frac{f(1-3h)-f(1)}{2h}$의 값을 구하시오.

미분계수를 이용한 극한값의 계산

08 함수 $f(x)$에서 $f(1)=3$, $f'(1)=4$일 때,

$\lim_{x \to 1}\frac{f(x)-3}{x-1}$의 값을 구하시오.

미분계수를 이용한 극한값의 계산

09 함수 $f(x)$에서 $f'(-2)=3$, $f'(4)=-6$일 때,

$\lim_{x \to -2}\frac{f(x^2)-f(4)}{f(x)-f(-2)}$의 값을 구하시오.

미분계수를 이용한 극한값의 계산

10 함수 $f(x)$에서 $f'(2)=3$이고

$\lim_{h \to 0}\frac{f(2+mh)-f(2-nh)}{h}=6$일 때, 상수 m, n의 합 $m+n$의 값을 구하시오.

역함수의 평균변화율 융합형

11 함수 $y=f(x)$의 그래프가 오른쪽 그림과 같고, 함수 $f(x)$의 역함수를 $g(x)$라 하자. 함수 $y=g(x)$에서 x의 값이 5에서 7까지 변할 때의 평균변화율을 구하시오. (단, 점선은 x축 또는 y축에 평행하다.)

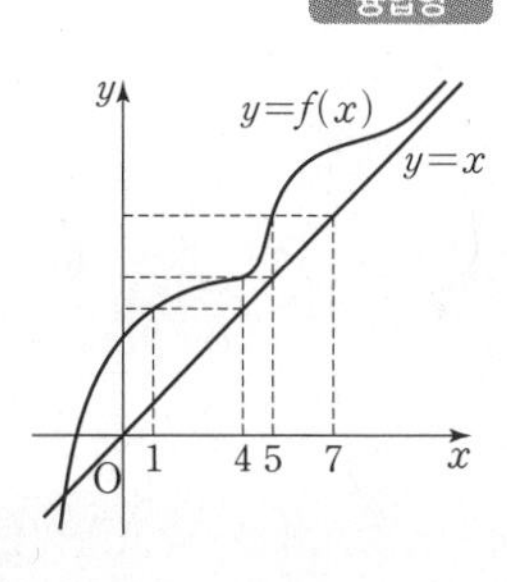

미분계수를 이용한 극한값의 계산

12 미분가능한 함수 $f(x)$에 대하여 $f(1)=2$, $f'(1)=-1$일 때, $\lim_{x \to 1}\frac{f(x)-xf(1)}{x^2+x-2}$의 값을 구하시오.

미분가능성과 연속성의 관계

13 함수 $y=f(x)$의 그래프가 오른쪽 그림과 같을 때, | 보기 |의 설명 중 옳은 것을 모두 고르시오.

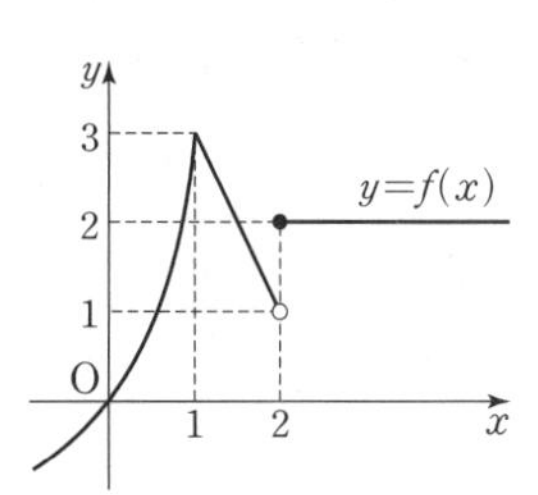

| 보기 |

ㄱ. $f(x)$는 불연속인 점이 1개이다.

ㄴ. $f(x)$는 $x=1$에서 미분가능하지 않다.

ㄷ. $f'(x)$는 $x=1$에서 연속이다.

버킷 카페
엄청 많은 양으로 유명한
쥬스를 파는 카페에 왔습니다!
주문하신
버킷쥬스
나왔습니다~
와~
진짜
쥬스 양이
어마어마
하구나.
둘이 마셔도
하루 종일
걸리겠다.

4

개념 1 도함수의 정의
개념 2 미분법의 공식

째깍 째깍
빨대를 사용해서 정해진 시간에 다 마시면 공짜입니다.

알고보니 도전 맛집 이었습니다.

4. 도함수

개념 1 도함수의 정의

ㄱ 미분가능한 함수 $y=f(x)$의 정의역 X에 속하는 모든 x에 대하여 미분계수 $f'(x)$를 대응시키면 새로운 함수

$$f' : X \longrightarrow R, f'(x)=\lim_{\Delta x \to 0}\frac{f(x+\Delta x)-\boxed{❶}}{\Delta x}$$ (ㄴ)

를 얻을 수 있다. 이때 이 함수를 함수 $y=f(x)$의 **도함수**라 하고, 기호로

$$f'(x),\ y',\ \frac{dy}{dx},\ \frac{d}{dx}f(x)$$ (ㄷ)

와 같이 나타낸다.

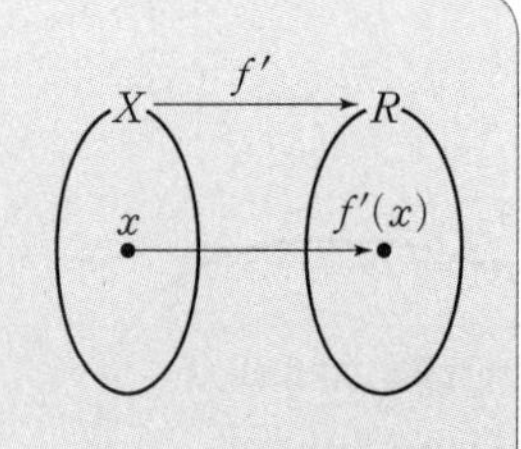

답 ❶ $f(x)$

보기 함수 $f(x)=x^2$의 도함수를 구하시오.

연구 $f'(x)=\lim_{\Delta x \to 0}\frac{(x+\Delta x)^2-x^2}{\Delta x}=\lim_{\Delta x \to 0}\frac{2x\Delta x+(\Delta x)^2}{\Delta x}=\lim_{\Delta x \to 0}(2x+\Delta x)=\mathbf{2x}$

개념 플러스

ㄱ 함수 $f(x)$가 정의역에 속한 모든 x의 값에서 미분가능하면 함수 $f(x)$는 미분가능하다고 한다.

ㄴ Δx 대신 h를 사용하여 나타내기도 한다.

$f'(x)=\lim_{h \to 0}\frac{f(x+h)-f(x)}{h}$

ㄷ 기호 $\frac{dy}{dx}$는 미분법을 고안한 라이프니츠가 처음 사용하였다. 이것은 dy를 dx로 나눈다는 뜻이 아니라 y를 x에 대하여 미분한다는 뜻이다.
마찬가지로 $\frac{df(x)}{dx}$는 $f(x)$를 x에 대하여 미분한다는 뜻으로 $\frac{d}{dx}f(x)$로 나타내는 경우가 많다.

개념 2 미분법의 공식

함수 $f(x)$의 도함수 $f'(x)$를 구하는 것을 함수 $f(x)$를 $\boxed{❶}$에 대하여 **미분한다**고 하며, 그 계산법을 **미분법**이라 한다.

$f(x)$ 함수 —미분한다.→ $f'(x)$ 도함수

(1) 함수 $f(x)=x^n$과 상수함수의 도함수

❶ $f(x)=x^n$ (n은 2 이상의 양의 정수)의 도함수는 $f'(x)=\boxed{❷}x^{n-1}$

❷ $f(x)=x$의 도함수는 $f'(x)=1$

❸ $f(x)=c$ (c는 상수)의 도함수는 $f'(x)=0$

(2) 함수의 실수배, 합, 차의 미분법

두 함수 $f(x)$, $g(x)$가 미분가능할 때

❶ $\{cf(x)\}'=cf'(x)$ (단, c는 상수)

❷ $\{f(x)+g(x)\}'=f'(x)+g'(x)$

❸ $\{f(x)-g(x)\}'=f'(x)-g'(x)$

(3) 함수의 곱의 미분법

두 함수 $f(x)$, $g(x)$가 미분가능할 때

❶ $\{f(x)g(x)\}'=f'(x)g(x)+f(x)g'(x)$

❷ $[\{f(x)\}^n]'=n\{f(x)\}^{n-1}f'(x)$

답 ❶ x ❷ n

보기 다음 함수를 미분하시오.

(1) $y=x^4$ (2) $y=3x+5$

연구 (1) $y'=(x^4)'=\mathbf{4x^3}$ (2) $y'=(3x)'+(5)'=3(x)'+0=\mathbf{3}$

$\frac{dy}{dx}$는 '디와이(dy) 디엑스(dx)'로 읽어.

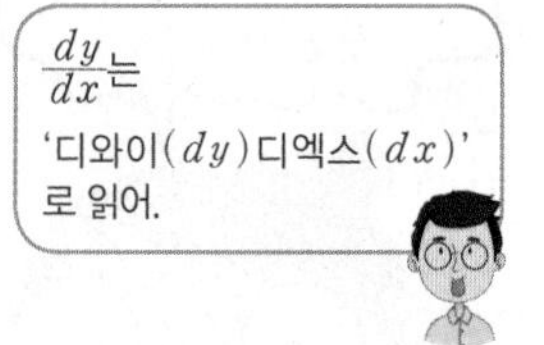

▶ **도함수의 기하적 의미**
도함수 $f'(x)$는 $y=f(x)$의 그래프 위의 임의의 점 $(x, f(x))$에서의 접선의 기울기와 같다.

1-1 | 도함수의 정의 |

도함수의 정의를 이용하여 다음 함수의 도함수를 구하고, 이를 이용하여 함수 $f(x)$의 $x=1$에서의 미분계수를 구하시오.

(1) $f(x)=x+1$ (2) $f(x)=2x^2-3$

연구

(1) $f'(x)=\lim_{\Delta x \to 0}\frac{f(x+\Delta x)-f(x)}{\Delta x}$

$=\lim_{\Delta x \to 0}\frac{(x+\Delta x+1)-(x+1)}{\Delta x}$

$=\lim_{\Delta x \to 0}\frac{\square}{\Delta x}=\square$

이때 $f'(1)=1$

(2) $f'(x)=\lim_{\Delta x \to 0}\frac{f(x+\Delta x)-f(x)}{\Delta x}$

$=\lim_{\Delta x \to 0}\frac{\{2(x+\Delta x)^2-3\}-(2x^2-3)}{\Delta x}$

$=\lim_{\Delta x \to 0}\frac{4x\Delta x+2(\Delta x)^2}{\Delta x}$

$=\lim_{\Delta x \to 0}(\square+2\Delta x)=4x$

이때 $f'(1)=4\times1=4$

1-2 | 따라풀기 |

도함수의 정의를 이용하여 다음 함수의 도함수를 구하고, 이를 이용하여 함수 $f(x)$의 $x=2$에서의 미분계수를 구하시오.

(1) $f(x)=3$ (2) $f(x)=x^2+3x$

풀이

2-1 | 미분법의 공식 |

다음 함수를 미분하시오.

(1) $f(x)=4x+1$ (2) $f(x)=-3x+7$

(3) $f(x)=2x^2+4x-3$ (4) $f(x)=-x^3+7x$

연구

(1) $f'(x)=(4x+1)'=(4x)'+(1)'=4$

(2) $f'(x)=(-3x+7)'=(-3x)'+(7)'=\square$

(3) $f'(x)=(2x^2+4x-3)'=(2x^2)'+(4x)'-(3)'$

$=\square+4$

(4) $f'(x)=(-x^3+7x)'=(-x^3)'+(7x)'=-3x^2+7$

n차식을 미분하면 $(n-1)$차식이 돼!

2-2 | 따라풀기 |

다음 함수를 미분하시오.

(1) $f(x)=2$ (2) $f(x)=x-1$

(3) $f(x)=x^2+x$ (4) $f(x)=x^3-2x$

풀이

해법 01 도함수의 정의를 이용하여 도함수 구하기

함수 $y=f(x)$의 도함수는 $f'(x)=\lim_{\Delta x \to 0}\frac{\Delta y}{\Delta x}=\lim_{\Delta x \to 0}\frac{f(x+\Delta x)-f(x)}{\Delta x}$

이때 Δx 대신 h를 사용하여 $f'(x)=\lim_{h \to 0}\frac{f(x+h)-f(x)}{h}$로 나타내기도 한다.

PLUS

왼쪽 식에서 $x+\Delta x=t$로 놓으면 $\Delta x \to 0$일 때, $t \to x$이므로 $f'(x)=\lim_{t \to x}\frac{f(t)-f(x)}{t-x}$ 로 정의할 수도 있다.

예제 1. 도함수의 정의를 이용하여 함수 $f(x)=\sqrt{x}$의 도함수를 구하시오.

2. 함수 $f(x)$가 미분가능할 때, 도함수의 정의를 이용하여 함수 $y=x^2f(x)$의 도함수를 구하시오.

해법 코드

2. $g(x)=x^2f(x)$로 놓고 $g'(x)=\lim_{h \to 0}\frac{g(x+h)-g(x)}{h}$를 구한다.

셀파 함수 $y=f(x)$의 도함수의 정의 ⇨ $f'(x)=\lim_{h \to 0}\frac{f(x+h)-f(x)}{h}$

풀이 1.
$$f'(x)=\lim_{h \to 0}\frac{f(x+h)-f(x)}{h}=\lim_{h \to 0}\frac{\sqrt{x+h}-\sqrt{x}}{h}$$
$$=\lim_{h \to 0}\frac{(\sqrt{x+h}-\sqrt{x})(\sqrt{x+h}+\sqrt{x})}{h(\sqrt{x+h}+\sqrt{x})}=\lim_{h \to 0}\frac{x+h-x}{h(\sqrt{x+h}+\sqrt{x})}$$
$$=\lim_{h \to 0}\frac{1}{\sqrt{x+h}+\sqrt{x}}=\mathbf{\frac{1}{2\sqrt{x}}}$$

문자 x를 이용하여 임의의 x에서 함수 $f(x)$의 미분계수를 구해 식으로 나타낸 것이 도함수 $f'(x)$야.

2. $g(x)=x^2f(x)$라 하면
$$g'(x)=\lim_{h \to 0}\frac{g(x+h)-g(x)}{h}\overset{㉠}{=}\lim_{h \to 0}\frac{(x+h)^2f(x+h)-x^2f(x)}{h}$$
$$=\lim_{h \to 0}\frac{x^2f(x+h)+2hx\,f(x+h)+h^2f(x+h)-x^2f(x)}{h}$$
$$=\lim_{h \to 0}\frac{x^2\{f(x+h)-f(x)\}+h\{2xf(x+h)+hf(x+h)\}}{h}$$
$$=x^2\lim_{h \to 0}\frac{f(x+h)-f(x)}{h}\overset{㉡}{+}\lim_{h \to 0}\{2xf(x+h)+hf(x+h)\}$$
$$=\mathbf{x^2f'(x)+2xf(x)}$$

㉠ $(x+h)^2f(x+h)$
$=(x^2+2hx+h^2)f(x+h)$
$=x^2f(x+h)+2hxf(x+h)+h^2f(x+h)$

㉡ $\lim_{h \to 0}\{2xf(x+h)+hf(x+h)\}$
$=2xf(x+0)+0\times f(x+0)$
$=2xf(x)$

확인 문제

정답과 해설 | 37쪽

01-1 상중하 도함수의 정의를 이용하여 다음 함수의 도함수를 구하시오.

(1) $f(x)=x^3-x^2+6x$　　(2) $f(x)=|x|\ (x\neq 0)$

01-2 상중하 함수 $f(x)$가 미분가능할 때, 도함수의 정의를 이용하여 함수 $y=\{f(x)\}^2$의 도함수를 구하시오.

MY 셀파

01-1
(2) $x>0$일 때와 $x<0$일 때로 나누어 구한다.

01-2
$g(x)=\{f(x)\}^2$으로 놓고 $g'(x)$를 구한다.

해법 02 함수의 관계식이 주어진 경우 도함수 구하기

$f(x+y)=f(x)+f(y)+pxy$ (p는 상수) 꼴이 주어진 경우

1. 주어진 식의 x, y에 적당한 수를 대입하여 $f(0)$의 값을 구한다.
2. 도함수의 정의 $f'(x)=\lim_{h\to0}\frac{f(x+h)-f(x)}{h}$를 이용한다.

PLUS 주어진 식에 $x=0$, $y=0$을 대입하면 $f(0)$의 값을 구할 수 있는 경우가 많다.

예제 미분가능한 함수 $f(x)$가 모든 실수 x, y에 대하여 다음 조건을 만족시킬 때, 도함수 $f'(x)$를 구하시오.

(1) $f(x+y)=f(x)+f(y)$, $f'(0)=4$

(2) $f(x+y)=f(x)+f(y)-2xy$, $f'(0)=1$

해법 코드
(1) $f'(x)$의 식에 $f(x+h)$ 대신 $f(x)+f(h)$를 대입한다.
(2) $f'(x)$의 식에 $f(x+h)$ 대신 $f(x)+f(h)-2xh$를 대입한다.

셀파 주어진 식에 y 대신 h를 대입한다.

풀이 (1) $f(x+y)=f(x)+f(y)$에 $x=0$, $y=0$을 대입하면

$f(0)=f(0)+f(0)$에서 $f(0)=0$

$$\therefore f'(x)=\lim_{h\to0}\frac{f(x+h)-f(x)}{h}=\lim_{h\to0}\frac{f(x)+f(h)-f(x)}{h}$$
$$\overset{㉠}{=}\lim_{h\to0}\frac{f(h)}{h}=\lim_{h\to0}\frac{f(h)-f(0)}{h}$$
$$=f'(0)=\mathbf{4}$$

(2) $f(x+y)=f(x)+f(y)-2xy$에 $x=0$, $y=0$을 대입하면

$f(0)=f(0)+f(0)-0$에서 $f(0)=0$

$$\therefore f'(x)=\lim_{h\to0}\frac{f(x+h)-f(x)}{h}=\lim_{h\to0}\frac{f(x)+f(h)-2xh-f(x)}{h}$$
$$\overset{㉡}{=}\lim_{h\to0}\frac{f(h)-2xh}{h}=\lim_{h\to0}\frac{f(h)-f(0)}{h}-2x$$
$$=f'(0)-2x=\mathbf{-2x+1}$$

㉠ $f(0)=0$이므로
$$\lim_{h\to0}\frac{f(h)}{h}=\lim_{h\to0}\frac{f(h)-0}{h}=\lim_{h\to0}\frac{f(h)-f(0)}{h}=f'(0)$$

㉡ $$\lim_{h\to0}\frac{f(h)-2xh}{h}=\lim_{h\to0}\frac{f(h)}{h}-\lim_{h\to0}\frac{2xh}{h}=\lim_{h\to0}\frac{f(h)-f(0)}{h}-2x$$
($\because f(0)=0$)

확인 문제

정답과 해설 | 38쪽

02-1 (상 중 하) 미분가능한 함수 $f(x)$가 모든 실수 x, y에 대하여 $f(x+y)=f(x)+f(y)+2xy$를 만족시키고 $f'(0)=0$일 때, $f'(1)$의 값을 구하시오.

02-2 (상 중 하) 미분가능한 함수 $f(x)$가 모든 실수 x, y에 대하여 $f(x+y)=f(x)+f(y)+1$을 만족시키고 $f'(0)=-2$일 때, 도함수 $f'(x)$를 구하시오.

MY 셀파

02-1
$f(x+y)=f(x)+f(y)+2xy$에 $x=1$, $y=h$를 대입하면
$f(1+h)=f(1)+f(h)+2h$

02-2
$f(x+y)=f(x)+f(y)+1$에 $y=h$를 대입하면
$f(x+h)=f(x)+f(h)+1$

4 도함수

셀파 특강 01 미분법의 공식 유도

1 $f(x)=x^n$ (n은 2 이상의 양의 정수)의 도함수 ⇨ $f'(x)=nx^{n-1}$

$$f'(x)=\lim_{h\to0}\frac{f(x+h)-f(x)}{h}=\lim_{h\to0}\frac{(x+h)^n-x^n}{h} \quad ㉠$$

$$=\lim_{h\to0}\frac{1}{h}\{(x+h)-x\}\{(x+h)^{n-1}+(x+h)^{n-2}x+\cdots+x^{n-1}\}$$

$$=\lim_{h\to0}\{(x+h)^{n-1}+(x+h)^{n-2}x+\cdots+x^{n-1}\} \quad ㉡$$

$$=\underbrace{x^{n-1}+x^{n-1}+\cdots+x^{n-1}}_{n\text{개}}=nx^{n-1}$$

2 $f(x)=x$의 도함수 ⇨ $f'(x)=1$

$$f'(x)=\lim_{h\to0}\frac{f(x+h)-f(x)}{h}=\lim_{h\to0}\frac{(x+h)-x}{h}=\lim_{h\to0}\frac{h}{h}=1$$

3 $f(x)=c$ (c는 상수)의 도함수 ⇨ $f'(x)=0$

$$f'(x)=\lim_{h\to0}\frac{f(x+h)-f(x)}{h}=\lim_{h\to0}\frac{c-c}{h}=0 \quad ㉢$$

4 $cf(x)$ (c는 상수)의 도함수 ⇨ $\{cf(x)\}'=cf'(x)$

$$\{cf(x)\}'=\lim_{h\to0}\frac{cf(x+h)-cf(x)}{h}=c\lim_{h\to0}\frac{f(x+h)-f(x)}{h}=cf'(x)$$

5 $\{f(x)\pm g(x)\}$의 도함수 ⇨ $\{f(x)\pm g(x)\}'=f'(x)\pm g'(x)$ (복부호 동순)

$$\{f(x)+g(x)\}'=\lim_{h\to0}\frac{\{f(x+h)+g(x+h)\}-\{f(x)+g(x)\}}{h} \quad ㉣$$

$$=\lim_{h\to0}\frac{\{f(x+h)-f(x)\}+\{g(x+h)-g(x)\}}{h}$$

$$=\lim_{h\to0}\frac{f(x+h)-f(x)}{h}+\lim_{h\to0}\frac{g(x+h)-g(x)}{h}$$

$$=f'(x)+g'(x)$$

같은 방법으로 하면

$\{f(x)-g(x)\}'=f'(x)-g'(x)$

미분의 공식을 이용하면 도함수를 구할 때 일일이 도함수의 정의를 이용하여 계산하지 않아도 돼.

㉠ a^n-b^n
$=(a-b)(a^{n-1}+a^{n-2}b+\cdots+b^{n-1})$

㉡ $x^0=1$이므로 $(x+h)^{n-1}$ 항을 $(x+h)^{n-1}x^0$으로 생각할 수 있다. 이때 주어진 식 $x^0, x^1, x^2, \cdots, x^{n-1}$에서 항은 모두 n개이다.

㉢ $f(x)=c$ (c는 상수)이면 x 대신 어떤 값을 대입해도 그 결과는 항상 c이므로
$f(x+h)=c, f(x)=c$

㉣ $k(x)=f(x)+g(x)$로 놓으면
$k'(x)=\lim_{h\to0}\frac{k(x+h)-k(x)}{h}$
이때
$k(x+h)=f(x+h)+g(x+h)$
이다.

해법 03 미분법의 공식

두 함수 $f(x)$, $g(x)$가 미분가능할 때

❶ $f(x)=x^n$ (n은 2 이상의 양의 정수)이면 $f'(x)=nx^{n-1}$

❷ $f(x)=x$이면 $f'(x)=1$

❸ $f(x)=c$ (c는 상수)이면 $f'(x)=0$

❹ $y=cf(x)$ (c는 상수)이면 $y'=cf'(x)$

❺ $y=f(x)\pm g(x)$이면 $y'=f'(x)\pm g'(x)$(복부호 동순)

$$(x^n)'=nx^{n-1}$$

x^n의 미분

PLUS ⊕

$x=a$에서의 미분계수를 구할 때, $f(x)$의 도함수 $f'(x)$를 구한 다음 $f'(x)$에 $x=a$를 대입하여 $f'(a)$의 값을 구한다.

1. 함수 $f(x)=\frac{1}{3}x^3-\frac{3}{2}x^2+5x-7$에 대하여 $f'(2)$의 값을 구하시오.

2. 함수 $f(x)=x^3+ax^2+a^2x+a^3$에 대하여 $f'(1)=6$일 때, 양수 a의 값을 구하시오.

해법 코드

1. $f'(x)$의 식에 $x=2$를 대입한다.

2. $f'(x)$를 구한 다음 $f'(1)$의 값을 구한다.

셀파 $(x^n)' \Rightarrow nx^{n-1}$, $\{f(x)\pm g(x)\}' \Rightarrow f'(x)\pm g'(x)$ (복부호 동순)

풀이 1. $f'(x)=\left(\frac{1}{3}x^3-\frac{3}{2}x^2+5x-7\right)'$

$=$ ㉠ $\left(\frac{1}{3}x^3\right)'-\left(\frac{3}{2}x^2\right)'+(5x)'-(7)'$

$=x^2-3x+5$

$\therefore f'(2)=2^2-3\times2+5=\mathbf{3}$

문자 x를 이용하여 임의의 x에서 미분계수를 나타낸 식, 즉 도함수 $f'(x)$를 구하면 $f'(1)$, $f'(2)$, …의 모든 미분계수를 쉽게 구할 수 있어.

2. $f'(x)=$ ㉡ $(x^3+ax^2+a^2x+a^3)'=3x^2+2ax+a^2$

이때 $f'(1)=6$이므로 $3+2a+a^2=6$, $a^2+2a-3=0$

$(a+3)(a-1)=0 \qquad \therefore \mathbf{a=1}$ ($\because a>0$)

㉠ $\left(\frac{1}{3}x^3\right)'=\frac{1}{3}\times3x^{3-1}=x^2$

$\left(\frac{3}{2}x^2\right)'=\frac{3}{2}\times2x^{2-1}=3x$

$(5x)'=5$, $(7)'=0$

㉡ $(ax^2)'=a\times2x^{2-1}=2ax$, $(a^2x)'=a^2$, $(a^3)'=0$

주의

(함수)×(함수)의 경우 곱의 미분법을 이용하지만 (상수)×(함수)에서는 곱의 미분법을 생각하지 않는다.

확인 문제

정답과 해설 | 38쪽

03-1 (상중하) 미분가능한 두 함수 $f(x)$, $g(x)$에 대하여 $f'(2)=-1$, $g'(2)=3$일 때, 다음 함수의 $x=2$에서의 미분계수를 구하시오.

(1) $f(x)+g(x)$ (2) $f(x)-g(x)$ (3) $3f(x)-2g(x)$

03-2 (상중하) 함수 $f(x)=1+x+x^2+x^3+\cdots+x^{100}$에 대하여 $f'(1)$의 값을 구하시오.

MY 셀파

03-1

(3) $\{3f(x)-2g(x)\}'$
$=3f'(x)-2g'(x)$

03-2

$f(x)=1+x+x^2+x^3+\cdots+x^{100}$
에서
$f'(x)=1+2x+3x^2+\cdots+100x^{99}$

해법 04 미분계수와 미분법을 이용한 극한값의 계산

❶ 함수가 주어진 경우

⇨ 주어진 식을 $\lim_{x \to a}\frac{f(x)-f(a)}{x-a}$ 꼴로 변형하여 미분계수의 정의를 이용한다.

❷ 함수가 주어지지 않은 경우

⇨ 분자의 적당한 식을 $f(x)$로 치환한 다음 미분계수의 정의를 이용한다.

PLUS ⊕

함수 $y=f(x)$에 대하여 $b=f(a)$이면

$\lim_{x \to a}\frac{f(x)-b}{x-a}$
$=\lim_{x \to a}\frac{f(x)-f(a)}{x-a}=f'(a)$

예제 1. 함수 $f(x)=x^3-x^2+3x$일 때, $\lim_{h \to 0}\frac{f(1+h)-f(1-h)}{h}$의 값을 구하시오.

2. $\lim_{x \to -1}\frac{x^{10}+x^9+x^8+x^7+x^6-1}{x+1}$의 값을 구하시오.

해법 코드

1. $\lim_{h \to 0}\frac{f(1+h)-f(1-h)}{h}$
$=2f'(1)$

2. $f(x)=x^{10}+x^9+x^8+x^7+x^6$으로 놓으면 $f(-1)=1$

셀파 미분계수의 정의를 이용할 수 있도록 식을 변형한다.

풀이 1. ㉠ $\lim_{h \to 0}\frac{f(1+h)-f(1-h)}{h}=2f'(1)$

이때 $f'(x)=3x^2-2x+3$이므로 구하는 값은

$2f'(1)=2\times(3-2+3)=2\times4=8$

2. $f(x)=x^{10}+x^9+x^8+x^7+x^6$으로 놓으면

$f(-1)=1-1+1-1+1=1$이므로

$\lim_{x \to -1}\frac{x^{10}+x^9+x^8+x^7+x^6-1}{x+1}=\lim_{x \to -1}\frac{f(x)-f(-1)}{x-(-1)}=f'(-1)$

이때 $f'(x)=10x^9+9x^8+8x^7+7x^6+6x^5$이므로 구하는 값은

$f'(-1)=-10+9-8+7-6=-8$

㉠ $\lim_{h \to 0}\frac{f(1+h)-f(1-h)}{h}$
$=\lim_{h \to 0}\frac{f(1+h)-f(1)+f(1)-f(1-h)}{h}$
$=\lim_{h \to 0}\frac{f(1+h)-f(1)}{h}$
$-\lim_{h \to 0}\frac{f(1-h)-f(1)}{-h}\times(-1)$
$=\lim_{h \to 0}\frac{f(1+h)-f(1)}{h}$
$+\lim_{h \to 0}\frac{f(1-h)-f(1)}{-h}$
$=f'(1)+f'(1)=2f'(1)$

확인 문제

정답과 해설 | 38쪽

04-1 (상 중 하) 함수 $f(x)=x^3+x$일 때, $\lim_{h \to 0}\frac{f(5+h)-130}{h}$의 값을 구하시오.

04-2 (상 중 하) $\lim_{x \to 2}\frac{x^4-x^3-x-6}{x-2}$의 값을 구하시오.

MY 셀파

04-1
$f(5)=130$이므로
(주어진 식)$=\lim_{h \to 0}\frac{f(5+h)-f(5)}{h}$

04-2
$f(x)=x^4-x^3-x$로 놓으면
$f(2)=16-8-2=6$

해법 05 미정계수의 결정

함수 $f(x)$의 미분계수를 이용하여 미정계수를 구하는 문제에서

❶ $f(a)$(a는 상수)값이 주어져 있으면 $f(x)$에 $x=a$를 바로 대입한다.

❷ $f'(a)$(a는 상수)값이 주어져 있으면 도함수 $f'(x)$를 구해 $x=a$를 대입한다.

PLUS ⊕

$\lim_{h\to 0}\frac{f(a+mh)-f(a)}{h}=mf'(a)$

예제 1. 함수 $f(x)=x^2+ax+b$에 대하여 $f(1)=-1$, $f'(0)=3$일 때, 상수 a, b의 값을 구하시오.

2. 함수 $f(x)=ax^2+bx+1$에 대하여

$$\lim_{h\to 0}\frac{f(h)-f(0)}{h}=1,\ \lim_{h\to 0}\frac{f(-1-h)-f(-1)}{h}=3$$

일 때, 상수 a, b의 값을 구하시오.

해법 코드

1. $f'(x)=2x+a$

2. $\lim_{h\to 0}\frac{f(h)-f(0)}{h}=f'(0)$

$\lim_{h\to 0}\frac{f(-1-h)-f(-1)}{h}$
$=-f'(-1)$

셀파 $f(a)=p$, $f'(b)=q$를 이용하여 방정식을 세운다.

풀이 1. $f(1)=1+a+b=-1$에서 $a+b=-2$ ……㉠

$f'(x)=2x+a$이므로 $f'(0)=3$에서 $a=3$

$a=3$을 ㉠에 대입하면 $3+b=-2$ $\therefore b=-5$

$\therefore$ $\boldsymbol{a=3,\ b=-5}$

2. $f(x)=ax^2+bx+1$에서 $f'(x)=2ax+b$

$\lim_{h\to 0}\frac{f(h)-f(0)}{h}=1$에서 $f'(0)=1$ $\therefore b=1$

❶ $\lim_{h\to 0}\frac{f(-1-h)-f(-1)}{h}=-f'(-1)$

$-f'(-1)=3$에서 $f'(-1)=-3$

❷ $f'(-1)=-2a+1=-3$ $\therefore a=2$

$\therefore$ $\boldsymbol{a=2,\ b=1}$

❶ $\lim_{h\to 0}\frac{f(-1-h)-f(-1)}{h}$
$=\lim_{h\to 0}\frac{f(-1-h)-f(-1)}{-h}\times(-1)$
$=-f'(-1)$

❷ $f'(x)=2ax+b$에서 $b=1$이므로 $f'(x)=2ax+1$

확인 문제

정답과 해설 | 38쪽

MY 셀파

05-1 함수 $f(x)=ax^2+bx+c$에 대하여 $f(2)=6$, $f'(0)=2$, $f'(1)=4$일 때, 상수 a, b, c의 값을 구하시오.

05-1
$f'(x)=2ax+b$

05-2 함수 $f(x)=x^4+ax^2+bx$에 대하여

상 중 하

$$\lim_{x\to 2}\frac{f(x)-f(2)}{x-2}=14,\ \lim_{x\to 1}\frac{f(x)-f(1)}{x^2-1}=-2$$

일 때, 상수 a, b의 값을 구하시오.

05-2
$\frac{f(x)-f(1)}{x^2-1}$
$=\frac{f(x)-f(1)}{x-1}\times\frac{1}{x+1}$

❶ 곱의 미분법

미분가능한 함수 $f(x)$, $g(x)$에 대하여 $y=f(x)g(x)$이면

⇨ $\boldsymbol{y'=f'(x)g(x)+f(x)g'(x)}$

$p(x)=f(x)\times g(x)$는 두 함수를 곱한 꼴이므로 곱의 미분법을 이용해야 해. 그러나 $g(x)=Af(x)$ (A는 상수)는 곱의 미분법을 이용하지 않아도 돼.

해설 $\{f(x)g(x)\}'=\lim_{h\to 0}\frac{f(x+h)g(x+h)-f(x)g(x)}{h}$

$$=\lim_{h\to 0}\frac{f(x+h)g(x+h)-f(x)g(x+h)+f(x)g(x+h)-f(x)g(x)}{h}$$

$$=\lim_{h\to 0}\frac{\{f(x+h)-f(x)\}g(x+h)+f(x)\{g(x+h)-g(x)\}}{h}$$

$$=\lim_{h\to 0}\frac{f(x+h)-f(x)}{h}\lim_{h\to 0}g(x+h)+\lim_{h\to 0}f(x)\lim_{h\to 0}\frac{g(x+h)-g(x)}{h}$$

$$=f'(x)g(x)+f(x)g'(x)$$

❷ 곱의 미분법 응용

n이 자연수일 때, $y=\{f(x)\}^n$이면 ⇨ $\boldsymbol{y'=n\{f(x)\}^{n-1}f'(x)}$

특히 $y=(ax+b)^n$이면 ⇨ $y'=n(ax+b)^{n-1}(ax+b)'=n(ax+b)^{n-1}\times a=an(ax+b)^{n-1}$

01 다음 함수의 도함수를 구하시오.

(1) $y=(x^2+2)(2x-1)$

(2) $y=(x^2+1)(x^3-x)$

(3) $y=(3x^2+4x-1)(x^2+x-2)$

(4) $y=x(x+2)(x-1)$

(5) $y=(2x+1)^3$

(6) $y=(x^2+2x-1)^3$

(7) $y=(x+3)^3(3-2x)^5$

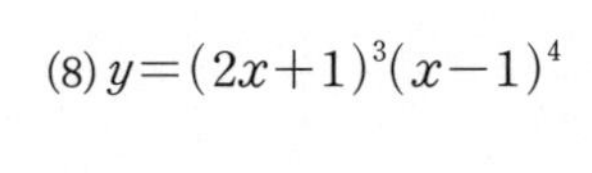

(8) $y=(2x+1)^3(x-1)^4$

셀파 특강 02 곱의 미분법 활용

곡선 $y=(2x-1)^3(x^2+k)$ 위의 $x=1$인 점에서의 접선의 기울기가 -10일 때, 상수 k의 값을 구하시오.

곱의 미분법을 활용하는 문제에서는 $f'(k)$의 값이 미분계수의 정의 또는 접선의 기울기로 제시되어 있는 경우가 많아.

Q $f(x)=(2x-1)^3(x^2+k)$로 놓으면 이 곡선 위의 ㉠$x=1$인 점에서의 접선의 기울기가 -10이므로 $f'(1)=-10$이네요.

A 맞아. 곱의 미분법을 사용하여 도함수 $f'(x)$를 구해 봐.

Q 곱의 미분법이면 $\{f(x)g(x)\}'=f'(x)g(x)+f(x)g'(x)$이지요?
우선 $(2x-1)^3$을 전개하면…

A 잠깐~! $(2x-1)^3$을 직접 전개해서 도함수를 구해도 되지만 전개하기 귀찮지 않니? $(2x-1)^3$을 전개하지 말고 도함수를 구해 보자.

Q $\{(2x-1)^3(x^2+k)\}'=\{(2x-1)^3\}'(x^2+k)+(2x-1)^3(x^2+k)'$이므로
$f'(x)=3(2x-1)^2(x^2+k)+(2x-1)^3(2x)$이에요.

A 저런, $\{(2x-1)^3\}'$을 계산할 때, $[\{f(x)\}^n]'=n\{f(x)\}^{n-1}f'(x)$를 잊었잖아.
특히 ㉡$(ax+b)^n$ 꼴 미분은 공식처럼 기억하고 활용할 수 있어야 해.

Q 아차! 깜빡했어요. 그럼 다음과 같이 계산하면 돼요.

곱으로 주어진 함수의 미분계수

$\{(2x-1)^3\}'=3(2x-1)^2(2x-1)'=6(2x-1)^2$이므로

$$\begin{aligned} f'(x)&=\{(2x-1)^3\}'(x^2+k)+(2x-1)^3(x^2+k)' \\ &\overset{㉢}{=}6(2x-1)^2(x^2+k)+(2x-1)^3(2x) \\ &=2(2x-1)^2(5x^2-x+3k) \end{aligned}$$

$f'(1)=2(4+3k)=8+6k=-10 \qquad \therefore \boldsymbol{k=-3}$

A 잘했어. 이처럼 전개하기 복잡한 식의 미분은 일일이 전개하지 말고 곱의 미분법과 $(ax+b)^n$의 미분을 이용하면 돼.

㉠ $y=f(x)$에 대하여 $x=1$인 점에서의 접선의 기울기는 $f'(1)$이다.

㉡ $\{(ax+b)^n\}'$
$=n(ax+b)^{n-1}(ax+b)'$
$=an(ax+b)^{n-1}$

㉢ $6(2x-1)^2(x^2+k)$
$+(2x-1)^3(2x)$
$=2(2x-1)^2(3x^2+3k+2x^2-x)$
$=2(2x-1)^2(5x^2-x+3k)$

확인 체크 01

정답과 해설 | 40쪽

미분가능한 두 함수 $f(x)$, $g(x)$에 대하여 $f(-1)=1$, $f'(-1)=3$이고, ㉣$g(x)=(x^2-2x)^3f(x)$일 때, $g'(-1)$의 값을 구하시오.

㉣ 곱의 미분법을 이용하여 $g(x)=(x^2-2x)^3f(x)$의 양변을 x에 대하여 미분한 다음 $x=-1$을 대입한다.

4 도함수

해법 06 다항식의 나머지정리와 미분법

다항식 $f(x)$가 $(x-\alpha)^2$으로 나누어떨어지고 그 때의 몫을 $Q(x)$라 하면

❶ $f(x)=(x-\alpha)^2Q(x) \Rightarrow \boldsymbol{f(\alpha)=0}$

❷ $f'(x)=2(x-\alpha)Q(x)+(x-\alpha)^2Q'(x) \Rightarrow \boldsymbol{f'(\alpha)=0}$

PLUS ⊕

다항식 $P(x)$를 이차식 $f(x)$로 나누었을 때의 나머지는 일차 이하의 식 $ax+b$ (a, b는 상수)이므로
$P(x)=f(x)Q(x)+ax+b$

1. 다항식 x^3+ax+b가 $(x-1)^2$으로 나누어떨어질 때, 상수 a, b의 값을 구하시오.

2. 다항식 x^6+3x+4를 $(x+1)^2$으로 나누었을 때의 나머지를 구하시오.

해법 코드

1. $x^3+ax+b=(x-1)^2Q(x)$로 놓는다.

2. 나머지를 $ax+b$ (a, b는 상수)로 놓는다.

셀파 다항식 $f(x)$가 $(x-\alpha)^2$으로 나누어떨어지면 $\Rightarrow f(\alpha)=0, f'(\alpha)=0$

풀이 1. 다항식 x^3+ax+b를 $(x-1)^2$으로 나누었을 때의 몫을 $Q(x)$라 하면

$x^3+ax+b=(x-1)^2Q(x)$ ······㉠

양변에 $x=1$을 대입하면 $1+a+b=0$, 즉 $a+b=-1$

㉠의 양변을 x에 대하여 미분하면 $3x^2+a=2(x-1)Q(x)+(x-1)^2Q'(x)$

양변에 $x=1$을 대입하면 $3+a=0$ $\quad\therefore a=-3$

$\therefore \boldsymbol{a=-3, b=2}$

2. 다항식 x^6+3x+4를 $(x+1)^2$으로 나누었을 때의 몫을 $Q(x)$, 나머지를 $ax+b$ (a, b는 상수)라 하면

$x^6+3x+4=(x+1)^2Q(x)+ax+b$ ······㉠

양변에 $x=-1$을 대입하면 $1-3+4=-a+b$, 즉 $a-b=-2$

❶ ㉠의 양변을 x에 대하여 미분하면 $6x^5+3=2(x+1)Q(x)+(x+1)^2Q'(x)+a$

양변에 $x=-1$을 대입하면 $-6+3=a$ $\quad\therefore a=-3$

$\therefore a=-3, b=-1$

따라서 구하는 나머지는 $\boldsymbol{-3x-1}$

다른 풀이

1. $f(x)=x^3+ax+b$라 하면 $f(x)$가 $(x-1)^2$으로 나누어떨어지므로
$f(1)=0, f'(1)=0$
$f(1)=1+a+b=0$에서
$a+b=-1$ ······㉠
$f'(x)=3x^2+a$이므로
$f'(1)=3+a=0$에서 $a=-3$
$a=-3$을 ㉠에 대입하면 $b=2$

❶ ㉠의 우변에서 $(x+1)^2Q(x)$를 곱의 미분법을 써서 미분하면
$2(x+1)(x+1)'Q(x)+(x+1)^2Q'(x)$
$=2(x+1)Q(x)+(x+1)^2Q'(x)$

확인 문제

정답과 해설 | 40쪽

06-1 (상중하) 다항식 x^3+ax^2+bx+8이 $(x-2)^2$으로 나누어떨어질 때, 상수 a, b의 값을 구하시오.

06-2 (상중하) 다항식 x^3+ax^2+bx+3을 $(x-1)^2$으로 나누었을 때의 나머지가 $3x-1$일 때, 상수 a, b의 값을 구하시오.

MY 셀파

06-1
$x^3+ax^2+bx+8=(x-2)^2Q(x)$로 놓는다.

06-2
x^3+ax^2+bx+3
$=(x-1)^2Q(x)+3x-1$

해법 07 함수의 미분가능할 조건

함수 $f(x)$가 $x=a$에서 미분가능하면

❶ $x=a$에서 연속이므로 $\lim_{x\to a} f(x)=f(a)$

❷ $x=a$에서 미분계수가 존재하므로 $\lim_{x\to a+}\frac{f(x)-f(a)}{x-a}=\lim_{x\to a-}\frac{f(x)-f(a)}{x-a}$

PLUS ⊕

$f(x)=\begin{cases} g(x) & (x\ge a) \\ h(x) & (x<a)\end{cases}$

가 $x=a$에서 미분가능하면

$g(a)=h(a)$, $g'(a)=h'(a)$

예제 함수 $f(x)=\begin{cases} x^2-x & (x\ge 2) \\ ax+b & (x<2)\end{cases}$가 $x=2$에서 미분가능할 때, 상수 a, b의 값을 구하시오.

해법 코드

$g(x)=x^2-x$, $h(x)=ax+b$라 하면 $g(2)=h(2)$, $g'(2)=h'(2)$

셀파 함수 $f(x)$가 $x=a$에서 미분가능하면 ⇨ $x=a$에서 연속이고 미분계수가 존재한다.

풀이 함수 $f(x)$가 ❶$x=2$에서 미분가능하므로 $x=2$에서 연속이다. 즉,

$\lim_{x\to 2} f(x)=f(2)$에서 $2a+b=2$ ······㉠

또 $x=2$에서의 미분계수 $f'(2)$가 존재하므로

$$\lim_{x\to 2+}\frac{f(x)-f(2)}{x-2}=\lim_{x\to 2+}\frac{(x^2-x)-(4-2)}{x-2}$$
$$=\lim_{x\to 2+}\frac{x^2-x-2}{x-2}=\lim_{x\to 2+}\frac{(x-2)(x+1)}{x-2}$$
$$=\lim_{x\to 2+}(x+1)=3$$

$$\lim_{x\to 2-}\frac{f(x)-f(2)}{x-2}\overset{❷}{=}\lim_{x\to 2-}\frac{(ax+b)-(4-2)}{x-2}=\lim_{x\to 2-}\frac{a(x-2)}{x-2}\ (\because ㉠)$$
$$=\lim_{x\to 2-}a=a$$

$\therefore$ **$a=3$**

$a=3$을 ㉠에 대입하면 **$b=-4$**

❶ 함수 $f(x)$가 $x=2$에서 미분가능할 때

(i) $f(x)=\begin{cases} x^2-x & (x\ge 2) \\ ax+b & (x<2)\end{cases}$ 는 $x=2$에서 연속이다.

(ii) $f'(x)=\begin{cases} 2x-1 & (x>2) \\ a & (x<2)\end{cases}$ 는 $x=2$에서 연속이다.

❷ $b=2-2a$이므로

$\lim_{x\to 2-}\frac{(ax+2-2a)-2}{x-2}$

$=\lim_{x\to 2-}\frac{ax-2a}{x-2}$

$=\lim_{x\to 2-}\frac{a(x-2)}{x-2}$

확인 문제

정답과 해설 | 40쪽

07-1 (상 중 하) 함수 $f(x)=\begin{cases} x^2 & (x\ge 1) \\ ax+b & (x<1)\end{cases}$가 모든 실수 x에서 미분가능할 때, 상수 a, b의 값을 구하시오.

07-2 (상 중 하) 함수 $f(x)=\begin{cases} ax^2+3 & (x\ge -1) \\ x^3+x^2+bx & (x<-1)\end{cases}$가 $x=-1$에서 미분가능할 때, 상수 a, b의 값을 구하시오.

MY 셀파

07-1

함수 $f(x)$가 모든 실수 x에서 미분가능하므로 $x=1$에서도 미분가능하다.

07-2

함수 $f(x)$가 $x=-1$에서 미분가능하므로 $x=-1$에서 연속이다.

연습 문제 EXERCISE

도함수의 정의를 이용하여 도함수 구하기

01 도함수의 정의를 이용하여 함수 $f(x)=2x^2-3x$의 도함수를 구하시오.

상 중 하

함수의 관계식이 주어진 경우 도함수 구하기

02 미분가능한 함수 $f(x)$가 모든 실수 x, y에 대하여

$$f(x+y)=f(x)+f(y)+xy+xy^2+x^2y$$

를 만족시키고 $f'(0)=1$일 때, $f'(1)$의 값을 구하시오.

상 중 하

미분법의 공식

03 함수 $f(x)=2x^3+ax+3$에 대하여 $f'(1)=7$을 만족시키는 상수 a의 값을 구하시오.

상 중 하

미분법의 공식 창의력

04 도움닫기 멀리뛰기를 하는 사람의 무게중심은 멀리뛰기를 하는 동안 포물선을 그린다. 어떤 선수가 뛴 지점에서 x m 떨어진 곳에서의 무게중심의 높이 $h(x)$가

$$h(x)=-\frac{1}{32}x^2+\frac{1}{4}x+\frac{4}{5}\ (0\le x\le 8)$$

라 할 때, $x=4$에서의 미분계수 $h'(4)$의 값을 구하시오.

상 중 하

미분법의 공식

05 다항함수 $f(x)=3x^2-2xf'(1)$에 대하여 $f'(-1)$의 값을 구하시오.

상 중 하

미분법의 공식

06 사차함수 $f(x)=x^4-4x^3+6x^2+4$의 그래프 위의 점 (a, b)에서의 접선의 기울기가 4일 때, a, b의 값을 구하시오.

상 중 하

미분법의 공식 융합형

07 이차함수 $f(x)$가 모든 실수 x에 대하여 $(x-2)f'(x)-2f(x)-x+1=0$이 성립하고 $f'(-1)=5$일 때, $f(1)$의 값을 구하시오.

상 중 하

미분계수와 미분법을 이용한 극한값의 계산

08 함수 $f(x)=x^2+8x$일 때, $\lim_{h\to 0}\frac{f(1+2h)-f(1)}{h}$의 값은?

상 중 하

① 16 ② 17 ③ 18 ④ 19 ⑤ 20

미분계수와 미분법을 이용한 극한값의 계산

09 다항함수 $f(x)$에 대하여 $\lim_{x \to 1}\frac{f(x)-f(1)}{x^2-1}=-1$일 때, $\lim_{h \to 0}\frac{f(1-2h)-f(1+5h)}{h}$의 값을 구하시오.

미분계수와 미분법을 이용한 극한값의 계산

10 함수 $y=f(x)$의 그래프는 y축에 대하여 대칭이다. $f'(2)=-3$, $f'(4)=6$일 때, $\lim_{x \to 2}\frac{f(x^2)-f(4)}{f(x)-f(-2)}$의 값을 구하시오.

미분계수와 미분법을 이용한 극한값의 계산 창의·융합

11 $\lim_{x \to 2}\frac{x^4-x^3-x-6}{x-2}$의 극한값을 연이와 호준이의 방법으로 각각 구하시오.

미분계수와 미분법을 이용한 극한값의 계산 서술형

12 다항함수 $f(x)$, $g(x)$에 대하여 $f(1)=1$, $f'(1)=2$, $\lim_{x \to 1}\frac{f(x)g(x)-4}{x-1}=16$일 때, $g'(1)$의 값을 구하시오.

> $h(x)=f(x)g(x)$로 놓고 $h'(1)$을 생각해 봐.

미정계수의 결정

13 이차함수 $f(x)=x^2+ax+b$ (a, b는 상수)에 대하여 $\lim_{h \to 0}\frac{f(2h)}{h}=5$일 때, $10(a+b)$의 값을 구하시오.

다항식의 나머지정리와 미분법 융합형

14 x에 대한 다항식 $f(x)$에 대하여 $f(-2)=-1$, $f'(-2)=2$일 때, $f(x)$를 $(x+2)^2$으로 나누었을 때의 나머지를 구하시오.

함수의 미분가능할 조건

15 함수

$$f(x)=\begin{cases} x^2+ax+b & (x \le -2) \\ 2x & (x > -2) \end{cases}$$

가 실수 전체의 집합에서 미분가능할 때, 상수 a, b의 합 $a+b$의 값을 구하시오.

원형 경기장
정말 어마 어마하구나. 그 옛날에 이러 거대한 경기장을 만들다니.
동시에 수 만명을 수용할 수 있는 크기래.
그런데 만약 무슨 일이 생기면 그 많은 관중들이 안전하게 대피할 수 있을까? 맹수가 관중을 습격한다든가.
그래서 원형 경기장의 특징을 살려서 출입로를 만들었다는군.

5

접선의 방정식과 평균값 정리

개념 1　접선의 방정식

개념 2　접선의 방정식 구하는 방법

개념 3　평균값 정리

출입로의 직선 도로가 원형경기장에 접선이 되게 만들었다.

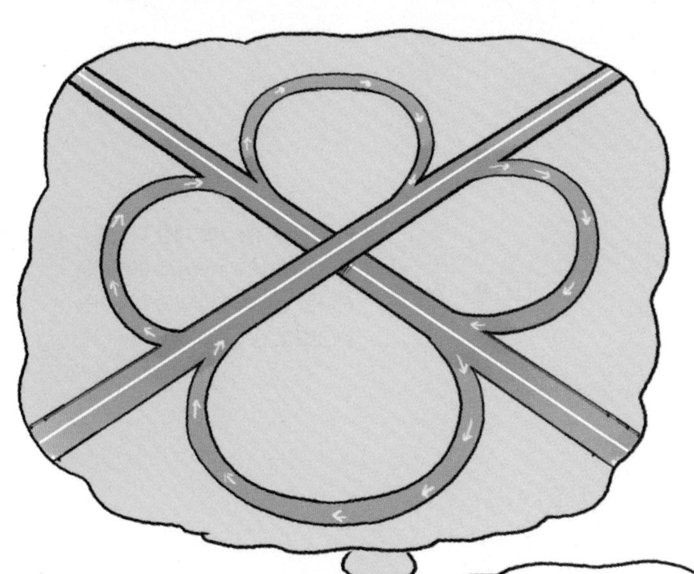

아, 곡선 도로와 직선 도로가 접선이 되게 하는 것처럼 말이지. 그래서 빨리 대피했대?

맹수가 더 빨리 쫓아오게 되었대.

슬픈 이야기네...

5. 접선의 방정식과 평균값 정리

개념 1 접선의 방정식

(1) 접선의 기울기와 미분계수의 관계

함수 $f(x)$가 $x=a$에서 미분가능할 때, 곡선 $y=f(x)$ 위의 점 $\mathrm{P}(a, f(a))$에서의 ㉠접선의 기울기는 $x=$ ❶ ☐ 에서의 미분계수 $f'(a)$와 같다.

(2) 곡선 $y=f(x)$ 위의 점 $\mathrm{P}(a, f(a))$에서의 접선의 방정식은

㉡ $y-f(a)=f'(a)(x-$ ❷ ☐ $)$

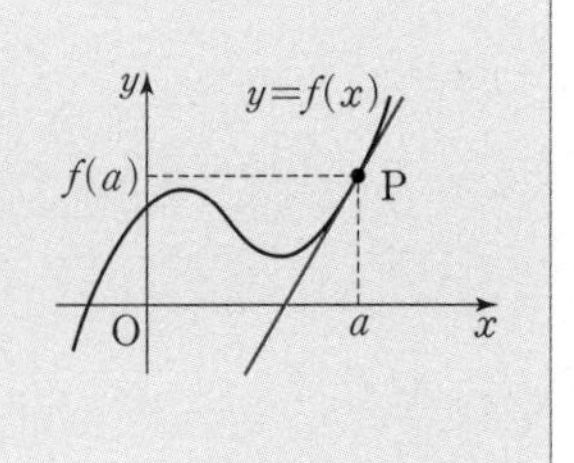

답 ❶ a ❷ a

개념 플러스

㉠ 곡선 $y=f(x)$에 대하여

❶ 임의의 점에서의 접선의 기울기 ⇨ $f'(x)$

❷ x좌표가 a인 점에서의 접선의 기울기 ⇨ $f'(a)$

❸ $x=a$에서의 접선이 x축의 양의 방향과 이루는 각의 크기가 θ일 때의 접선의 기울기 ⇨ $\tan\theta=f'(a)$

개념 2 접선의 방정식 구하는 방법

(1) 접점의 좌표 $(a, f(a))$가 주어진 경우

1 접선의 기울기 $f'(a)$를 구한다.

2 접선의 방정식 ⇨ $y-f(a)=f'(a)(x-a)$

(2) 기울기 m이 주어진 경우

1 접점의 좌표를 $(t, f(t))$로 놓는다.

2 $f'(t)=m$에서 접점의 좌표 $(t, f(t))$를 구한다.

3 접선의 방정식 ⇨ $y-f(t)=m(x-$ ❶ ☐ $)$

(3) 곡선 밖의 한 점의 좌표 (x_1, y_1)이 주어진 경우

1 접점의 좌표를 $(t, f(t))$로 놓는다.

2 $y-f(t)=f'(t)(x-t)$에 $x=x_1$, $y=y_1$을 대입하여 t의 값을 구한다.

3 $t=p$이면 접선의 방정식 ⇨ $y-f(p)=f'(p)(x-$ ❷ ☐ $)$

답 ❶ t ❷ p

㉡ 기울기가 m이고 점 (x_1, y_1)을 지나는 직선의 방정식 ⇨ $y-y_1=m(x-x_1)$

▶ 이 단원에서는 x에 대한 다항함수를 다루므로 $x=a$에서 미분가능하다는 언급이 없더라도 미분가능한 것으로 생각한다.

개념 3 평균값 정리

(1) 롤의 정리

함수 $f(x)$가 닫힌구간 $[a, b]$에서 ❶ ☐ 이고 열린구간 (a, b)에서 ❷ ☐ 가능할 때, $f(a)=f(b)$이면 $f'(c)=0$인 c가 열린구간 (a, b)에 적어도 하나 존재한다.

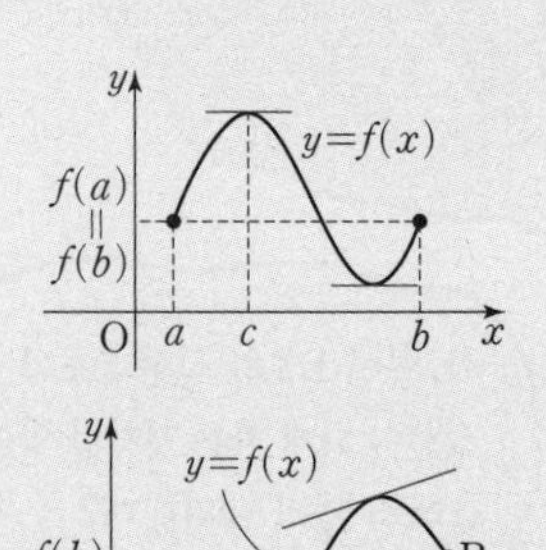

(2) 평균값 정리

함수 $f(x)$가 닫힌구간 $[a, b]$에서 연속이고 열린구간 (a, b)에서 미분가능할 때,

$$\frac{f(b)-f(a)}{b-a}=f'(\text{❸ ☐})$$

인 c가 열린구간 (a, b)에 적어도 하나 존재한다.

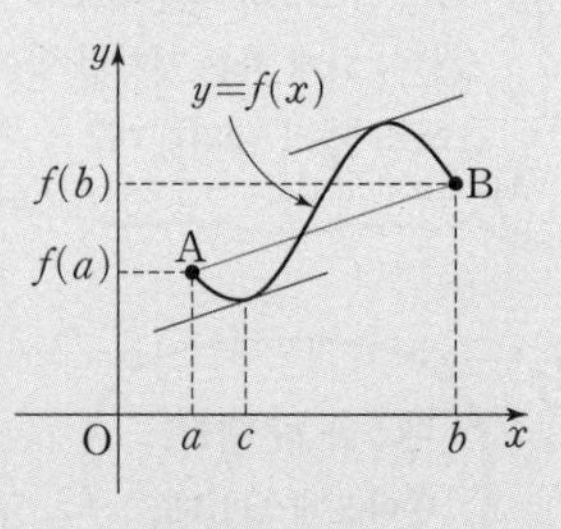

평균값 정리에서 $f(a)=f(b)$이면 롤의 정리와 같아.

답 ❶ 연속 ❷ 미분 ❸ c

1-1 | 곡선 위의 한 점에서의 접선의 방정식 |

다음 곡선 위의 주어진 점에서의 접선의 방정식을 구하시오.

(1) $y=-x^2+2x \quad (0, 0)$

(2) $y=3x^2-2x+2 \quad (-1, 7)$

연구

(1) $f(x)=-x^2+2x$라 하면 $f'(x)=-2x+2$

곡선 $y=f(x)$ 위의 점 $(0, 0)$에서의 접선의 기울기는

$f'(0)=$ □

따라서 구하는 접선의 방정식은

$y-0=2(x-0) \quad \therefore \boldsymbol{y=2x}$

(2) $f(x)=3x^2-2x+2$라 하면 $f'(x)=6x-2$

곡선 $y=f(x)$ 위의 점 $(-1, 7)$에서의 접선의 기울기는

$f'(-1)=6\times(-1)-2=-8$

따라서 구하는 접선의 방정식은

$y-$ □ $=-8\{x-(-1)\} \quad \therefore \boldsymbol{y=-8x-1}$

1-2 | 따라풀기 |

다음 곡선 위의 주어진 점에서의 접선의 방정식을 구하시오.

(1) $y=x^2+1 \quad (1, 2)$

(2) $y=2x^2-x-1 \quad (1, 0)$

풀이

2-1 | 기울기가 주어진 접선의 방정식 |

다음 곡선에 접하고 기울기가 2인 접선의 방정식을 구하시오.

(1) $y=x^2-2x+1$ (2) $y=x^3-x$

연구

(1) $f(x)=x^2-2x+1$이라 하면 $f'(x)=2x-2$

접점의 좌표를 (t, t^2-2t+1)로 놓으면 접선의 기울기가 2이므로

$f'(t)=2t-2=$ □ $\quad \therefore t=$ □

따라서 접점의 좌표는 $(2,$ □ $)$이므로 구하는 접선의 방정식은

$y-1=2(x-2) \quad \therefore \boldsymbol{y=2x-3}$

(2) $f(x)=x^3-x$라 하면 $f'(x)=3x^2-1$

접점의 좌표를 (t, t^3-t)로 놓으면 접선의 기울기가 2이므로

$f'(t)=3t^2-1=2 \quad \therefore t=-1$ 또는 $t=1$

(i) 접점의 좌표가 $(-1, 0)$일 때, 구하는 접선의 방정식은

$y-0=2(x+$ □ $) \quad \therefore \boldsymbol{y=2x+}$ □

(ii) 접점의 좌표가 $(1,$ □ $)$일 때, 구하는 접선의 방정식은

$y-$ □ $=2(x-1) \quad \therefore \boldsymbol{y=2x-}$ □

2-2 | 따라풀기 |

다음 곡선에 접하고 기울기가 3인 접선의 방정식을 구하시오.

(1) $y=-x^2+x$ (2) $y=x^3+1$

풀이

해법 01 접선의 기울기

함수 $f(x)$가 $x=a$에서 미분가능할 때, 곡선 $y=f(x)$ 위의 점 $(a, f(a))$에서의 접선의 기울기는 $x=a$에서의 미분계수 $f'(a)$와 같다. 즉, 곡선 $y=f(x)$ 위의 점 $(a, f(a))$에서의 접선의 기울기는 도함수 $f'(x)$에 $x=a$를 대입한 값과 같다.

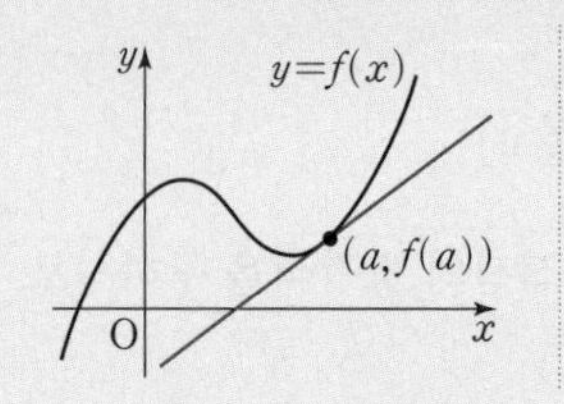

PLUS

곡선 $f(x)=x^2+2$ 위의 점 $(1, 3)$에서의 접선의 기울기는 $x=1$일 때의 미분계수 $f'(1)$과 같다.

1. 곡선 $y=2x^2+px+q$ 위의 점 $(1, 0)$에서의 접선의 기울기가 1일 때, 상수 p, q의 값을 구하시오.

2. 곡선 $y=x^3-3x^2-12x-2$ 위의 두 점 (a, b), (c, d)에서의 두 접선의 기울기가 모두 0일 때, ac의 값을 구하시오.

해법 코드

1. $f(x)=2x^2+px+q$라 하면 $f'(1)=1$

2. $f(x)=x^3-3x^2-12x-2$라 하면 $f'(a)=0, f'(c)=0$

셀파 곡선 $y=f(x)$ 위의 $x=a$인 점에서의 접선의 기울기 ⇨ $f'(a)$

풀이 **1.** $f(x)=2x^2+px+q$라 하면 $f'(x)=4x+p$

곡선 $y=f(x)$ 위의 점 $(1, 0)$에서의 접선의 기울기가 1이므로

$f'(1)=4+p=1$ $\quad \therefore$ $\mathbf{p=-3}$

또 ㉠$f(1)=0$에서 $2+p+q=0$ $\quad \cdots\cdots$㉠

$p=-3$을 ㉠에 대입하면 $2-3+q=0$ $\quad \therefore$ $\mathbf{q=1}$

2. $f(x)=x^3-3x^2-12x-2$라 하면 $f'(x)=3x^2-6x-12$

곡선 $y=f(x)$ 위의 두 점 (a, b), (c, d)에서의 두 접선의 기울기가 모두 0이므로

$f'(a)=3a^2-6a-12=0$, $f'(c)=3c^2-6c-12=0$

이때 ㉡a, c는 이차방정식 $3x^2-6x-12=0$의 두 근이므로

이차방정식의 근과 계수의 관계에서 $ac=\frac{-12}{3}=\mathbf{-4}$

㉠ 곡선 $y=f(x)$가 점 $(1, 0)$을 지나므로 $f(1)=0$

㉡ 이차방정식 $3x^2-6x-12=0$의 근이 a이면 $3a^2-6a-12=0$이 성립하고, 근이 c이면 $3c^2-6c-12=0$이 성립한다. 따라서 방정식 $3x^2-6x-12=0$의 두 근은 $x=a$ 또는 $x=c$이다.

참고

이차방정식 $ax^2+bx+c=0$의 두 근이 α, β일 때

$\alpha+\beta=-\frac{b}{a}$, $\alpha\beta=\frac{c}{a}$

확인 문제

정답과 해설 | 44쪽

01-1 (상)(중)(하) 곡선 $y=x^3+ax^2+bx+3$ 위의 점 $(-1, 2)$에서의 접선의 기울기가 1일 때, 상수 a, b의 값을 구하시오.

01-2 (상)(중)(하) 곡선 $y=x^3-3x^2+kx$의 접선의 기울기의 최솟값이 -1일 때, 상수 k의 값을 구하시오.

MY 셀파

01-1
$f(x)=x^3+ax^2+bx+3$이라 하면 $f'(-1)=1, f(-1)=2$

01-2
$f(x)=x^3-3x^2+kx$라 하고 $f'(x)=3x^2-6x+k$의 최솟값을 구한다.

해법 02 접점의 좌표가 주어진 접선의 방정식

곡선 $y=f(x)$ 위의 점 $(a, f(a))$에서
❶ 접선의 기울기는 ⇨ $f'(a)$
❷ 접선의 방정식은 기울기가 $f'(a)$이고
점 $(a, f(a))$를 지나는 직선의 방정식이므로
⇨ $y-f(a)=f'(a)(x-a)$

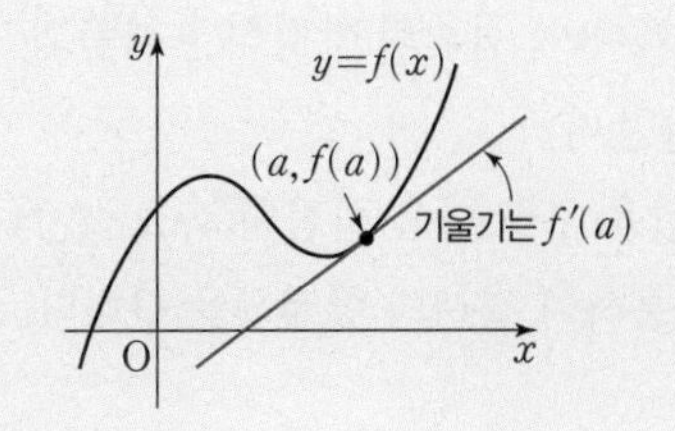

PLUS ⊕
곡선 $y=f(x)$ 위의 $x=a$인 점에서의 접선의 기울기 $f'(a)$는 함수 $f(x)$를 미분한 도함수 $f'(x)$에 $x=a$를 대입하여 얻은 값이다.

1. 곡선 $y=x^3+px+q$ 위의 점 $(1, 2)$에서의 접선의 방정식이 $y=4x-2$일 때, 상수 p, q의 값을 구하시오.

2. 곡선 $y=x^3-x+1$ 위의 점 $(1, 1)$을 지나고 이 점에서의 접선에 수직인 직선의 방정식을 구하시오.

해법 코드
1. 곡선 $f(x)=x^3+px+q$ 위의 점 $(1, 2)$에서의 접선의 기울기는 $f'(1)$
2. 곡선 $f(x)=x^3-x+1$ 위의 점 $(1, 1)$에서의 접선의 기울기는 $f'(1)$

셀파 곡선 $y=f(x)$ 위의 점 $(a, f(a))$에서의 접선의 방정식은 ⇨ $y-f(a)=f'(a)(x-a)$

풀이 **1.** $f(x)=x^3+px+q$라 하면 $f'(x)=3x^2+p$
곡선 $y=f(x)$ 위의 점 $(1, 2)$에서의 접선의 기울기가 4이므로
$f'(1)=4$에서 $3+p=4$ $\quad\therefore$ $\boldsymbol{p=1}$
또 점 $(1, 2)$는 곡선 $y=f(x)$ 위의 점이므로
$f(1)=2$에서 $1+p+q=2$ $\quad\therefore$ $\boldsymbol{q=0}$

2. $f(x)=x^3-x+1$이라 하면 $f'(x)=3x^2-1$
이때 곡선 $y=x^3-x+1$ 위의 점 $(1, 1)$에서의 접선의 기울기는
$f'(1)=2$이므로 이 점에서의 접선에 수직인 직선의 기울기는 $-\frac{1}{2}$이다.
따라서 구하는 직선의 방정식은 $y-1=-\frac{1}{2}(x-1)$
$\therefore$ $\boldsymbol{y=-\frac{1}{2}x+\frac{3}{2}}$

다른 풀이
1. $f(x)=x^3+px+q$라 하면
$f'(x)=3x^2+p$에서
$f'(1)=3+p$
점 $(1, 2)$에서의 접선의 방정식은
$y-2=(3+p)(x-1)$
$\therefore y=(3+p)x-p-1$
이 접선이 $y=4x-2$와 일치하므로
$3+p=4$, $-p-1=-2$
$\therefore p=1$
이때 $f(1)=2$이므로
$1+p+q=2$ $\quad\therefore q=0$

확인 문제

정답과 해설 | 45쪽

02-1 (상●하) 곡선 $y=x^3-ax+2$ 위의 $x=1$인 점에서의 접선이 점 $(2, 2)$를 지날 때, 이 접선의 방정식을 구하시오. (단, a는 상수)

02-2 (상●하) 곡선 $y=x^3+ax+b$ 위의 점 $(1, 2)$를 지나고 이 점에서의 접선에 수직인 직선의 방정식이 $x-2y+3=0$일 때, 상수 a, b의 값을 구하시오.

MY 셀파

02-1
$f(x)=x^3-ax+2$라 하면
$f'(x)=3x^2-a$에서 $f'(1)=3-a$

02-2
점 $(1, 2)$에서의 접선에 수직인 직선의 기울기는 $\frac{1}{2}$이다.

해법 03 기울기가 주어진 접선의 방정식

PLUS

곡선 $y=f(x)$에 접하고 기울기가 m인 접선의 방정식은 다음과 같이 구한다.

1 접점의 좌표를 $(t, f(t))$로 놓는다.

2 $f'(t)=m$을 이용하여 t의 값을 구한 다음 접점의 좌표 $(t, f(t))$를 구한다.

3 $y-f(t)=m(x-t)$임을 이용하여 접선의 방정식을 구한다.

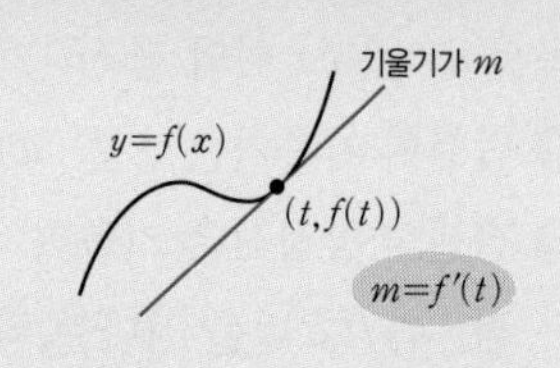

예제 1. 곡선 $y=x^2-2x+3$에 접하고 기울기가 2인 직선의 방정식을 구하시오.

2. 곡선 $y=x^3+x-2$와 직선 $y=kx$가 접할 때, 상수 k의 값을 구하시오.

해법 코드

1. $f'(t)=2$인 t의 값을 구한다.

2. 접점의 좌표를 (t, t^3+t-2)로 놓고 접선의 방정식을 구한다.

셀파 곡선 $y=f(x)$ 위의 접점의 좌표를 $(t, f(t))$로 놓는다.

풀이 1. $f(x)=x^2-2x+3$이라 하면 $f'(x)=2x-2$

접점의 좌표를 (t, t^2-2t+3)으로 놓으면 이 점에서의 접선의 기울기가 2이므로

$f'(t)=2t-2=2 \qquad \therefore t=2$

따라서 접점의 좌표는 $(2, 3)$이므로 구하는 접선의 방정식은

$y-3=2(x-2) \qquad \therefore \boldsymbol{y=2x-1}$

2. $f(x)=x^3+x-2$라 하면 $f'(x)=3x^2+1$

곡선 $y=f(x)$가 직선 $y=kx$에 접할 때의 접점의 좌표를 (t, t^3+t-2)로 놓으면

이 점에서의 접선의 기울기는 $f'(t)=3t^2+1$이므로 접선의 방정식은

$y-(t^3+t-2)=(3t^2+1)(x-t)$

$\therefore y=(3t^2+1)x-2t^3-2$

이 직선이 직선 $y=kx$와 일치하므로

$3t^2+1=k, \ -2t^3-2=0$

$-2t^3-2=0$에서 $t^3+1=0$, ㉠ $\underline{(t+1)(t^2-t+1)=0} \qquad \therefore t=-1$

$t=-1$을 $3t^2+1=k$에 대입하면 $\boldsymbol{k=4}$

다른 풀이

1. 접선의 기울기가 2이므로 접선의 방정식을 $y=2x+n$으로 놓으면

$x^2-2x+3=2x+n$, 즉

$x^2-4x+3-n=0$

이차방정식의 판별식을 D라 하면

$\frac{D}{4}=(-2)^2-(3-n)=0$

$1+n=0 \qquad \therefore n=-1$

따라서 구하는 접선의 방정식은

$y=2x-1$

㉠ $t^2-t+1=\left(t-\frac{1}{2}\right)^2+\frac{3}{4}>0$이므로 방정식 $t^2-t+1=0$은 실근을 갖지 않는다.

확인 문제

정답과 해설 | 45쪽

03-1 (상중하) 곡선 $y=x^3-3x^2+4x$의 접선이 x축의 양의 방향과 이루는 각의 크기가 $45°$일 때, 이 접선의 방정식을 구하시오.

03-2 (상중하) 곡선 $y=x^3-2x+1$ 위의 점 P에서의 접선이 직선 $y=x$와 평행할 때, 점 P의 좌표를 구하시오.

MY 셀파

03-1 접선의 기울기는 $\tan 45°$이다.

03-2 두 직선이 평행하면 기울기가 서로 같다.

해법 04 곡선 밖의 한 점에서 그은 접선의 방정식

곡선 $y=f(x)$ 위에 있지 않은 한 점 (x_1, y_1)에서 곡선에 그은 접선의 방정식은 다음과 같이 구한다.

1 접점의 좌표를 $(t, f(t))$로 놓는다.

2 점 $(t, f(t))$에서의 접선의 방정식은 $y-f(t)=f'(t)(x-t)$ ……㉠

3 ㉠에 $x=x_1$, $y=y_1$을 대입하여 t의 값을 구한다.

4 3에서 구한 t의 값을 ㉠에 대입하여 접선의 방정식을 구한다.

PLUS ⊕

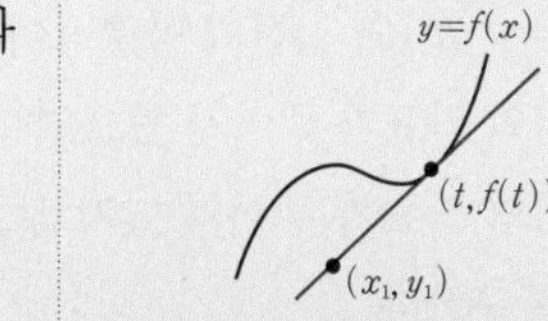

접선이 지나는 점 (x_1, y_1)이 주어져 있으므로 구해야 하는 것은 접선의 기울기이다.

예제 점 $(0, -2)$에서 곡선 $y=x^3$에 그은 접선의 방정식을 구하시오.

해법 코드
곡선 위의 점 (t, t^3)에서의 접선의 방정식을 구한다.

셀파 접점의 좌표를 $(t, f(t))$라 하면 접선의 기울기는 $f'(t)$이다.

풀이 $f(x)=x^3$이라 하면 $f'(x)=3x^2$

㉠ 접점의 좌표를 (t, t^3)으로 놓으면

이 점에서의 접선의 기울기는 $f'(t)=3t^2$

따라서 접선의 방정식은

$y-t^3=3t^2(x-t)$

$\therefore y=3t^2x-2t^3$ ……㉠

이 접선이 점 $(0, -2)$를 지나므로

$-2=-2t^3$, $t^3-1=0$, ㉡ $(t-1)(t^2+t+1)=0$ $\therefore t=1$

이 값을 ㉠에 대입하면 구하는 접선의 방정식은

$\boldsymbol{y=3x-2}$

곡선 위의 점에서는 접선이 한 개 존재하지만 곡선 밖의 점에서 곡선에 접선을 그을 때는 접선이 한 개 이상 존재할 수도 있어.

주의 점 $(0, -2)$를 곡선 위의 점이라고 생각하여 풀지 않도록 한다.

㉠ 접점의 좌표를 (t, t^3)으로 놓으면 미지수가 t인 접선의 방정식을 구할 수 있다.
이때 주어진 점 $(0, -2)$가 접선 위의 점인 것을 이용하여
1 t의 값을 구한다.
2 접선의 기울기 $f'(t)$를 구한다.

㉡ $t^2+t+1=\left(t+\frac{1}{2}\right)^2+\frac{3}{4}>0$이므로 방정식 $t^2+t+1=0$은 실근을 갖지 않는다.

확인 문제

정답과 해설 | 45쪽

MY 셀파

04-1 (상중하) 점 $(1, 2)$에서 곡선 $y=x^2+2$에 그은 접선의 방정식을 구하시오.

04-1
접점의 좌표를 (t, t^2+2)로 놓는다.

04-2 (상중하) 점 $(0, 0)$에서 곡선 $y=x^3-3x^2-5$에 그은 접선이 점 $(3, k)$를 지날 때, k의 값을 구하시오.

04-2
접점의 좌표를 (t, t^3-3t^2-5)로 놓는다.

해법 05 접선의 방정식을 이용한 미정계수의 결정

곡선 $y=f(x)$의 접선의 방정식이 주어진 경우

❶ 접점의 좌표가 주어져 있으면 그 점에서 그은 접선의 방정식을 구한다.

❷ 접점의 좌표가 주어져 있지 않으면 곡선 위의 임의의 점 $(t, f(t))$에서의 접선의 방정식을 구한다.

PLUS

곡선 $y=f(x)$ 위의 임의의 점 $(t, f(t))$에서의 접선의 방정식
⇨ $y-f(t)=f'(t)(x-t)$

1. 곡선 $y=x^3+ax^2-2x+b$가 점 $(1, 6)$에서 직선 $y=5x+1$에 접할 때, 상수 a, b의 값을 구하시오.

2. 곡선 $y=x^3+ax+a+1$이 직선 $y=x+1$에 접할 때, 상수 a의 값을 구하시오.

해법 코드

1. 점 $(1, 6)$에서의 접선의 방정식을 생각한다.
2. 점 $(t, t^3+at+a+1)$에서의 접선의 방정식을 구한다.

셀파 곡선 $y=f(x)$와 직선 $y=ax+b$가 서로 접하는 경우
⇨ 접점의 좌표를 $(t, f(t))$라 하면 $f'(t)=a$

풀이 1. $f(x)=x^3+ax^2-2x+b$라 하면 $f'(x)=3x^2+2ax-2$

㉠ 점 $(1, 6)$에서 직선 $y=5x+1$에 접하므로

$f(1)=1+a-2+b=6$ $\quad\therefore a+b=7$ ……㉠

또 $f'(1)=3+2a-2=5$에서 $\mathbf{a=2}$

이 값을 ㉠에 대입하면 $\mathbf{b=5}$

㉠ $f(1)=6, f'(1)=5$

2. $f(x)=x^3+ax+a+1$이라 하면 $f'(x)=3x^2+a$

접점의 좌표를 $(t, t^3+at+a+1)$로 놓으면 이 점에서의 접선의 기울기는

$f'(t)=3t^2+a$

이때 접선의 방정식은 $y-(t^3+at+a+1)=(3t^2+a)(x-t)$

$\therefore y=(3t^2+a)x-2t^3+a+1$

이 직선이 $y=x+1$과 일치하므로 $3t^2+a=1$ ……㉠, $-2t^3+a+1=1$ ……㉡

㉠−㉡에서 $2t^3+3t^2-1=0$, $(t+1)^2(2t-1)=0$ $\quad\therefore t=-1$ 또는 $t=\frac{1}{2}$

$t=-1$일 때 $\mathbf{a=-2}$, $t=\frac{1}{2}$일 때 $\mathbf{a=\frac{1}{4}}$

다른 풀이

2. $t^3+at+a+1=t+1$ ……㉠
또 접점에서의 접선의 기울기가 1이므로 $3t^2+a=1$
$\therefore a=1-3t^2$ ……㉡
㉡을 ㉠에 대입하면
$t^3+(1-3t^2)t+1-3t^2+1$
$=t+1$
$2t^3+3t^2-1=0$
$(t+1)^2(2t-1)=0$
$\therefore t=-1$ 또는 $t=\frac{1}{2}$
㉡에 대입하면
$a=-2$ 또는 $a=\frac{1}{4}$

확인 문제

정답과 해설 | 46쪽

05-1 (상 중 하) 곡선 $y=x^3-ax+2$가 직선 $y=2x$에 접할 때, 상수 a의 값을 구하시오.

05-2 (상 중 하) 곡선 $y=x^3-3x^2+kx$가 직선 $y=-3x-4$에 접할 때, 상수 k의 값을 구하시오.

MY 셀파

05-1
점 (t, t^3-at+2)에서의 접선의 방정식을 구한다.

05-2
점 (t, t^3-3t^2+kt)에서의 접선의 방정식을 구한다.

해법 06 두 곡선의 공통접선

두 곡선 $y=f(x)$, $y=g(x)$가 공통으로 갖는 접선을 공통접선이라 한다. 이때 두 곡선 $y=f(x)$, $y=g(x)$가 $x=a$인 점에서 공통접선을 갖는다는 것은 $x=a$인 점에서 두 곡선이 만나고, 이 점에서의 접선의 기울기도 같다는 것을 의미한다.

1 방정식 $f(a)=g(a)$ 세우기
2 방정식 $f'(a)=g'(a)$ 세우기
⇨ 두 방정식 1, 2를 연립하여 풀기

PLUS

다음 그림은 두 곡선 $y=f(x)$, $y=g(x)$가 한 점에서 공통접선을 갖는 경우이다.

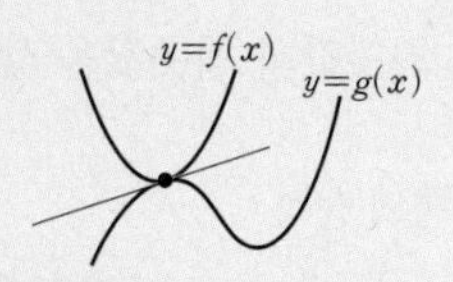

예제

1. 두 곡선 $y=2x^3+px$, $y=qx^2+r$가 점 $(-1, 2)$를 지나고 이 점에서 공통접선을 가질 때, 상수 p, q, r의 값을 구하시오.

2. 두 곡선 $y=x^2+2x$, $y=-ax^2+b$가 $x=1$인 점에서 만나고 이 점에서 두 곡선에 그은 접선이 서로 수직일 때, 상수 a, b의 값을 구하시오.

해법 코드

1. 두 곡선을 각각 $y=f(x)$, $y=g(x)$라 할 때 $f(-1)=g(-1)$, $f'(-1)=g'(-1)$

2. $f'(1)g'(1)=-1$

셀파 두 곡선 $y=f(x)$, $y=g(x)$가 $x=a$인 점에서 공통접선을 가지면
⇨ $f(a)=g(a)$, $f'(a)=g'(a)$

풀이

1. $f(x)=2x^3+px$, $g(x)=qx^2+r$라 하면 $f'(x)=6x^2+p$, $g'(x)=2qx$
두 곡선 $y=f(x)$, $y=g(x)$가 점 $(-1, 2)$를 지나므로
$f(-1)=-2-p=2$ ……㉠, $g(-1)=q+r=2$ ……㉡
두 곡선의 접점 $(-1, 2)$에서의 접선의 기울기가 같으므로
$f'(-1)=g'(-1)$에서 $6+p=-2q$ ……㉢
❶ ㉠, ㉡, ㉢을 연립하여 풀면 $\boldsymbol{p=-4, q=-1, r=3}$

❶ ㉠에서 $-p=4$ $\therefore p=-4$
$p=-4$를 ㉢에 대입하면
$6-4=-2q$, $2=-2q$
$\therefore q=-1$
$q=-1$을 ㉡에 대입하면
$-1+r=2$ $\therefore r=3$

2. $f(x)=x^2+2x$, $g(x)=-ax^2+b$라 하면 $f'(x)=2x+2$, $g'(x)=-2ax$
$f(1)=g(1)$에서 $-a+b=3$ ……㉠
$x=1$인 점에서의 두 접선이 서로 수직이므로
$f'(1)g'(1)=-1$에서 $4\times(-2a)=-1$ ……㉡
㉠, ㉡을 연립하여 풀면 $\boldsymbol{a=\frac{1}{8}, b=\frac{25}{8}}$

참고
기울기가 m_1, m_2인 두 직선이 서로 수직이면 $m_1m_2=-1$이다.

확인 문제

정답과 해설 | 46쪽

06-1 (상 중 하) 곡선 $y=x^2+3x-1$ 위의 점 $(3, 17)$에서의 접선이 곡선 $y=x^3+ax+6$에 접할 때, 상수 a의 값을 구하시오.

06-2 (상 중 하) 두 곡선 $y=x^3+2a$, $y=ax^2+bx$가 점 $(1, k)$에서 서로 수직으로 만날 때, 상수 k의 값을 구하시오. (단, a, b는 상수)

MY 셀파

06-1
곡선 $y=x^2+3x-1$ 위의 점 $(3, 17)$에서의 접선과 곡선 $y=x^3+ax+6$의 $x=t$인 점에서의 접선이 일치한다.

06-2
점 $(1, k)$에서의 두 접선이 서로 수직으로 만난다.

셀파 특강 01 롤의 정리의 증명

최대·최소 정리에 따라 닫힌구간 $[a, b]$에서 연속인 함수 $f(x)$는 이 구간에서 반드시 최댓값과 최솟값을 갖는다. 이를 이용하여 다음 롤의 정리를 증명하여 보자.

▶ 롤의 정리는 열린구간 (a, b)에서 미분가능해야 성립한다.

롤의 정리

함수 $f(x)$가 닫힌구간 $[a, b]$에서 연속이고 열린구간 (a, b)에서 미분가능할 때, ㉠ $f(a)=f(b)$이면 $f'(c)=0$인 c가 열린구간 (a, b)에 적어도 하나 존재한다.

▶ 다음 그림처럼 함수 $f(x)=|x|$는 닫힌구간 $[-1, 1]$에서 연속이고, $f(-1)=f(1)$이지만 $x=0$에서 미분가능하지 않다.

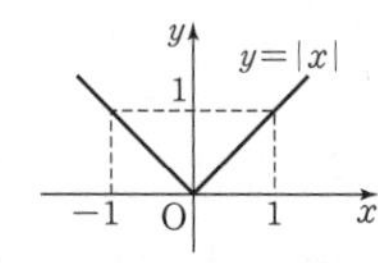

따라서 $f'(c)=0$인 c가 열린구간 $(-1, 1)$에 존재하지 않는다.

증명

(i) 함수 $f(x)$가 상수함수일 때

열린구간 (a, b)에 속하는 모든 x에 대하여 $f'(x)=0$이므로 열린구간 (a, b)에 속하는 모든 c에 대하여 $f'(c)=0$이다.

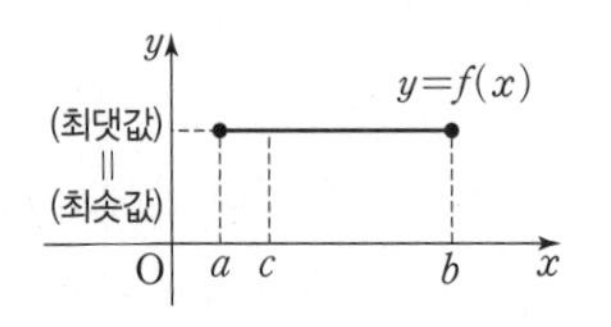

(ii) 함수 $f(x)$가 상수함수가 아닐 때

$f(a)=f(b)$이므로 함수 $f(x)$는 열린구간 (a, b)에 속하는 어떤 c에서 최댓값 또는 최솟값을 갖는다.

❶ $x=c$에서 최댓값을 가질 때

$a<c+h<b$인 임의의 h에 대하여

$f(c+h)-f(c)\le 0$이므로

$$\lim_{h\to 0-}\frac{f(c+h)-f(c)}{h}\ge 0,$$

$$\lim_{h\to 0+}\frac{f(c+h)-f(c)}{h}\le 0$$

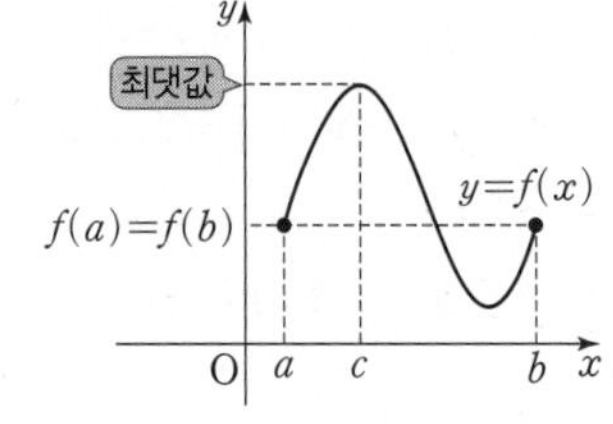

그런데 함수 $f(x)$는 $x=c$에서 미분가능하므로 ㉡ 좌극한과 우극한은 같다.

즉, $f'(c)=\lim_{h\to 0}\frac{f(c+h)-f(c)}{h}=0$

❷ $x=c$에서 최솟값을 가질 때

$a<c+h<b$인 임의의 h에 대하여

$f(c+h)-f(c)\ge 0$이므로

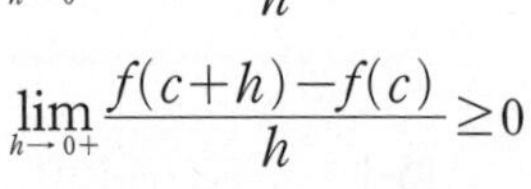

$$\lim_{h\to 0-}\frac{f(c+h)-f(c)}{h}\le 0,$$

$$\lim_{h\to 0+}\frac{f(c+h)-f(c)}{h}\ge 0$$

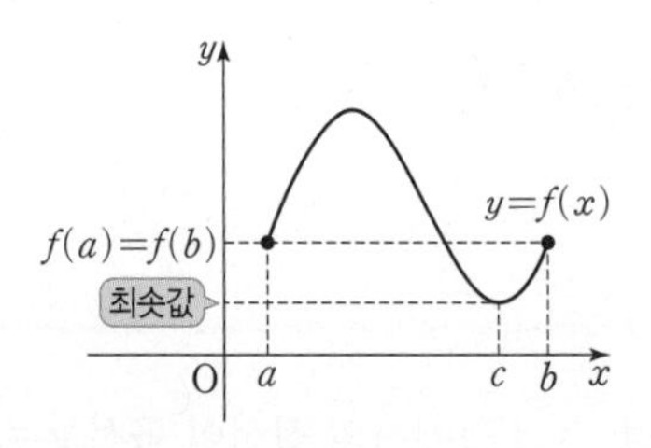

그런데 함수 $f(x)$는 $x=c$에서 미분가능하므로 좌극한과 우극한은 같다.

즉, $f'(c)=\lim_{h\to 0}\frac{f(c+h)-f(c)}{h}=0$

(i), (ii)에 의하여 롤의 정리가 성립한다.

㉠ $f(a)=f(b)$, 즉 구간의 양 끝에서 함숫값이 같다면 x가 a부터 b까지 변할 때 함수 $f(x)$는 닫힌구간 $[a, b]$에서 일정한 값을 갖는 경우와 최댓값 또는 최솟값을 갖는 경우가 있다.

㉡ $0\le\lim_{h\to 0-}\frac{f(c+h)-f(c)}{h}$

$=\lim_{h\to 0+}\frac{f(c+h)-f(c)}{h}\le 0$

즉,

$f'(c)=\lim_{h\to 0}\frac{f(c+h)-f(c)}{h}=0$

롤의 정리는 곡선 $y=f(x)$ 위의 점에서의 접선 중 x축과 평행한 것이 적어도 한 개 이상 있다는 뜻이야.

해법 07 롤의 정리

함수 $f(x)$가 닫힌구간 $[a, b]$에서 연속

함수 $f(x)$가 열린구간 (a, b)에서 미분가능

→ 롤의 정리 →

$f(a)=f(b)$이면 $f'(c)=0$인 c가 열린구간 (a, b)에 적어도 하나 존재한다.

PLUS ⊕

닫힌구간 $[a, b]$에서 함수 $f(x)$에 대하여 롤의 정리가 성립하면 열린구간 (a, b)에서 $f(a)=f(b)$이면 $f'(c)=0$인 c인 값을 구할 수 있다.

예제 다음 함수에 대하여 주어진 닫힌구간에서 롤의 정리를 만족시키는 c의 값을 구하시오.

(1) $f(x)=-x^2+2x \quad [0, 2]$ (2) $f(x)=x^3-3x \quad [0, \sqrt{3}]$

해법 코드
(1) $f'(x)=-2x+2$
(2) $f'(x)=3x^2-3$

셀파 닫힌구간 $[a, b]$에서 $f(a)=f(b)$이면 $f'(c)=0$인 c가 열린구간 (a, b)에 적어도 하나 존재한다.

풀이 (1) 함수 $f(x)=-x^2+2x$는 닫힌구간 $[0, 2]$에서 연속이고 열린구간 $(0, 2)$에서 미분가능하다.

이때 $f(0)=f(2)=0$이므로 롤의 정리에 의하여 $f'(c)=0$인 c가 열린구간 $(0, 2)$에 적어도 하나 존재한다.

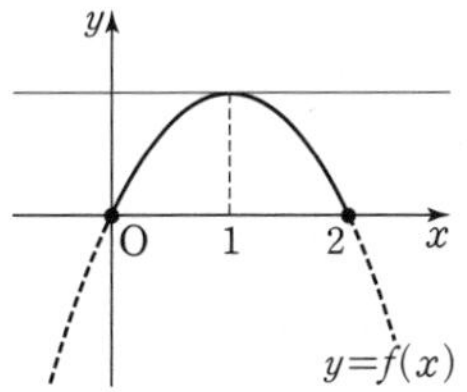

$f'(x)=-2x+2$이므로 롤의 정리를 만족시키는 c의 값은

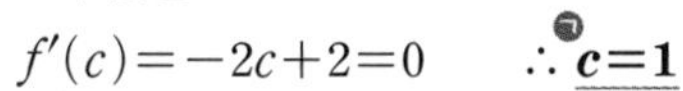

$f'(c)=-2c+2=0 \qquad \therefore$ ㉠ $\mathbf{c=1}$

(2) 함수 $f(x)=x^3-3x$는 닫힌구간 $[0, \sqrt{3}]$에서 연속이고 열린구간 $(0, \sqrt{3})$에서 미분가능하다.

이때 $f(0)=f(\sqrt{3})=0$이므로 롤의 정리에 의하여 $f'(c)=0$인 c가 열린구간 $(0, \sqrt{3})$에 적어도 하나 존재한다.

$f'(x)=3x^2-3$이므로 롤의 정리를 만족시키는 c의 값은

$f'(c)=3c^2-3=0, c^2=1 \qquad \therefore \mathbf{c=1}$ $(\because 0<c<\sqrt{3})$

㉠ 닫힌구간 $[0, 2]$에서 $0<1<2$이므로 $c=1$은 롤의 정리를 만족시킨다.

확인 문제

정답과 해설 | 47쪽

07-1 ㊤㊥㊦ 다음 함수에 대하여 주어진 닫힌구간에서 롤의 정리를 만족시키는 c의 값을 구하시오.

(1) $f(x)=x^2+3x-2 \quad [-2, -1]$

(2) $f(x)=x^3-3x^2+4 \quad [0, 3]$

MY 셀파

07-1
(1) $f'(x)=2x+3$
(2) $f'(x)=3x^2-6x$

셀파 특강 02 평균값 정리의 증명

롤의 정리에서 $f(a) \neq f(b)$인 경우까지 확장하여 생각하면 다음 평균값 정리를 얻을 수 있다.

> 평균값 정리는 곡선 $y=f(x)$ 위의 두 점 A, B를 이은 직선과 평행한 접선이 적어도 한 개 이상 있다는 뜻이야.

평균값 정리

함수 $f(x)$가 닫힌구간 $[a, b]$에서 연속이고 열린구간 (a, b)에서 미분가능하면

$\dfrac{f(b)-f(a)}{b-a}=f'(c)$인 c가 열린구간 (a, b)에 적어도 하나 존재한다.

롤의 정리를 이용하여 이 정리를 증명해 보자.

증명

$\dfrac{f(b)-f(a)}{b-a}=k$라 하면 오른쪽 그림에서 두 점 $\mathrm{A}(a, f(a))$, $\mathrm{B}(b, f(b))$를 잇는 직선의 방정식은 $y=k(x-a)+f(a)$이다.

ㄱ $F(x)=f(x)-\{k(x-a)+f(a)\}$로 놓으면 ㄴ 함수 $F(x)$는 닫힌구간 $[a, b]$에서 연속이고 열린구간 (a, b)에서 미분가능하며 $F(a)=F(b)=0$이다.

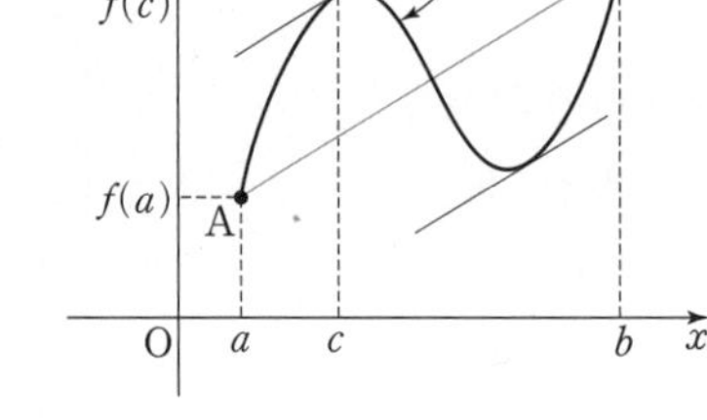

따라서 롤의 정리에 의하여 $F'(c)=0$인 c가 열린구간 (a, b)에 적어도 하나 존재한다.

그런데 $F'(x)=f'(x)-k$이므로

$F'(c)=f'(c)-k=0 \qquad \therefore f'(c)=k$

그러므로 $\dfrac{f(b)-f(a)}{b-a}=f'(c)$ $(a<c<b)$인 c가 적어도 하나 존재한다.

ㄱ

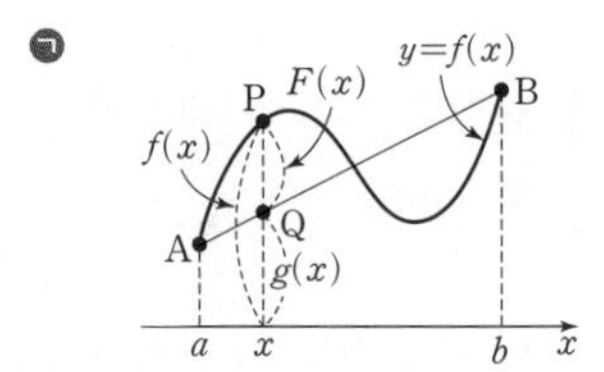

위의 그림과 같이 닫힌구간 $[a, b]$에 속하는 점 x에 대응하는 곡선 $y=f(x)$ 위의 점을 $\mathrm{P}(x, f(x))$, 직선 AB 위의 점을 $\mathrm{Q}(x, g(x))$라 하고 $F(x)=f(x)-g(x)$로 놓으면 $F(x)=f(x)-\{k(x-a)+f(a)\}$

ㄴ 이때 함수 $y=F(x)$ $(a\le x\le b)$의 그래프는 다음과 같다.

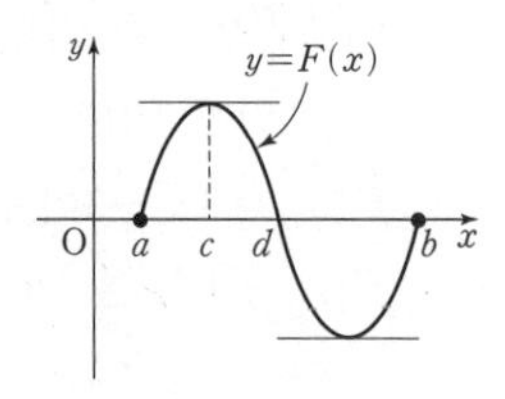

따라서 함수 $f(x)$는 닫힌구간 $[a, b]$에서 연속이고 열린구간 (a, b)에서 미분가능하다.

이제 함수의 그래프를 통해 평균값 정리가 뜻하는 것을 알아보자.

오른쪽 그림과 같이 곡선 $y=f(x)$ 위의 두 점 $\mathrm{A}(a, f(a))$, $\mathrm{B}(b, f(b))$에 대하여 $\dfrac{f(b)-f(a)}{b-a}$는 두 점 A, B를 지나는 직선의 기울기이다.

한편 평균값 정리에 의하여 ㄷ $f'(c)=\dfrac{f(b)-f(a)}{b-a}$

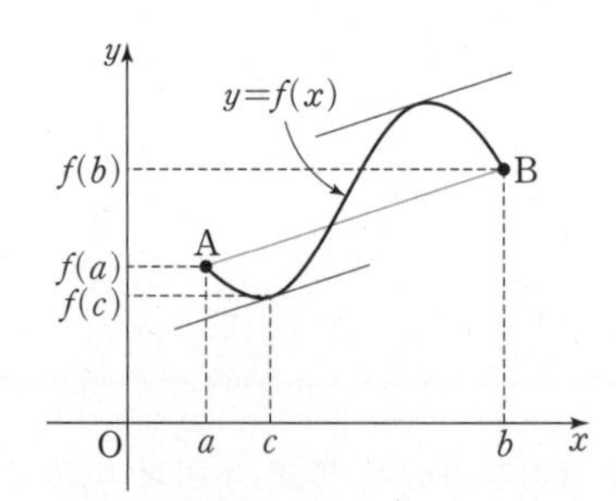

인 c가 열린구간 (a, b)에 적어도 하나 존재한다.

이것은 직선 AB와 평행한 접선을 갖는 점 $(c, f(c))$가 곡선 AB 위에 적어도 하나 있음을 뜻한다.

ㄷ $f'(c)$는 곡선 $y=f(x)$ 위의 점 $(c, f(c))$에서의 접선의 기울기이다.

해법 08 평균값 정리

함수 $f(x)$가 닫힌구간 $[a, b]$에서 연속

함수 $f(x)$가 열린구간 (a, b)에서 미분가능

평균값 정리 →

$\frac{f(b)-f(a)}{b-a}=f'(c)$인 c가 열린구간 (a, b)에 적어도 하나 존재한다.

PLUS

닫힌구간 $[a, b]$에서 함수 $f(x)$에 대하여 평균값 정리가 성립하면 열린구간 (a, b)에서

$\frac{f(b)-f(a)}{b-a}=f'(c)$

인 c의 값을 구할 수 있다.

예제 다음 함수에 대하여 주어진 닫힌구간에서 평균값 정리를 만족시키는 c의 값을 구하시오.

(1) $f(x)=-x^2+2x \quad [-1, 2]$ (2) $f(x)=x^3+3x \quad [0, 3]$

해법 코드

(1) 닫힌구간 $[-1, 2]$에서 함수 $f(x)$에 대하여 평균값 정리를 이용한다.

셀파 함수 $f(x)$가 닫힌구간 $[a, b]$에서 연속이고 열린구간 (a, b)에서 미분가능하면 평균값 정리를 만족시킨다.

풀이 (1) 함수 ㉠$f(x)=-x^2+2x$는 닫힌구간 $[-1, 2]$에서 연속이고 열린구간 $(-1, 2)$에서 미분가능하므로 평균값 정리에 의하여 $\frac{f(2)-f(-1)}{2-(-1)}=\frac{0-(-3)}{3}=1=f'(c)$인 c가 열린구간 $(-1, 2)$에 적어도 하나 존재한다.

이때 $f'(x)=-2x+2$이므로 $f'(c)=-2c+2=1$ $\quad \therefore \boldsymbol{c=\frac{1}{2}}$

㉠

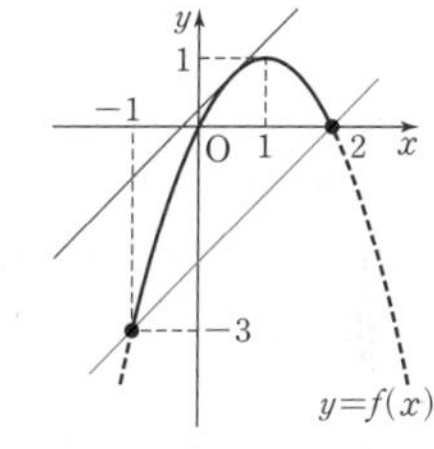

(2) 함수 $f(x)=x^3+3x$는 닫힌구간 $[0, 3]$에서 연속이고 열린구간 $(0, 3)$에서 미분가능하므로 평균값 정리에 의하여 $\frac{f(3)-f(0)}{3-0}=\frac{36-0}{3}=12=f'(c)$인 c가 열린구간 $(0, 3)$에 적어도 하나 존재한다.

이때 $f'(x)=3x^2+3$이므로 $f'(c)=3c^2+3=12$, $c^2=3$

$\therefore \boldsymbol{c=\sqrt{3}}$ $(\because 0<c<3)$

확인 문제

정답과 해설 | 47쪽

08-1 (상중하) 함수 $f(x)=3x^2+2x-1$에 대하여 닫힌구간 $[-1, 1]$에서 평균값 정리를 만족시키는 c의 값을 구하시오.

08-2 (상중하) 닫힌구간 $[-2, 1]$에서 정의된 함수 $f(x)=\frac{1}{3}x^3+2x^2+5$가 있다. 닫힌구간 $[-2, 1]$에 속하는 서로 다른 임의의 두 수 a, b $(a<b)$에 대하여 $\frac{f(b)-f(a)}{b-a}=k$를 만족시키는 실수 k의 값의 범위를 구하시오.

MY 셀파

08-1
닫힌구간 $[-1, 1]$에서 함수 $f(x)$에 대하여 평균값 정리를 이용한다.

08-2
$\frac{f(b)-f(a)}{b-a}=f'(c)$ $(a<c<b)$
이므로 c에 대하여 $f'(c)$의 값의 범위를 구한다.

접선의 기울기

01 다항함수 $f(x)$에 대하여 곡선 $y=f(x)$ 위의 점 $(2, 1)$에서의 접선의 기울기가 2이다. $g(x)=x^3f(x)$일 때, $g'(2)$의 값을 구하시오.

접선의 기울기 창의력

02 어떤 인공위성 발사체가 발사 지점에서 떨어진 수평 거리를 x, 그때의 고도를 y라 하면 $y=-x^2+60x$로 나타낼 수 있다. 발사 후 A$(20, 800)$인 지점에서 로켓과 위성이 분리되었을 때, A 지점에서 그은 접선의 기울기를 구하시오.

접선의 기울기 융합형

03 곡선 $y=x^2(x+2a)$에 대하여 기울기가 $-\frac{1}{3}$인 접선이 존재하지 않도록 하는 실수 a의 값의 범위를 구하시오.

접선과 수직인 직선

04 곡선 $y=2x^3+ax+b$ 위의 점 $(1, 1)$에서의 접선과 수직인 직선의 기울기가 $-\frac{1}{2}$이다. 상수 a, b에 대하여 a^2+b^2의 값을 구하시오.

접점의 좌표가 주어진 접선의 방정식

05 곡선 $y=x^3+6x^2-11x+7$ 위의 점 $(1, 3)$에서의 접선의 방정식을 $y=mx+n$이라 할 때, 상수 m, n에 대하여 $m-n$의 값을 구하시오.

접점의 좌표가 주어진 접선의 방정식 융합형

06 곡선 $y=x^3+kx^2-(2k+1)x+k-2$는 k의 값에 관계없이 항상 일정한 점 P를 지난다. 이때 점 P에서의 접선의 방정식을 구하시오.

접점의 좌표가 주어진 접선의 방정식 서술형

07 오른쪽 그림과 같이 곡선 $y=x^3+3$ 위의 점 P$(1, 4)$에서의 접선이 이 곡선과 다시 만나는 점을 Q라 할 때, 점 Q에서의 접선의 방정식을 구하시오.

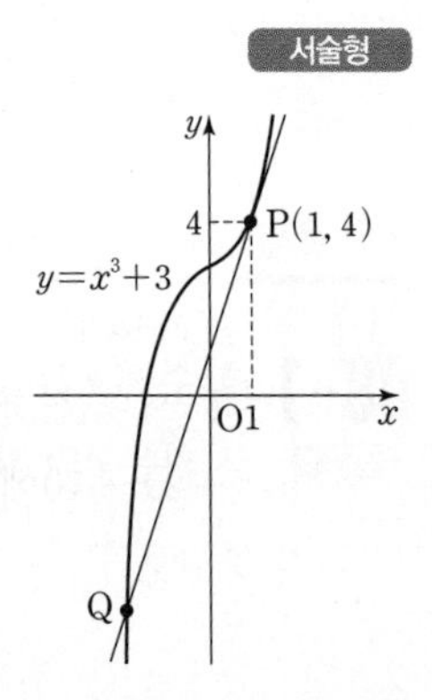

기울기가 주어진 접선의 방정식

08 곡선 $y=x^3-3x^2+x+1$ 위의 서로 다른 두 점 A, B에서의 두 접선이 서로 평행하다. 점 A의 x좌표가 3일 때, 점 B에서의 접선의 y절편을 구하시오.

곡선 밖의 한 점에서 그은 접선의 방정식

09 점 $(0, -4)$에서 곡선 $y=x^3-2$에 그은 접선이 x축과 만나는 점의 좌표를 $(a, 0)$이라 할 때, 상수 a의 값을 구하시오.

곡선 밖의 한 점에서 그은 접선의 방정식 융합형

10 점 $A(2, a)$에서 곡선 $y=x^3-3x+1$에 그은 서로 다른 세 접선의 접점의 x좌표가 등차수열을 이룰 때, 상수 a의 값을 구하시오.

접선의 방정식을 이용한 미정계수의 결정

11 곡선 $y=ax^3+bx^2+cx+d$가 점 $A(0, 1)$에서 직선 $y=x+1$에 접하고, 점 $B(3, 4)$에서 직선 $y=-2x+10$에 접한다. 이때 상수 a, b, c, d의 값을 구하시오.

두 곡선의 공통접선

12 곡선 $y=x^2$ 위의 점 $(-2, 4)$에서의 접선이 곡선 $y=x^3+ax-2$에 접할 때, 상수 a의 값을 구하시오.

두 곡선의 공통접선

13 두 곡선 $f(x)=x^3+ax$, $g(x)=-x^2+1$이 한 점에서 접할 때, 상수 a의 값을 구하시오.

평균값 정리

14 함수 $f(x)=x^2-3$에 대하여 닫힌구간 $[-1, a]$에서 평균값 정리를 만족시키는 c의 값이 $\frac{1}{2}$일 때, 실수 a의 값을 구하시오.

평균값 정리

15 사차함수 $y=f(x)$의 그래프가 오른쪽 그림과 같을 때, 등식

$$\frac{f(b)-f(a)}{b-a}=f'(c)$$

를 만족시키는 c의 개수를 구하시오. (단, $a<c<b$)

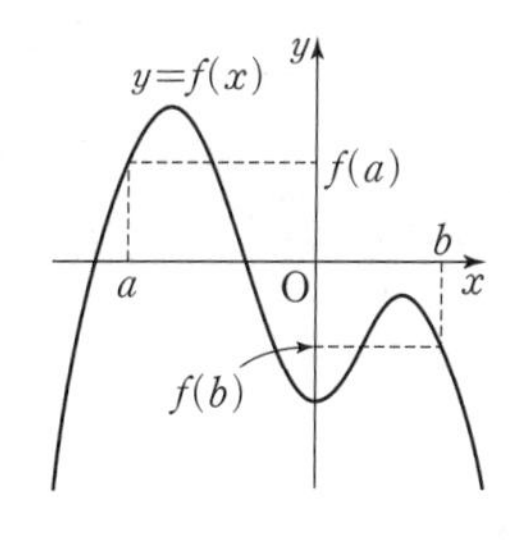

롤러 코스터 출발~
롤러코스터가 출발합니다.
일단 극대까지 올라간 뒤에 극소를 향해 간다니까.
긴장감이 극에 달해 최고의 스릴을 느낄 수 있겠다.
척
척
척
척
극소로 가는 일부 구간이 끊겼습니다. 레일을 연장하시겠습니까?
내려 간다!
A
$y=2^{-x^2}$
B
$y=f(x)$
C
0
1
2

6

함수의 증가·감소와 극대·극소

개념 1 함수의 증가, 감소 (1)

개념 2 함수의 증가, 감소 (2)

개념 3 함수의 극대, 극소

개념 4 함수의 극대, 극소의 판정

개념 5 함수의 그래프

개념 6 함수의 최대, 최소

6. 함수의 증가·감소와 극대·극소

개념 1 함수의 증가, 감소 (1)

함수 $f(x)$가 어떤 구간에 속하는 임의의 두 실수 x_1, x_2에 대하여

❶ $x_1<x_2$일 때, $f(x_1)$ ❶ $f(x_2)$이면 $f(x)$는 이 구간에서 **증가**한다고 한다.

❷ $x_1<x_2$일 때, $f(x_1)>f(x_2)$이면 $f(x)$는 이 구간에서 ❷ 한다고 한다.

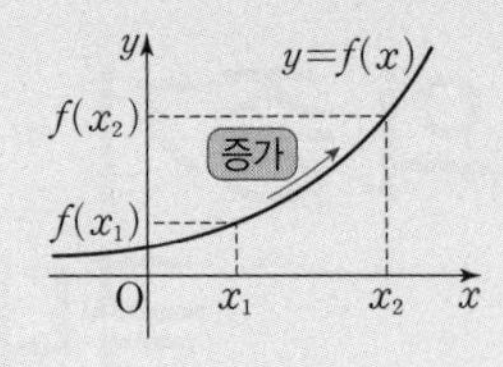

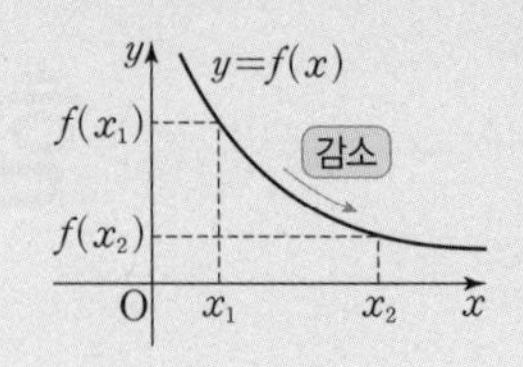

답 ❶ < ❷ 감소

개념 플러스

㉠ 함수 $f(x)$가

❶ 모든 x에 대하여 $f'(x)>0$

⇨ 접선의 기울기가 양수

❷ 모든 x에 대하여 $f'(x)<0$

⇨ 접선의 기울기가 음수

㉡

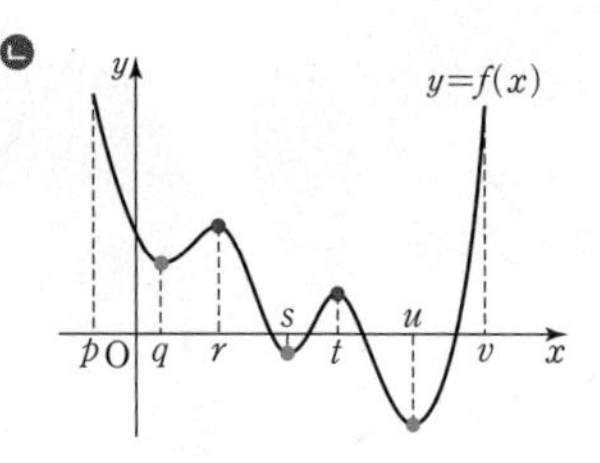

$x=r$, t에서 극대이고

$x=q$, s, u에서 극소이다.

개념 2 함수의 증가, 감소 (2)

(1) 함수의 증가, 감소와 도함수의 부호

함수 $f(x)$가 어떤 열린구간에서 미분가능하고㉠ 이 구간의 모든 x에 대하여

❶ $f'(x)>0$이면 $f(x)$는 이 구간에서 ❶ 한다.

❷ $f'(x)<$ ❷ 이면 $f(x)$는 이 구간에서 감소한다.

(2) 함수가 증가, 감소하기 위한 조건

함수 $f(x)$가 어떤 열린구간에서 미분가능하고 그 구간에서

❶ $f(x)$가 증가하면 그 구간의 모든 x에 대하여 $f'(x)\geq 0$

❷ $f(x)$가 감소하면 그 구간의 모든 x에 대하여 $f'(x)\leq 0$

참고 일반적으로 위의 역은 성립하지 않는다.

답 ❶ 증가 ❷ 0

극솟값이 극댓값보다 클 수도 있어.

개념 3 함수의 극대, 극소

(1) 함수 $f(x)$가 실수 a를 포함하는 어떤 열린구간에 속하는 모든 x에서 $f(x)\leq f(a)$이면 함수 $f(x)$는 $x=a$에서 ❶ 라 하고, $f(a)$를 **극댓값**이라 한다.

(2) 함수 $f(x)$가 실수 a를 포함하는 어떤 열린구간에 속하는 모든 x에서 $f(x)\geq f(a)$이면 함수 $f(x)$는 $x=a$에서 **극소**라 하고, $f(a)$를 **극솟값**이라 한다.

이때㉡ 극댓값과 극솟값을 통틀어 ❷ 이라 한다.

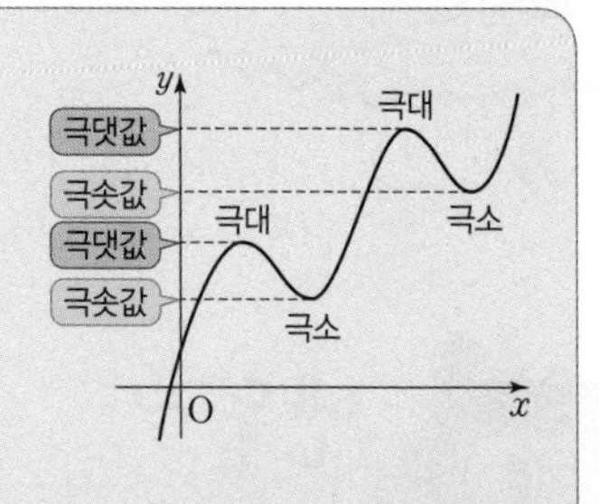

답 ❶ 극대 ❷ 극값

보기 함수 $f(x)=-x^2+1$의 극댓값을 구하시오.

연구 함수 $f(x)=-x^2+1$에서 열린구간 $(-1, 1)$에 속하는 모든 x에 대하여 $f(x)\leq f(0)$이다. 따라서 함수 $f(x)=-x^2+1$은 $x=0$에서 극대가 되고 이때 극댓값은 $f(0)=\mathbf{1}$

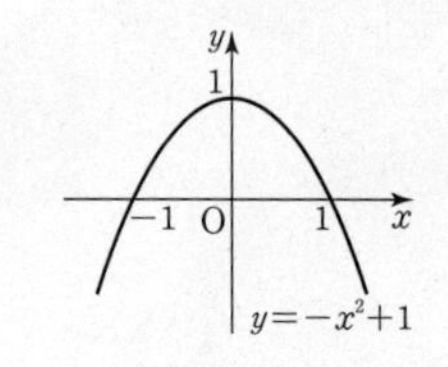

▶

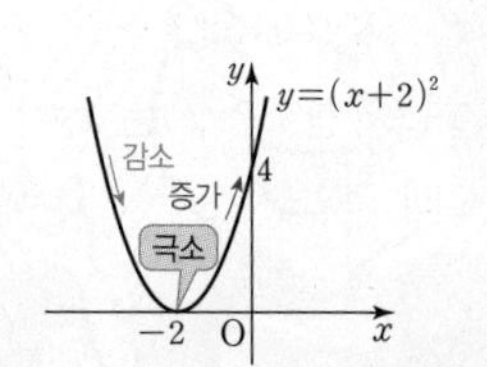

함수 $f(x)=(x+2)^2$에서 열린구간 $(-\infty, \infty)$에 속하는 모든 x에 대하여 $f(x)\geq f(-2)$이므로 함수 $f(x)$는 $x=-2$에서 극소가 되고 이때 극솟값은 $f(-2)=0$

1-1 | 함수의 증가, 감소 |

함수 $f(x)=-x^3-3x^2$의 증가, 감소를 조사하시오.

연구

$f(x)=-x^3-3x^2$에서 $f'(x)=-3x^2-6x$

$f'(x)=0$에서 $-3x(x+2)=0$

$\therefore x=-2$ 또는 $x=$ ☐

함수 $f(x)$의 증가와 감소를 표로 나타내면 다음과 같다.

x	$\cdots$	-2	$\cdots$	0	$\cdots$
$f'(x)$	$-$	0	$+$	0	$-$
$f(x)$	↘	-4	↗	0	↘

따라서 함수 $f(x)$는 **반닫힌 구간** $(-\infty,$ ☐$]$, $[0, \infty)$**에서 감소**하고, **닫힌구간** $[-2, 0]$**에서 증가**한다.

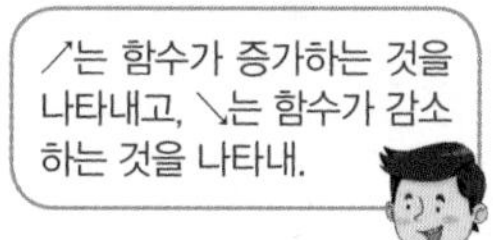

1-2 | 따라풀기 |

다음 함수의 증가, 감소를 조사하시오.

(1) $f(x)=-x^2+2x$

(2) $f(x)=x^3-\frac{3}{2}x^2-6x$

풀이

2-1 | 함수의 극대, 극소 |

오른쪽 그림은 함수

$$f(x)=\begin{cases}(x-1)^2 & (x\geq 0)\\ x+1 & (x<0)\end{cases}$$

의 그래프이다. 다음을 구하시오.

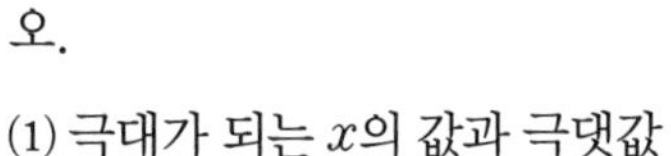

(1) 극대가 되는 x의 값과 극댓값

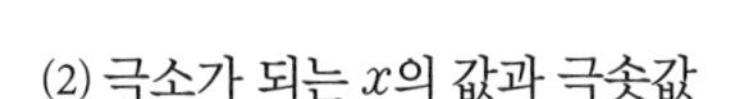

(2) 극소가 되는 x의 값과 극솟값

연구

(1) 함수 $f(x)$는 열린구간 $(-1, 1)$에 속하는 모든 x에 대하여 $f(x)\leq f(0)$이다.

따라서 함수 $f(x)$는 $x=$ ☐ **에서 극대**가 되고

이때 **극댓값**은 $f($☐$)=\mathbf{1}$

(2) 함수 $f(x)$는 열린구간 $(0, \infty)$에 속하는 모든 x에 대하여 $f(x)\geq f(1)$이다.

따라서 함수 $f(x)$는 $x=1$**에서 극소**가 되고

이때 **극솟값**은 $f(1)=$ ☐

2-2 | 따라풀기 |

오른쪽 그림은 함수 $y=f(x)$의 그래프이다. 다음을 구하시오.

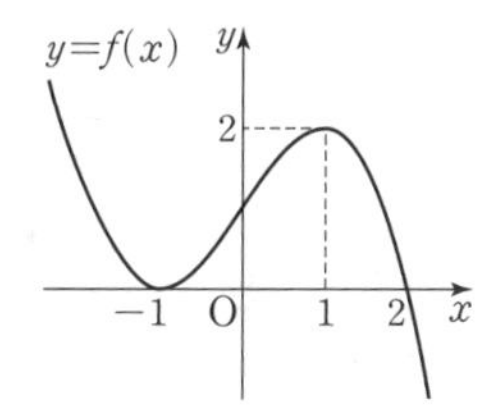

(1) 극대가 되는 x의 값과 극댓값

(2) 극소가 되는 x의 값과 극솟값

풀이

개념 4 함수의 극대, 극소의 판정

(1) 함수 $f(x)$가 $x=a$에서 미분가능하고 ㉠$x=a$에서 극값을 가지면 $f'(a)=0$이다.

참고 일반적으로 역은 성립하지 않는다.
함수 $f(x)=x^3$은 $f'(x)=3x^2$이므로 $f'(0)=0$이지만 $x=0$에서 극값을 갖지 않는다.

(2) 함수 $f(x)$가 미분가능하고 $f'(a)=$ ❶ ___ 일 때, $x=a$의 좌우에서 $f'(x)$의 부호가
❶ 양 (+)에서 음 (−)으로 바뀌면 $x=a$에서 ❷ ___ 이고 극댓값 $f(a)$를 갖는다.
❷ 음 (−)에서 양 (+)으로 바뀌면 $x=a$에서 극소이고 극솟값 ❸ ___ 를 갖는다.

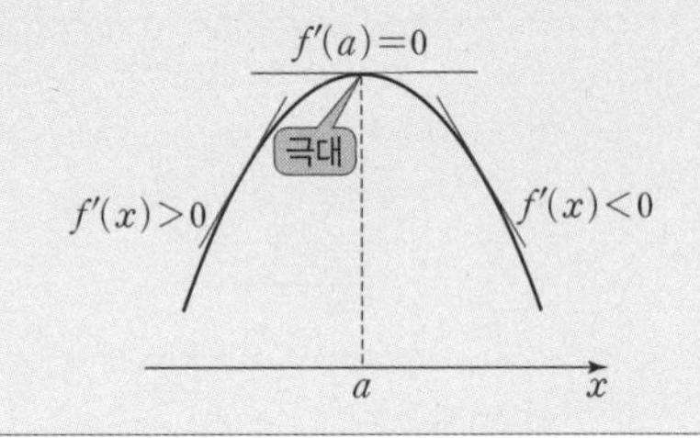

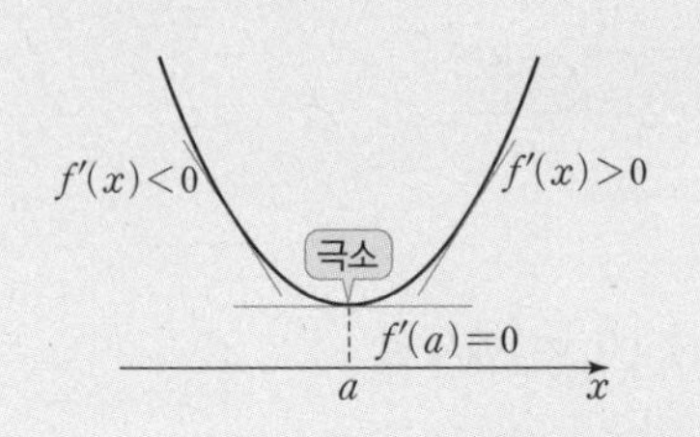

답 ❶ 0 ❷ 극대 ❸ $f(a)$

개념 플러스

㉠ 다음 그림에서 극값을 가질 경우 미분계수(접선의 기울기)가 0임을 알 수 있다.

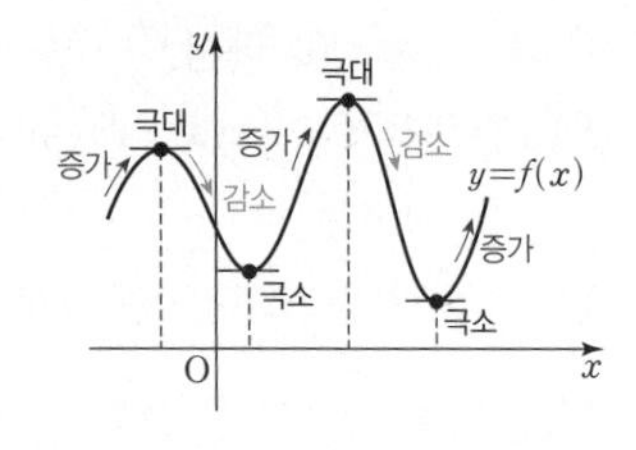

▶ 함수 $f(x)$가 $x=a$에서 극값을 갖는다고 해서 언제나 $f'(a)=0$은 아니다.
다음 그림에서 함수 $f(x)=|x|$는 $x=0$에서 극솟값을 갖지만 $f'(0)$의 값은 존재하지 않는다.

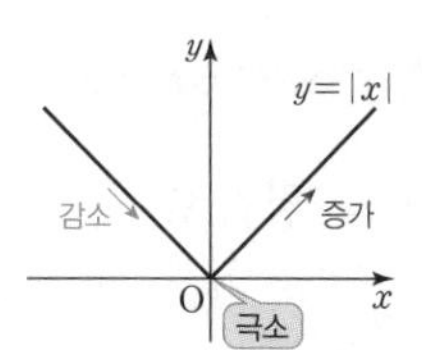

개념 5 함수의 그래프

일반적으로 미분가능한 함수 $y=f(x)$의 그래프는 다음 순서를 따르면 그 개형을 그릴 수 있다.

[1] 도함수 $f'(x)$를 구한다.
[2] ㉡$f'(x)=$ ❶ ___ 인 x의 값을 구한다.
[3] 함수 $f(x)$의 증가와 감소를 표로 나타내고, ❷ ___ 을 구한다.
[4] 함수 $y=f(x)$의 그래프와 x축 또는 y축의 교점의 좌표를 구한다.
[5] 함수 $y=f(x)$의 그래프의 개형을 그린다.

답 ❶ 0 ❷ 극값

㉡ 극대, 극소를 판정할 때는 $f'(x)=0$인 x의 값의 좌우에서 $f'(x)$의 부호를 조사한다.

개념 6 함수의 최대, 최소

함수 $f(x)$가 닫힌구간 $[a, b]$에서 연속이면 $f(x)$는 최대·최소 정리에 의하여 이 닫힌구간에서 반드시 최댓값과 최솟값을 갖는다. 이때 $f(x)$가 이 닫힌구간에서 ㉢극값을 가지면

$f(x)$의 극값, $f(a)$, $f(b)$

중에서 가장 ❶ ___ 값이 최댓값, 가장 작은 값이 ❷ ___ 이다.

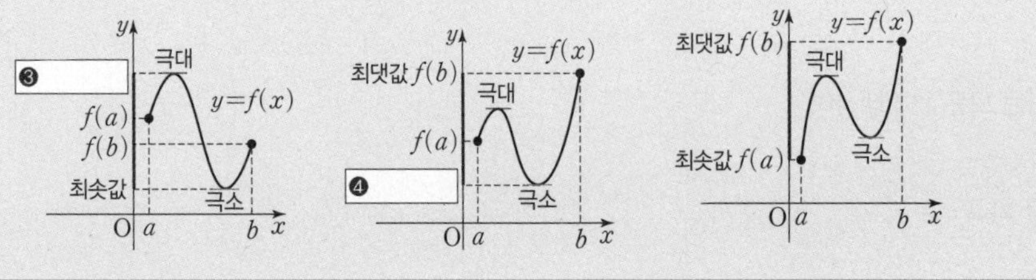

답 ❶ 큰 ❷ 최솟값 ❸ 최댓값 ❹ 최솟값

㉢ 함수 $f(x)$가 닫힌구간 $[a, b]$에서 극값을 갖지 않으면 $f(a)$와 $f(b)$ 중에서 최댓값과 최솟값을 갖는다.

3-1 | 함수의 극대, 극소 |

함수 $f(x)=x^3-9x^2$의 극값을 구하시오.

연구

$f'(x)=3x^2-18x=3x(x-6)$

$f'(x)=0$에서 $x=$ ☐ 또는 $x=6$

함수 $f(x)$의 증가와 감소를 표로 나타내면 다음과 같다.

x	$\cdots$	0	$\cdots$	6	$\cdots$
$f'(x)$	$+$	0	$-$	0	$+$
$f(x)$	↗	0	↘	-108	↗

따라서 함수 $f(x)$는

$x=0$에서 극대이고 **극댓값은** ☐,

$x=6$에서 극소이고 **극솟값은 -108**

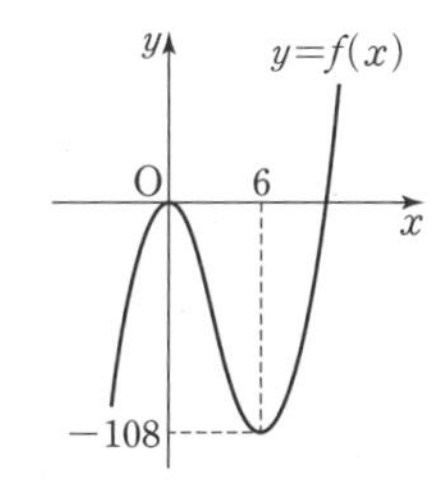

3-2 | 따라풀기 |

다음 함수의 극값을 구하시오.

(1) $f(x)=2x^3-6x$

(2) $f(x)=-x^3+12x$

풀이

4-1 | 함수의 최대, 최소 |

닫힌구간 $[-3, 2]$에서 함수 $f(x)=2x^3+3x^2-12x$의 최댓값과 최솟값을 구하시오.

연구

$f'(x)=6x^2+6x-12=6(x+2)(x-1)$

$f'(x)=0$에서 $x=-2$ 또는 $x=1$

닫힌구간 $[-3, 2]$에서 함수 $f(x)$의 증가와 감소를 표로 나타내면 다음과 같다.

x	-3	$\cdots$	-2	$\cdots$	1	$\cdots$	2
$f'(x)$		$+$	0	$-$	0	$+$	
$f(x)$	9	↗	20	↘	-7	↗	4

따라서 함수 $f(x)$는

$x=$ ☐ 에서 **최댓값 20**,

$x=$ ☐ 에서 **최솟값 -7**

을 갖는다.

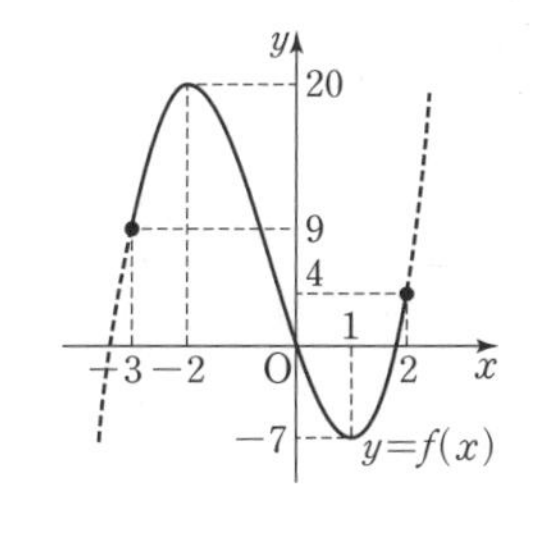

4-2 | 따라풀기 |

주어진 닫힌구간에서 다음 함수의 최댓값과 최솟값을 구하시오.

(1) $f(x)=x^3-3x+2$ $[1, 3]$

(2) $f(x)=-x^3+3x^2-2$ $[-1, 1]$

풀이

해법 01 삼차함수가 증가 또는 감소하기 위한 조건

❶ 삼차함수 $f(x)$가 실수 전체의 집합에서 증가하면
⇨ 모든 실수 x에 대하여 $f'(x) \geq 0$

❷ 삼차함수 $f(x)$가 실수 전체의 집합에서 감소하면
⇨ 모든 실수 x에 대하여 $f'(x) \leq 0$

PLUS

모든 실수 x에 대하여
❶ $ax^2+bx+c \geq 0$ $(a \neq 0)$
$\Longleftrightarrow a>0,\ D \leq 0$
❷ $ax^2+bx+c \leq 0$ $(a \neq 0)$
$\Longleftrightarrow a<0,\ D \leq 0$

1. 함수 $f(x)=x^3-2ax^2+ax$가 실수 전체의 집합에서 증가하기 위한 실수 a의 값의 범위를 구하시오.

2. 함수 $f(x)=-x^3-kx^2+2kx+1$이 실수 전체의 집합에서 감소하기 위한 정수 k의 개수를 구하시오.

해법 코드
1. $f'(x)=3x^2-4ax+a \geq 0$
2. $f'(x)=-3x^2-2kx+2k \leq 0$

셀파 삼차함수 $f(x)$가 실수 전체의 집합에서 증가 ⇨ $f'(x) \geq 0$
삼차함수 $f(x)$가 실수 전체의 집합에서 감소 ⇨ $f'(x) \leq 0$

풀이 1. $f(x)=x^3-2ax^2+ax$에서 $f'(x)=3x^2-4ax+a$
삼차함수 $f(x)$가 실수 전체의 집합에서 증가하려면
모든 실수 x에 대하여 ㉠ $f'(x)=3x^2-4ax+a \geq 0$이어야 한다.
이때 이차방정식 $3x^2-4ax+a=0$의 판별식을 D라 하면
$\frac{D}{4}=(-2a)^2-3a \leq 0,\ a(4a-3) \leq 0$ $\quad \therefore$ $\mathbf{0 \leq a \leq \frac{3}{4}}$

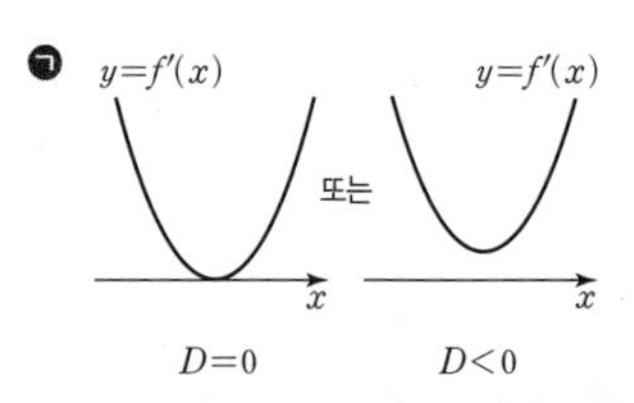

따라서 $D \leq 0$이면 된다.

2. $f(x)=-x^3-kx^2+2kx+1$에서 $f'(x)=-3x^2-2kx+2k$
삼차함수 $f(x)$가 실수 전체의 집합에서 감소하려면
모든 실수 x에 대하여 ㉡ $f'(x)=-3x^2-2kx+2k \leq 0$이어야 한다.
이때 이차방정식 $-3x^2-2kx+2k=0$의 판별식을 D라 하면
$\frac{D}{4}=k^2+6k \leq 0,\ k(k+6) \leq 0$ $\quad \therefore -6 \leq k \leq 0$
따라서 정수 k의 개수는 $-6, -5, -4, -3, -2, -1, 0$으로 **7**

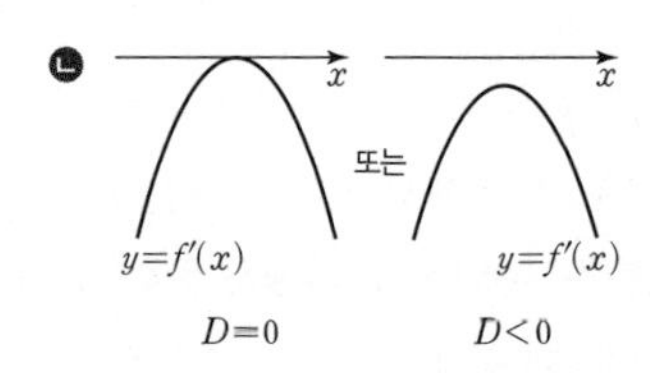

따라서 $D \leq 0$이면 된다.

확인 문제

정답과 해설 | 52쪽

01-1 (상중하) 함수 $f(x)=\frac{1}{3}x^3+kx^2+(k+2)x-1$이 $x_1<x_2$인 임의의 실수 x_1, x_2에 대하여 $f(x_1)<f(x_2)$가 항상 성립하도록 하는 실수 k의 값의 범위를 구하시오.

01-2 (상중하) 함수 $f(x)=-x^3+6x^2+ax+3$이 실수 전체의 집합에서 감소하기 위한 실수 a의 최댓값을 구하시오.

MY 셀파

01-1
임의의 실수 x_1, x_2에 대하여
$x_1<x_2$일 때, $f(x_1)<f(x_2)$이면 함수 $f(x)$는 실수 전체의 집합에서 증가한다.

01-2
$f'(x)=-3x^2+12x+a \leq 0$

셀파 특강 01 삼차함수 $f(x)$가 증가하면 왜 $f'(x)\geq 0$일까?

Q 삼차함수 $f(x)$가 증가하기 위한 조건이 왜 $f'(x)>0$이 아니라 $f'(x)\geq 0$인 거예요?

A $f'(x)$는 접선의 기울기를 나타낸다는 걸 알고 있지? 그런데 삼차함수 $f(x)$의 접선의 기울기가 순간적으로 0이 될 수도 있거든.

Q 기울기가 순간적으로 0이 된다구요?

A 예를 들어 $f(x)=x^3$은 열린구간 $(-\infty,\ \infty)$에서 증가하지만 $f'(x)=3x^2$이므로 $x=0$에서 순간적으로 $f'(0)=0$이잖아. 바로 이런 경우를 말하는 거야.
이제 삼차함수의 그래프의 개형에 따라 각각 살펴볼까?
삼차함수 $f(x)=ax^3+bx^2+cx+d\ (a>0)$를 미분하면 이차함수가 등장하지?

Q 네. $f'(x)=3ax^2+2bx+c$이지요.

A 이때 $y=f'(x)$의 그래프는 ㉠방정식 $f'(x)=0$의 실근의 개수에 따라 다음 세 가지 중 한 형태로 나타나는데 이에 따라 $y=f(x)$의 그래프의 모양도 달라져.

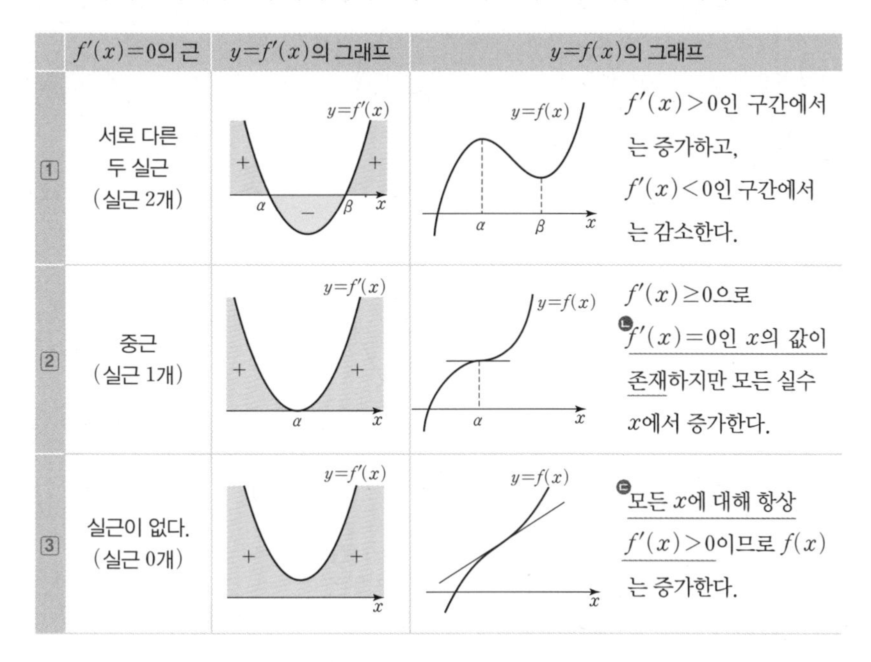

	$f'(x)=0$의 근	$y=f'(x)$의 그래프	$y=f(x)$의 그래프
1	서로 다른 두 실근 (실근 2개)	$y=f'(x)$, +, −, +, α, β, x	$y=f(x)$, α, β, x / $f'(x)>0$인 구간에서는 증가하고, $f'(x)<0$인 구간에서는 감소한다.
2	중근 (실근 1개)	$y=f'(x)$, +, +, α, x	$y=f(x)$, α, x / $f'(x)\geq 0$으로 ㉡$f'(x)=0$인 x의 값이 존재하지만 모든 실수 x에서 증가한다.
3	실근이 없다. (실근 0개)	$y=f'(x)$, +, +, x	$y=f(x)$, x / ㉢모든 x에 대해 항상 $f'(x)>0$이므로 $f(x)$는 증가한다.

Q 위 세 가지 경우 중 함수 $f(x)=ax^3+bx^2+cx+d\ (a>0)$가 실수 전체의 범위에서 증가하는 것은 2와 3이네요.

A 맞아. $f'(x)\geq 0$과 $f'(x)>0$인 조건을 모두 생각해야 하므로 삼차함수 $f(x)$가 증가하기 위한 조건은 결국 $f'(x)\geq 0$이 되는 거지.

㉠ 도함수 $f'(x)=3ax^2+2bx+c$는 이차함수이므로 $a>0$일 때, 아래로 볼록한 포물선이다.
따라서 방정식 $3ax^2+2bx+c=0$이 서로 다른 두 실근을 갖는 경우, 중근을 갖는 경우, 허근을 갖는 경우만 생각할 수 있다.

㉡ 2에서 $y=f(x)$의 그래프와 같은 꼴의 함수를 식으로 나타내면 $f(x)=a(x-\alpha)^3+p$이다.
이때 $f'(x)=3a(x-\alpha)^2$에서 $f'(\alpha)=0$이다.
따라서 $f(x)=a(x-\alpha)^3+p$로 주어진 함수의 그래프를 그릴 때, $x=\alpha$에서의 접선이 x축과 평행한 부분이 나타나도록 그려야 한다.

㉢ 실수 전체의 집합에서 $f'(x)>0$이므로 그래프를 그릴 때 $x=\alpha$에서의 접선이 x축과 평행한 부분이 나타나는 경우는 없다.

해법 02 주어진 구간에서 삼차함수의 증가, 감소

PLUS ⊕

삼차함수 $f(x)$가 특정한 구간에서 증가하거나 감소하는 조건이 주어진 경우에는 $y=f'(x)$의 그래프를 이용한다.

❶ 함수 $f(x)$가 증가하는 구간에서 $f'(x)\geq 0$이다.

⇨ $f'(a)\geq 0, f'(b)\geq 0$

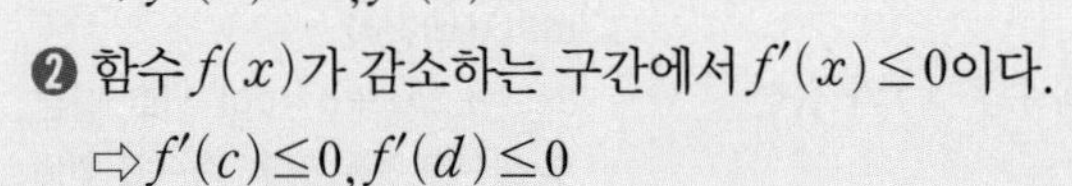

❷ 함수 $f(x)$가 감소하는 구간에서 $f'(x)\leq 0$이다.

⇨ $f'(c)\leq 0, f'(d)\leq 0$

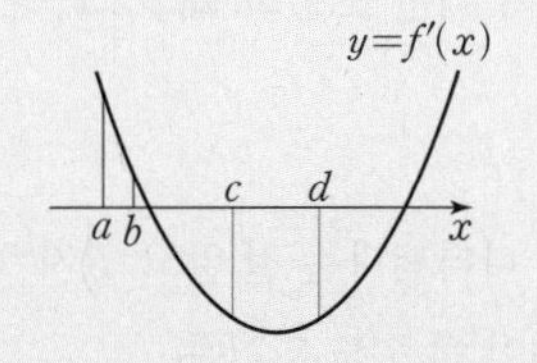

함수 $f(x)$에서 $f'(x)$에 미정계수가 포함된 경우에는 $f'(x)=0$의 두 근을 구하지 말고 이때는 $y=f'(x)$의 그래프를 그려 놓고 주어진 구간에서 $f'(x)\geq 0$ 또는 $f'(x)\leq 0$이 되는 조건을 생각한다.

예제 1. 함수 $f(x)=-x^3-kx^2+9x+2$가 닫힌구간 $[-1, 1]$에서 증가하기 위한 실수 k의 값의 범위를 구하시오.

2 함수 $f(x)=x^3-3x^2+kx-7$이 닫힌구간 $[-1, 1]$에서 감소하기 위한 실수 k의 값의 범위를 구하시오.

해법 코드

1. 닫힌구간 $[-1, 1]$에서 $f'(x)\geq 0$

2. 닫힌구간 $[-1, 1]$에서 $f'(x)\leq 0$

셀파 주어진 구간에서 삼차함수가 증가 ⇨ 그 구간에서 $f'(x)\geq 0$

주어진 구간에서 삼차함수가 감소 ⇨ 그 구간에서 $f'(x)\leq 0$

풀이 1. 함수 $f(x)$가 닫힌구간 $[-1, 1]$에서 증가하려면 이 구간에서 ❶$f'(x)\geq 0$

이때 $f'(x)=-3x^2-2kx+9$이므로

$f'(-1)=-3+2k+9\geq 0 \quad \therefore k\geq -3 \quad \cdots\cdots ㉠$

$f'(1)=-3-2k+9\geq 0 \quad \therefore k\leq 3 \quad \cdots\cdots ㉡$

㉠, ㉡에서 실수 k의 값의 범위는 $\mathbf{-3\leq k\leq 3}$

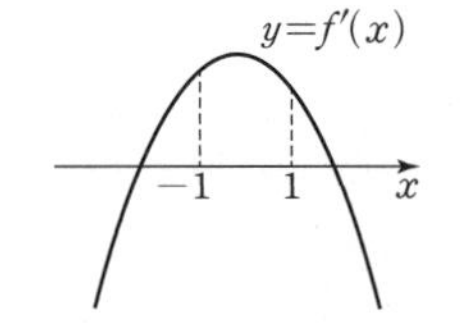

❶ 이차방정식 $-3x^2-2kx+9=0$의 두 근을 α, β라 하면 $y=f'(x)$의 그래프는 다음 그림과 같다.

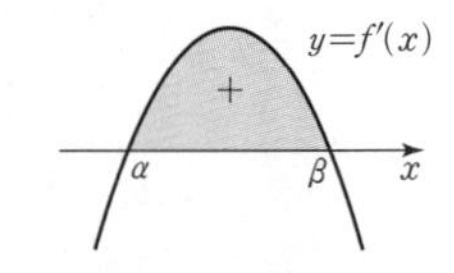

즉, 닫힌구간 $[\alpha, \beta]$에서 $f'(x)\geq 0$이다.

2. 함수 $f(x)$가 닫힌구간 $[-1, 1]$에서 감소하려면 이 구간에서 $f'(x)\leq 0$

이때 $f'(x)=3x^2-6x+k$이므로

$f'(-1)=3+6+k\leq 0 \quad \therefore k\leq -9 \quad \cdots\cdots ㉠$

$f'(1)=3-6+k\leq 0 \quad \therefore k\leq 3 \quad \cdots\cdots ㉡$

㉠, ㉡에서 실수 k의 값의 범위는 $\mathbf{k\leq -9}$

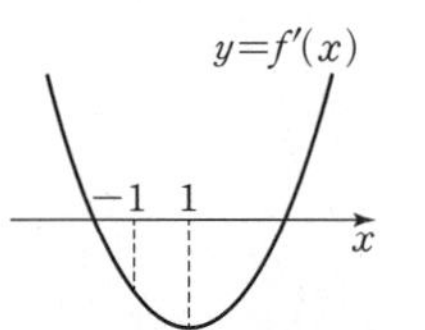

확인 문제

정답과 해설 | 53쪽

MY 셀파

02-1 (상 중 하) 함수 $f(x)=\frac{1}{3}x^3+x^2+kx-1$이 닫힌구간 $[1, 3]$에서 증가하기 위한 실수 k의 최솟값을 구하시오.

02-1 $f'(1)\geq 0, f'(3)\geq 0$

02-2 (상 중 하) 함수 $f(x)=\frac{1}{3}x^3+2ax^2+(a^2+2a-8)x-1$이 닫힌구간 $[0, 1]$에서 감소하기 위한 실수 a의 값의 범위를 구하시오.

02-2 $f'(0)\leq 0, f'(1)\leq 0$

해법 03 함수의 극대, 극소

함수 $f(x)$에 대하여 $f'(x)=0$으로 하는 $x=a$의 좌우에서 $f'(x)$의 부호를 조사하고 표를 만든다. 이때 $f'(a)=0$이고 $x=a$의 좌우에서 $f'(x)$의 부호가

❶ 양에서 음으로 바뀌면 ⇨ $f(x)$는 $x=a$에서 극댓값 $f(a)$

❷ 음에서 양으로 바뀌면 ⇨ $f(x)$는 $x=a$에서 극솟값 $f(a)$

PLUS $f'(a)=0$일 때, $x=a$의 좌우에서 $f'(x)$의 부호가 바뀌지 않으면 함수 $f(x)$는 $x=a$에서 극값을 갖지 않는다.

예제 다음 함수의 극값을 구하시오.

(1) $f(x)=2x^3+3x^2-12x-4$ (2) $f(x)=x^4-2x^2+5$

해법 코드
$f'(x)=0$인 x의 값을 기준으로 표를 구한다.

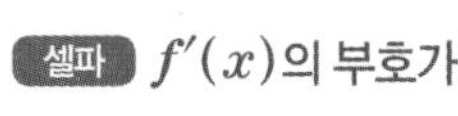
셀파 $f'(x)$의 부호가 양 $(+)$에서 음 $(-)$으로 변하면 ⇨ $f(x)$는 극대
음 $(-)$에서 양 $(+)$으로 변하면 ⇨ $f(x)$는 극소

풀이 (1) $f'(x)=6x^2+6x-12=6(x+2)(x-1)$

ㄱ $f'(x)=0$에서 $x=-2$ 또는 $x=1$

이때 함수 $f(x)$의 증가와 감소를 표로 나타내면 다음과 같다.

x	$\cdots$	-2	$\cdots$	1	$\cdots$
$f'(x)$	$+$	0	$-$	0	$+$
$f(x)$	↗	16	↘	-11	↗

따라서 $f(x)$는 $x=-2$에서 **극댓값 16**, $x=1$에서 **극솟값 -11**을 갖는다.

ㄱ
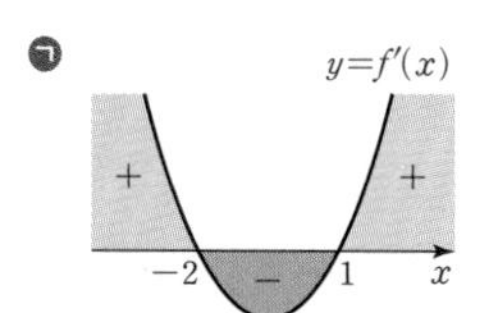

$x=-2$의 좌우에서 $f'(x)$의 부호가 $+$에서 $-$로 바뀌므로 $x=-2$에서 $f(x)$는 극댓값을 갖고, $x=1$의 좌우에서 $f'(x)$의 부호가 $-$에서 $+$로 바뀌므로 $x=1$에서 $f(x)$는 극솟값을 갖는다.

(2) $f'(x)=4x^3-4x=4x(x+1)(x-1)$

ㄴ $f'(x)=0$에서 $x=-1$ 또는 $x=0$ 또는 $x=1$

이때 함수 $f(x)$의 증가와 감소를 표로 나타내면 다음과 같다.

x	$\cdots$	-1	$\cdots$	0	$\cdots$	1	$\cdots$
$f'(x)$	$-$	0	$+$	0	$-$	0	$+$
$f(x)$	↘	4	↗	5	↘	4	↗

따라서 $f(x)$는 $x=0$에서 **극댓값 5**, $x=-1$, $x=1$에서 **극솟값 4**를 갖는다.

ㄴ
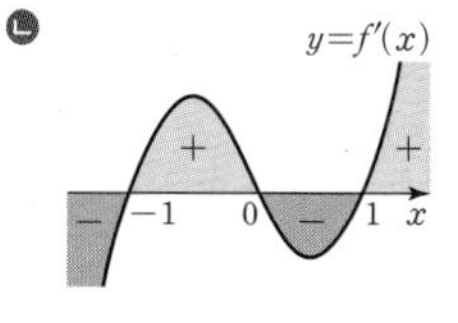

확인 문제

정답과 해설 | 53쪽

03-1 상중하 다음 함수의 극값을 구하시오.

(1) $f(x)=2x^3-3x^2-12x-7$

(2) $f(x)=3x^4-8x^3-6x^2+24x+9$

MY 셀파

03-1
$f'(x)=0$인 x의 값을 기준으로 표를 구한다.

해법 04 함수의 극대, 극소와 미정계수

삼차함수 $f(x)=ax^3+bx^2+cx+d$에 대하여 방정식 $f'(x)=0$이 서로 다른 두 근을 갖고 이때의 두 근이 α, β $(\alpha<\beta)$이면 다음과 같이 정리할 수 있다.

❶ $a>0$일 때, $y=f'(x)$의 그래프와 극값

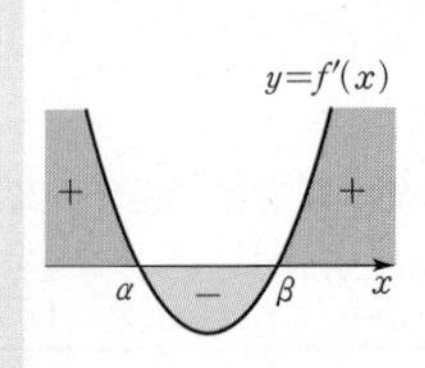

- $x=\alpha$에서 극댓값 $f(\alpha)$를 갖는다.
- $x=\beta$에서 극솟값 $f(\beta)$를 갖는다.

❷ $a<0$일 때, $y=f'(x)$의 그래프와 극값

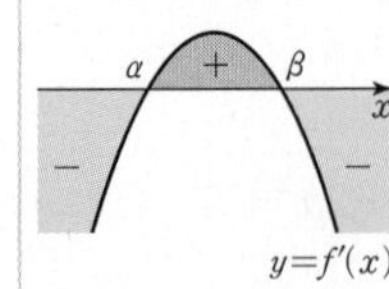

- $x=\alpha$에서 극솟값 $f(\alpha)$를 갖는다.
- $x=\beta$에서 극댓값 $f(\beta)$를 갖는다.

PLUS ⊕

증가와 감소를 나타낸 표에서 $f(x)$가 ↗ 에서 ↘로 바뀌는 점에서 함수 $f(x)$는 극댓값을 갖고, ↘에서 ↗로 바뀌는 점에서 함수 $f(x)$는 극솟값을 갖는다.

예제 함수 $f(x)=-x^3+ax^2+bx$의 그래프가 오른쪽 그림과 같다. 함수 $f(x)$의 극솟값이 -4일 때, 상수 a, b의 값을 구하시오.

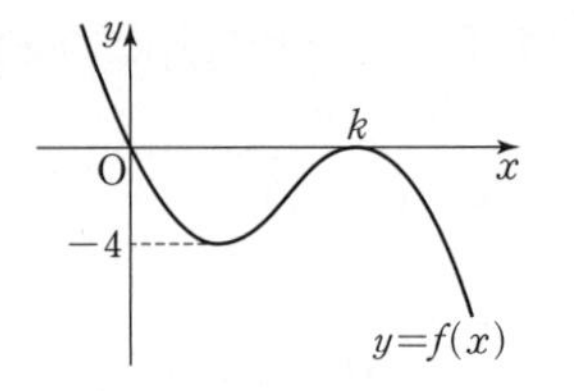

해법 코드
방정식 $f(x)=0$의 근은 $x=0$ 또는 $x=k$ (중근)이므로 $f(x)=-x(x-k)^2$ $(k>0)$으로 놓을 수 있다.

셀파 함수 $f(x)$가 $x=a$에서 극값 b를 가지면 ⇨ $f'(a)=0$, $f(a)=b$

풀이 ❼ $f(x)=-x(x-k)^2=-x^3+2kx^2-k^2x$ $(k>0)$로 놓으면

$f'(x)=-3x^2+4kx-k^2=-(3x-k)(x-k)$

$f'(x)=0$에서 $x=\dfrac{k}{3}$ 또는 $x=k$

함수 $f(x)$의 증가와 감소를 표로 나타내면 오른쪽과 같다.

x	…	$\dfrac{k}{3}$	…	k	…
$f'(x)$	−	0	+	0	−
$f(x)$	↘	극소	↗	극대	↘

함수 $f(x)$는 $x=\dfrac{k}{3}$에서 극솟값을 갖고 주어진 그래프에서 극솟값은 -4이므로

$f\left(\dfrac{k}{3}\right)=-\dfrac{4}{27}k^3=-4$, $k^3=27$ $\quad\therefore k=3$ $(\because k>0)$

즉, $f(x)=-x^3+6x^2-9x$ $\quad\therefore$ **$a=6$, $b=-9$**

❼ 주어진 함수의 그래프는 $x=0$에서 x축과 만나고 $x=k$에서 x축과 접하므로 x와 $(x-k)^2$을 인수로 갖는다.

참고
함수 $y=f(x)$의 그래프가 $x=p$에서 x축과 만나면 다항식 $f(x)$는 $x-p$를 인수로 갖고, $x=q$에서 x축과 접하면 $(x-q)^2$을 인수로 갖는다.

확인 문제

정답과 해설 | 53쪽

04-1 (상중하) 함수 $f(x)=x^3+ax^2-b$가 $x=-2$에서 극댓값 2를 가질 때, 상수 a, b의 값을 구하시오.

04-2 (상중하) 함수 $f(x)=-x^3+px^2+qx-1$이 $x=-3$에서 극솟값, $x=1$에서 극댓값을 가질 때, 상수 p, q의 값을 구하시오.

MY 셀파

04-1
$x=-2$에서 극댓값 2를 가지므로 $f'(-2)=0$, $f(-2)=2$

04-2
$x=-3$, $x=1$에서 극값을 가지므로 $f'(-3)=0$, $f'(1)=0$

해법 05 도함수의 그래프와 극대, 극소

PLUS

도함수 $y=f'(x)$의 그래프에서의 극대, 극소 판단

❶ $f'(x)$의 부호가 양(+)에서 음(−)으로 바뀌는 점 ⇨ 극대

❷ $f'(x)$의 부호가 음(−)에서 양(+)으로 바뀌는 점 ⇨ 극소

❸ $f'(x)$의 부호가 바뀌지 않는 점 ⇨ 극값을 갖지 않는다.

−, +가 이어서 나오면 $y=f(x)$의 그래프는 ↘, ↗ 꼴이므로 극소이고, +, −가 이어서 나오면 $y=f(x)$의 그래프는 ↗, ↘ 꼴이므로 극대이다.

함수 $f(x)$의 도함수 $y=f'(x)$의 그래프가 오른쪽 그림과 같을 때, 다음을 구하시오.

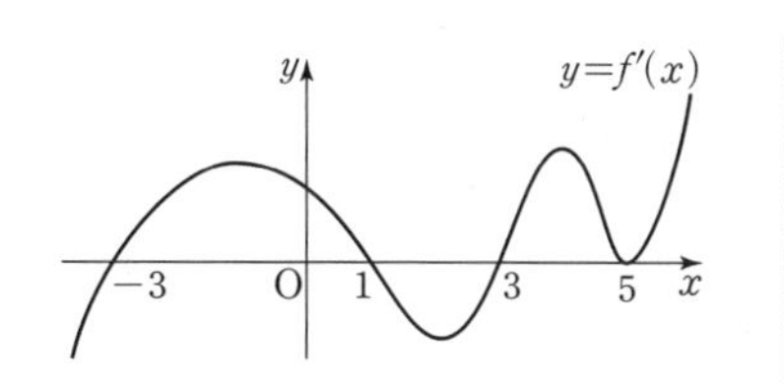

(1) 함수 $f(x)$가 극댓값을 갖는 x의 값

(2) 함수 $f(x)$가 극솟값을 갖는 x의 값

해법 코드

$f'(x)=0$을 만족시키는 x의 값인 -3, 1, 3, 5의 좌우에서 $f'(x)$의 부호를 조사한다.

셀파 $f'(x)=0$을 만족시키는 x의 값의 좌우에서 $f'(x)$의 부호를 조사한다.

풀이 ㉠ $f'(x)=0$을 만족시키는 x의 값은 -3, 1, 3, 5이므로 함수 $f(x)$의 증가와 감소를 표로 나타내면 다음과 같다.

x	$\cdots$	-3	$\cdots$	1	$\cdots$	3	$\cdots$	5	$\cdots$
$f'(x)$	−	0	+	0	−	0	+	0	+
$f(x)$	↘	극소	↗	극대	↘	극소	↗		↗

(1) 함수 $f(x)$가 극댓값을 갖는 x의 값은 **1**

(2) 함수 $f(x)$가 극솟값을 갖는 x의 값은 **−3, 3**

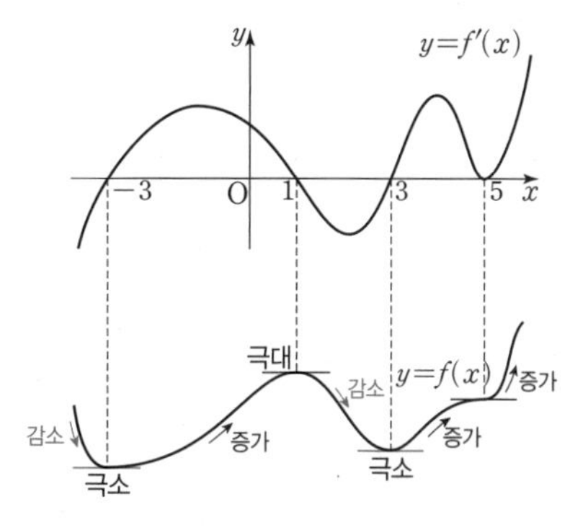

㉠ 주어진 $y=f'(x)$의 그래프에서 $f'(x)$의 부호는 다음 그림과 같이 나타낼 수 있다.

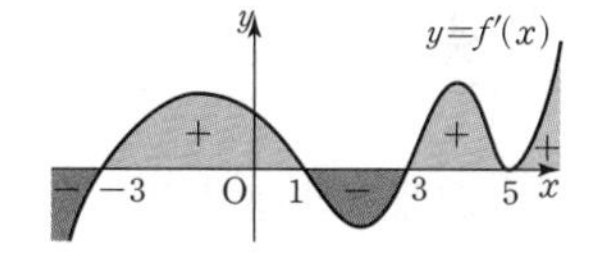

참고

함수 $f(x)$의 증가와 감소를 표로 나타내지 않고도 주어진 그래프에서 $f'(x)$의 부호의 변화를 살펴보면 극댓값, 극솟값을 갖는 x의 값을 구할 수 있다.

확인 문제

정답과 해설 | 54쪽

MY 셀파

05-1 상중하

함수 $f(x)$의 도함수 $y=f'(x)$의 그래프가 오른쪽 그림과 같을 때, 다음을 구하시오.

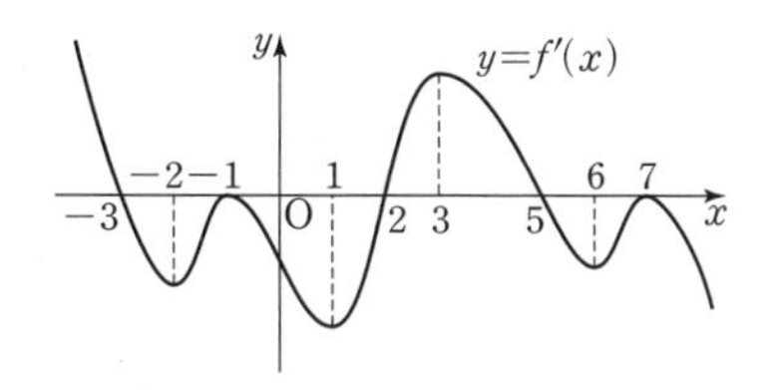

(1) 함수 $f(x)$가 극댓값을 갖는 x의 값

(2) 함수 $f(x)$가 극솟값을 갖는 x의 값

05-1

$f'(x)=0$을 만족시키는 x의 값인 -3, -1, 2, 5, 7의 좌우에서 $f'(x)$의 부호를 조사한다.

셀파 특강 02 다항함수 $y=f(x)$의 그래프 그리는 방법

삼차함수 $f(x)=x^3+3x^2-9x-7$의 그래프의 개형은 다음과 같이 구한다.

1 도함수 $f'(x)$ 구하기

$f(x)=x^3+3x^2-9x-7$에서 $f'(x)=3x^2+6x-9=3(x+3)(x-1)$

2 $f'(x)=0$을 만족시키는 x의 값 구하기

$f'(x)=0$에서 $x=-3$ 또는 $x=1$

3 함수 $f(x)$의 증가, 감소를 표로 나타내고 극값 구하기

$f(x)$의 증가와 감소를 표로 나타내면 오른쪽과 같으므로 $x=-3$에서 극댓값 20, $x=1$에서 극솟값 -12

x	$\cdots$	-3	$\cdots$	1	$\cdots$
$f'(x)$	$+$	0	$-$	0	$+$
$f(x)$	↗	20	↘	-12	↗

4 좌표축의 교점 찾기

$f(0)=-7$이므로 함수 $y=f(x)$의 그래프는 y축과 점 $(0, -7)$에서 만난다.

5 그래프의 개형 그리기

표에서 ↗이면 $f(x)$가 증가, ↘이면 $f(x)$가 감소하므로 삼차함수 $f(x)=x^3+3x^2-9x-7$의 그래프의 개형은 오른쪽 그림과 같다.

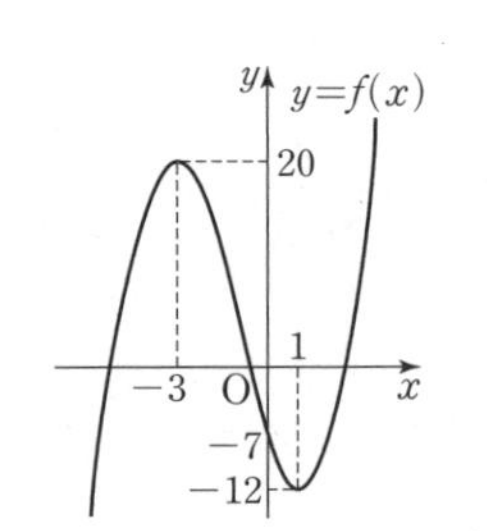

ㄱ 사차함수 $f(x)=ax^4+bx^3+cx^2+dx+e\ (a>0)$의 그래프의 개형은 방정식 $f'(x)=0$의 실근의 개수에 따라 다음과 같이 나타낼 수 있다.

$f'(x)=0$의 실근의 개수	❶ 서로 다른 세 실근 α, β, γ를 갖는 경우	❷ 중근 α와 다른 한 실근 β를 갖는 경우	❸ 삼중근 α를 갖는 경우	❹ 한 실근 α와 서로 다른 두 허근을 갖는 경우
$y=f'(x)$의 그래프의 개형	$y=f'(x)$, α, β, γ, x	$y=f'(x)$, α, β, x	$y=f'(x)$, α, x	$y=f'(x)$, α, x
$y=f(x)$의 그래프의 개형	$y=f(x)$, α, β, γ, x	$y=f(x)$, α, β, x	$y=f(x)$, α, x	$y=f(x)$, α, x

ㄱ 최고차항의 계수가 양수인 사차함수의 그래프의 개형은 왼쪽 위에서 내려와서 오른쪽 위로 올라가는 꼴이 된다. 반대로 최고차항의 계수가 음수인 사차함수의 그래프의 개형은 왼쪽 아래에서 올라와서 오른쪽 아래로 내려가는 꼴이 된다.

▶ 이차함수 $f(x)=ax^2+bx+c$의 그래프의 개형이 a의 부호에 따라 결정되는 것과 같이 삼차함수, 사차함수의 그래프의 개형도 최고차항의 계수의 부호에 따라 결정된다.

$f(x)=ax^4+bx^3+cx^2+dx+e$에서 $a<0$일 때의 그래프의 개형은 $a>0$일 때의 그래프의 개형을 x축에 대하여 대칭이동한 것으로 생각하면 돼.

해법 06 함수의 그래프

일반적으로 미분가능한 함수 $y=f(x)$의 그래프는 다음 순서를 따라 그 개형을 그릴 수 있다.

1 도함수 $f'(x)$를 구한다.
2 $f'(x)=0$을 만족시키는 x의 값을 구한다.
3 함수 $f(x)$의 증가와 감소를 표로 나타내고, 극값을 구한다.
4 함수 $y=f(x)$의 그래프와 x축 또는 y축의 교점의 좌표를 구한다.
5 함수 $y=f(x)$의 그래프의 개형을 그린다.

PLUS

$f'(x)$ 구하기
⬇
$f'(x)=0$이 되는 x의 값 구하기
⬇
$f(x)$의 증가, 감소를 표로 나타내기
⬇
좌표축과의 교점 찾기
⬇
그래프 그리기

예제 함수 $f(x)=x^3-6x^2+9x-2$의 그래프의 개형을 그리시오.

해법 코드
함수의 증가와 감소, 극대와 극소, 좌표축과의 교점을 구한다.

셀파 $f'(x)$의 부호가 $+$에서 $-$로 바뀌면 ⇨ $f(x)$는 극대
$f'(x)$의 부호가 $-$에서 $+$로 바뀌면 ⇨ $f(x)$는 극소

풀이 $f'(x)=3x^2-12x+9=3(x-1)(x-3)$
ㄱ $f'(x)=0$에서 $x=1$ 또는 $x=3$
이때 함수 $f(x)$의 증가와 감소를 표로 나타내면 다음과 같다.

x	$\cdots$	1	$\cdots$	3	$\cdots$
$f'(x)$	$+$	0	$-$	0	$+$
$f(x)$	↗	2	↘	-2	↗

함수 $f(x)$는 $x=1$에서 극댓값 2, $x=3$에서 극솟값 -2를 갖고 이때 $f(0)=-2$이므로 함수 $y=f(x)$의 그래프는 y축과 점 $(0, -2)$에서 만난다.
따라서 함수 $y=f(x)$의 그래프의 개형은 오른쪽 그림과 같다.

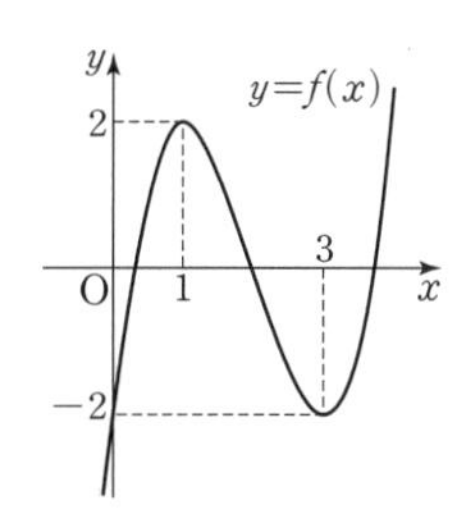

ㄱ
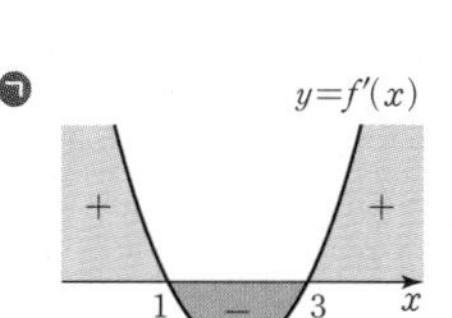

$x=1$의 좌우에서 $f'(x)$의 부호가 $+$에서 $-$로 바뀌므로 $x=1$에서 $f(x)$는 극댓값을 갖는다.
또 $x=3$의 좌우에서 $f'(x)$의 부호가 $-$에서 $+$로 바뀌므로 $x=3$에서 $f(x)$는 극솟값을 갖는다.

확인 문제

정답과 해설 | 54쪽

06-1 상중하 다음 함수의 그래프의 개형을 그리시오.

(1) $f(x)=-x^3-3x^2+6$

(2) $f(x)=3x^4-4x^3-12x^2+12$

MY 셀파

06-1
(1) $f'(x)=-3x^2-6x=0$에서
$x=-2$ 또는 $x=0$
(2) $f'(x)=12x^3-12x^2-24x=0$에서
$x=-1$ 또는 $x=0$ 또는 $x=2$

함수 $f(x)$가 미분가능하고 $f'(a)=0$일 때, $x=a$의 좌우에서 $f'(x)$의 부호가

❶ 양에서 음으로 바뀌면 $f(x)$는 $x=a$에서 극대이고, 극댓값은 $f(a)$

❷ 음에서 양으로 바뀌면 $f(x)$는 $x=a$에서 극소이고, 극솟값은 $f(a)$

01 다음 함수의 극값을 구하고 그래프의 개형을 그리시오.

(1) $f(x)=x^3-3x$

(2) $f(x)=-x^3-3x^2$

(3) $f(x)=x^3-3x^2+3x-1$

(4) $f(x)=(x-2)^2(x+4)$

(5) $f(x)=-2x^3-3x^2+12x$

02 다음 함수의 극값을 구하고 그래프의 개형을 그리시오.

(1) $f(x)=x^4-4x^3+4x^2$

(2) $f(x)=-3x^4-4x^3+1$

(3) $f(x)=-x^4+4x^2-4$

(4) $f(x)=\frac{1}{2}x^4-4x^2+5$

(5) $f(x)=3x^4+8x^3-6x^2-24x+9$

해법 07 삼차함수가 극값을 가질 조건

삼차함수 $f(x)$가 극값을 갖는다.

$\Longleftrightarrow$ 삼차함수 $f(x)$의 도함수 $f'(x)$의 부호의 변화가 있다.

$\Longleftrightarrow$ 이차방정식 $f'(x)=0$은 서로 다른 두 실근을 갖는다.

즉, 이차방정식 $f'(x)=0$의 판별식을 D라 하면 $D>0$이다.

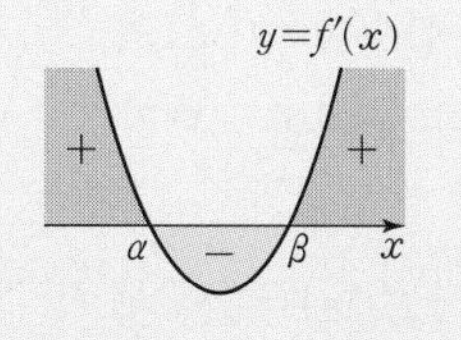

참고 삼차함수 $f(x)$가 극값을 갖지 않을 조건은 위 내용과 반대로 생각한다.
즉, 포물선 $y=f'(x)$가 x축과 접하거나 x축과 만나지 않아야 하므로 이차방정식 $f'(x)=0$의 판별식을 D라 하면 $D\le 0$이다.

PLUS

이차함수 $y=f'(x)$의 그래프가 다음 그림과 같이 x축과 접하거나 x축과 만나지 않으면 $f'(x)$의 부호의 변화는 없다.

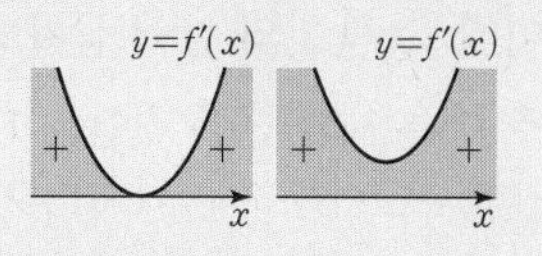

예제

1. 함수 $f(x)=\frac{1}{3}x^3+kx^2+(2k^2-k)x+1$이 극값을 갖도록 하는 실수 k의 값의 범위를 구하시오.

2. 함수 $f(x)=x^3+kx^2+kx$가 극값을 갖지 않도록 하는 실수 k의 값의 범위를 구하시오.

해법 코드

1. $f'(x)=x^2+2kx+2k^2-k=0$이 서로 다른 두 실근을 갖는다.

2. $f'(x)=3x^2+2kx+k=0$이 중근 또는 서로 다른 두 허근을 갖는다.

셀파 삼차함수 $f(x)$가 극값을 갖지 않으면 이차방정식 $f'(x)=0$의 판별식 $D\le 0$

풀이 1. $f(x)=\frac{1}{3}x^3+kx^2+(2k^2-k)x+1$에서 $f'(x)=x^2+2kx+2k^2-k$

삼차함수 $f(x)$가 극값을 가지려면

ㄱ 이차방정식 $f'(x)=0$이 서로 다른 두 실근을 가져야 한다.

이때 이차방정식 $x^2+2kx+2k^2-k=0$의 판별식을 D라 하면

$\frac{D}{4}=k^2-(2k^2-k)>0$, $k^2-k<0$, $k(k-1)<0$ $\quad\therefore$ $\mathbf{0<k<1}$

ㄱ 함수 $y=f'(x)$의 그래프가 다음과 같은 꼴이어야 한다.

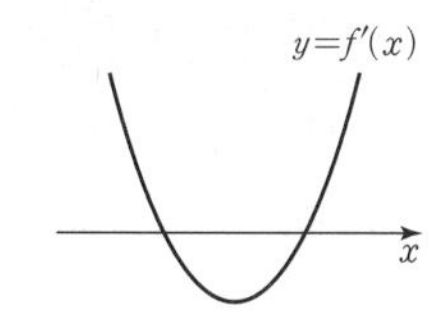

2. $f(x)=x^3+kx^2+kx$에서 $f'(x)=3x^2+2kx+k$

삼차함수 $f(x)$가 극값을 갖지 않으려면

ㄴ 이차방정식 $f'(x)=0$이 중근 또는 서로 다른 두 허근을 가져야 한다.

이때 이차방정식 $3x^2+2kx+k=0$의 판별식을 D라 하면

$\frac{D}{4}=k^2-3k\le 0$, $k(k-3)\le 0$ $\quad\therefore$ $\mathbf{0\le k\le 3}$

ㄴ 함수 $y=f'(x)$의 그래프가 다음과 같은 꼴이어야 한다.

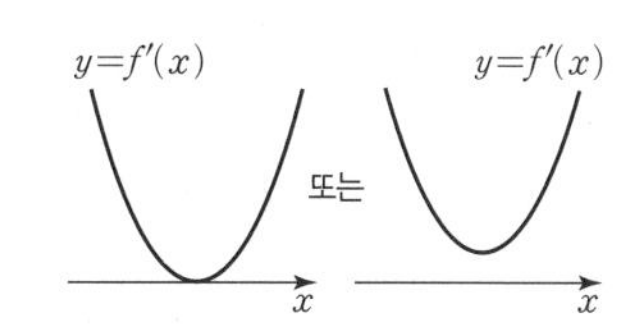

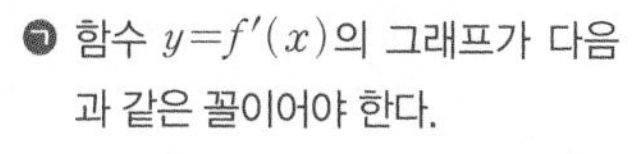

확인 문제

정답과 해설 | 57쪽

07-1 (상중하) 삼차함수 $f(x)=ax^3-3x^2+ax-4$가 극댓값과 극솟값을 모두 갖도록 하는 정수 a의 개수를 구하시오.

07-2 (상중하) 함수 $f(x)=\frac{4}{3}x^3+ax^2-ax+1$이 극값을 갖지 않도록 하는 실수 a의 값의 범위는 $p\le a\le q$이다. 이때 상수 p, q의 값을 구하시오.

MY 셀파

07-1
이차방정식 $f'(x)=0$이 서로 다른 두 실근을 갖는 경우를 생각한다.

07-2
이차방정식 $f'(x)=0$이 중근 또는 서로 다른 두 허근을 갖는 경우를 생각한다.

해법 08 사차함수가 극값을 가질 조건

최고차항의 계수가 양수인 사차함수 $y=f(x)$의 그래프의 개형이 [그림 1]과 같은 꼴이면 극댓값을 갖는다.
이때 [그림 2]와 같이 삼차방정식 $f'(x)=0$은 서로 다른 세 실근을 갖는다.

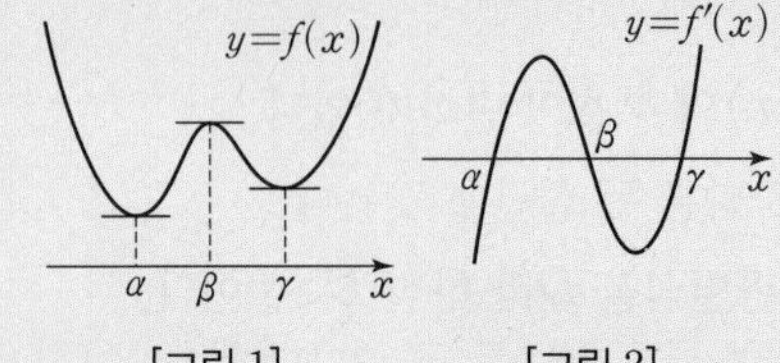

[그림 1] [그림 2]

참고 최고차항의 계수가 양수인 사차함수 $f(x)$가 극댓값을 갖지 않을 조건은 극댓값을 가질 조건을 구해 그 반대 경우를 생각하면 된다.

PLUS
사차함수의 최고차항의 계수가 음수인 경우이면 극솟값을 가질 조건 또는 극솟값을 갖지 않을 조건을 다루게 된다.
이 경우에도 최고차항의 계수가 양수일 때와 같은 방법으로 삼차방정식 $f'(x)=0$이 서로 다른 세 실근을 가질 조건을 이용한다.

예제 함수 $f(x)=x^4-4x^3+2kx^2+3$이 극댓값을 갖도록 하는 실수 k의 값의 범위를 구하시오.

해법 코드
삼차방정식 $f'(x)=0$이 서로 다른 세 실근을 갖는다.

셀파 최고차항의 계수가 양수인 사차함수 $f(x)$가 극댓값을 가지려면 삼차방정식 $f'(x)=0$이 서로 다른 세 실근을 가져야 한다.

풀이 $f(x)=x^4-4x^3+2kx^2+3$에서
$f'(x)=4x^3-12x^2+4kx=4x(x^2-3x+k)$
사차함수 $f(x)$가 극댓값을 가지려면 삼차방정식 $f'(x)=0$이 서로 다른 세 실근을 가져야 한다.
즉, 이차방정식 ㉠ $x^2-3x+k=0$이 0이 아닌 서로 다른 두 실근을 가져야 한다.
이때 이차방정식 $x^2-3x+k=0$의 판별식을 D라 하면
$k\neq0$, $D=9-4k>0$
$\therefore$ **$k<0$ 또는 $0<k<\frac{9}{4}$**

㉠ $f'(x)=0$에서
$4x(x^2-3x+k)=0$
이차방정식 $x^2-3x+k=0$이 0을 근으로 가지면 방정식 $f'(x)=0$이 서로 다른 세 실근을 갖는다는 조건에 맞지 않는다.
이때 $x=0$을 $x^2-3x+k=0$에 대입하면 $k=0$
따라서 $x^2-3x+k=0$이 0을 근으로 갖지 않으려면 $k\neq0$이어야 한다.

참고 함수 $f(x)$가 극댓값을 갖지 않기 위한 조건은 함수 $f(x)$가 극댓값을 가질 조건의 반대 경우이다.
따라서 함수 $f(x)$가 극댓값을 갖지 않기 위한 실수 k의 값의 범위는 $k=0$ 또는 $k\geq\frac{9}{4}$

확인 문제

정답과 해설 | 57쪽

08-1 (상중하) 함수 $f(x)=-x^4+8x^3+2kx^2$이 극솟값을 갖도록 하는 실수 k의 값의 범위를 구하시오.

08-2 (상중하) 함수 $f(x)=x^4-\frac{4}{3}x^3+2kx^2-4k$가 극댓값을 갖지 않도록 하는 실수 k의 값 또는 k의 값의 범위를 구하시오.

MY 셀파

08-1
$f'(x)=-4x^3+24x^2+4kx$에서
$-4x(x^2-6x-k)=0$이 서로 다른 세 실근을 갖는다.

08-2
삼차방정식 $f'(x)=0$이 서로 다른 세 실근을 갖지 않을 조건을 구한다.

해법 09 함수의 최대, 최소

닫힌구간 $[a, b]$에서 연속인 함수 $f(x)$의 최댓값과 최솟값은 다음과 같이 구한다.

1. $f(x)$의 증가와 감소를 표로 나타내어 극값을 구한다.
2. 구간의 끝 값, 즉 $f(a)$, $f(b)$의 값을 구한다.
3. 구한 값 중에서 가장 큰 값과 가장 작은 값을 구한다.

PLUS⊕ 함수 $f(x)$가 닫힌구간 $[a, b]$에서 연속이면 $f(x)$는 이 구간에서 반드시 최댓값과 최솟값을 갖는다.

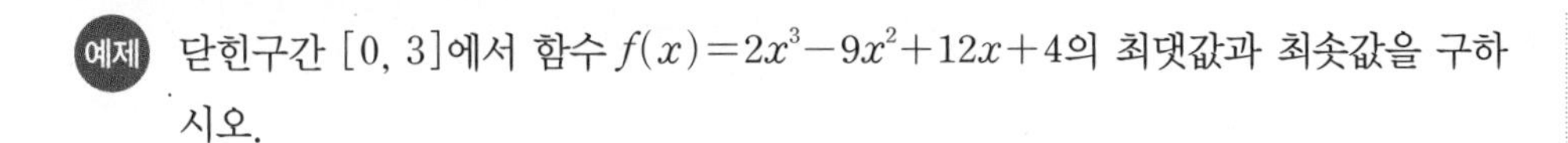

예제 닫힌구간 $[0, 3]$에서 함수 $f(x)=2x^3-9x^2+12x+4$의 최댓값과 최솟값을 구하시오.

해법 코드
닫힌구간 $[0, 3]$에서 $f(x)$의 극값, $f(0)$, $f(3)$을 비교한다.

셀파 극댓값과 극솟값, 경계에서의 함숫값을 각각 구하여 비교한다.

풀이 $f(x)=2x^3-9x^2+12x+4$에서

$f'(x)=6x^2-18x+12=6(x-1)(x-2)$

$f'(x)=0$에서 $x=1$ 또는 $x=2$

닫힌구간 $[0, 3]$에서 함수 $f(x)$의 ㉠증가와 감소를 표로 나타내면 다음과 같다.

x	0	$\cdots$	1	$\cdots$	2	$\cdots$	3
$f'(x)$		$+$	0	$-$	0	$+$	
$f(x)$	4	↗	9	↘	8	↗	13

따라서 함수 $f(x)$는

$x=3$에서 **최댓값 13**,

$x=0$에서 **최솟값 4**

를 갖는다.

㉠ 닫힌구간 $[0, 3]$에서 함수 $y=f(x)$의 그래프를 그리면 다음과 같다.

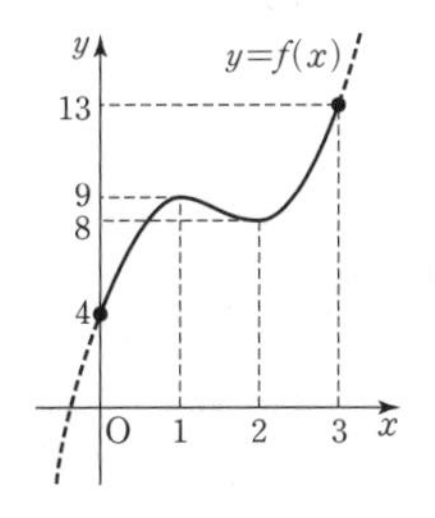

확인 문제

정답과 해설 | 57쪽

09-1 주어진 닫힌구간에서 다음 함수의 최댓값과 최솟값을 구하시오.

상 중 하

(1) $f(x)=x^3+3x^2-9x+4$ $[-4, 2]$

(2) $f(x)=-x^3+6x^2-9x$ $[-1, 4]$

09-2 주어진 닫힌구간에서 다음 함수의 최댓값과 최솟값을 구하시오.

상 중 하

(1) $f(x)=x^4+4x^3-16x$ $[-3, 2]$

(2) $f(x)=3x^4-4x^3-1$ $[-1, 2]$

MY 셀파

09-1
(1) 닫힌구간 $[-4, 2]$에서 $f(x)$의 극값, $f(-4)$, $f(2)$를 비교한다.
(2) 닫힌구간 $[-1, 4]$에서 $f(x)$의 극값, $f(-1)$, $f(4)$를 비교한다.

09-2
(1) 닫힌구간 $[-3, 2]$에서 $f(x)$의 극값, $f(-3)$, $f(2)$를 비교한다.
(2) 닫힌구간 $[-1, 2]$에서 $f(x)$의 극값, $f(-1)$, $f(2)$를 비교한다.

해법 10 함수의 최대, 최소와 미정계수

함수 $f(x)$가 닫힌구간 $[a, b]$에서 연속이면 함수 $f(x)$는 이 닫힌구간에서 반드시 최댓값과 최솟값을 갖는다.
이때 함수 $f(x)$가 닫힌구간에서 극값을 가지면 $f(x)$의 극값, $f(a)$, $f(b)$ 중에서
가장 큰 값이 $f(x)$의 최댓값이고,
가장 작은 값이 $f(x)$의 최솟값이다.

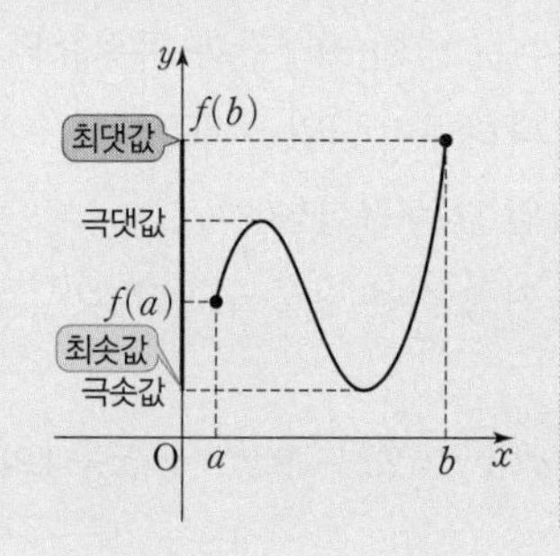

PLUS

함수 $f(x)$가 닫힌구간 $[a, b]$에서 연속이고 이때 극값을 갖지 않으면 $f(x)$는 $f(a)$와 $f(b)$ 중에서 최댓값과 최솟값을 갖는다.

닫힌구간 $[-1, 3]$에서 함수 $f(x)=x^3-12x+k$의 최댓값과 최솟값의 합이 7일 때, 상수 k의 값을 구하시오.

해법 코드
닫힌구간 $[-1, 3]$에서 $f(x)$의 극값과 $f(-1)$, $f(3)$을 비교한다.

셀파 극댓값과 극솟값, 경계에서의 함숫값을 각각 구하여 비교한다.

풀이 $f(x)=x^3-12x+k$에서
$f'(x)=3x^2-12=3(x+2)(x-2)$
$f'(x)=0$에서 $x=-2$ 또는 $x=2$
㉠닫힌구간 $[-1, 3]$에서 함수 $f(x)$의 증가와 감소를 표로 나타내면 다음과 같다.

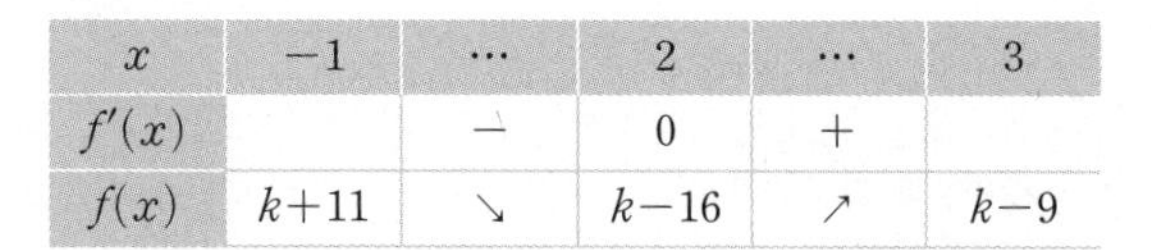

x	-1	$\cdots$	2	$\cdots$	3
$f'(x)$		$-$	0	$+$	
$f(x)$	$k+11$	↘	$k-16$	↗	$k-9$

따라서 함수 $f(x)$는
$x=-1$에서 최댓값 $k+11$
$x=2$에서 최솟값 $k-16$
을 갖는다.
이때 최댓값과 최솟값의 합이 7이므로
$(k+11)+(k-16)=7$에서 $2k-5=7$
$\therefore$ $\boldsymbol{k=6}$

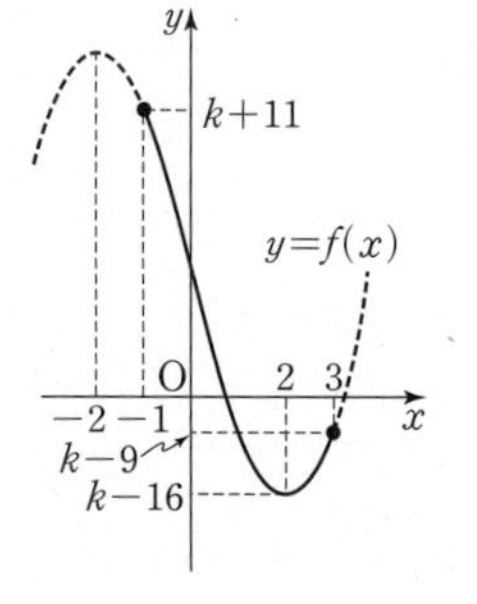

㉠ 함수가 정의된 구간이 $-1\le x\le 3$이고, 극값을 갖는 x의 값이 이 구간에 포함되지 않으면 극값을 구할 필요가 없다.

참고
닫힌구간 $[a, b]$에서 함수 $f(x)$가 연속이고 극값이 오직 하나 존재할 때
❶ 주어진 극값이 극댓값이면
⇨ (극댓값)=(최댓값)
❷ 주어진 극값이 극솟값이면
⇨ (극솟값)=(최솟값)

확인 문제

정답과 해설 | 58쪽

10-1 (상중하) 함수 $f(x)=-x^3+px^2+qx-1$이 $x=-1$에서 극솟값 -6을 가질 때, 닫힌구간 $[-2, 0]$에서 함수 $f(x)$의 최댓값을 구하시오. (단, p, q는 상수)

10-2 (상중하) 닫힌구간 $[-1, 2]$에서 함수 $f(x)=x^3-6x^2+a$의 최댓값과 최솟값의 합이 4일 때, 상수 a의 값을 구하시오.

MY 셀파

10-1
$f(-1)=-6$, $f'(-1)=0$을 이용하여 p, q의 값을 구한다.

10-2
닫힌구간 $[-1, 2]$에서 $f(x)$의 극값, $f(-1)$, $f(2)$를 비교한다.

해법 11 함수의 최대, 최소의 활용

도형의 길이, 넓이, 부피 등의 최댓값 또는 최솟값은 다음과 같은 방법으로 구할 수 있다.

1. 주어진 조건에 적당한 변수를 정하여 미지수 x로 놓고 x의 값의 범위를 조사한다.
2. 도형의 길이, 넓이, 부피 등을 함수 $f(x)$로 나타낸다.
3. 함수의 그래프를 이용하여 $f(x)$의 최댓값 또는 최솟값을 구한다.

PLUS 도형의 최대, 최소 문제는 변수의 범위에 주의한다.

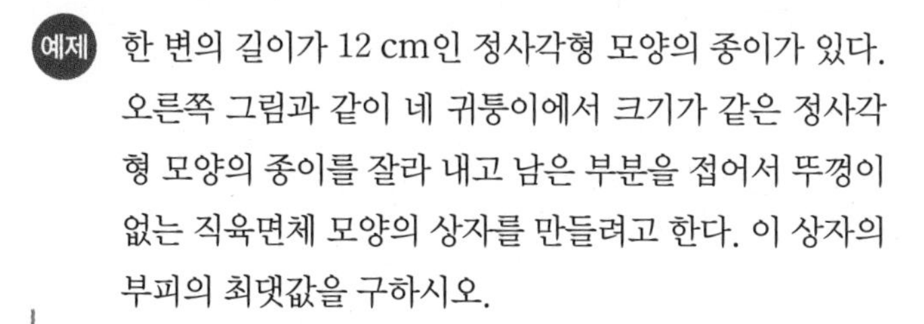
예제 한 변의 길이가 12 cm인 정사각형 모양의 종이가 있다. 오른쪽 그림과 같이 네 귀퉁이에서 크기가 같은 정사각형 모양의 종이를 잘라 내고 남은 부분을 접어서 뚜껑이 없는 직육면체 모양의 상자를 만들려고 한다. 이 상자의 부피의 최댓값을 구하시오.

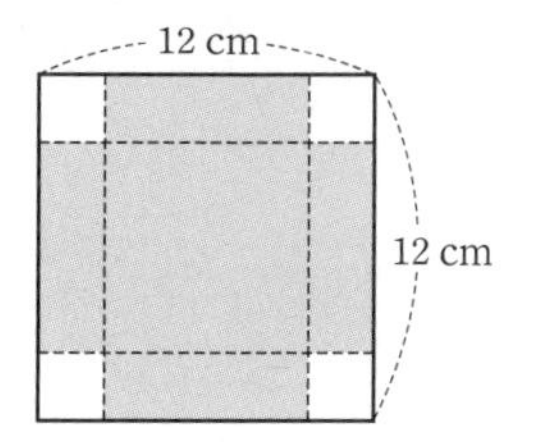

해법 코드 잘라 낸 종이의 한 변의 길이를 x cm로 놓은 다음 직육면체 모양의 상자의 가로의 길이, 세로의 길이, 높이를 각각 x로 나타낸다.

셀파 각 모서리의 길이는 항상 양수임에 주의하여 범위를 구한다.

풀이 잘라 내는 정사각형의 한 변의 길이를 x cm라 하면

$x>0$, $12-2x>0$에서 $0<x<6$

직육면체 모양의 상자의 ㉠부피를 $V(x)$ cm³라 하면

$V(x)=$㉡$x(12-2x)^2=4x^3-48x^2+144x$

$V'(x)=12x^2-96x+144=12(x-2)(x-6)$

$V'(x)=0$에서 $x=2$ ($\because 0<x<6$)

열린구간 $(0,\ 6)$에서 함수 $V(x)$의 증가와 감소를 표로 나타내면 다음과 같다.

x	(0)	$\cdots$	2	$\cdots$	(6)
$V'(x)$		$+$	0	$-$	
$V(x)$		↗	128	↘	

따라서 함수 $V(x)$는 $x=2$에서 극대이면서 최대이므로 구하는 상자의 부피의 최댓값은

128 cm³

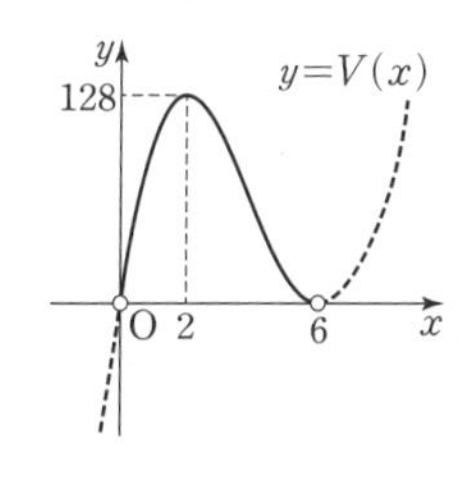

㉠ 직육면체 모양의 상자의 부피는 (가로의 길이)×(세로의 길이)×(높이)

㉡ 잘라 낸 종이의 한 변의 길이를 x cm라 하면 상자의 모양은 밑면은 한 변의 길이가 $(12-2x)$ cm인 정사각형이고, 높이는 x cm인 직육면체가 된다.

확인 문제

정답과 해설 | 59쪽

11-1 (상 중 하) 밑면의 반지름의 길이가 9, 높이가 9인 원뿔에 내접하는 원기둥의 부피의 최댓값을 구하시오.

MY 셀파

11-1

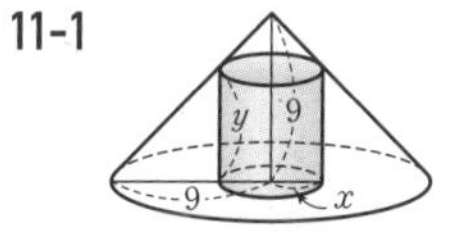

연습 문제 EXERCISE

함수의 증가, 감소

01 삼차함수 $f(x)$의 도함수 $y=f'(x)$의 그래프가 오른쪽 그림과 같을 때, 함수 $f(x)$가 감소하는 구간을 구하시오.

상 중 하

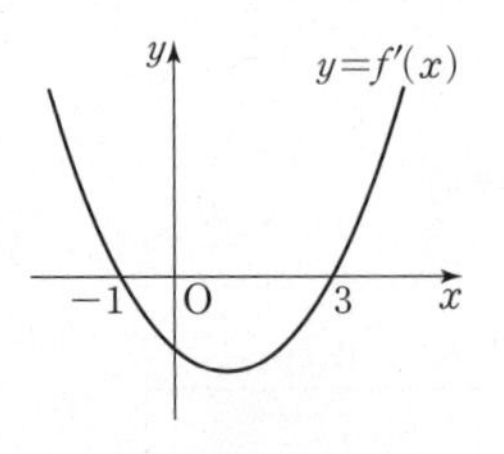

삼차함수가 증가 또는 감소하기 위한 조건

02 함수 $f(x)=-x^3+3kx^2+3(k-2)x-1$이 실수 전체의 집합에서 감소하기 위한 실수 k의 값의 범위를 구하시오.

상 중 하

삼차함수가 증가 또는 감소하기 위한 조건 융합형

03 실수 전체의 집합에서 정의된 함수 $f(x)=x^3+kx^2+kx-2$의 역함수가 존재하기 위한 실수 k의 값의 범위를 구하시오.

상 중 하

함수의 극대, 극소

04 함수 $f(x)=-x^3-3x^2+6$에서 극대가 되는 점을 P, 극소가 되는 점을 Q라 할 때, 삼각형 OPQ의 넓이를 구하시오. (단, O는 원점)

상 중 하

함수의 극대, 극소와 미정계수

05 함수 $f(x)=x^3+ax^2+bx-2$는 $x=-1$에서 극댓값, $x=3$에서 극솟값을 가질 때, 상수 a, b의 값을 구하시오.

상 중 하

함수의 극대, 극소와 미정계수 서술형

06 함수 $f(x)=x^3+kx^2-k^2x$에서 극댓값과 극솟값의 차가 32일 때, 양수 k의 값을 구하시오.

상 중 하

도함수의 그래프와 극대, 극소

07 오른쪽 그림은 삼차함수 $f(x)$의 도함수 $y=f'(x)$의 그래프이다. 함수 $f(x)$에 대한 | 보기 |의 설명 중 옳은 것을 모두 고르면?

상 중 하

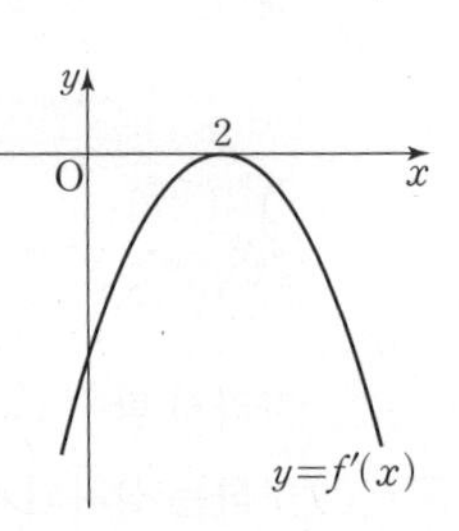

| 보기 |
ㄱ. 함수 $f(x)$는 열린구간 $(-\infty, \infty)$에서 감소한다.
ㄴ. 함수 $f(x)$는 $x=2$에서 극댓값을 갖는다.
ㄷ. 함수 $f(x)$의 그래프는 x축과 오직 한 점에서 만난다.

① ㄱ　② ㄴ　③ ㄱ, ㄷ　④ ㄴ, ㄷ　⑤ ㄱ, ㄴ, ㄷ

도함수의 그래프와 극대, 극소

08 함수 $f(x)$의 도함수 $y=f'(x)$의 그래프가 오른쪽 그림과 같을 때, $f(x)$는 $x=p$, $x=q$에서 극소이고 $x=r$에서 극대이다. 이때 $p+q-r$의 값을 구하시오.

상 중 하

도함수의 그래프와 극대, 극소

09 사차함수 $f(x)$의 도함수 $y=f'(x)$의 그래프가 오른쪽 그림과 같을 때, 함수 $f(x)$가 극값을 갖는 x의 값을 구하시오.

상 중 하

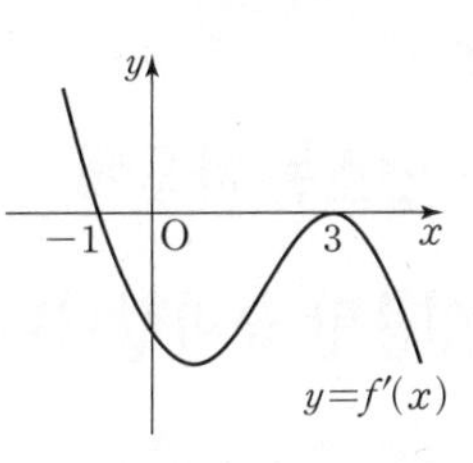

삼차함수가 극값을 가질 조건

10 함수 $f(x)=(x-1)^2(x+a)+1$이 $x=1$에서 극댓값을 갖도록 하는 실수 a의 값의 범위는?

상 중 하

① $a>-3$　② $a<-1$　③ $a<1$
④ $a>1$　⑤ $a>3$

함수의 최대, 최소

11 닫힌구간 $[-1, 3]$에서 함수 $f(x)=-x^3+12x-3$의 최댓값과 최솟값의 합을 구하시오.

상 중 하

함수의 최대, 최소와 미정계수

12 닫힌구간 $[-2, 2]$에서 함수 $f(x)=-x^3+3x^2+a$의 최솟값이 -4일 때, 함수 $f(x)$의 최댓값을 구하시오. (단, a는 상수)

상 중 하

함수의 최대, 최소와 미정계수

13 닫힌구간 $[1, 4]$에서 함수 $f(x)=ax^4-4ax^3+b$가 최댓값 3, 최솟값 -6을 가질 때, 상수 a, b의 값을 구하시오. (단, $a>0$)

상 중 하

함수의 최대, 최소의 활용　창의·융합

14 곡선 $y=x^2-3x$ $(0<x<3)$ 위의 점 P에서 x축에 내린 수선의 발을 H라 할 때, 삼각형 OPH의 넓이의 최댓값은? (단, O는 원점)

상 중 하

① 1　② 2　③ 3
④ 4　⑤ 5

엄청 유명한 식당이라 합니다.
어, 안내판이 있네.
하루에 100인분만 판매한다고? 역시 맛집이 확실한가보네.
저희 업소는 하루에 100인분만 준비합니다. 100인분이 다 팔리면 영업을 종료합니다.
하루 100 인분만 팔아서 식당 운영이 되요?
하도 물어봐서 준비했습니다.

7

방정식과 부등식, 속도와 가속도

- 개념 1　방정식의 실근의 개수
- 개념 2　삼차방정식의 근의 판별
- 개념 3　함수의 그래프와 부등식의 증명
- 개념 4　속도와 가속도
- 개념 5　시각에 대한 길이, 넓이, 부피의 변화율

손익분기점을 알아야겠습니다.

x kg 생산할 때 드는 비용 $f(x)$
x kg 팔 때 생기는 수익 $g(x)$
$f(x)=180x+400$ (코인)
$g(x)=2x^3+3x^2+a$ (코인)

7. 방정식과 부등식, 속도와 가속도

개념 1 방정식의 실근의 개수

(1) 방정식 $f(x)=0$의 실근의 개수

방정식 $f(x)=0$의 실근은 함수 $y=f(x)$의 그래프와 x축의 교점의 ❶ [　　] 좌표이므로 방정식 $f(x)=0$의 실근의 개수는 함수 $y=f(x)$의 그래프와 x축의 교점의 개수와 같다.

(2) 방정식 $f(x)=g(x)$의 실근의 개수

ㄱ 방정식 $f(x)=g(x)$의 실근은 함수 $y=f(x)$의 그래프와 함수 $y=g(x)$의 그래프의 교점의 x좌표이므로 방정식 $f(x)=g(x)$의 실근의 개수는 함수 $y=f(x)$의 그래프와 함수 $y=g(x)$의 그래프의 ❷ [　　] 의 개수와 같다.

예

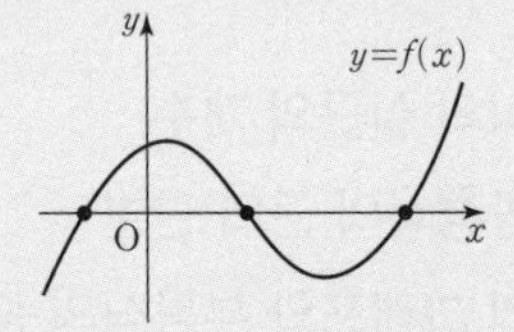

방정식 $f(x)=0$의 실근은 3개

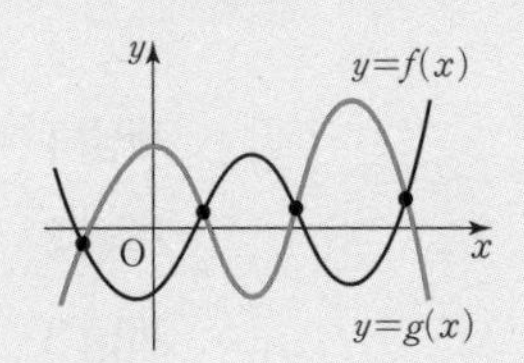

방정식 $f(x)=g(x)$의 실근은 4개

답 ❶ x ❷ 교점

개념 플러스

ㄱ 함수 $y=f(x)-g(x)$의 그래프가 x축과 만나는 점의 x좌표를 구해도 된다.

개념 2 ㄴ 삼차방정식의 근의 판별

삼차함수 $f(x)=ax^3+bx^2+cx+d$에 대하여 이차방정식 $f'(x)=0$의 서로 다른 두 실근을 α, β $(\alpha<\beta)$라 할 때, 삼차방정식 $ax^3+bx^2+cx+d=0$이

❶ 서로 다른 ❶ [　　] 실근을 갖는다. $\Longleftrightarrow$ $f(\alpha)f(\beta)<0$

❷ 서로 다른 두 실근을 갖는다. $\Longleftrightarrow$ $f(\alpha)f(\beta)$ ❷ [　　] 0

❸ 한 실근과 두 ❸ [　　] 을 갖는다. $\Longleftrightarrow$ $f(\alpha)f(\beta)>0$

답 ❶ 세 ❷ $=$ ❸ 허근

ㄴ 삼차방정식의 실근의 개수를 판별하는 경우를 그래프로 나타내면 다음과 같다.

❶ 서로 다른 세 실근
⇨ (극댓값)×(극솟값)<0

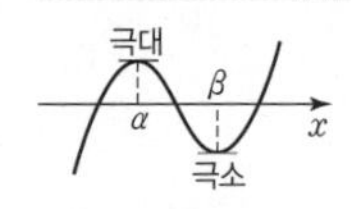

❷ 서로 다른 두 실근
⇨ (극댓값)×(극솟값)$=0$

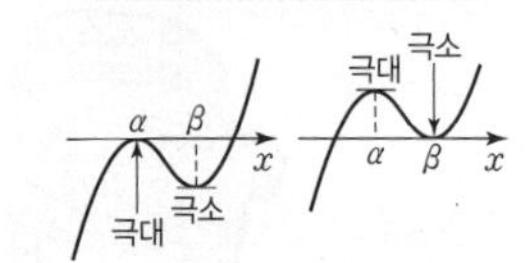

❸ 한 실근과 두 허근
⇨ (극댓값)×(극솟값)>0

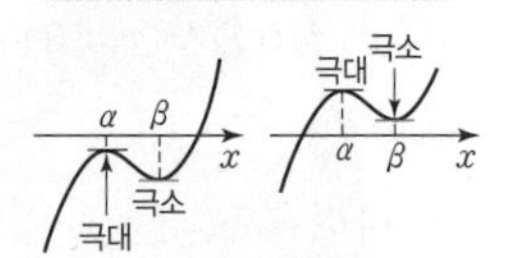

개념 3 함수의 그래프와 부등식의 증명

(1) 어떤 구간에서 부등식 $f(x)\ge 0$이 성립하는 것을 증명할 때는 그 구간에서

(함수 $f(x)$의 최솟값) ❶ [　　] 0

임을 보이면 된다.

(2) 어떤 구간에서 부등식 $f(x)\ge g(x)$가 성립하는 것을 증명할 때는 $h(x)=f(x)-g(x)$로 놓고, 주어진 구간에서

(함수 $h(x)$의 최솟값) $\ge$ ❷ [　　]

임을 보이면 된다.

답 ❶ $\ge$ ❷ 0

1-1 | 방정식 $f(x)=0$의 실근의 개수 |

방정식 $x^3-3x^2+2=0$의 서로 다른 실근의 개수를 구하시오.

연구

$f(x)=x^3-3x^2+2$라 하면

$f'(x)=3x^2-6x=3x(x-2)$

$f'(x)=0$에서 $x=0$ 또는 $x=2$

함수 $f(x)$의 증가와 감소를 표로 나타내면 다음과 같다.

x	$\cdots$	0	$\cdots$	2	$\cdots$
$f'(x)$	+	0	−	0	+
$f(x)$	↗	2	↘	□	↗

오른쪽 그림에서 함수 $y=f(x)$의 그래프는 x축과 서로 다른 세 점에서 만나므로 방정식 $x^3-3x^2+2=0$의 서로 다른 실근의 개수는 □

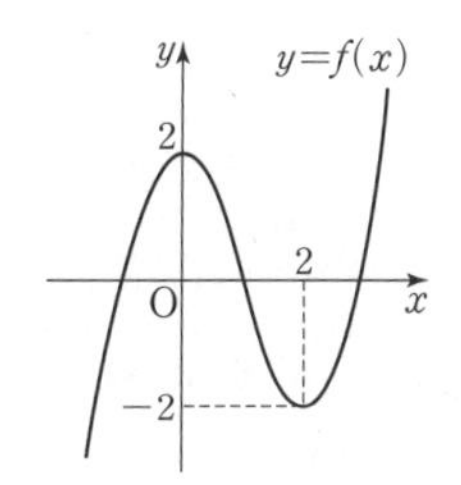

1-2 | 따라풀기 |

다음 방정식의 서로 다른 실근의 개수를 구하시오.

(1) $x^3+6x^2+9x+4=0$

(2) $x^3+3x^2-9x+1=0$

풀이

2-1 | 함수의 그래프와 부등식의 증명 |

다음은 $x\geq0$에서 부등식 $2x^3-3x^2+3\geq0$이 성립함을 증명하는 과정이다. □ 안에 알맞은 것을 써넣으시오.

증명

$x\geq0$에서 $f(x)=2x^3-3x^2+3$이라 하면

$f'(x)=6x^2-6x=6x(x-1)$

$f'(x)=0$에서 $x=0$ 또는 $x=$□

반닫힌 구간 $[0, \infty)$에서 함수 $f(x)$의 증가와 감소를 표로 나타내면 다음과 같다.

x	0	$\cdots$	1	$\cdots$
$f'(x)$	0	−	0	+
$f(x)$	3	↘	□	↗

$x\geq0$일 때, 함수 $f(x)$의 최솟값은

$f($□$)=$□

따라서 $x\geq0$에서 $f(x)\geq0$이므로

$2x^3-3x^2+3\geq0$이 성립한다.

2-2 | 따라풀기 |

다음은 $x\geq0$에서 부등식 $x^3-x^2-x+2\geq0$이 성립함을 증명하는 과정이다. □ 안에 알맞은 것을 써넣으시오.

증명

$x\geq0$에서 $f(x)=x^3-x^2-x+2$라 하면

$f'(x)=3x^2-2x-1=(3x+1)(x-1)$

$f'(x)=0$에서 $x=-\frac{1}{3}$ 또는 $x=1$

반닫힌 구간 $[0, \infty)$에서 함수 $f(x)$의 증가와 감소를 표로 나타내면 다음과 같다.

x	0	$\cdots$	□	$\cdots$
$f'(x)$		−	0	+
$f(x)$	2	↘	1	↗

$x\geq0$일 때, 함수 $f(x)$의 최솟값은

$f($□$)=$□

따라서 $x\geq0$에서 $f(x)\geq0$이므로

$x^3-x^2-x+2\geq0$이 성립한다.

개념 4 ㉠속도와 가속도

수직선 위를 움직이는 점 P의 시각 t에서의 위치를 점 P의 좌표 x로 나타내면 $x=f(t)$와 같이 나타낼 수 있다.

❶ ㉡시각이 t에서 $t+\Delta t$까지 변할 때, 점 P의 평균속도는

$$\frac{\Delta x}{\Delta t}=\frac{f(t+\Delta t)-f(t)}{\boxed{❶}}$$ ⇨ 함수 $f(t)$의 평균변화율

❷ ㉢$x=f(t)$의 시각 t에서의 순간변화율을 v라 하면

$$v=\lim_{\Delta t\to 0}\frac{\Delta x}{\Delta t}=\lim_{\Delta t\to 0}\frac{f(t+\Delta t)-f(t)}{\Delta t}=\frac{dx}{dt}=\boxed{❷}$$

이때 v를 시각 t에서의 순간속도 또는 속도라 한다.

또 $|v|$를 시각 t에서의 점 P의 속력이라 한다. (속력)$=|$(속도)$|$

❸ $v=g(t)$의 시각 t에서의 순간변화율을 a라 하면

$$㉣ a=\lim_{\Delta t\to 0}\frac{\boxed{❸}}{\Delta t}=\lim_{\Delta t\to 0}\frac{g(t+\Delta t)-g(t)}{\Delta t}=\frac{dv}{dt}=g'(t)$$

이때 a를 시각 t에서의 점 P의 가속도라 한다.

참고 수직선 위를 움직이는 점 P의 운동 방향은 $v>0$일 때 양의 방향이고, $v<0$일 때 음의 방향이다.

답 ❶ Δt ❷ $f'(t)$ ❸ Δv

보기 수직선 위를 움직이는 점 P의 시각 t에서의 위치 x가 $x=t^2$일 때, $t=1$에서 $t=3$까지의 점 P의 평균속도를 구하시오.

연구 $x=t^2$에서 $f(t)=t^2$이라 하면 $t=1$에서 $t=3$까지의 점 P의 평균속도는

$$\frac{\Delta x}{\Delta t}=\frac{f(3)-f(1)}{3-1}=\frac{9-1}{2}=\mathbf{4}$$

개념 플러스

㉠ (평균속도)$=\dfrac{(\text{위치의 변화량})}{(\text{시간의 변화량})}$

(가속도)$=\dfrac{(\text{속도의 변화량})}{(\text{시간의 변화량})}$

㉡ 점 P의 위치의 변화량은 $f(t+\Delta t)-f(t)$이고, 점 P가 움직인 시간은 Δt이다.
따라서 점 P의 평균속도는 함수 $f(t)$의 평균변화율과 같다.

㉢ $x=a$에서 함수 $y=f(x)$의 순간변화율(미분계수)은

$\lim_{\Delta x\to 0}\dfrac{f(a+\Delta x)-f(a)}{\Delta x}=f'(a)$

이므로 $t=a$에서 위치 $x=f(t)$의 순간속도는

$\lim_{\Delta t\to 0}\dfrac{f(a+\Delta t)-f(a)}{\Delta t}=f'(a)$

개념 5 시각에 대한 길이, 넓이, 부피의 변화율

시각 t에서 어떤 물체의 길이가 l, 넓이가 S, 부피가 V일 때, 시간이 Δt만큼 경과하는 동안 그 물체의 길이가 Δl만큼, 넓이가 ΔS만큼, 부피가 ΔV만큼 변했다고 할 때

❶ 시각 t에서의 길이 $l=f(t)$의 변화율 : $\lim_{\Delta t\to 0}\dfrac{\boxed{❶}}{\Delta t}=\dfrac{dl}{dt}=f'(t)$

❷ 시각 t에서의 넓이 $S=g(t)$의 변화율 : $\lim_{\Delta t\to 0}\dfrac{\Delta S}{\Delta t}=\dfrac{dS}{dt}=\boxed{❷}$

❸ 시각 t에서의 부피 $V=h(t)$의 변화율 : $\lim_{\Delta t\to 0}\dfrac{\Delta V}{\Delta t}=\dfrac{\boxed{❸}}{dt}=h'(t)$

답 ❶ Δl ❷ $g'(t)$ ❸ dV

보기 어떤 풍선의 시각 t에서의 부피 V가 $V=5t^3-3t^2+5$일 때, $t=2$에서의 이 풍선의 부피의 변화율을 구하시오.

연구 $\dfrac{dV}{dt}=15t^2-6t$이므로 $t=2$에서의 이 풍선의 부피의 변화율은 $15\times2^2-6\times2=\mathbf{48}$

㉣ 위치 x에 대한 함수가 $f(t)$일 때, 속도 v는 $v=f'(t)$이다.
그런데 시각 t에서의 가속도 a는 속도 $v=f'(t)$를 미분한 것이므로 $a=\{f'(t)\}'$이라 할 수 있다.

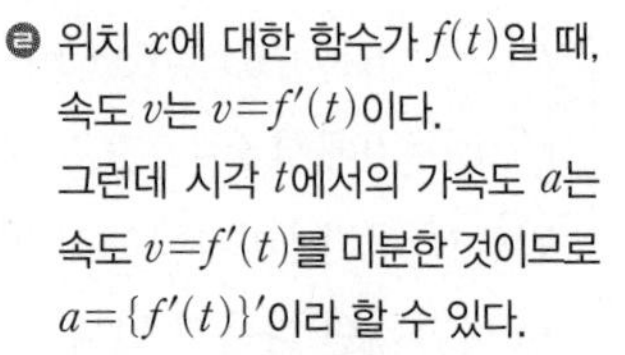

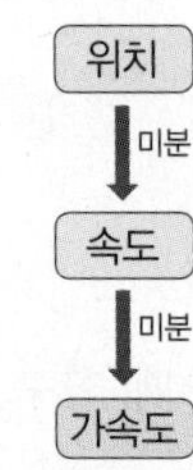

3-1 | 속도와 가속도 |

수직선 위를 움직이는 점 P의 시각 t에서의 위치 x가 $x=t^3-4t^2+6t$일 때, $t=2$에서의 점 P의 속도와 가속도를 구하시오.

연구

점 P의 시각 t에서의 속도를 v, 가속도를 a라 하면

$v=\frac{dx}{dt}=3t^2-8t+6$, $a=\frac{dv}{dt}=6t-8$

따라서 $t=2$에서의 속도와 가속도는

$v=3\times 2^2-8\times \square +6=\mathbf{2}$

$a=6\times 2-8=\square$

3-2 | 따라풀기 |

수직선 위를 움직이는 점 P의 시각 t에서의 위치 x가 다음과 같을 때, [ ] 안의 시각 t에서의 점 P의 속도와 가속도를 구하시오.

(1) $x=t^3-6t$ $[t=2]$

(2) $x=t^3+2t^2+2$ $[t=3]$

풀이

4-1 | 길이의 변화율 |

시각 t에서 어떤 물체의 길이 l이 $l=t^3+3t$일 때, $t=1$에서의 이 물체의 길이의 변화율을 구하시오.

연구

시각 t에서의 물체의 길이의 변화율은

$\frac{dl}{dt}=3t^2+3$

따라서 $t=1$에서의 물체의 길이의 변화율은

$3\times 1^2+3=\square$

4-2 | 따라풀기 |

시각 t에서 어떤 물체의 길이 l이 다음과 같을 때, [ ] 안의 시각 t에서의 이 물체의 길이의 변화율을 구하시오.

(1) $l=5t^3-3t^2+6$ $[t=1]$

(2) $l=t^4-3t^2$ $[t=2]$

풀이

해법 01 방정식 $f(x)=0$의 실근의 개수

PLUS ⊕

방정식 $f(x)=0$의 실근의 개수

⇨ 함수 $y=f(x)$의 그래프와 x축의 교점의 개수

방정식 $f(x)=0$의 실근은 함수 $y=f(x)$의 그래프와 x축의 교점의 x좌표와 같다.

예제 다음 방정식의 서로 다른 실근의 개수를 구하시오.

(1) $x^3-3x+1=0$　　　(2) $2x^4-4x^2+1=0$

해법 코드

(1) $f(x)=x^3-3x+1$

(2) $f(x)=2x^4-4x^2+1$

셀파 방정식 $f(x)=0$의 실근 ⇨ $y=f(x)$의 그래프와 x축의 교점의 x좌표

풀이 (1) $f(x)=x^3-3x+1$이라 하면 $f'(x)=3x^2-3=3(x+1)(x-1)$

$f'(x)=0$에서 $x=-1$ 또는 $x=1$

함수 $f(x)$의 증가와 감소를 표로 나타내면 다음과 같다.

x	$\cdots$	-1	$\cdots$	1	$\cdots$
$f'(x)$	$+$	0	$-$	0	$+$
$f(x)$	↗	3	↘	-1	↗

오른쪽 그림에서 함수 $y=f(x)$의 그래프는 x축과 서로 다른 세 점에서 만나므로 방정식 $x^3-3x+1=0$의 서로 다른 실근의 개수는 **3**

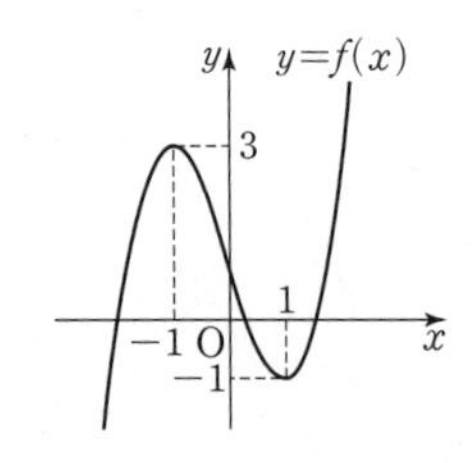

참고

방정식 $f(x)=0$의 실근이 무엇인지 알려면 방정식을 풀어야 하지만 몇 개의 실근을 갖는지 판단하려면 함수의 그래프만 그려도 알 수 있다.

(2) $f(x)=2x^4-4x^2+1$이라 하면

$f'(x)=8x^3-8x=8x(x+1)(x-1)$

$f'(x)=0$에서 $x=-1$ 또는 $x=0$ 또는 $x=1$

함수 $f(x)$의 증가와 감소를 표로 나타내면 다음과 같다.

x	$\cdots$	-1	$\cdots$	0	$\cdots$	1	$\cdots$
$f'(x)$	$-$	0	$+$	0	$-$	0	$+$
$f(x)$	↘	-1	↗	1	↘	-1	↗

오른쪽 그림에서 함수 $y=f(x)$의 그래프는 x축과 서로 다른 네 점에서 만나므로 방정식 $2x^4-4x^2+1=0$의 서로 다른 실근의 개수는 **4**

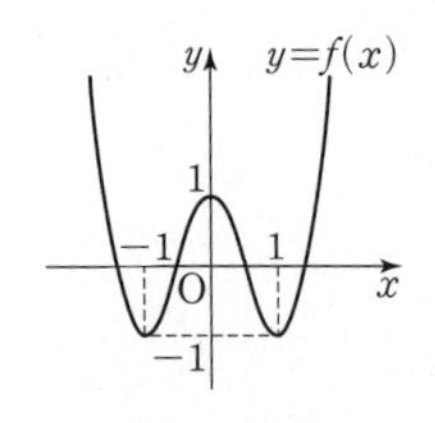

방정식 $f(x)=0$이 실근을 갖지 않는 경우에는 $y=f(x)$의 그래프가 x축과 만나지 않을 때야.

확인 문제　정답과 해설 | 63쪽

MY 셀파

01-1 상중하 다음 방정식의 서로 다른 실근의 개수를 구하시오.

(1) $x^3+6x^2+12x+8=0$　　　(2) $x^4-4x+1=0$

01-1

(1) $f(x)=x^3+6x^2+12x+8$

(2) $f(x)=x^4-4x+1$

해법 02 방정식 $f(x)=g(x)$의 실근의 개수

방정식 $f(x)=g(x)$의 실근의 개수
⇨ 함수 $y=f(x)$의 그래프와 함수 $y=g(x)$의 그래프의 교점의 개수

PLUS ⊕
방정식 $f(x)=g(x)$의 실근은 두 함수 $y=f(x)$, $y=g(x)$의 그래프의 교점의 x좌표와 같다.

예제 방정식 $x^3-6x^2+9x-k=0$이 다음과 같은 실근을 갖도록 하는 실수 k의 값 또는 k의 값의 범위를 구하시오.

(1) 서로 다른 세 실근 (2) 서로 다른 두 실근 (3) 하나의 실근

해법 코드
$y=x^3-6x^2+9x$의 그래프와 직선 $y=k$를 그린다.

셀파 $f(x)=k$ (k는 상수)의 실근의 개수 ⇨ $y=f(x)$의 그래프와 직선 $y=k$의 교점의 개수

풀이 $x^3-6x^2+9x=k$에서 $f(x)=x^3-6x^2+9x$라 하면

$f'(x)=3x^2-12x+9=3(x-1)(x-3)$

$f'(x)=0$에서 $x=1$ 또는 $x=3$

함수 $f(x)$의 증가와 감소를 표로 나타내면 다음과 같다.

x	$\cdots$	1	$\cdots$	3	$\cdots$
$f'(x)$	+	0	−	0	+
$f(x)$	↗	4	↘	0	↗

주어진 방정식의 실근의 개수는 함수 $y=f(x)$의 그래프와 직선 $y=k$의 교점의 개수와 같다.

(1) 주어진 방정식이 서로 다른 세 실근을 가지려면 서로 다른 세 점에서 만나야 하므로 $\mathbf{0<k<4}$

(2) 주어진 방정식이 서로 다른 두 실근을 가지려면 서로 다른 두 점에서 만나야 하므로 $\mathbf{k=0}$ **또는** $\mathbf{k=4}$

(3) 주어진 방정식이 하나의 실근을 가지려면 한 점에서 만나야 하므로 $\mathbf{k<0}$ **또는** $\mathbf{k>4}$

참고
방정식 $f(x)=k$ (k는 상수)의 실근의 개수 구하기
1. 함수 $y=f(x)$의 그래프를 그린다.
2. 직선 $y=k$를 아래, 위로 움직여 교점의 개수를 조사한다.

다른 풀이
(1) $f(x)=x^3-6x^2+9x-k$로 놓으면
$f'(x)=3x^2-12x+9$
$=3(x-1)(x-3)$
$f'(x)=0$에서 $x=1$ 또는 $x=3$
(극댓값)×(극솟값)<0에서
$f(1)f(3)=(4-k)\times(-k)$
$=k(k-4)<0$
$\therefore 0<k<4$

확인 문제

정답과 해설 | 64쪽

02-1 상중하 다음을 만족시키는 실수 k의 값의 범위를 구하시오.

(1) 방정식 $x^3-3x^2-k=0$이 서로 다른 세 실근을 갖는다.

(2) 방정식 $x^4-8x^2-k=0$이 서로 다른 네 실근을 갖는다.

MY 셀파

02-1
(1) $x^3-3x^2=k$에서 $y=x^3-3x^2$과 $y=k$의 그래프를 그린다.
(2) $x^4-8x^2=k$에서 $y=x^4-8x^2$과 $y=k$의 그래프를 그린다.

해법 03 방정식의 실근의 부호

방정식 $f(x)=k$ (k는 상수)의 실근의 부호는 함수 $y=f(x)$의 그래프와 직선 $y=k$의 교점의 위치에 따라 다음과 같이 나눌 수 있다.

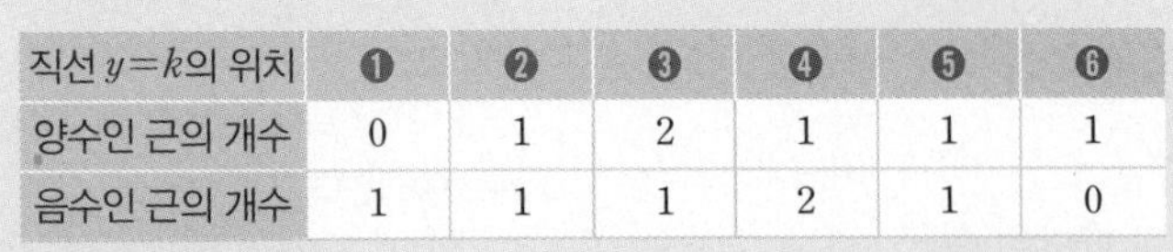

직선 $y=k$의 위치	❶	❷	❸	❹	❺	❻
양수인 근의 개수	0	1	2	1	1	1
음수인 근의 개수	1	1	1	2	1	0

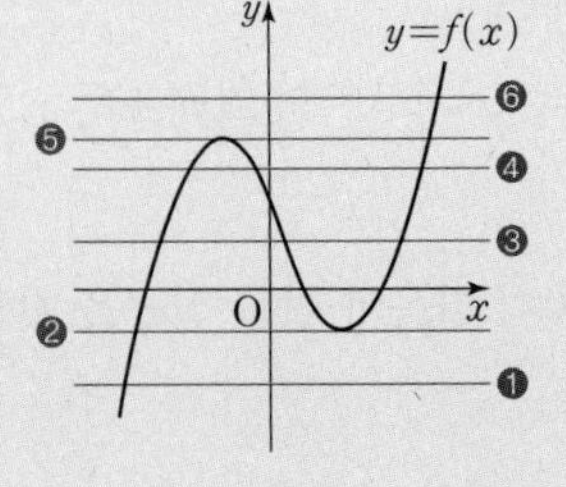

PLUS

❷, ❺의 경우와 같이 함수 $y=f(x)$의 그래프와 직선 $y=k$가 접하면 접점의 x좌표는 방정식 $f(x)=k$의 중근이다.

예제 다음을 만족시키는 실수 k의 값의 범위를 구하시오.

(1) 방정식 $x^3-3x^2-9x+k=0$이 서로 다른 두 개의 양의 실근과 한 개의 음의 실근을 갖는다.

(2) 방정식 $x^3-3x+k=0$이 한 개의 양의 실근과 두 개의 허근을 갖는다.

해법 코드

(1) $k=-x^3+3x^2+9x$로 놓고 $y=-x^3+3x^2+9x$의 그래프를 그린다.

(2) $k=-x^3+3x$로 놓고 $y=-x^3+3x$의 그래프를 그린다.

셀파 방정식 $f(x)=k$에서 $y=f(x)$의 그래프와 직선 $y=k$를 그린다.

풀이 (1) $k=-x^3+3x^2+9x$에서 $f(x)=-x^3+3x^2+9x$라 하면

$f'(x)=-3x^2+6x+9=-3(x+1)(x-3)=0$에서 $x=-1$ 또는 $x=3$

함수 $f(x)$의 증가와 감소를 표로 나타내면 다음과 같다.

x	$\cdots$	-1	$\cdots$	3	$\cdots$
$f'(x)$	$-$	0	$+$	0	$-$
$f(x)$	↘	-5	↗	27	↘

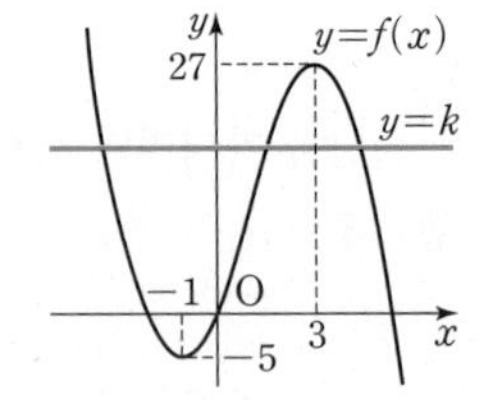

㉠주어진 조건이 성립하려면 오른쪽 그림에서 $\mathbf{0<k<27}$

㉠ 함수 $y=f(x)$의 그래프와 직선 $y=k$의 교점이 $x>0$에서 두 개이고, $x<0$에서 한 개인 경우이다.

(2) $k=-x^3+3x$에서 $f(x)=-x^3+3x$라 하면

$f'(x)=-3x^2+3=-3(x+1)(x-1)=0$에서 $x=-1$ 또는 $x=1$

함수 $f(x)$의 증가와 감소를 표로 나타내면 다음과 같다.

x	$\cdots$	-1	$\cdots$	1	$\cdots$
$f'(x)$	$-$	0	$+$	0	$-$
$f(x)$	↘	-2	↗	2	↘

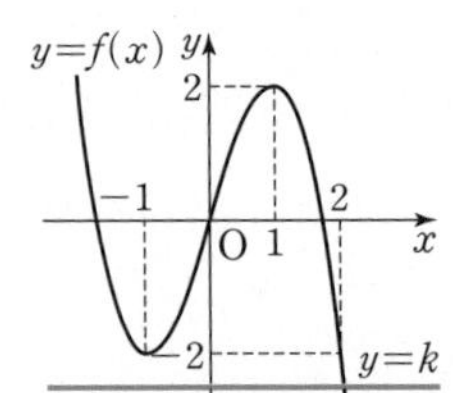

㉡주어진 조건이 성립하려면 오른쪽 그림에서 $\mathbf{k<-2}$

㉡ 함수 $y=f(x)$의 그래프와 직선 $y=k$의 교점이 $x>0$에서 한 개인 경우이다.

확인 문제

정답과 해설 | 64쪽

03-1 (상 중 하) 방정식 $2x^3-3x^2-12x+k=0$이 한 개의 양의 실근과 두 개의 음의 실근을 갖도록 하는 실수 k의 값의 범위를 구하시오.

MY 셀파

03-1 $k=-2x^3+3x^2+12x$로 놓는다.

극값의 부호를 이용한 삼차방정식의 근의 판별

정답과 해설 | 64쪽

삼차함수 $f(x)=ax^3+bx^2+cx+d$ ($a>0$, a, b, c, d는 상수)가 극값을 가질 때,
삼차방정식 $ax^3+bx^2+cx+d=0$의 근을 판별하는 방법은 다음과 같다.

근의 종류	❶ 서로 다른 세 실근	❷ 서로 다른 두 실근 (중근과 다른 한 실근)	❸ 한 실근과 두 허근
그래프 개형과 특징	극대, 극소, x 극댓값과 극솟값의 부호가 다르다.	극대, 극소, 극대, 극소, x 극댓값 또는 극솟값 중 하나가 0이다.	극대, 극소, 극대, 극소, x 극댓값과 극솟값의 부호가 같다.
판별법	(극댓값)×(극솟값)<0	(극댓값)×(극솟값)$=0$	(극댓값)×(극솟값)>0

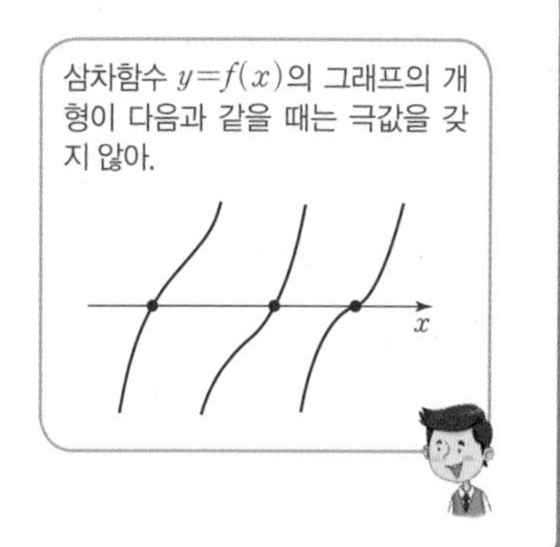

01 방정식 $x^3-3x+k=0$의 근이 다음과 같을 때, 실수 k의 값의 범위를 구하시오.

(1) 서로 다른 세 실근

(2) 한 실근과 두 허근

02 방정식 $4x^3-3x+1-k=0$의 근이 다음과 같을 때, 실수 k의 값 또는 k의 값의 범위를 구하시오.

(1) 서로 다른 두 실근

(2) 한 실근과 두 허근

03 방정식 $x^3+3x^2-9x+k=0$의 근이 다음과 같을 때, 실수 k의 값 또는 k의 값의 범위를 구하시오.

(1) 서로 다른 세 실근

(2) 서로 다른 두 실근

04 방정식 $2x^3-3x^2-12x+k=0$의 근이 다음과 같을 때, 실수 k의 값 또는 k의 값의 범위를 구하시오.

(1) 서로 다른 두 실근

(2) 한 실근과 두 허근

해법 04 삼차방정식의 근의 판별

삼차함수 $f(x)=ax^3+bx^2+cx+d$에서 이차방정식 $f'(x)=0$의 서로 다른 두 실근을 $\alpha, \beta\ (\alpha<\beta)$라 할 때, 삼차방정식 $ax^3+bx^2+cx+d=0$이

❶ 서로 다른 세 실근을 가질 조건 ⇨ $f(\alpha)f(\beta)<0$

❷ 서로 다른 두 실근을 가질 조건 ⇨ $f(\alpha)f(\beta)=0$

❸ 한 실근과 두 허근을 가질 조건 ⇨ $f(\alpha)f(\beta)>0$

PLUS

삼차방정식 $f(x)=g(x)$의 실근의 개수 문제는 $h(x)=f(x)-g(x)$로 놓고, 함수 $y=h(x)$의 극값을 구한 다음 삼차방정식 $h(x)=0$의 실근의 조건을 이용한다.

예제 두 곡선 $y=x^3+x^2-x-1$과 $y=x^2+2x+a$에 대하여 다음을 만족시키는 실수 a의 값 또는 a의 값의 범위를 구하시오.

(1) 두 곡선이 서로 다른 세 점에서 만난다.

(2) 두 곡선이 한 점에서 만나고 다른 한 점에서 접한다.

(3) 두 곡선이 오직 한 점에서 만난다.

해법 코드

방정식 $x^3-3x-a-1=0$이

(1) 서로 다른 세 실근을 갖는다.

(2) 서로 다른 두 실근을 갖는다.

(3) 한 실근과 두 허근을 갖는다.

셀파 $y=f(x)$와 $y=g(x)$의 교점의 개수 ⇨ 방정식 $f(x)-g(x)=0$의 실근의 개수

풀이 $f(x)=(x^3+x^2-x-1)-(x^2+2x+a)=x^3-3x-a-1$이라 하면

$f'(x)=3x^2-3=3(x+1)(x-1)$이므로 ㉠ $f'(x)=0$에서 $x=-1$ 또는 $x=1$

(1) 두 곡선이 서로 다른 세 점에서 만나려면 방정식 $x^3-3x-a-1=0$이 서로 다른 세 실근을 가져야 한다. 즉, $f(-1)f(1)<0$에서

$(1-a)(-3-a)<0,\ (a-1)(a+3)<0 \qquad \therefore\ \boldsymbol{-3<a<1}$

(2) 두 곡선이 한 점에서 만나고 다른 한 점에서 접하려면 방정식 $x^3-3x-a-1=0$이 서로 다른 두 실근을 가져야 한다. 즉, $f(-1)f(1)=0$에서

$(1-a)(-3-a)=0,\ (a-1)(a+3)=0 \qquad \therefore\ \boldsymbol{a=-3}$ **또는** $\boldsymbol{a=1}$

(3) 두 곡선이 한 점에서 만나려면 방정식 $x^3-3x-a-1=0$이 한 실근과 두 허근을 가져야 한다. 즉, $f(-1)f(1)>0$에서

$(1-a)(-3-a)>0,\ (a-1)(a+3)>0 \qquad \therefore\ \boldsymbol{a<-3}$ **또는** $\boldsymbol{a>1}$

㉠

x	$\cdots$	-1	$\cdots$	1	$\cdots$
$f'(x)$	$+$	0	$-$	0	$+$
$f(x)$	↗	극대	↘	극소	↗

참고

삼차방정식이 한 실근과 두 허근을 가지면 (극댓값)×(극솟값)>0을 이용한다.

그런데 한 실근만 갖는 경우에는 극값을 갖지 않는 경우도 포함하고 있다는 점을 주의한다.

확인 문제

정답과 해설 | 65쪽

04-1 (상중하) 곡선 $y=2x^3-3x^2+x$와 직선 $y=x+k$가 서로 다른 세 점에서 만날 때, 실수 k의 값의 범위를 구하시오.

04-2 (상중하) 두 곡선 $y=x^3+8x$와 $y=6x^2-x+k$가 오직 한 점에서 만날 때, 자연수 k의 최솟값을 구하시오.

MY 셀파

04-1

$f(x)=(2x^3-3x^2+x)-(x+k)$
$=2x^3-3x^2-k$

04-2

$f(x)=(x^3+8x)-(6x^2-x+k)$
$=x^3-6x^2+9x-k$

셀파 특강 01 주어진 구간에서 부등식이 성립하는 경우

$x>0$일 때, 부등식 $\frac{1}{3}x^3 \geq x^2-k$가 항상 성립하도록 하는 실수 k의 값의 범위를 구하시오.

Q $\frac{1}{3}x^3-x^2+k\geq 0$에서 $f(x)=\frac{1}{3}x^3-x^2+k$의 최솟값이 0보다 크거나 같도록 하면 되는 건가요?

A 그렇지. $f'(x)=x^2-2x=x(x-2)=0$에서 $x=2$ ($\because x>0$)

$x>0$일 때, 함수 $f(x)$의 증가와 감소를 표로 나타내고 그래프를 그리면 다음과 같아.

x	(0)	$\cdots$	2	$\cdots$
$f'(x)$		$-$	0	$+$
$f(x)$	k	↘	$k-\frac{4}{3}$	↗

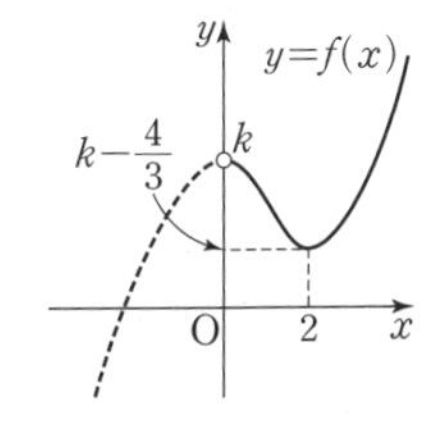

즉, $x>0$일 때, $f(x)$는 ㉠ $x=2$에서 극소이면서 최소야.

이때 $f(x)\geq 0$이려면 ㉡ 최솟값 $f(2)=k-\frac{4}{3}\geq 0$ $\quad\therefore$ $\boldsymbol{k\geq\frac{4}{3}}$

▶ 주어진 구간에서 부등식이 성립할 조건

❶ $x>a$일 때, $f(x)>0$이 성립
⇨ $x>a$에서 ($f(x)$의 최솟값)>0

❷ $x<a$일 때, $f(x)<0$이 성립
⇨ $x<a$에서 ($f(x)$의 최댓값)<0

㉠ $x>0$일 때 $f(x)$의 극값이 하나만 존재하고, 그 값이 극소이므로 극솟값 $f(2)$가 최솟값이다.

㉡ $x>0$에서 $f(x)$의 최솟값 $f(2)$가 $f(2)=k-\frac{4}{3}\geq 0$일 때 $x>0$에서 항상 $f(x)\geq 0$, 즉 $\frac{1}{3}x^3-x^2+k\geq 0$이다.

$x<-2$일 때, 부등식 $\frac{1}{3}x^3<x^2-k$가 항상 성립하도록 하는 실수 k의 값의 범위를 구하시오.

Q 이 경우는 주어진 구간 $x<-2$에 함수 $f(x)$의 극값이 속하지 않아요.

A 그럴 때는 다른 방법이 있지. 주어진 구간에서 함수가 증가하는지, 감소하는지를 확인하면 돼.

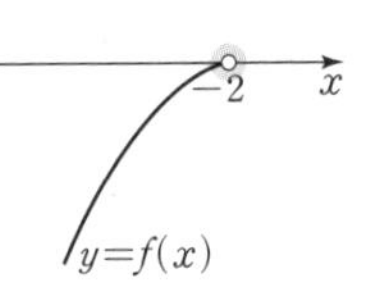

$x<-2$에서 $f'(x)>0$이므로 $f(x)$는 $x<-2$에서 증가하지. 이때 ㉢ $x<-2$일 때, $f(x)<0$이려면 $f(-2)\leq 0$이어야 해.

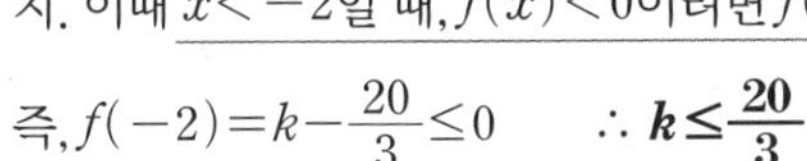

즉, $f(-2)=k-\frac{20}{3}\leq 0$ $\quad\therefore$ $\boldsymbol{k\leq\frac{20}{3}}$

▶ 극값이 하나만 존재할 때, 이 극값이

❶ 극대이면 극댓값이 최댓값이다.

❷ 극소이면 극솟값이 최솟값이다.

㉢ 다음 그림은 왼쪽 그림에서 $x=-2$ 부분을 확대한 것이다.

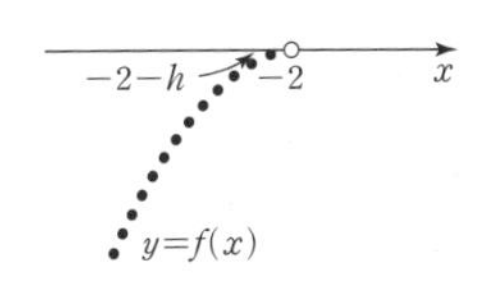

이때 $f(-2)=0$이어도 $x<-2$에서 함수 $f(x)$가 증가하므로 충분히 작은 양수 h에 대하여 $f(-2-h)<f(-2)$이다. 즉, $f(-2-h)<0$이다.

확인 체크 01 정답과 해설 | 66쪽

$x>0$일 때, 부등식 $x^3-6x^2+9x+k>0$이 항상 성립하도록 하는 실수 k의 값의 범위를 구하시오.

해법 05 모든 실수에서 사차부등식이 성립하는 경우

❶ 모든 실수 x에 대하여 사차부등식 $f(x)>0$

⇨ 함수 $f(x)$의 최솟값이 0보다 크다.

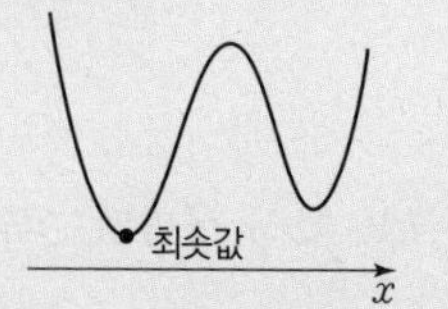

❷ 모든 실수 x에 대하여 사차부등식 $f(x)<0$

⇨ 함수 $f(x)$의 최댓값이 0보다 작다.

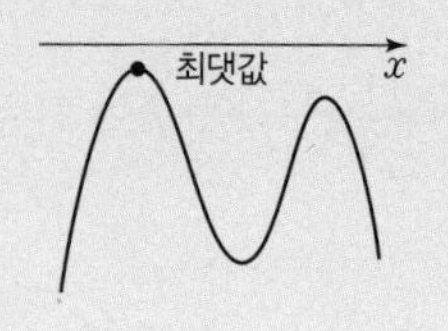

참고 사차함수 $f(x)=ax^4+bx^3+cx^2+dx+e$에 대하여
$a>0$이면 최솟값(극솟값), $a<0$이면 최댓값(극댓값)을 반드시 갖는다.

PLUS

$f(x)=ax^4+bx^3+cx^2+dx+e$ 일 때

(1) $a>0$이면 함수 $y=f(x)$의 극솟값 중 작은 값 ⇨ 최솟값

(2) $a<0$이면 함수 $y=f(x)$의 극댓값 중 큰 값 ⇨ 최댓값

예제 모든 실수 x에 대하여 $x^4-4x+k>0$이 성립하도록 하는 실수 k의 값의 범위를 구하시오.

해법 코드
$f(x)=x^4-4x+k$의 최솟값을 구한다.

셀파 모든 실수 x에 대하여 $f(x)>0$ ⇨ $f(x)$의 최솟값이 양수
모든 실수 x에 대하여 $f(x)<0$ ⇨ $f(x)$의 최댓값이 음수

풀이 $f(x)=x^4-4x+k$라 하면 $f'(x)=4x^3-4=4(x-1)(x^2+x+1)$

그런데 $x^2+x+1=\left(x+\frac{1}{2}\right)^2+\frac{3}{4}>0$이므로

$f'(x)=0$에서 $x=1$

함수 $f(x)$의 증가와 감소를 표로 나타내면 오른쪽과 같다.

x	$\cdots$	1	$\cdots$
$f'(x)$	$-$	0	$+$
$f(x)$	↘	극소	↗

따라서 함수 $f(x)$는 $x=1$에서 극소이면서 최소이므로 ㉠모든 실수 x에 대하여 $f(x)>0$이면

$f(1)=-3+k>0$ $\therefore$ $\boldsymbol{k>3}$

㉠

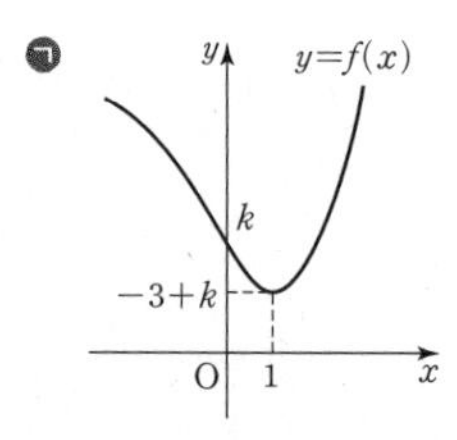

확인 문제

정답과 해설 | **66**쪽

05-1 모든 실수 x에 대하여 부등식 $4x^3-3x^4\le k$가 성립하도록 하는 실수 k의 최솟값을 구하시오.

상 중 하

05-2 모든 실수 x에 대하여 부등식 $x^4+2ax^2-4(a+1)x+a^2>0$이 성립하도록 하는 양수 a의 값의 범위를 구하시오.

상 중 하

MY 셀파

05-1
$f(x)=3x^4-4x^3+k$의 최솟값을 구한다.

05-2
$f(x)=x^4+2ax^2-4(a+1)x+a^2$의 최솟값을 구한다.

해법 06 수직선 위를 움직이는 점의 운동

수직선 위를 움직이는 점 P의 시각 t에서의 위치 x가 $x=f(t)$일 때

❶ 속도 $v=\dfrac{dx}{dt}=f'(t)$

❷ 가속도 $a=\dfrac{dv}{dt}$

❸ 점 P의 운동 방향이 바뀌는 순간 점 P의 속도는 0이다.

PLUS
실생활에서 $v=0$은 정지 상태만 뜻하지만 시각 t에 대한 위치 함수가 주어진 경우 $v=0$인 것은 운동 방향이 바뀌는 것도 포함한다. 이때 수직선에서 운동 방향을 바꾸려면 반드시 정지해야 한다.

원점을 출발하여 수직선 위를 움직이는 점 P의 시각 t에서의 위치 x가 $x=t^3-9t^2+24t$일 때, 다음 물음에 답하시오.

(1) 점 P의 속도가 처음으로 45가 되는 순간의 시각을 구하시오.

(2) 점 P의 가속도가 6이 되는 순간의 점 P의 위치를 구하시오.

(3) 점 P가 처음으로 운동 방향을 바꾸는 시각을 구하시오.

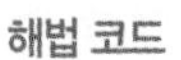

셀파 시각 t에서의 위치가 $x=f(t)$일 때, 시각 t에서 운동 방향이 바뀐다. ⇨ $f'(t)=0$

풀이 점 P의 시각 t에서의 속도를 v, 가속도를 a라 하면

$v=\dfrac{dx}{dt}=3t^2-18t+24$, $a=\dfrac{dv}{dt}=6t-18$

(1) 점 P의 속도가 45이므로

$3t^2-18t+24=45$, $t^2-6t-7=0$, $(t+1)(t-7)=0$

$\therefore$ ❶ $t=7$ ($\because t>0$)

따라서 속도가 처음으로 45가 되는 순간의 시각은 **7**

(2) 점 P의 가속도가 6이므로 $6t-18=6$에서 $t=4$

따라서 $t=4$일 때, 점 P의 위치는 $4^3-9\times4^2+24\times4=\mathbf{16}$

(3) 점 P가 운동 방향을 바꿀 때의 속도는 0이므로

$3t^2-18t+24=0$, $t^2-6t+8=0$, $(t-2)(t-4)=0$

$\therefore t=2$ 또는 $t=4$

따라서 처음으로 운동 방향을 바꾸는 시각은 **2**

❶ 점 P의 시각 t에서의 위치 x가 t에 대한 함수로 주어질 때, x는 $t>0$에서만 생각한다.

참고
수직선 위에서 점 P의 운동을 속도 v에 대하여 다음 세 가지 경우로 구분할 수 있다.

❶ 양의 방향으로 움직이는 경우 ⇨ $v>0$

❷ 음의 방향으로 움직이는 경우 ⇨ $v<0$

❸ 운동 방향이 바뀌는 경우 ⇨ $v=0$

확인 문제

정답과 해설 | 66쪽

06-1 (상중하) 수직선 위를 움직이는 점 P의 시각 t에서의 위치 x가 $x=t^3+pt^2+qt-6$이다. $t=1$에서 점 P가 운동 방향을 바꾸며 그때의 점 P의 위치는 1일 때, 상수 p, q의 값을 구하시오.

MY 셀파

06-1
$x=f(t)=t^3+pt^2+qt-6$으로 놓을 때, $v=f'(t)=3t^2+2pt+q$에서 $f'(1)=0$, $f(1)=1$

해법 07 수직으로 던져 올린 물체의 운동

수직으로 운동하는 물체의 시각 t에서의 위치 x가 $x=f(t)$로 주어질 때

❶ 최고 높이에 도달한 시각

최고 높이에서 운동 방향이 바뀐다. 즉, (속도)$=0$

최고 높이에 도달한 시각이 t_1일 때, 최고 지점의 높이는 $f(t_1)$이다.

❷ 지면에 떨어지는 순간의 시각

지면에 떨어지는 순간의 시각이 t_2일 때, (높이)$=0$이므로 $f(t_2)=0$

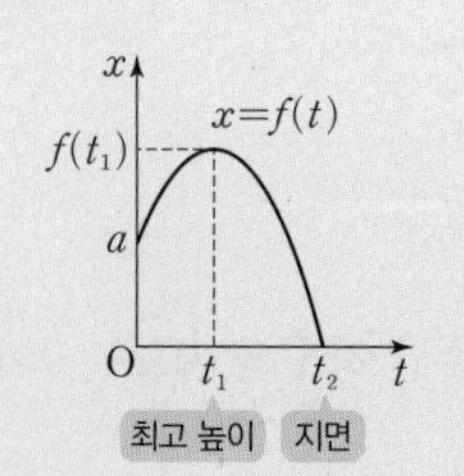

PLUS ⊕

다음 순간에 속도는 0이다.
- 최고 높이에 도달할 때
- 운동 방향을 바꿀 때
- 운동을 정지할 때

예제 지면에서 30 m/s의 속도로 지면과 수직하게 위로 던져 올린 공의 t초 후의 높이 x m가 $x=30t-5t^2$일 때, 다음을 구하시오.

(1) 공이 최고 높이에 도달하는 시각과 그때의 높이

(2) 공이 지면에 떨어지는 순간의 속도

해법 코드

(1) $\frac{dx}{dt}=0$을 푼다.

(2) $x=0$인 시각을 구한다.

셀파 최고 높이 ⇨ (속도)$=0$, 지면에 떨어질 때 ⇨ (높이)$=0$

풀이 t초 후의 공의 속도를 v m/s라 하면 $v=\frac{dx}{dt}=30-10t$

(1) 공이 최고 높이에 도달할 때의 속도는 0 m/s이므로

$30-10t=0 \qquad \therefore t=3$

따라서 공이 최고 높이에 도달하는 시각은 **3초**이고, 그때의 높이는

$30\times3-5\times3^2=$ **45 (m)**

(2) 공이 지면에 떨어지는 순간의 높이는 0 m이므로

$30t-5t^2=0$에서 $-5t(t-6)=0 \qquad \therefore t=6\ (\because t>0)$

따라서 공이 지면에 떨어지는 순간의 속도는 $30-10\times6=$ ㉠ **−30 (m/s)**

㉠ 속도 부호는 물체가 위로 움직이는 경우를 양, 아래로 움직이는 경우를 음으로 생각한다.
따라서 $v=-30$ m/s는 물체가 아래로 매초 30 m 움직이는 것을 나타낸다.

확인 문제

정답과 해설 | 66쪽

07-1 (상·중·하) 타자가 친 야구공이 수직으로 머리 위로 날아간 지 t초 후의 야구공의 높이 x m가 $x=1+20t-5t^2$일 때, 다음을 구하시오.

(1) 야구공을 치고 3초 후의 야구공의 속도와 가속도

(2) 야구공이 최고 높이에 도달하는 시각

(3) 야구공이 16 m 높이에 있을 때의 속도

MY 셀파

07-1
시각 t에서 속도 v와 가속도 a는

$v=\frac{dx}{dt},\ a=\frac{dv}{dt}$

해법 08 속도, 가속도와 그래프

수직선 위를 움직이는 점 P의 시각 t에서의 속도 $v=f'(t)$의 그래프가 주어질 때

❶ $f'(t)>0$인 시각 t에서 점 P는 양의 방향으로 움직이고,
$f'(t)<0$인 시각 t에서 점 P는 음의 방향으로 움직인다.

❷ $f'(t)$의 부호가 바뀌는 시각 t에서 점 P는 운동 방향을 바꾼다.

❸ $t=a$인 점에서의 접선의 기울기는 $t=a$인 점에서의 가속도이다.
⇨ 점 P가 극점에 있을 때, 점 P의 가속도는 0이다.

PLUS ⊕

수직선 위를 움직이는 점 P의 시각 t에서의 위치 $x=f(t)$의 그래프가 주어질 때,

❶ $f(t)=0$을 만족시키는 시각 t에서 점 P는 원점을 지난다.

❷ $t=a$인 점에서의 접선의 기울기는 $t=a$인 점에서의 속도이다.

예제 수직선 위를 움직이는 점 P의 시각 t에서의 속도 $v=f'(t)$의 그래프가 오른쪽 그림과 같을 때, | 보기 |의 설명 중 옳은 것을 모두 고르시오.

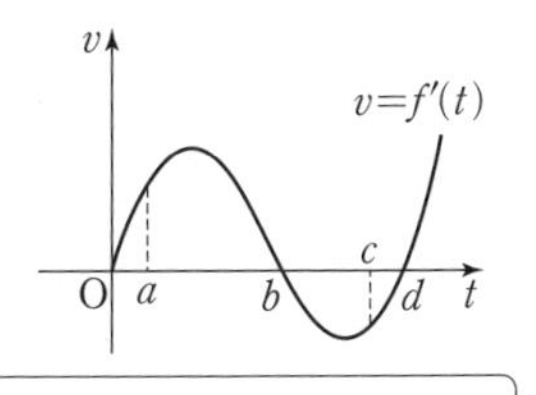

| 보기 |

ㄱ. $t=a$에서 점 P의 운동 방향과 $t=c$에서 점 P의 운동 방향은 반대이다.

ㄴ. $t=b$에서 점 P의 운동 방향이 바뀐다.

ㄷ. $t=c$에서 점 P의 가속도는 음이다.

해법 코드

$f'(t)>0, f'(t)=0, f'(t)<0$일 때로 나누어 점 P의 운동 상태를 파악한다.

셀파 $v=f'(t)=0$인 시각 t에서 운동 방향이 바뀐다.

풀이 ㄱ. $f'(a)>0$이므로 점 P는 $t=a$에서 양의 방향으로 움직이고,
$f'(c)<0$이므로 점 P는 $t=c$에서 음의 방향으로 움직이다. (참)

ㄴ. ❶ $f'(b)=0$이므로 $t=b$에서 점 P의 운동 방향이 바뀐다. (참)

ㄷ. $t=c$에서의 ❷ 접선의 기울기가 양이므로 $t=c$에서 점 P의 가속도는 양이다. (거짓)

따라서 보기의 설명 중 옳은 것은 ㄱ, ㄴ이다.

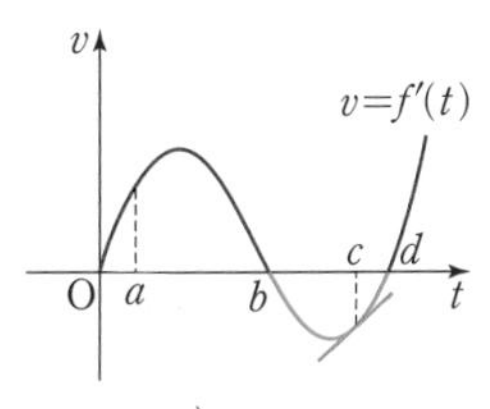

❶ $t=b$의 좌우에서 속도의 부호가 바뀐다.

❷ 속도 함수의 그래프에서 접선의 기울기는 가속도이다.

참고 ❶ $f'(t)>0$일 때, 점 P는 양의 방향으로 움직인다. ⇨ $0<t<b, t>d$

❷ $f'(t)<0$일 때, 점 P는 음의 방향으로 움직이다. ⇨ $b<t<d$

❸ $f'(t)$의 부호가 바뀔 때, 점 P는 운동 방향을 바꾼다. ⇨ $t=b, t=d$

확인 문제

정답과 해설 | 67쪽

MY 셀파

08-1 (상중하) 수직선 위를 움직이는 점 P의 시각 t에서의 속도 $v=f'(t)$의 그래프가 오른쪽 그림과 같을 때, 점 P가 운동 방향을 바꾼 횟수를 구하시오.

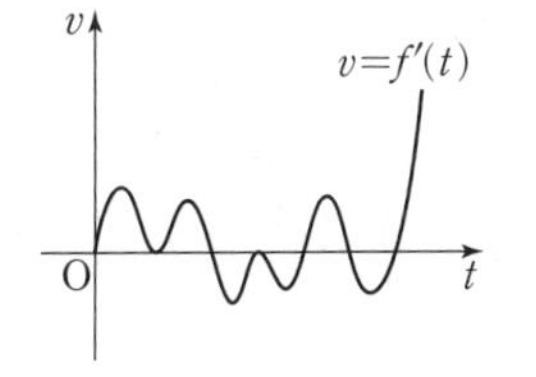

08-1
$f'(t)$의 부호가 바뀌는 시각 t에서 점 P는 운동 방향을 바꾼다.

해법 09 길이의 변화율

길이가 변하는 대상의 한쪽 끝을 고정시키면 나머지 한쪽 끝(점 P)의 위치의 변화량(Δl)과 길이의 변화량(Δl)은 같게 된다.
따라서 길이 l이 $l=f(t)$일 때, 시각 t에서 길이의 변화율은
$\dfrac{dl}{dt}=f'(t)$로 구할 수 있다.

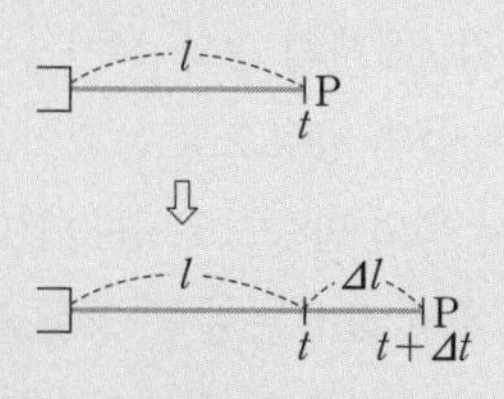

PLUS 왼쪽 그림은 시각 t에서 길이가 l인 도형이 시간이 Δt만큼 지난 후 길이가 Δl만큼 변한 것을 나타낸다.

예제 오른쪽 그림과 같이 키가 1.6 m인 사람이 높이가 4 m인 가로등 바로 아래에서 출발하여 일직선으로 1.5 m/s의 속도로 걸어갈 때, 다음을 구하시오.

(1) 그림자 끝이 움직이는 속도

(2) 그림자의 길이의 변화율

해법 코드
(1) 그림자 끝의 위치를 $f(t)$로 나타내어 $f'(t)$를 구한다.
(2) 그림자의 길이 l을 $f(t)$로 나타내어 $f'(t)$를 구한다.

셀파 시각 t에서 길이 l의 변화율 ⇨ $\lim\limits_{\Delta t \to 0}\dfrac{\Delta l}{\Delta t}$ ⇨ $\dfrac{dl}{dt}$

풀이 (1) ㉠오른쪽 그림과 같이 가로등 A의 바로 아래 점을 B라 하고, t초 후에 사람이 점 B에서 x m 떨어진 지점 E에 도달했을 때, 그림자 끝 C와 점 B 사이의 거리를 y m라 하면

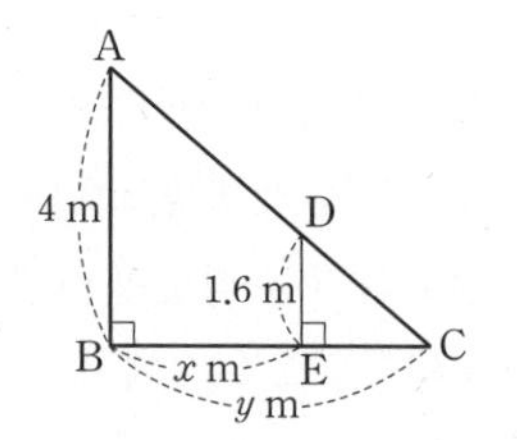

㉡$4:1.6=y:y-x$, $1.6y=4(y-x)$ $\qquad \therefore y=\dfrac{5}{3}x$

이때 $x=1.5t$이므로 t초 후의 그림자 끝의 위치 y는

$y=\dfrac{5}{3}\times 1.5t=2.5t$

따라서 그림자 끝이 움직이는 속도는 $\dfrac{dy}{dt}=$**2.5 (m/s)**

(2) t초 후의 그림자의 길이를 l이라 하면 $l=y-x=2.5t-1.5t=t$

따라서 그림자의 길이의 변화율은 $\dfrac{dl}{dt}=$**1 (m/s)**

㉠ A : 가로등
B : 가로등 밑(출발 지점)
C : 그림자 끝
D : t초 후의 머리 끝
E : t초 후에 도달하는 지점

㉡ $\triangle ABC \backsim \triangle DEC$이므로
$\overline{AB}:\overline{DE}=\overline{BC}:\overline{EC}$
이때 $\overline{BE}=x$, $\overline{BC}=y$이므로
$\overline{EC}=\overline{BC}-\overline{BE}=y-x$

확인 문제

정답과 해설 | 67쪽

09-1 (상중하) 직선 도로를 달리는 자동차가 제동이 걸린 후 t초 동안 움직인 거리 x m는 $x=10t-2.5t^2$이라 한다. 제동이 걸린 후 이 자동차가 정지할 때까지 움직인 거리를 구하시오.

MY 셀파
09-1
자동차가 움직인 거리의 변화율은 자동차의 속도와 같다.

해법 10 넓이, 부피의 변화율

❶ 넓이 $S=g(t)$의 변화율 ⇨ $\frac{dS}{dt}=g'(t)$

❷ 부피 $V=h(t)$의 변화율 ⇨ $\frac{dV}{dt}=h'(t)$

PLUS
원뿔이 주어지면 삼각형의 닮음을 이용해 밑면의 반지름의 길이와 높이를 시각 t로 나타낸다.

예제 오른쪽 그림과 같이 윗면의 반지름의 길이가 6 cm, 높이가 8 cm인 직원뿔 모양의 그릇에 수면의 높이가 1 cm/s의 속도로 높아지도록 물을 부을 때, 수면의 높이가 5 cm인 순간의 물의 부피의 변화율을 구하시오.

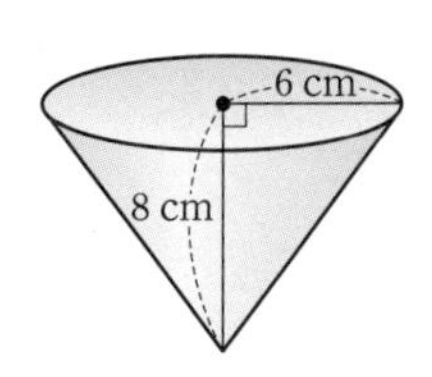

해법 코드
t초 후의 물의 부피는 밑면의 반지름의 길이가 r, 높이가 h인 원뿔의 부피로 생각하면 된다. 이때 삼각형의 닮음을 이용해 r와 h를 시각 t에 대하여 나타낸다.

셀파 (원뿔의 부피)$=\frac{1}{3}\pi r^2h$에서 높이 h와 반지름의 길이 r를 t에 대한 식으로 나타낸다.

풀이 오른쪽 그림과 같이 물을 넣기 시작한 지 t초 후의 물의 높이를 h cm, ㉠윗면의 반지름의 길이를 r cm라 하면

$6:r=8:h$, $8r=6h$ $\therefore r=\frac{3}{4}h$

이때 t초 후의 물의 부피 V cm³는

$V=\frac{1}{3}\pi r^2h=$㉡$\frac{1}{3}\pi\left(\frac{3}{4}t\right)^2t=\frac{3}{16}\pi t^3$

$\therefore \frac{dV}{dt}=\frac{3}{16}\times 3\pi t^2=\frac{9}{16}\pi t^2$

따라서 수면의 높이가 5 cm인 순간의 물의 부피의 변화율은

$\frac{9}{16}\pi\times 5^2=\mathbf{\frac{225}{16}\pi}$ **(cm³/s)**

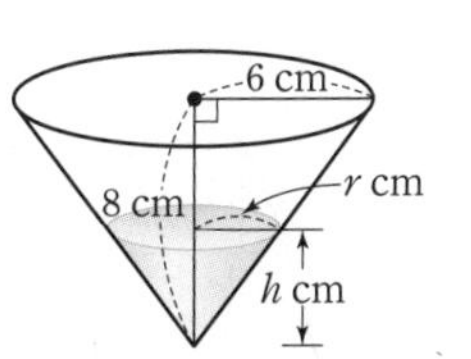

㉠
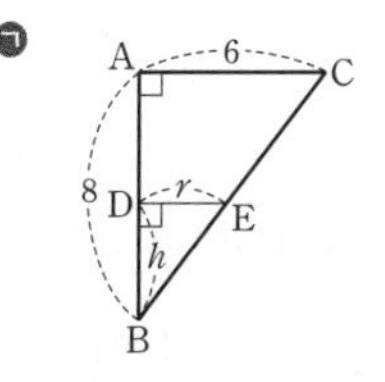

$\triangle ABC \backsim \triangle DBE$이므로
$\overline{AC}:\overline{DE}=\overline{AB}:\overline{DB}$
$6:r=8:h$

㉡ 수면의 높이가 매초 1 cm씩 높아지므로 $h=t$에서
$r=\frac{3}{4}h=\frac{3}{4}t$

확인 문제

정답과 해설 | 67쪽

10-1 한 변의 길이가 5 cm인 정사각형의 각 변의 길이가 매초 0.5 cm씩 증가할 때, 정사각형의 한 변의 길이가 7 cm가 되는 순간의 정사각형의 넓이의 변화율을 구하시오.
상중하

10-2 오른쪽 그림과 같이 평평한 바닥에 모래를 흘려 보내면 원뿔 모양의 모래 더미가 생긴다. 매초 밑면의 반지름의 길이가 2 cm, 높이가 3 cm씩 증가하도록 모래를 흘려 보낼 때, 5초 후 모래 더미의 부피의 증가 속도를 구하시오.
상중하

MY 셀파

10-1
t초 후의 정사각형의 한 변의 길이는 $(5+0.5t)$cm

10-2
t초 후 원뿔 모양의 모래 더미의
밑면의 반지름의 길이 ⇨ $2t$ cm
원뿔의 높이 ⇨ $3t$ cm

연습 문제 EXERCISE

방정식의 실근의 개수

01 상수 a, b, c에 대하여 사차함수 $f(x)$의 도함수가 $f'(x)=(x-a)(x-b)(x-c)$이다. $a<b<c$이고 $f(b)<0$일 때, 사차방정식 $f(x)=0$의 서로 다른 실근의 개수를 구하시오.

방정식 $f(x)=g(x)$의 실근의 개수

02 함수 $f(x)$의 도함수 $y=f'(x)$의 그래프가 오른쪽 그림과 같다. $f(-1)=-3$, $f(4)=3$일 때, x에 대한 방정식 $f(x)-k=0$이 서로 다른 세 실근을 갖도록 하는 실수 k의 값의 범위를 구하시오.

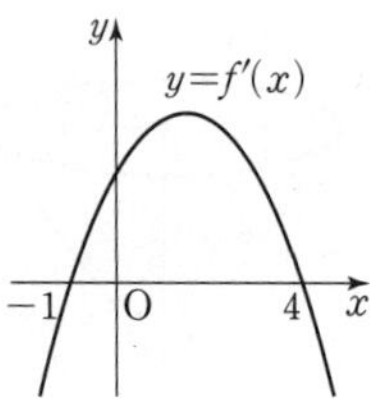

방정식의 실근의 부호

03 미분가능한 함수 $f(x)$의 증가와 감소를 표로 나타내면 다음과 같다.

x	$\cdots$	0	$\cdots$	2	$\cdots$
$f'(x)$	+	0	−	0	+
$f(x)$	↗	8	↘	1	↗

$f(0)=8$, $f(2)=1$일 때, 방정식 $f(x)-n=0$이 서로 다른 두 개의 양의 실근과 한 개의 음의 실근을 갖도록 하는 정수 n의 개수를 구하시오.

삼차방정식의 근의 판별

04 삼차함수 $f(x)$의 극솟값과 극댓값이 각각 1, 5일 때, 방정식 $f(x)-2=k$가 서로 다른 두 실근을 갖도록 하는 상수 k의 값을 모두 구하시오.

삼차방정식의 근의 판별

05 두 곡선 $y=x^3-3x^2+x$와 $y=3x^2-8x+k$가 오직 한 점에서 만나기 위한 실수 k의 값의 범위가 $k<\alpha$ 또는 $k>\beta$일 때, $\alpha+\beta$의 값을 구하시오.

주어진 구간에서 부등식이 성립하는 경우

06 두 함수 $f(x)=5x^3-10x^2+k$, $g(x)=5x^2+2$에 대하여 $0<x<3$일 때, 부등식 $f(x)\ge g(x)$가 항상 성립하도록 하는 실수 k의 최솟값을 구하시오.

주어진 구간에서 부등식이 성립하는 경우 서술형

07 $0\le x\le 4$일 때, 부등식 $1\le x^3-3x^2+k\le 25$가 항상 성립하도록 하는 실수 k의 값의 범위를 구하시오.

모든 실수에서 사차부등식이 성립하는 경우

08 두 함수 $f(x)=x^4+6x^2+k$, $g(x)=4x^3+8x$에 대하여 $y=f(x)$의 그래프가 $y=g(x)$의 그래프보다 항상 위에 있을 때, 실수 k의 값의 범위를 구하시오.

모든 실수에서 부등식이 성립하는 경우

09 모든 실수 x에 대하여 $x^{50}-50x+m>0$이 성립할 때, 정수 m의 최솟값을 구하시오.

수직선 위를 움직이는 점의 이동

10 수직선 위를 움직이는 점 P의 시각 t $(t\geq 0)$에서의 위치 x가 $x=t^3-6t^2+5$이다. 점 P의 가속도가 0일 때, 점 P의 속도는?

① -12 ② -10 ③ -8
④ -6 ⑤ -4

수직선 위를 움직이는 점의 이동

11 수직선 위를 움직이는 두 점 P, Q의 시각 t에서의 위치가 각각

$$f(t)=\frac{1}{3}t^3+9t-10,\ g(t)=3t^2-17$$

이다. 두 점 P, Q의 속도가 같아지는 순간 두 점 P, Q 사이의 거리를 구하시오.

속도, 가속도와 그래프

12 수직선 위를 움직이는 점 P의 시각 t에서의 위치를 $x=f(t)$라 할 때, $f(t)$는 t에 대한 삼차식이고 함수 $x=f(t)$의 그래프는 오른쪽 그림과 같다. 이때 점 P의 가속도가 0이 되는 시각을 구하시오.

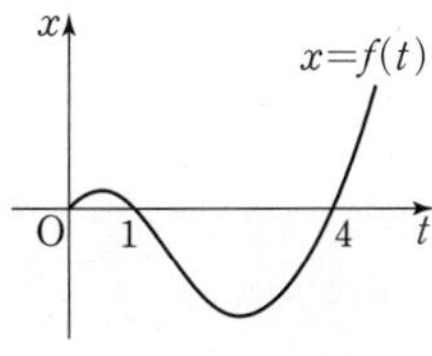

넓이, 부피의 변화율

13 호수 위에 돌을 던지면 동심원 모양의 파문이 생긴다. 가장 바깥쪽 원의 반지름의 길이가 0.5 m/s의 비율로 커질 때, 4초 후 가장 바깥쪽 원의 넓이의 변화율을 구하시오.

넓이, 부피의 변화율 창의·융합

14 1000 mL의 물이 들어 있는 주전자에서 일정한 속도로 물을 버릴 때, t초 후 주전자 안에 남아 있는 물의 부피 V mL는

$$V=1000\left(1-\frac{t}{50}\right)^2\ (0\leq t\leq 50)$$

이라 한다. 주전자의 물을 버리기 시작한 지 5초 후 주전자에 남아 있는 물의 부피의 변화율을 구하시오.

7 방정식과 부등식, 속도와 가속도

뉴턴의 사과나무를 보러왔습니다.
사과 나무가 엄청 높네.
진짜 뉴턴의 그 사과나무겠냐?
툭!
떨어지는 것 봤지? 진짜라구.
아야!
사과나무가 대충 10m니까, 사과가 떨어지는 데 소요된 시간을 알면 어느 높이에서 맞았는지 구할 수 있을 것 같은데?

부정적분

개념 1 부정적분의 뜻
개념 2 부정적분과 미분의 관계
개념 3 함수 $y=x^n$ (n은 양의 정수)과 함수 $y=1$의 부정적분
개념 4 함수의 실수배, 합, 차의 부정적분

8. 부정적분

개념 1 부정적분의 뜻

(1) 함수 $F(x)$의 도함수가 $f(x)$일 때, 즉 $F'(x)=f(x)$일 때, ❶ [ ] 를 함수 ㉠$f(x)$의 **부정적분**이라 하고, 기호로 ㉡$\int f(x)dx$와 같이 나타낸다.

(2) 함수 $f(x)$의 한 부정적분을 $F(x)$라 하면 함수 $f(x)$의 임의의 부정적분은

㉢$\int f(x)dx=F(x)+C$ (C는 상수)

와 같이 나타낼 수 있다. 이때 상수 ❷ [ ] 를 **적분상수**라 한다.

예 (1) $(3x)'=3$이므로 $\int 3\,dx=3x+C$

(2) $(2x^2)'=4x$이므로 $\int$ ❸ [ ] $dx=2x^2+C$

답 ❶ $F(x)$ ❷ C ❸ $4x$

해설 함수 $f(x)$의 한 부정적분을 $F(x)$, 또 다른 부정적분을 $G(x)$라 하면
$F'(x)=f(x)$, $G'(x)=f(x)$이므로 $\{G(x)-F(x)\}'=G'(x)-F'(x)=f(x)-f(x)=0$
이때 도함수가 0인 함수는 상수함수이므로 그 상수를 C라 하면
$G(x)-F(x)=C$, 즉 $G(x)=F(x)+C$
따라서 함수 $f(x)$의 한 부정적분을 $F(x)$라 하면 함수 $f(x)$의 부정적분은
$F(x)+C$ (C는 상수) 꼴로 나타낼 수 있다.

개념 플러스

㉠ $f(x)$의 부정적분을 구하는 것을 $f(x)$를 적분한다고 한다.

㉡ $\int f(x)dx$는 적분 $f(x)dx$ 또는 'integral' $f(x)dx$로 읽는다.

㉢ $\int f(x)dx=F(x)+C$에서 $f(x)$를 피적분함수라 한다.

$F(x)+C \underset{\text{적분}}{\overset{\text{미분}}{\rightleftarrows}} f(x)$

개념 2 부정적분과 미분의 관계

❶ ㉣$\int\left\{\frac{d}{dx}f(x)\right\}dx=f(x)+C$ (단, C는 적분상수)

❷ ㉤$\frac{d}{dx}\left\{\int f(x)dx\right\}=$ ❶ [ ]

주의 $\int\left\{\frac{d}{dx}f(x)\right\}dx\neq\frac{d}{dx}\left\{\int f(x)dx\right\}$

답 ❶ $f(x)$

보기 함수 $f(x)=x$에 대하여 다음을 구하시오.

(1) $\int\left\{\frac{d}{dx}f(x)\right\}dx$ (2) $\frac{d}{dx}\left\{\int f(x)dx\right\}$

연구 (1) $\int\left(\frac{d}{dx}x\right)dx=x+C$ (2) $\frac{d}{dx}\left(\int x\,dx\right)=x$

㉣ 먼저 미분을 하고 나중에 적분을 하면 ⇨ (원래의 식)$+C$

㉤ 먼저 적분을 하고 나중에 미분을 하면 ⇨ 원래의 식

1-1 | 부정적분의 뜻 |

다음 부정적분을 구하시오.

(1) $\int x^2\,dx$

(2) $\int (3x^2+2x)dx$

연구

(1) $\left(\frac{1}{3}x^3\right)'=$ ☐ 이므로

$\int x^2\,dx=\mathbf{\frac{1}{3}x^3+C}$

(2) $(x^3+x^2)'=3x^2+2x$이므로

$\int (3x^2+2x)dx=\mathbf{x^3+}$ ☐ $\mathbf{+C}$

1-2 | 따라풀기 |

다음 부정적분을 구하시오.

(1) $\int 2\,dx$

(2) $\int x\,dx$

(3) $\int (2x-4)dx$

(4) $\int (3x^2-4x+2)dx$

풀이

2-1 | 부정적분 |

다음 등식을 만족시키는 다항함수 $f(x)$를 구하시오.

(단, C는 적분상수)

(1) $\int f(x)dx=x^2-2x+C$

(2) $\int f(x)dx=\frac{1}{3}x^3+x^2-5x+C$

연구

(1) $f(x)=(x^2-2x+C)'=$ ☐ $\mathbf{-2}$

(2) $f(x)=\left(\frac{1}{3}x^3+x^2-5x+C\right)'=$ ☐ $\mathbf{+2x-5}$

2-2 | 따라풀기 |

다음 등식을 만족시키는 다항함수 $f(x)$를 구하시오.

(단, C는 적분상수)

(1) $\int f(x)dx=3x+C$

(2) $\int f(x)dx=-x^2+5x+C$

(3) $\int f(x)dx=2x^3-3x^2+x+C$

풀이

8 부정적분

개념 3 함수 $y=x^n$ (n은 양의 정수)과 함수 $y=1$의 부정적분

❶ 함수 $y=x^n$ (n은 양의 정수)의 부정적분은

$$\int x^n dx=\frac{1}{\boxed{❶\quad}}x^{n+1}+C \text{ (단, } C\text{는 적분상수)}$$

❷ 함수 $y=1$의 부정적분은

ㄱ $\int 1\,dx=x+C$ (단, C는 적분상수)

예 $\int x^2 dx=\frac{1}{2+1}x^{2+1}+C=\frac{1}{3}\boxed{❷\quad}+C$

답 ❶ $n+1$ ❷ x^3

개념 플러스

ㄱ $\int 1\,dx$를 간단히 $\int dx$로 나타낼 수 있다.

해설 ❶ n이 양의 정수일 때, $\left(\frac{1}{n+1}x^{n+1}\right)'=x^n$이므로 함수 $y=x^n$의 부정적분은

$$\int x^n dx=\frac{1}{n+1}x^{n+1}+C \text{ (} C\text{는 적분상수)}$$

❷ $(x)'=1$이므로 함수 $y=1$의 부정적분은

$$\int 1\,dx=x+C \text{ (} C\text{는 적분상수)}$$

개념 4 함수의 실수배, 합, 차의 부정적분

두 함수 $f(x)$, $g(x)$의 부정적분이 각각 존재할 때

❶ $\int kf(x)dx=k\int f(x)dx$ (단, k는 0이 아닌 상수)

❷ $\int \{f(x)+g(x)\}dx=\int f(x)dx \boxed{❶\quad} \int g(x)dx$

❸ $\int \{f(x)-g(x)\}dx=\int f(x)dx \boxed{❷\quad} \int g(x)dx$

답 ❶ $+$ ❷ $-$

보기 다음 부정적분을 구하시오.

(1) $\int 2x^2 dx$ (2) $\int (2x+3)dx$

연구 (1) $\int 2x^2 dx=2\int x^2 dx=2\times\frac{1}{3}x^3+C=\boldsymbol{\frac{2}{3}x^3+C}$

(2) $\int (2x+3)dx=\int 2x\,dx+\int 3\,dx=2\int x\,dx+3\int dx$

$=2\left(\frac{1}{2}x^2+C_1\right)+3(x+C_2)$

$=x^2+2C_1+3x+3C_2=x^2+3x+(2C_1+3C_2)$

ㄴ $2C_1+3C_2=C$라 하면 $\int (2x+3)dx=\boldsymbol{x^2+3x+C}$

ㄴ C_1, C_2는 상수이므로 $2C_1+3C_2$를 새로운 상수 C로 생각하여 x^2+3x+C와 같이 나타낸다.

3-1 | 함수 $y=x^n$의 부정적분 |

다음 부정적분을 구하시오.

(1) $\int x^3\,dx$ (2) $\int x^4\,dx$

연구

(1) $\int x^3\,dx=\frac{1}{3+\square}x^{3+1}+C$

$=\frac{1}{\square}x^4+C$

(2) $\int x^4\,dx=\frac{1}{4+1}x^{\square+1}+C$

$=\frac{1}{5}x^{\square}+C$

3-2 | 따라풀기 |

다음 부정적분을 구하시오.

(1) $\int x^5\,dx$ (2) $\int x^6\,dx$

(3) $\int x^7\,dx$ (4) $\int x^8\,dx$

풀이

4-1 | 함수의 실수배, 합, 차의 부정적분 |

다음 부정적분을 구하시오.

(1) $\int (3x^2+1)dx$ (2) $\int (x^3-2x+3)dx$

연구

(1) $\int (3x^2+1)dx=\square\int x^2\,dx+\int dx$

$=\square+x+C$

(2) $\int (x^3-2x+3)dx=\int x^3\,dx-2\int x\,dx+3\int dx$

$=\frac{1}{4}x^4-2\times\frac{1}{2}x^2+\square+C$

$=\frac{1}{4}x^4-x^2+\square+C$

4-2 | 따라풀기 |

다음 부정적분을 구하시오.

(1) $\int 4x^3\,dx$ (2) $\int (2x^2-x+5)dx$

(3) $\int (-5x^4+4x^3)dx$ (4) $\int (7x^6-4x)dx$

풀이

해법 01 부정적분

함수 $f(x)$의 한 부정적분을 $F(x)$라 하면 함수 $f(x)$의 임의의 부정적분은

$$\int f(x)dx=F(x)+C \text{ (단, } C\text{는 적분상수)}$$

PLUS
$\int f(x)dx=F(x)+C$이면 $f(x)=F'(x)$

예제 1. 등식 $\int(3x^2-4x+a)dx=bx^3+cx^2-4x+C$를 만족시키는 상수 a, b, c에 대하여 $a+b+c$의 값을 구하시오. (단, C는 적분상수)

2. 다항함수 $f(x)$가 $\int xf(x)dx=\frac{1}{4}x^4-\frac{1}{2}x^2+C$를 만족시킬 때, $f(1)$의 값을 구하시오. (단, C는 적분상수)

해법 코드
1. $3x^2-4x+a=(bx^3+cx^2-4x+C)'$
2. $xf(x)=\left(\frac{1}{4}x^4-\frac{1}{2}x^2+C\right)'$

셀파 $\int f(x)dx=F(x)+C$이면 ⇨ $F'(x)=f(x)$

풀이 1. $3x^2-4x+a=(bx^3+cx^2-4x+C)'$이므로
㉠ $3x^2-4x+a=3bx^2+2cx-4$
즉, $3=3b$, $-4=2c$, $a=-4$이므로
$a=-4$, $b=1$, $c=-2$
$\therefore a+b+c=-4+1-2=\mathbf{-5}$

㉠ 양변의 동류항의 계수를 비교한다.

2. ㉡ $xf(x)=\left(\frac{1}{4}x^4-\frac{1}{2}x^2+C\right)'$이므로
$xf(x)=x^3-x$
따라서 $f(x)=x^2-1$이므로 $f(1)=1-1=\mathbf{0}$

㉡ 어떤 함수를 적분해서 $\frac{1}{4}x^4-\frac{1}{2}x^2+C$가 되면 $\frac{1}{4}x^4-\frac{1}{2}x^2+C$를 미분하면 그 어떤 함수가 된다.

확인 문제

정답과 해설 | 72쪽

01-1 상중하 등식 $\int(-12x^3+x^2+ax-1)dx=bx^4+cx^3+\frac{1}{2}x^2-x+C$를 만족시키는 상수 a, b, c에 대하여 abc의 값을 구하시오. (단, C는 적분상수)

01-2 상중하 다음 등식을 만족시키는 다항함수 $f(x)$를 구하시오. (단, C는 적분상수)

(1) $\int xf(x)dx=\frac{1}{6}x^3-\frac{3}{4}x^2+C$

(2) $\int(x-1)f(x)dx=\frac{1}{3}x^3+\frac{1}{2}x^2-2x+C$

MY 셀파

01-1
$\int f(x)dx=g(x)$이면 $f(x)=g'(x)$

01-2
(1) $xf(x)=\left(\frac{1}{6}x^3-\frac{3}{4}x^2+C\right)'$
(2) $(x-1)f(x)=\left(\frac{1}{3}x^3+\frac{1}{2}x^2-2x+C\right)'$

해법 02 부정적분과 미분의 관계

PLUS

적분상수 C에 대하여

❶ $\int\left\{\frac{d}{dx}f(x)\right\}dx=f(x)+C$

❷ $\frac{d}{dx}\left\{\int f(x)dx\right\}=f(x)$

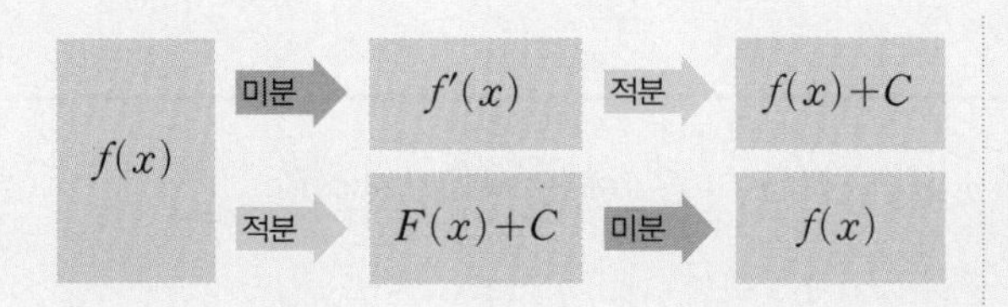

❶ 먼저 미분을 하고 나중에 적분을 하면 ⇨ (원래의 식)$+C$

❷ 먼저 적분을 하고 나중에 미분을 하면 ⇨ 원래의 식

예제 1. 함수 $f(x)=\int\left\{\frac{d}{dx}(x^3+x^2-3x)\right\}dx$에 대하여 $f(0)=-2$일 때, $f(1)$의 값을 구하시오.

2. 함수 $f(x)$에 대하여 $\frac{d}{dx}\left\{\int(x-1)f(x)dx\right\}=3x^2+x-4$일 때, $f(2)$의 값을 구하시오.

해법 코드

1. $\int\left\{\frac{d}{dx}(x^3+x^2-3x)\right\}dx$
$=x^3+x^2-3x+C$

2. $\frac{d}{dx}\left\{\int(x-1)f(x)dx\right\}$
$=(x-1)f(x)$

셀파 $f(x)$를 미분한 다음 적분하면 ⇨ $f(x)+C$
$f(x)$를 적분한 다음 미분하면 ⇨ $f(x)$

풀이 1. $f(x)=$㉠$\int\left\{\frac{d}{dx}(x^3+x^2-3x)\right\}dx=x^3+x^2-3x+C$

이때 $f(0)=-2$이므로 $C=-2$

따라서 $f(x)=x^3+x^2-3x-2$이므로

$f(1)=1+1-3-2=\mathbf{-3}$

㉠ x^3+x^2-3x를 미분한 다음 적분한 것이다.

2. ㉡$\frac{d}{dx}\left\{\int(x-1)f(x)dx\right\}=(x-1)f(x)$이므로

$(x-1)f(x)=3x^2+x-4$, $(x-1)f(x)=(3x+4)(x-1)$

따라서 $f(x)=3x+4$이므로 $f(2)=3\times2+4=\mathbf{10}$

㉡ $(x-1)f(x)$를 적분한 다음 미분한 것이다.

확인 문제

정답과 해설 | 72쪽

02-1 (상중하) 함수 $f(x)=\int\left\{\frac{d}{dx}(x^2+4x)\right\}dx$의 최솟값이 1일 때, $f(x)$를 구하시오.

02-2 (상중하) 함수 $f(x)=2x^3-3x^2-12x+1$에 대하여 $F(x)=\frac{d}{dx}\left\{\int f(x)dx\right\}$일 때, $F(-1)$의 값을 구하시오.

MY 셀파

02-1
$\int\left\{\frac{d}{dx}f(x)\right\}dx$는 $f(x)$를 미분한 다음 적분한 것이다.

02-2
$\frac{d}{dx}\left\{\int f(x)dx\right\}$는 $f(x)$를 적분한 다음 미분한 것이다.

집중 연습 부정적분의 계산

❶ $F'(x)=f(x)$일 때, $\int f(x)dx=F(x)+C$ (단, C는 적분상수)

❷ n이 양의 정수일 때, $\int x^n dx=\frac{1}{n+1}x^{n+1}+C$, $\int 1\,dx=x+C$ (단, C는 적분상수)

❸ 두 함수 $f(x)$, $g(x)$의 부정적분이 각각 존재할 때

$\int kf(x)dx=k\int f(x)dx$ (단, k는 0이 아닌 상수)

$\int \{f(x)\pm g(x)\}dx=\int f(x)dx\pm\int g(x)dx$ (복부호 동순)

01 다음 부정적분을 구하시오.

(1) $\int (3x^2+4)dx$

(2) $\int (x^3-2x)dx$

(3) $\int (5x^3-4x+5)dx$

(4) $\int (8x^3+x^2-2)dx$

(5) $\int (9x^2+18x+1)dx$

(6) $\int (-6x^2+12x+1)dx$

02 다음 부정적분을 구하시오.

(1) $\int (x-1)(x+3)dx$

(2) $\int (2x+1)(x+4)dx$

(3) $\int (3y+2)(2y-1)dy$

(4) $\int (t-1)(t^2+t+1)dt$

(5) $\int (x+1)^3dx$

(6) $\int (y-1)^3dy$

해법 03 부정적분의 계산 (1)

적분상수 C에 대하여

❶ n이 양의 정수일 때 ⇨ $\int x^n\,dx=\frac{1}{n+1}x^{n+1}+C$

❷ $\int 1\,dx=\int dx=x+C$

PLUS ⊕

상수 k에 대하여

$\int k\,dx=kx+C$

예제 다음 부정적분을 구하시오.

(1) $\int(2x-1)(2x+1)dx$

(2) $\int(x-1)^3dx-\int(x+1)^3dx$

해법 코드

곱으로 표현된 함수는 전개한 다음 적분하고, 합 또는 차로 표현된 함수는 식을 모아서 간단히 한 다음 적분한다.

셀파 $\int x^n\,dx=\frac{1}{n+1}x^{n+1}+C$, $\int\{f(x)\pm g(x)\}dx=\int f(x)dx\pm\int g(x)dx$ (복부호 동순)

풀이 (1) $\int(2x-1)(2x+1)dx=\int(4x^2-1)dx=4\int x^2\,dx-\int dx$

$=\mathbf{\frac{4}{3}x^3-x+C}$

(2) $\int(x-1)^3dx-\int(x+1)^3dx=\int\{(x-1)^3-(x+1)^3\}dx$

$=\int\{(x^3-3x^2+3x-1)-(x^3+3x^2+3x+1)\}dx$

$=\int(-6x^2-2)dx=-6\int x^2\,dx-2\int dx$

$=\mathbf{-2x^3-2x+C}$

참고

두 함수의 곱으로 주어졌을 때는 전개하여 합 또는 차의 꼴로 바꾼 다음 부정적분을 구한다. 이때 다음과 같이 풀지 않도록 주의한다.

$\int(2x-1)(2x+1)dx$

$=\left\{\int(2x-1)dx\right\}\left\{\int(2x+1)dx\right\}$

$=(x^2-x)(x^2+x)+C$

$=x^4-x^2+C$

8 부정적분

확인 문제

정답과 해설 | 73쪽

03-1 다음 부정적분을 구하시오.

(1) $\int(x+y)^2dx$

(2) $\int(x-2)(2x+5)dx$

(3) $\int(x-1)^2dx-\int(x+1)^2dx$

(4) $\int(x+2)^3dx-\int(x-2)^3dx$

03-2 함수 $f(x)=\int(x^9+4x^3+2x+1)dx$에 대하여 $f(0)=0$일 때, $f(-1)$의 값을 구하시오.

상중하

MY 셀파

03-1

(1) 적분변수가 x이므로 x가 아닌 문자 y는 상수로 본다.

03-2

$f(x)=\int x^9\,dx+4\int x^3\,dx$

$+2\int x\,dx+\int dx$

해법 04 부정적분의 계산 (2)

PLUS

❶ 유리함수는 식의 연산과 인수분해, 약분과 통분 등을 이용하여 식을 간단히 한다.

❷ 서로소인 세 다항식 $f(x)$, $g(x)$, $h(x)$에 대하여

$$\int \frac{f(x)}{h(x)}\,dx+\int \frac{g(x)}{h(x)}\,dx=\int \frac{f(x)+g(x)}{h(x)}\,dx$$

와 같이 변형하여 분모와 분자를 약분한다.

여기서는 부정적분의 기본 성질을 이용하면 간단한 다항함수가 되는 유리함수만을 다룬다.

예제 다음 부정적분을 구하시오.

(1) $\int \frac{x^4+x^2+1}{x^2-x+1}\,dx$　　(2) $\int \frac{x^3}{x+1}\,dx+\int \frac{1}{x+1}\,dx$

해법 코드

(1) x^4+x^2+1
$=(x^2+x+1)(x^2-x+1)$

셀파 $\int f(x)dx\pm\int g(x)dx=\int \{f(x)\pm g(x)\}dx$ (복부호 동순)

풀이 (1) $\int \frac{x^4+x^2+1}{x^2-x+1}\,dx=\int \frac{(x^2+x+1)(x^2-x+1)}{x^2-x+1}\,dx$ ㉠

$=\int (x^2+x+1)dx$

$=\mathbf{\frac{1}{3}x^3+\frac{1}{2}x^2+x+C}$

㉠ x^4+x^2+1
$=x^4+2x^2+1-x^2$
$=(x^2+1)^2-x^2$
$=(x^2+x+1)(x^2-x+1)$

(2) $\int \frac{x^3}{x+1}\,dx+\int \frac{1}{x+1}\,dx=\int \left(\frac{x^3}{x+1}+\frac{1}{x+1}\right)dx=\int \frac{x^3+1}{x+1}\,dx$ ㉡

$=\int \frac{(x+1)(x^2-x+1)}{x+1}\,dx$

$=\int (x^2-x+1)dx$

$=\mathbf{\frac{1}{3}x^3-\frac{1}{2}x^2+x+C}$

㉡ $x^3+a^3=(x+a)(x^2-ax+a^2)$
이므로 $a=1$을 대입하면
$x^3+1=(x+1)(x^2-x+1)$

확인 문제

정답과 해설 | 73쪽

04-1 상중하 다음 부정적분을 구하시오.

(1) $\int \frac{x^2-1}{x-1}\,dx$　　(2) $\int \frac{x^3}{x-2}\,dx-\int \frac{8}{x-2}\,dx$

04-2 상중하 함수 $f(x)=\int \frac{x^2-x}{x+1}\,dx+\int \frac{3x+1}{x+1}\,dx$에 대하여 $f(1)=2$일 때, $f(0)$의 값을 구하시오.

MY 셀파

04-1

(2) $\int \left(\frac{x^3}{x-2}-\frac{8}{x-2}\right)dx$
$=\int \frac{x^3-8}{x-2}\,dx$

04-2

$f(x)=\int \left(\frac{x^2-x}{x+1}+\frac{3x+1}{x+1}\right)dx$
$=\int \frac{x^2+2x+1}{x+1}\,dx$

해법 05 도함수가 주어진 경우의 부정적분

❶ $f'(x)$가 주어지고 $f(x)$를 구할 때 ⇨ $f(x)=\int f'(x)dx$

❷ 곡선 $y=f(x)$ 위의 임의의 점 $(x, f(x))$에서의 접선의 기울기가 $g(x)$일 때

$f'(x)=g(x)$ ⇨ $f(x)=\int g(x)dx$

PLUS +

곡선 $y=f(x)$ 위의 임의의 점 (a, b)에서의 접선의 기울기가 m이면 $f'(a)=m$, $b=f(a)$를 이용한다.

1. 함수 $f(x)$의 도함수가 $f'(x)=4x^3+1$이고 $f(0)=-2$일 때, $f(1)$의 값을 구하시오.

2. 점 $(1, -1)$을 지나는 곡선 $y=f(x)$ 위의 임의의 점 $(x, f(x))$에서의 접선의 기울기가 $3x^2-2x$일 때, $f(2)$의 값을 구하시오.

해법 코드

1. $f(x)=\int(4x^3+1)dx$

2. $f'(x)=3x^2-2x$이므로
$f(x)=\int(3x^2-2x)dx$

셀파 $f(x)=\int f'(x)dx$임을 이용하여 $f(x)$를 적분상수를 포함한 식으로 나타낸다.

풀이 1. $f(x)=\int f'(x)dx=\int(4x^3+1)dx=x^4+x+C$

이때 ㉠ $f(0)=-2$이므로 $C=-2$

따라서 $f(x)=x^4+x-2$이므로 $f(1)=1+1-2=\mathbf{0}$

2. ㉡ 점 $(x, f(x))$에서의 접선의 기울기가 $3x^2-2x$이므로

$f'(x)=3x^2-2x$

$f(x)=\int f'(x)dx=\int(3x^2-2x)dx=x^3-x^2+C$

곡선 $y=f(x)$가 점 $(1, -1)$을 지나므로 $f(1)=-1$에서

$1-1+C=-1 \qquad \therefore C=-1$

따라서 $f(x)=x^3-x^2-1$이므로 $f(2)=8-4-1=\mathbf{3}$

㉠ $f(x)=x^4+x+C$에서
$f(0)=C=-2$

㉡ 곡선 $y=f(x)$ 위의 점 $(a, f(a))$에서의 접선의 기울기는 $x=a$일 때의 미분계수 $f'(a)$와 같다.

8 부정적분

확인 문제

정답과 해설 | 74쪽

05-1 (상 중 하) 함수 $f(x)$의 도함수가 $f'(x)=3x^2-4x+2$이고 $f(-1)=0$일 때, $f(2)$의 값을 구하시오.

05-2 (상 중 하) 점 $(1, -2)$를 지나는 곡선 $y=f(x)$ 위의 임의의 점 $(x, f(x))$에서의 접선의 기울기가 $6x^2-6x$이다. 이 곡선이 점 $(2, k)$를 지날 때, 상수 k의 값을 구하시오.

MY 셀파

05-1
$f(x)=\int(3x^2-4x+2)dx$

05-2
$f'(x)=6x^2-6x$이므로
$f(x)=\int(6x^2-6x)dx$

해법 06 함수와 그 부정적분 사이의 관계식

함수 $f(x)$와 그 부정적분 $F(x)$ 사이의 관계식이 주어질 때, 다음 순서로 문제를 해결한다.

1 등식의 양변을 x에 대하여 미분하여 $f'(x)$를 구한다.

2 $f(x)=\int f'(x)dx$를 이용하여 $f(x)$를 구한다.

PLUS

$\int f(x)dx=F(x)$일 때

$\frac{d}{dx}\int f(x)dx=F'(x)$

이므로 $f(x)=F'(x)$

예제 이차함수 $f(x)$와 그 부정적분 $F(x)$ 사이에

$$F(x)=xf(x)-x^3+x^2$$

인 관계가 성립하고 $f(1)=-\frac{3}{2}$일 때, 함수 $f(x)$를 구하시오.

해법 코드
주어진 식의 양변을 x에 대하여 미분한다.

셀파 $F(x)=\int f(x)dx$의 양변을 x에 대하여 미분하면 ⇨ $F'(x)=f(x)$

풀이 $F(x)=\underline{xf(x)}-x^3+x^2$의 양변을 x에 대하여 미분하면 ㉠

$F'(x)=f(x)+xf'(x)-3x^2+2x$

$f(x)$의 부정적분이 $F(x)$이므로

$F'(x)=f(x)$에서 $f(x)=f(x)+xf'(x)-3x^2+2x$

㉡ $\underline{xf'(x)=3x^2-2x \qquad \therefore f'(x)=3x-2}$

이때 $f(x)=\int f'(x)dx=\int(3x-2)dx=\frac{3}{2}x^2-2x+C$이므로

$f(1)=-\frac{3}{2}$에서 $\frac{3}{2}-2+C=-\frac{3}{2} \qquad \therefore C=-1$

$\therefore \boldsymbol{f(x)=\frac{3}{2}x^2-2x-1}$

㉠ 미분가능한 두 함수 $f(x)$, $g(x)$에 대하여 $y=f(x)g(x)$일 때
$y'=f'(x)g(x)+f(x)g'(x)$
이므로
$\{xf(x)\}'=f(x)+xf'(x)$

㉡ $F(x)=xf(x)-x^3+x^2$은 모든 x에 대하여 성립하는 항등식이다.
따라서 모든 x에 대하여
$xf'(x)=3x^2-2x$가 성립하므로
$f'(x)=3x-2$가 되어야 한다.

확인 문제

정답과 해설 | 74쪽

06-1 (상 중 하)
이차함수 $f(x)$와 그 부정적분 $F(x)$ 사이에

$$xf(x)-F(x)=x^3+3x^2$$

인 관계가 성립하고 $f(0)=3$일 때, 방정식 $f(x)=0$의 모든 근의 합을 구하시오.

06-2 (상 중 하)
두 함수 $f(x)$, $g(x)$에 대하여

$$\int g(x)dx=(x^2+x)f(x)+C \ (C\text{는 상수})$$

가 성립하고 $f(1)=3$, $f'(1)=-2$일 때, $g(1)$의 값을 구하시오.

MY 셀파

06-1
$xf(x)-F(x)=x^3+3x^2$의 양변을 x에 대하여 미분한다.

06-2
$\int g(x)dx=(x^2+x)f(x)+C$의 양변을 x에 대하여 미분한다.

셀파 특강 01 함수의 연속과 부정적분

모든 실수 x에서 연속인 함수 $f(x)$의 도함수가

$f'(x)=\begin{cases} 2x+1 & (x<1) \\ 3x^2 & (x>1) \end{cases}$ 이다. $f(-1)=2$일 때, $f(2)$의 값을 구하시오.

Q $f'(x)=\begin{cases} 2x+1 & (x<1) \\ 3x^2 & (x>1) \end{cases}$ 을 적분하면 $f(x)=\begin{cases} x^2+x+C & (x<1) \\ x^3+C & (x\ge1) \end{cases}$ 아니에요?

A 아니지~~. 윗줄의 함수와 아랫줄의 함수는 연속일 뿐, 일단 서로 다른 함수니까 ㉠적분상수를 각각 C_1, C_2로 구분해야 해. 그런 다음 $f(-1)=2$라는 조건을 이용하면 $f(-1)=(-1)^2+(-1)+C_1=2$이므로 $C_1=2$가 돼.

Q $x=-1$은 $x<1$인 범위에 있으므로 $f(x)=x^2+x+C_1$에 대입한 거군요.
$f(2)$의 값을 구하려면 $x>1$인 범위에 있으므로 C_2의 값을 알아야 하는 거죠?

A 맞아. C_2를 알아내려면 식이나 조건이 하나 더 있어야겠지? 문제를 다시 읽으면서 조건을 찾아보렴.

Q 아, 함수 $f(x)$가 모든 실수 x에서 연속이므로 $x=1$에서도 연속인 것을 이용하면 될 것 같아요. ㉡함수 $f(x)$가 $x=1$에서 연속이려면 $\lim_{x\to1-}f(x)=\lim_{x\to1+}f(x)=f(1)$이므로
$\lim_{x\to1-}(x^2+x+2)=\lim_{x\to1+}(x^3+C_2)$에서 $1+1+2=1+C_2$, 즉 $C_2=3$이에요.
따라서 $x\ge1$일 때, $f(x)=x^3+3$이므로 $f(2)=8+3=\mathbf{11}$이에요.

> 연속함수 $f(x)$의 도함수가 구간에 따라 다르게 정의되어도 구간이 나누어진 경계에서 함숫값을 이용하여 함수를 완성할 수 있다.
> 즉, $x=a$에서 연속인 함수 $f(x)$의 도함수 $f'(x)$가
> $f'(x)=\begin{cases} g(x) & (x<a) \\ h(x) & (x>a) \end{cases}$ 일 때
> $\Rightarrow f(x)=\begin{cases} \int g(x)dx & (x<a) \\ \int h(x)dx & (x\ge a) \end{cases}$, ㉢$\lim_{x\to a-}f(x)=\lim_{x\to a+}f(x)=f(a)$

㉠ $f(x)=\begin{cases} x^2+x+C_1 & (x<1) \\ x^3+C_2 & (x\ge1) \end{cases}$

▶**함수 $f(x)$가 $x=a$에서 연속일 조건**
(i) 함숫값 $f(a)$가 정의되고
(ii) $\lim_{x\to a}f(x)$가 존재하며
(iii) $\lim_{x\to a}f(x)=f(a)$

㉡ 함수 $f(x)$가 $x=1$에서 연속이므로 극한값 $\lim_{x\to1}f(x)$가 존재해야 한다. 따라서
$\lim_{x\to1-}f(x)=\lim_{x\to1+}f(x)=f(1)$
이 성립해야 한다.

㉢ $x=a$에서 연속이려면 $x=a$에서의 함수 $f(x)$의 극한값과 함숫값 $f(a)$가 같아야 한다.

확인 체크 01

정답과 해설 | 74쪽

모든 실수 x에서 연속인 함수 $f(x)$의 도함수가 ㉣$f'(x)=\begin{cases} 1 & (x<1) \\ 2x-1 & (x>1) \end{cases}$ 이다.
$f(0)=2$일 때, $f(-1)+f(2)$의 값을 구하시오.

㉣ $f(x)=\begin{cases} x+C_1 & (x<1) \\ x^2-x+C_2 & (x\ge1) \end{cases}$

해법 07 극값과 부정적분

미분가능한 함수 $f(x)$에 대하여 $f'(a)=0$일 때

❶ $x=a$의 좌우에서 $f'(x)$의 부호가 양에서 음으로 바뀌면

⇨ $f(x)$는 $x=a$에서 극댓값 $f(a)$를 갖는다.

❷ $x=a$의 좌우에서 $f'(x)$의 부호가 음에서 양으로 바뀌면

⇨ $f(x)$는 $x=a$에서 극솟값 $f(a)$를 갖는다.

PLUS

방정식 $f'(x)=0$이 되게 하는 x의 값을 찾아 함수 $f(x)$의 극값을 구한다.

예제 함수 $f(x)$의 도함수가 $f'(x)=3x^2-6x$이고 $f(x)$의 극댓값이 4일 때, $f(x)$의 극솟값을 구하시오.

해법 코드

$f(x)=\int(3x^2-6x)dx$

셀파 $f'(x)$의 부호가 바뀌는 점에서 함수 $f(x)$는 극댓값 또는 극솟값을 갖는다.

풀이 $f'(x)=3x^2-6x=3x(x-2)$

$f'(x)=0$에서 $x=0$ 또는 $x=2$이므로

함수 $f(x)$의 증가와 감소를 표로 나타내면 다음과 같다.

x	$\cdots$	0	$\cdots$	2	$\cdots$
$f'(x)$	+	0	−	0	+
$f(x)$	↗	극대	↘	극소	↗

함수 $f(x)$는 ㉠$x=0$에서 극댓값, ㉡$x=2$에서 극솟값을 갖는다.

$f(x)=\int f'(x)dx=\int(3x^2-6x)dx=x^3-3x^2+C$

이때 $f(x)$의 극댓값이 4이므로 $f(0)=4$에서

$f(0)=C=4$

따라서 $f(x)=x^3-3x^2+4$이므로 극솟값은 $f(2)=8-12+4=\mathbf{0}$

㉠ $x=0$의 좌우에서 $f'(x)$의 부호가 양에서 음으로 바뀌므로 $f(x)$는 $x=0$에서 극댓값 $f(0)$을 갖는다.

㉡ $x=2$의 좌우에서 $f'(x)$의 부호가 음에서 양으로 바뀌므로 $f(x)$는 $x=2$에서 극솟값 $f(2)$를 갖는다.

확인 문제

정답과 해설 | 75쪽

07-1 (상 중 하) 함수 $f(x)$의 도함수가 $f'(x)=-x^2-2x$일 때, $f(x)$의 극댓값과 극솟값의 차를 구하시오.

07-2 (상 중 하) 함수 $f(x)$의 도함수 $y=f'(x)$의 그래프는 오른쪽 그림과 같이 원점을 지나고 꼭짓점의 좌표가 $(1,\ 1)$인 포물선이다. $f(x)$의 극댓값이 1일 때, $f(-1)$의 값을 구하시오.

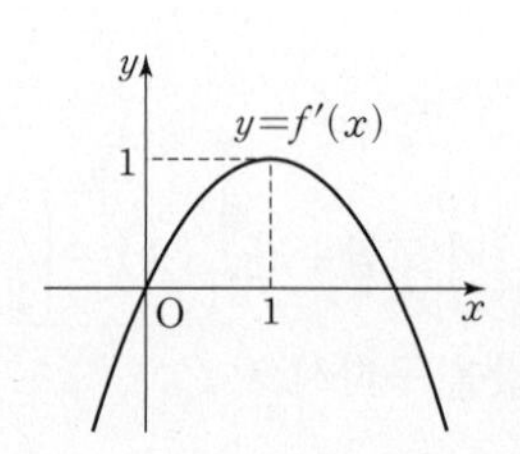

MY 셀파

07-1

$f'(x)=-x^2-2x$에서 함수 $f(x)$를 구한다.

07-2

$f'(x)=k(x-1)^2+1\ (k<0)$로 놓고 함수 $f(x)$를 구한다.

해법 08 도함수의 정의를 이용한 부정적분

함수 $f(x)$에 대하여 $f(x+y)=f(x)+f(y)+p(x)$가 성립할 때, 다음 순서로 문제를 해결한다. (단, $p(x)$는 임의의 다항식)

1 $x=0$, $y=0$을 대입하여 $f(0)$의 값을 구한다.

2 도함수의 정의와 주어진 조건을 이용하여 $f'(x)$를 구한다.

3 $f'(x)$의 부정적분을 구하고 $f(0)$의 값을 대입하여 적분상수를 구한다.

PLUS

도함수의 정의
$f'(x)=\lim_{h\to0}\frac{f(x+h)-f(x)}{h}$
를 이용한다.

예제 미분가능한 함수 $f(x)$가 임의의 실수 x, y에 대하여

$$f(x+y)=f(x)+f(y)$$

를 만족시킨다. $f'(0)=1$일 때, 함수 $f(x)$를 구하시오.

해법 코드
$f(x+y)=f(x)+f(y)$에 $x=0$, $y=0$을 대입하여 $f(0)$의 값을 구한다.

셀파 $f(x)=\int f'(x)dx$, $f'(0)=\lim_{h\to0}\frac{f(0+h)-f(0)}{h}$

풀이 $f(x+y)=f(x)+f(y)$에 $x=0$, $y=0$을 대입하면

$f(0)=f(0)+f(0)$ $\quad\therefore f(0)=0$

$f'(0)=1$이므로

$$f'(0)=\lim_{h\to0}\frac{f(0+h)-f(0)}{h}=\lim_{h\to0}\frac{f(0)+f(h)-f(0)}{h}$$

$$=\lim_{h\to0}\frac{f(h)}{h}=1 \quad\cdots\cdots㉠$$

도함수의 정의를 이용하여 $f'(x)$를 구하면

$$f'(x)=\lim_{h\to0}\frac{f(x+h)-f(x)}{h}=\lim_{h\to0}\frac{f(x)+f(h)-f(x)}{h}$$

$$=\lim_{h\to0}\frac{f(h)}{h}=1\ (\because ㉠)$$

$f'(x)=1$이므로 $f(x)=\int f'(x)dx=\int dx=x+C$

이때 $f(0)=0$이므로 $C=0$ $\quad\therefore$ **$f(x)=x$**

㉠ $f(x+y)=f(x)+f(y)$에서 y 대신 h를 대입하면
$f(x+h)=f(x)+f(h)$

8 부정적분

확인 문제

정답과 해설 | 75쪽

08-1 (상 중 하) 미분가능한 함수 $f(x)$가 임의의 실수 x, y에 대하여

$$f(x+y)=f(x)+f(y)-xy$$

를 만족시킨다. $f'(0)=1$일 때, $f(1)$의 값을 구하시오.

MY 셀파

08-1
$f(x+y)=f(x)+f(y)-xy$에 $x=0$, $y=0$을 대입하여 $f(0)$의 값을 구한다.

연습 문제 EXERCISE

부정적분

01 함수 $f(x)$의 한 부정적분이 x^3+x^2+1일 때, 함수 $f(x)$는?

상 중 하

① x^3+x^2 ② $3x^2+2x$ ③ x^2+x
④ $6x+2$ ⑤ $2x+1$

부정적분

02 함수 $f(x)$가 $\int(x+1)f(x)dx=2x^3+3x^2$을 만족시킬 때, $f\left(\frac{1}{2}\right)$의 값을 구하시오.

상 중 하

부정적분의 계산 융합형

03 $f(x)=\int(2x-4)dx$가 모든 실수 x에 대하여 $f(x)>0$을 만족시킬 때, 다음 중 $f(0)$의 값이 될 수 있는 것은?

상 중 하

① 1 ② 2 ③ 3
④ 4 ⑤ 5

부정적분의 계산

04 다음 | 보기 | 중 옳은 것을 모두 고르시오.

| 보기 |

ㄱ. $\int 8x^3\,dx=2x^4$

ㄴ. $\int |x^4|\,dx=\frac{1}{5}x^5+C$ (C는 상수)

ㄷ. $\frac{d}{dx}\left\{\int(2x+1)dx\right\}=2x+1$

ㄹ. $\int\left\{\frac{d}{dx}(2x+1)\right\}dx=2x+1$

부정적분의 계산

05 함수 $f(x)=\int\frac{(2x-1)^2}{x}\,dx-\int\frac{1}{x}\,dx$에 대하여 $f(1)=0$일 때, $f(3)$의 값을 구하시오.

상 중 하

도함수가 주어진 경우의 부정적분

06 함수 $f(x)$의 도함수가 $f'(x)$일 때, 다음 조건을 만족시키는 함수 $f(x)$는?

$$f'(x)=(x+1)(3x-1),\ f(-1)=3$$

① $f(x)=x^3+x+2$
② $f(x)=-x^3+x^2-x$
③ $f(x)=x^3-2x^2+x+1$
④ $f(x)=x^3+x^2+x+2$
⑤ $f(x)=x^3+x^2-x+2$

도함수가 주어진 경우의 부정적분 서술형

07 곡선 $y=f(x)$ 위의 임의의 점 $(x, f(x))$에서의 접선의 기울기는 $-2x+3$이고 y절편이 1일 때, $f(x)$의 최댓값을 구하시오.

상 중 하

함수와 그 부정적분 사이의 관계식

08 함수 $f(x)$의 도함수 $f'(x)$가

$$\int(2x+1)f'(x)dx=\frac{8}{3}x^3+x^2-x$$

를 만족시킨다. $f(0)=2$일 때, $f(1)$의 값을 구하시오.

상 중 하

함수와 그 부정적분 사이의 관계식

09 다항함수 $f(x)$가

$$\int f(x)dx=xf(x)-\frac{2}{3}x^3-\frac{1}{2}x^2+3$$

을 만족시킨다. $f(1)=1$일 때, $f(0)$의 값을 구하시오.

상 중 하

함수와 그 부정적분 사이의 관계식

10 다항함수 $f(x)$가

$$\int\{f(x)-2x\}dx=xf(x)-2x^3+5x^2$$

을 만족시킨다. $f(x)$가 $x=a$에서 최솟값을 가질 때, 상수 a의 값을 구하시오.

상 중 하

함수의 연속과 부정적분 융합형

11 연속함수 $f(x)$의 도함수 $f'(x)$가

$$f'(x)=3x|x-1|+x+2$$

이고 $f(0)=4$일 때, $f(-1)+f(2)$의 값을 구하시오.

상 중 하

극값과 부정적분

12 함수 $y=f(x)$의 도함수 $y=f'(x)$의 그래프가 오른쪽 그림과 같이 이차항의 계수가 -1이고 x절편이 -1과 3인 포물선일 때, 극댓값과 극솟값의 차를 구하시오.

상 중 하

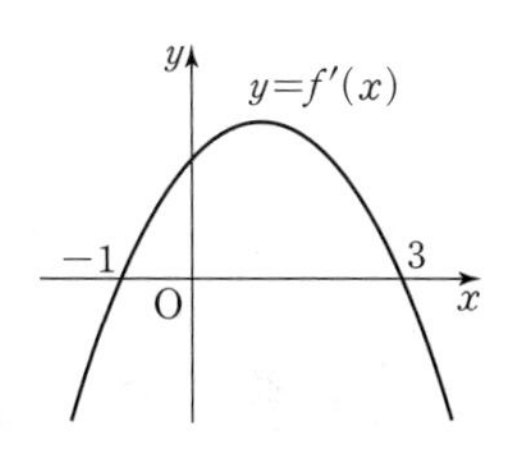

도함수의 정의를 이용한 부정적분

13 다항함수 $f(x)$가 다음 조건을 만족시킬 때, $f(2)$의 값을 구하시오. (단, a는 상수)

상 중 하

(가) $\int f(x)dx=x^3+ax-1$

(나) $\lim_{h\to 0}\frac{f(1-h)-f(1)}{h}=a-3$

8 부정적분

여행 선물을 준비했습니다.
선물이야
흑시 뚜껑 열면
용수철이 딱 튀어나오고
그런거 아니야?
펵
내가 이 용수철을
상자에 넣느라고
얼마나 힘이 많이
들었는데.
꾹
꾹
이 용수철을
원래 크기로
줄이는 데
일의 양이 얼마나
되는지 알아?

9

정적분

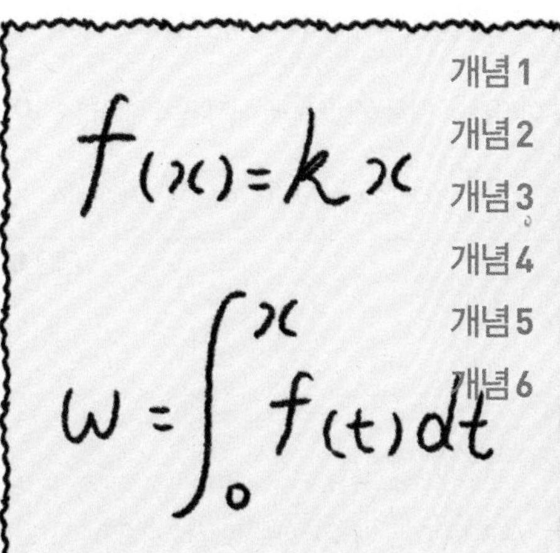

개념 1 정적분의 정의
개념 2 정적분의 기본 정의
개념 3 정적분의 성질
개념 4 정적분으로 정의된 함수
개념 5 정적분으로 정의된 함수의 미분
개념 6 정적분으로 정의된 함수의 극한

9. 정적분

개념 1 정적분의 정의

(1) 함수 $f(x)$가 닫힌구간 $[a, b]$에서 ❶ ☐ 일 때, 함수 $f(x)$의 한 부정적분 $F(x)$에 대하여 $F(b)-F(a)$를 함수 $f(x)$의 a에서 b까지의 **정적분**이라 하고, 기호로

$\int_a^b f(x)dx$와 같이 나타낸다.

(2) $\int_a^b f(x)dx=F(b)-F(a)$에서 우변을 기호로 $\Big[F(x)\Big]_a^b$와 같이 나타낸다.

즉, ㉠ $\int_a^b f(x)dx=\Big[F(x)\Big]_a^b=F(b)-F(a)$

(3) ㉡ $\int_a^b f(x)dx$의 값을 구하는 것을 함수 $f(x)$를 a에서 b까지 **적분한다**고 한다.

참고 정적분 $\int_a^b f(x)dx$의 값은 함수 $f(x)$와 아래끝 a, 위끝 b만으로 정해지므로 적분변수 ❷ ☐ 대신 t, u 등으로 바뀌어도 그 결과는 같다. 즉, $\int_a^b f(x)dx=\int_a^b f(t)dt=\int_a^b f(u)du$

답 ❶ 연속 ❷ x

개념 플러스

㉠ $\int f(x)dx=F(x)+C$에서

$$\int_a^b f(x)dx$$
$$=\Big[F(x)+C\Big]_a^b$$
$$=\{F(b)+C\}-\{F(a)+C\}$$
$$=F(b)-F(a)$$

와 같이 적분상수 C와 관계없이 같은 값이 나오므로 적분상수 C는 쓰지 않는다.

㉡ a를 정적분의 아래끝, b를 정적분의 위끝이라 한다.

개념 2 정적분의 기본 정의

❶ $a=b$일 때, $\int_a^{❶ ☐} f(x)dx=0$ ← 위끝과 아래끝이 같을 때

❷ $a>b$일 때, $\int_a^b f(x)dx=$ ❷ ☐ $\int_b^a f(x)dx$ ← 위끝과 아래끝이 서로 바뀔 때

참고 정적분은 a, b의 대소에 관계없이 $\int_a^b f(x)dx=F(b)-F(a)$

답 ❶ a ❷ $-$

해설 함수 $f(x)$의 한 부정적분을 $F(x)$라 하면

❶ $\int_a^a f(x)dx=\Big[F(x)\Big]_a^a=F(a)-F(a)=0$

❷ $\int_a^b f(x)dx=\Big[F(x)\Big]_a^b=F(b)-F(a)=-\{F(a)-F(b)\}=-\Big[F(x)\Big]_b^a$

$=-\int_b^a f(x)dx$

$\int_a^b f(x)dx$를 integral a에서 b까지 $f(x)dx$로 읽어.

개념 3 정적분의 성질

(1) 두 함수 $f(x)$, $g(x)$가 닫힌구간 $[a, b]$에서 연속일 때

❶ $\int_a^b kf(x)dx=$ ❶ ☐ $\int_a^b f(x)dx$ (단, k는 상수)

❷ $\int_a^b \{f(x)\pm g(x)\}dx=\int_a^b f(x)dx\pm\int_a^b$ ❷ ☐ dx (복부호 동순)

(2) 함수 $f(x)$가 임의의 세 실수 a, b, c를 포함하는 닫힌구간에서 연속일 때

㉢ $\int_a^b f(x)dx=\int_a^c f(x)dx+\int_c^b f(x)dx$

답 ❶ k ❷ $g(x)$

㉢ a, b, c의 대소에 관계없이 성립한다.

개념 익히기

정답과 해설 | 78쪽

1-1 | 정적분의 정의 |

다음 정적분의 값을 구하시오.

(1) $\int_0^2 (x^3+1)dx$　　(2) $\int_1^2 (4t^3-2t-3)dt$

연구

(1) $\int_0^2 (x^3+1)dx$

$=\left[\frac{1}{4}x^4+x\right]_0^2$

$=(4+\square)-0=\square$

(2) $\int_1^2 (4t^3-2t-3)dt$

$=\left[t^4-t^2-3t\right]_1^{\square}$

$=(16-4-6)-(1-1-3)=\square$

1-2 | 따라풀기 |

다음 정적분의 값을 구하시오.

(1) $\int_0^3 (4x+2)dx$　　(2) $\int_{-1}^1 (t^2-2t)dt$

풀이

2-1 | 정적분의 성질 |

다음 정적분의 값을 구하시오.

(1) $\int_0^2 (x+1)^2dx-\int_0^2 (x-1)^2dx$

(2) $\int_0^1 (x^2+1)dx+\int_1^3 (x^2+1)dx$

연구

(1) $\int_0^2 (x+1)^2dx-\int_0^2 (x-1)^2dx$

$=\int_0^2 \{(x+1)^2-(x-1)^2\}dx$

$=\int_0^2 \square dx=\left[2x^2\right]_0^2=\square$

(2) $\int_0^1 (x^2+1)dx+\int_1^3 (x^2+1)dx$

$=\int_0^{\square} (x^2+1)dx=\left[\frac{1}{3}x^3+x\right]_0^{\square}=\mathbf{12}$

2-2 | 따라풀기 |

다음 정적분의 값을 구하시오.

(1) $\int_0^2 (x^2-x)dx+\int_0^2 (-x^2-x+1)dx$

(2) $\int_{-2}^1 (x^3+2x)dx+\int_1^2 (x^3+2x)dx$

풀이

개념 4 정적분으로 정의된 함수

정적분 ㉠$\int_a^x f(t)dt$ (a는 상수)에서 $f(t)$의 한 부정적분을 $F(t)$라 하면

$$\int_a^x f(t)dt=\Big[F(t)\Big]_a^x=F(x)-\text{❶}\square$$

이므로 $\int_a^x f(t)dt$는 ❷□에 대한 함수이다.

답 ❶ $F(a)$ ❷ x

개념 플러스

㉠ $\int_a^x f(t)dt$에서 t는 적분변수이므로 $\int_a^x f(t)dt$는 t에 대한 함수가 아닌 x에 대한 함수이다.

개념 5 ㉡정적분으로 정의된 함수의 미분

❶ ㉢$\dfrac{d}{dx}\int_a^x f(t)dt=$ ❶□ (단, a는 상수)

❷ $\dfrac{d}{dx}\int_x^{x+a} f(t)dt=f(x+a)-f(x)$ (단, a는 상수)

예 $f(x)=\int_1^x (t^3+t^2-3)dt$일 때, $f'(x)=\dfrac{d}{dx}\int_1^x (t^3+t^2-3)dt=$ ❷□ -3

답 ❶ $f(x)$ ❷ x^3+x^2

해설 ❶ 함수 $f(t)$의 한 부정적분을 $F(t)$라 하면 $F'(t)=f(t)$

$$\int_a^x f(t)dt=\Big[F(t)\Big]_a^x=F(x)-F(a)$$

이 식의 양변을 x에 대하여 미분하면

㉣$\dfrac{d}{dx}\int_a^x f(t)dt=\dfrac{d}{dx}\{F(x)-F(a)\}=F'(x)-0=f(x)$

㉡ 정적분의 적분변수가 t일 때, 피적분함수 또는 위끝, 아래끝에 변수 x가 포함되어 있으면 정적분은 x에 대한 함수이다.

예 $\int_0^x f(t)dt$, $\int_0^1 (x-t)dt$, $\int_{x+1}^2 f(t)dt$, ⋯

㉢ $f(t)$의 t 대신에 x를 대입한 값 $f(x)$이므로 $\dfrac{d}{dx}\int_a^x tf(t)dt$는 $tf(t)$의 t 대신에 x를 대입한 값 $xf(x)$이다.

개념 6 정적분으로 정의된 함수의 극한

❶ $\lim_{x\to a}\dfrac{1}{x-a}\int_a^x f(t)dt=f(a)$

❷ $\lim_{x\to 0}\dfrac{1}{x}\int_a^{x+a} f(t)dt=$ ❶□

예 $\lim_{x\to 1}\dfrac{1}{x-1}\int_1^x (t^2-1)dt=1-1=0$, $\lim_{x\to 0}\dfrac{1}{x}\int_{❷}^{x+1}(t+1)dt=1+1=2$

답 ❶ $f(a)$ ❷ 1

㉣ a가 어떤 값을 갖더라도 등식이 성립한다.

해설 함수 $f(t)$의 한 부정적분을 $F(t)$라 하면 $F'(t)=f(t)$

❶ $\lim_{x\to a}\dfrac{1}{x-a}\int_a^x f(t)dt=\lim_{x\to a}\dfrac{\Big[F(t)\Big]_a^x}{x-a}=\lim_{x\to a}\dfrac{F(x)-F(a)}{x-a}=F'(a)=f(a)$

❷ $\lim_{x\to 0}\dfrac{1}{x}\int_a^{x+a} f(t)dt=\lim_{x\to 0}\dfrac{\Big[F(t)\Big]_a^{x+a}}{x}=\lim_{x\to 0}\dfrac{F(x+a)-F(a)}{x}=F'(a)=f(a)$

3-1 | 적분과 미분의 관계 |

다음 함수를 x에 대하여 미분하시오.

(1) $\int_{2}^{x}(3t^2-2t)dt$　　(2) $\int_{0}^{x}(4t^2-3t+1)dt$

연구

(1) $f(t)=3t^2-2t$라 하면

$\frac{d}{dx}\int_{2}^{x}f(t)dt=$ ☐ 이므로

$\frac{d}{dx}\int_{2}^{x}(3t^2-2t)dt=\mathbf{3x^2-}$ ☐

(2) $f(t)=4t^2-3t+1$이라 하면

$\frac{d}{dx}\int_{0}^{x}f(t)dt=$ ☐ 이므로

$\frac{d}{dx}\int_{0}^{x}(4t^2-3t+1)dt=$ ☐ $\mathbf{-3x+1}$

3-2 | 따라풀기 |

다음 함수를 x에 대하여 미분하시오.

(1) $\int_{1}^{x}(t^2+3t)dt$　　(2) $\int_{-1}^{x}(2t^3-t+5)dt$

풀이

4-1 | 정적분으로 정의된 함수의 미분 |

임의의 실수 x에 대하여 다음 등식이 성립할 때, 함수 $f(x)$를 구하시오.

(1) $\int_{2}^{x}f(t)dt=2x^2+3x-14$

(2) $\int_{0}^{x}f(t)dt=4x^3-2x^2+3x$

연구

(1) $\int_{2}^{x}f(t)dt=2x^2+3x-14$의 양변을 x에 대하여 미분하면

$\frac{d}{dx}\int_{2}^{x}f(t)dt=(2x^2+3x-14)'$

$\therefore \mathbf{f(x)=4x+}$ ☐

(2) $\int_{0}^{x}f(t)dt=4x^3-2x^2+3x$의 양변을 x에 대하여 미분하면

$\frac{d}{dx}\int_{0}^{x}f(t)dt=(4x^3-2x^2+3x)'$

$\therefore \mathbf{f(x)=12x^2-}$ ☐ $\mathbf{+3}$

4-2 | 따라풀기 |

임의의 실수 x에 대하여 다음 등식이 성립할 때, 함수 $f(x)$를 구하시오.

(1) $\int_{1}^{x}f(t)dt=3x^2-2x-1$

(2) $\int_{-2}^{x}f(t)dt=-x^3+x^2-12$

풀이

해법 01 정적분의 정의

닫힌구간 $[a, b]$에서 연속인 함수 $f(x)$의 한 부정적분을 $F(x)$라 하면

$$\int_a^b f(x)dx=\Big[F(x)\Big]_a^b=F(b)-F(a)$$

PLUS

❶ $\int_a^a f(x)dx=0$

❷ $\int_a^b f(x)dx=-\int_b^a f(x)dx$

예제 다음 정적분의 값을 구하시오.

(1) $\int_0^2 (x^3+6x-4)dx$　　(2) $\int_2^{-1}(x-1)(x+2)dx$

(3) $\int_1^2 5(t^2+1)(t^2-1)dt$　　(4) $\int_1^3 \frac{x^2-1}{x+1}dx$

해법 코드

(2) $\int_2^{-1}(x-1)(x+2)dx$

$=-\int_{-1}^2 (x-1)(x+2)dx$

셀파 $\int_a^b f(x)dx=\Big[F(x)\Big]_a^b=F(b)-F(a)$

풀이 (1) $\int_0^2 (x^3+6x-4)dx=\Big[\frac{1}{4}x^4+3x^2-4x\Big]_0^2=(4+12-8)-0=8$

(2) $\int_2^{-1}(x-1)(x+2)dx=-\int_{-1}^2 (x-1)(x+2)dx=-\int_{-1}^2 (x^2+x-2)dx$

$\overset{㉠}{=}-\Big[\frac{1}{3}x^3+\frac{1}{2}x^2-2x\Big]_{-1}^2=\mathbf{\frac{3}{2}}$

(3) $\int_1^2 5(t^2+1)(t^2-1)dt=\int_1^2 (5t^4-5)dt=\Big[t^5-5t\Big]_1^2$

$=(32-10)-(1-5)=\mathbf{26}$

(4) $\int_1^3 \frac{x^2-1}{x+1}dx=\int_1^3 \frac{(x+1)(x-1)}{x+1}dx=\int_1^3 (x-1)dx$

$=\Big[\frac{1}{2}x^2-x\Big]_1^3=\left(\frac{9}{2}-3\right)-\left(\frac{1}{2}-1\right)=\mathbf{2}$

(2)번처럼 위끝보다 아래끝이 더 큰 경우에는 꼭 아래끝과 위끝의 위치를 바꾸어 계산해야 돼요?

아니야. 그냥 계산해도 같은 답이 나오니까 편한대로 하렴.

㉠ $-\left\{\left(\frac{8}{3}+2-4\right)-\left(-\frac{1}{3}+\frac{1}{2}+2\right)\right\}$

$=-\left(\frac{2}{3}-\frac{13}{6}\right)$

$=-\left(-\frac{3}{2}\right)=\frac{3}{2}$

확인 문제

정답과 해설 | 79쪽

01-1 (상중하) 다음 정적분의 값을 구하시오.

(1) $\int_1^2 (3y^2+2y-1)dy$　　(2) $\int_1^{-2}(x^2-8x+3)dx$

01-2 (상중하) 부등식 $\int_1^3 (4x^3-2kx-1)dx>-2$를 만족시키는 정수 k의 최댓값을 구하시오.

MY 셀파

01-1

(2) $\int_1^{-2}(x^2-8x+3)dx$

$=-\int_{-2}^1 (x^2-8x+3)dx$

01-2

$\int_1^3 (4x^3-2kx-1)dx$를 계산하면 k에 대한 일차식이다.

해법 02 정적분의 성질

❶ $\int_a^b kf(x)dx=k\int_a^b f(x)dx$ (단, k는 상수)

❷ $\int_a^b \{f(x)\pm g(x)\}dx=\int_a^b f(x)dx\pm\int_a^b g(x)dx$ (복부호 동순)

❸ $\int_a^c f(x)dx+\int_c^b f(x)dx=\int_a^b f(x)dx$

PLUS

$\int_a^b f(x)dx\pm\int_a^b g(t)dt$

$=\int_a^b f(x)dx\pm\int_a^b g(x)dx$

$=\int_a^b \{f(x)\pm g(x)\}dx$

예제 다음 정적분의 값을 구하시오.

(1) $\int_{-1}^{2}(x^2+4x)dx-2\int_{-1}^{2}(t^2-t-2)dt$

(2) $\int_{-2}^{2}(x^3+x)dx+\int_{2}^{3}(x^3+x)dx-\int_{4}^{3}(x^3+x)dx$

해법 코드

(1) $2\int_{-1}^{2}(t^2-t-2)dt$

$=2\int_{-1}^{2}(x^2-x-2)dx$

$=\int_{-1}^{2}2(x^2-x-2)dx$

셀파 $\int_a^b f(x)dx+k\int_a^b g(x)dx=\int_a^b\{f(x)+kg(x)\}dx$ (단, k는 상수)

풀이 (1) (주어진 식) $=\int_{-1}^{2}(x^2+4x)dx-$ ㉠ $\int_{-1}^{2}2(x^2-x-2)dx$

$=\int_{-1}^{2}\{(x^2+4x)-(2x^2-2x-4)\}dx$

$=\int_{-1}^{2}(-x^2+6x+4)dx=\left[-\frac{1}{3}x^3+3x^2+4x\right]_{-1}^{2}$

$=\left(-\frac{8}{3}+12+8\right)-\left(\frac{1}{3}+3-4\right)=$ **18**

(2) (주어진 식) $=$ ㉡ $\int_{-2}^{2}(x^3+x)dx+\int_{2}^{3}(x^3+x)dx+\int_{3}^{4}(x^3+x)dx$

$=\int_{-2}^{4}(x^3+x)dx=\left[\frac{1}{4}x^4+\frac{1}{2}x^2\right]_{-2}^{4}$

$=(64+8)-(4+2)=$ **66**

㉠ $\int_a^b f(t)dt=\int_a^b f(x)dx$이므로

$\int_{-1}^{2}(t^2-t-2)dt$

$=\int_{-1}^{2}(x^2-x-2)dx$

㉡ $\int_{-2}^{2}(x^3+x)dx+\int_{2}^{3}(x^3+x)dx$

$=\int_{-2}^{3}(x^3+x)dx$이므로

$\int_{-2}^{3}(x^3+x)dx+\int_{3}^{4}(x^3+x)dx$

$=\int_{-2}^{4}(x^3+x)dx$

확인 문제

정답과 해설 | 79쪽

02-1 다음 정적분의 값을 구하시오.

상중하

(1) $\int_0^2(x-1)(x+1)dx+\int_2^0 x^2\,dx$

(2) $\int_2^3\frac{x^2-2}{x+1}dx-\int_3^2\frac{1}{x+1}dx$

(3) $\int_{-1}^{0}(2x^3-4)dx-\int_1^0(2t^3-4)dt$

MY 셀파

02-1

(1) $\int_2^0 x^2\,dx=-\int_0^2 x^2\,dx$

(2) $\int_3^2\frac{1}{x+1}dx=-\int_2^3\frac{1}{x+1}dx$

(3) $\int_1^0(2t^3-4)dt=-\int_0^1(2x^3-4)dx$

9 정적분

❶ $\int_a^b f(x)dx=-\int_b^a f(x)dx$

❷ $\int_a^b kf(x)dx=k\int_a^b f(x)dx$ (단, k는 상수)

❸ $\int_a^b f(x)dx\pm\int_a^b g(x)dx=\int_a^b \{f(x)\pm g(x)\}dx$ (복부호 동순)

❹ $\int_a^c f(x)dx+\int_c^b f(x)dx=\int_a^b f(x)dx$

01 다음 정적분의 값을 구하시오.

(1) $\int_0^1 3t^2\,dt$

(2) $\int_0^1 (x^2+x)dx$

(3) $\int_1^2 (8x^3+6x)dx$

(4) $\int_{-1}^3 (x^3-2x)dx$

(5) $\int_2^3 \frac{x^3-1}{x-1}\,dx$

(6) $\int_1^0 (2x+1)(x-3)dx$

(7) $\int_0^2 (x+1)^3\,dx$

02 다음 정적분의 값을 구하시오.

(1) $\int_1^2 (x^2-2x)dx+\int_1^2 (-x^2-2x+3)dx$

(2) $\int_0^1 (x+1)^3dx-\int_0^1 (x-1)^3dx$

(3) $\int_0^1 \frac{x^3}{x+1}\,dx+\int_0^1 \frac{1}{t+1}\,dt$

(4) $\int_{-1}^1 (2x+3)dx+\int_1^2 (2x+3)dx$

(5) $\int_0^2 (3x^2-2x)dx+\int_2^3 (3x^2-2x)dx$

(6) $\int_{-1}^2 (x^2+x)dx-\int_{-1}^{-2} (x^2+x)dx$

(7) $\int_0^1 (t^3-1)dt+\int_2^1 (1-t^3)dt$

해법 03 구간에 따라 다르게 정의된 함수의 정적분

함수 $f(x)=\begin{cases} g(x) & (x\le c) \\ h(x) & (x\ge c) \end{cases}$ 가 닫힌구간 $[a, b]$에서 연속이고 $a<c<b$일 때

⇨ $\int_a^b f(x)dx=\int_a^c g(x)dx+\int_c^b h(x)dx$

PLUS +

변수의 값의 범위에 따라 함수가 다르면 적분 구간을 나누어 적분한다.

예제 함수 $f(x)=\begin{cases} x+1 & (x\le 0) \\ (x-1)^2 & (x\ge 0) \end{cases}$ 에 대하여 정적분 $\int_{-2}^1 f(x)dx$의 값을 구하시오.

해법 코드
적분 구간을 $-2\le x\le 0$, $0\le x\le 1$로 나눈다.

셀파 구간을 나누어 정적분의 값을 구한다.

풀이 ㉠적분 구간 $[-2, 1]$을 $x=0$을 기준으로 나누면

㉡$\int_{-2}^1 f(x)dx=\int_{-2}^0 f(x)dx+\int_0^1 f(x)dx$

$-2\le x\le 0$일 때 $f(x)=x+1$, $0\le x\le 1$일 때 $f(x)=(x-1)^2$이므로

$$\begin{aligned}\int_{-2}^1 f(x)dx&=\int_{-2}^0 f(x)dx+\int_0^1 f(x)dx\\&=\int_{-2}^0 (x+1)dx+\int_0^1 (x-1)^2dx\\&=\int_{-2}^0 (x+1)dx+\int_0^1 (x^2-2x+1)dx\\&=\left[\frac{1}{2}x^2+x\right]_{-2}^0+\left[\frac{1}{3}x^3-x^2+x\right]_0^1\\&=-(2-2)+\left(\frac{1}{3}-1+1\right)=\mathbf{\frac{1}{3}}\end{aligned}$$

㉠ $x\le 0$일 때와 $x\ge 0$일 때의 함수가 다르게 정의된 경우의 정적분은 적분 구간 $[-2, 1]$에서 $x=0$을 기준으로 구간을 나눈다.

㉡ 함수 $f(x)$가 임의의 세 실수 a, b, c를 포함하는 닫힌구간에서 연속일 때
$\int_a^b f(x)dx=\int_a^c f(x)dx+\int_c^b f(x)dx$

9 정적분

확인 문제

정답과 해설 | 81쪽

03-1 (상중하) 함수 $f(x)=\begin{cases} 3x & (x\le 1) \\ 4-x^2 & (x\ge 1) \end{cases}$ 에 대하여 정적분 $\int_0^2 f(x)dx$의 값을 구하시오.

03-2 (상중하) 함수 $y=f(x)$의 그래프가 오른쪽 그림과 같을 때, 정적분 $\int_{-3}^2 xf(x)dx$의 값을 구하시오.

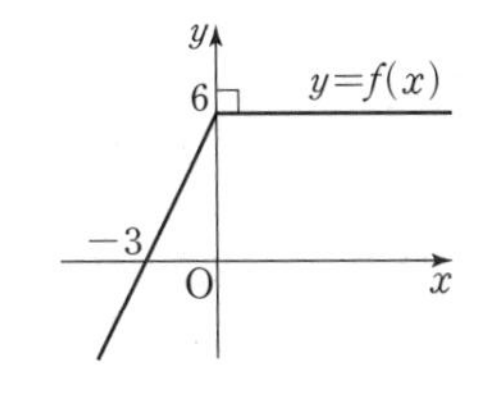

MY 셀파

03-1
적분 구간 $[0, 2]$에서 $x=1$을 기준으로 구간을 나눈다.

03-2
$f(x)=\begin{cases} 2x+6 & (x\le 0) \\ 6 & (x\ge 0) \end{cases}$

해법 04 절댓값 기호를 포함한 함수의 정적분

절댓값 기호를 포함한 함수 $y=|f(x)|$의 정적분은 오른쪽 그림에서

$$\int_a^c |f(x)|dx=\int_a^b f(x)dx+\int_b^c \{-f(x)\}dx$$

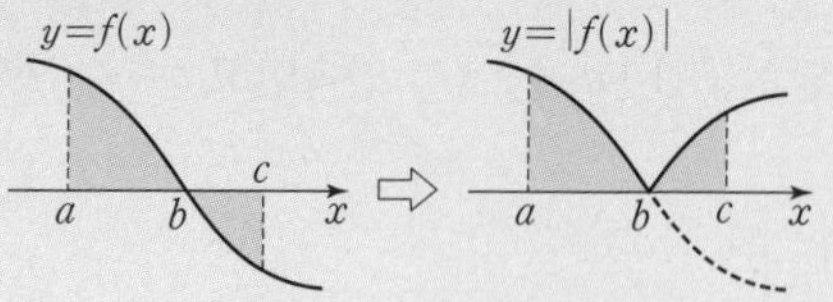

PLUS

절댓값 기호를 포함한 함수의 정적분은 절댓값 기호 안의 식의 값이 0이 되는 x의 값을 경계로 구간을 나누어 생각한다.

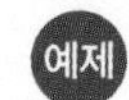

예제 다음 정적분의 값을 구하시오.

(1) $\int_{-2}^{4} |x-3|dx$ (2) $\int_{-1}^{2} |x-x^2|dx$

해법 코드
(2) $x-x^2=0$에서 $x(1-x)=0$이므로 $x=0$ 또는 $x=1$을 기준으로 구간을 나눈다.

셀파 절댓값 기호가 있으면 구간을 나누어 절댓값 기호를 없앤다.

풀이 (1) $f(x)=|x-3|$이라 하면 $x-3=0$에서 $x=3$이므로

ㄱ $f(x)=\begin{cases} -(x-3) & (x\le 3) \\ x-3 & (x\ge 3) \end{cases}$

$\therefore \int_{-2}^{4} |x-3|dx=\int_{-2}^{3} \{-(x-3)\}dx+\int_{3}^{4} (x-3)dx$

$=-\left[\frac{1}{2}x^2-3x\right]_{-2}^{3}+\left[\frac{1}{2}x^2-3x\right]_{3}^{4}=\frac{25}{2}+\frac{1}{2}=\mathbf{13}$

ㄱ

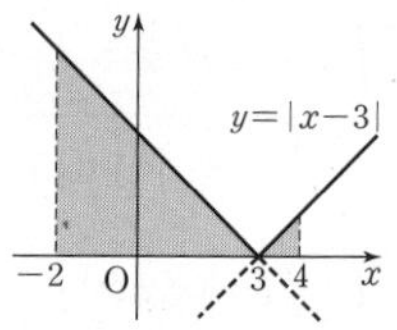

(2) ㄴ $f(x)=|x-x^2|$이라 하면 $x-x^2=x(1-x)=0$에서 $x=0$ 또는 $x=1$이므로

$f(x)=\begin{cases} -(x-x^2) & (x\le 0 \text{ 또는 } x\ge 1) \\ x-x^2 & (0\le x\le 1) \end{cases}$

$\therefore \int_{-1}^{2} |x-x^2|dx=\int_{-1}^{0} (x^2-x)dx+\int_{0}^{1} (x-x^2)dx+\int_{1}^{2} (x^2-x)dx$

$=\left[\frac{1}{3}x^3-\frac{1}{2}x^2\right]_{-1}^{0}+\left[\frac{1}{2}x^2-\frac{1}{3}x^3\right]_{0}^{1}+\left[\frac{1}{3}x^3-\frac{1}{2}x^2\right]_{1}^{2}$

$=\frac{5}{6}+\frac{1}{6}+\frac{5}{6}=\mathbf{\frac{11}{6}}$

ㄴ

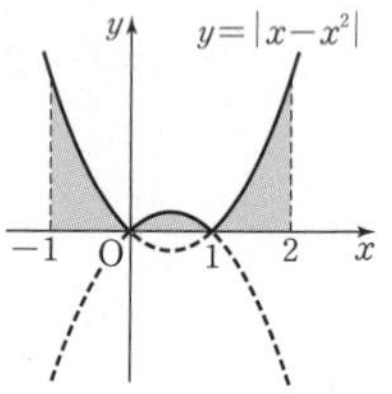

확인 문제

정답과 해설 | 81쪽

MY 셀파

04-1 다음 정적분의 값을 구하시오.

상 중 하

(1) $\int_{0}^{3} |x^2-2x|dx$ (2) $\int_{-1}^{1} (|x|-1)^2dx$

04-1
(2) $|x|=\begin{cases} -x & (x\le 0) \\ x & (x\ge 0) \end{cases}$

04-2 등식 $\int_{-1}^{2} (2|x|+k)dx=14$를 만족시키는 상수 k의 값을 구하시오.

상 중 하

04-2
$|x|=0$에서 $x=0$을 기준으로 구간을 나눈다.

셀파 특강 01 우함수와 기함수의 정적분

정적분 $\int_{-2}^{2}(x^{11}-3x^7+10x^5+7x^3+x^2+1)dx$의 값을 구하시오.

A $y=f(x)$의 그래프가 y축에 대하여 대칭인 함수 $f(x)$를 우함수라 하고, 식으로는 $f(-x)=f(x)$로 나타내. 또 $y=f(x)$의 그래프가 원점에 대하여 대칭인 함수 $f(x)$를 기함수라 하고, 식으로는 $f(-x)=-f(x)$로 나타내지. 이거 기억나?

Q 그거야 기억하지만 구하려는 정적분에서 $x^{11}-3x^7+10x^5+7x^3+x^2+1$은 우함수도 아니고 기함수도 아니잖아요. 또 함수의 대칭성을 어떻게 이용해요?

A ㉠정적분의 성질을 이용해 주어진 식을 이렇게 바꿔 보자.

$$\int_{-2}^{2}(x^{11}-3x^7+10x^5+7x^3)dx+\int_{-2}^{2}(x^2+1)dx$$

Q 아하! x^n 꼴 함수는 우함수 아니면 기함수이므로 항을 나누어 생각하면 되네요.

A $\int_{-a}^{a}x^n dx$ (a는 양수) 꼴에서 n이 짝수일 때와 홀수일 때로 나누어 생각해 보자.

❶ n이 짝수일 때

$$\int_{-a}^{a}x^n dx=\left[\frac{1}{n+1}x^{n+1}\right]_{-a}^{a}=\frac{1}{n+1}a^{n+1}-\underline{\frac{1}{n+1}(-a)^{n+1}}$$ ㉡

$$=\frac{1}{n+1}a^{n+1}+\frac{1}{n+1}a^{n+1}=2\times\frac{1}{n+1}a^{n+1}=2\int_{0}^{a}x^n dx$$

❷ n이 홀수일 때

$$\int_{-a}^{a}x^n dx=\left[\frac{1}{n+1}x^{n+1}\right]_{-a}^{a}=\frac{1}{n+1}a^{n+1}-\underline{\frac{1}{n+1}(-a)^{n+1}}$$ ㉢

$$=\frac{1}{n+1}a^{n+1}-\frac{1}{n+1}a^{n+1}=0$$

한편 $n=0$일 때 $\int_{-a}^{a}1\,dx=\left[x\right]_{-a}^{a}=a-(-a)=2a=2\int_{0}^{a}1\,dx$

Q x^{11}, x^7, x^5, x^3은 모두 기함수이므로 $\int_{-2}^{2}(x^2+1)dx$의 값만 계산하면 되는 거네요.

그럼 구하는 값은 $\int_{-2}^{2}(x^2+1)dx=2\int_{0}^{2}(x^2+1)dx=2\left[\frac{1}{3}x^3+x\right]_{0}^{2}=\frac{28}{3}$이에요.

▶ 다항함수에서 차수가 짝수인 항들과 상수항으로 이루어진 경우는 우함수이고, 차수가 홀수인 항들만으로 이루어진 경우는 기함수이다.

예 우함수 : $f(x)=2x^4+1$
기함수 : $g(x)=4x^3-2x$

㉠ $\int_{a}^{b}\{f(x)+g(x)\}dx=\int_{a}^{b}f(x)dx+\int_{a}^{b}g(x)dx$

㉡ n이 짝수일 때, $n+1$은 홀수이므로 $(-a)^{n+1}=-a^{n+1}$

㉢ n이 홀수일 때, $n+1$은 짝수이므로 $(-a)^{n+1}=a^{n+1}$

$\int_{-a}^{a}$우$dx=2\int_{0}^{a}$우dx
$\int_{-a}^{a}$기$dx=0$
으로 외워!

확인 체크 01

정답과 해설 | 82쪽

다음 정적분의 값을 구하시오.

(1) $\int_{-1}^{1}x(1-x)^2dx$

(2) $\int_{-3}^{3}(x^2+3)(x^3-x)dx$ ㉣

㉣ 전개하면 x^5+2x^3-3x이므로 차수가 홀수인 항들만으로 이루어진 기함수이다.

해법 05 우함수와 기함수의 정적분

함수 $f(x)$가 닫힌구간 $[-a, a]$에서 연속일 때

❶ $f(-x)=f(x)$이면 함수 $f(x)$를 우함수라 한다.

⇨ $\int_{-a}^{a} f(x)dx=2\int_{0}^{a} f(x)dx$ ⇦ $f(x)$는 짝수차항으로만 이루어진 함수

❷ $f(-x)=-f(x)$이면 함수 $f(x)$를 기함수라 한다.

⇨ $\int_{-a}^{a} f(x)dx=0$ ⇦ $f(x)$는 홀수차항으로만 이루어진 함수

PLUS ⊕

❶ n이 짝수일 때

$\int_{-a}^{a} x^n dx=2\int_{0}^{a} x^n dx$

❷ n이 홀수일 때

$\int_{-a}^{a} x^n dx=0$

예제 두 다항함수 $f(x)$, $g(x)$가 모든 실수 x에 대하여

$$f(-x)=f(x),\ g(-x)=-g(x)$$

를 만족시킨다. $\int_{0}^{1} f(x)dx=2$, $\int_{0}^{1} g(x)dx=3$일 때, 정적분

$\int_{-1}^{1} \{f(x)+g(x)\}dx$의 값을 구하시오.

해법 코드

$\int_{-1}^{1}\{f(x)+g(x)\}dx$

$=\int_{-1}^{1}f(x)dx+\int_{-1}^{1}g(x)dx$

셀파 $f(-x)=f(x)$이면 $f(x)$는 우함수, $g(-x)=-g(x)$이면 $g(x)$는 기함수

풀이 (i) 모든 실수 x에 대하여 $f(-x)=f(x)$이므로

함수 $y=f(x)$는 그래프가 y축에 대하여 대칭인 우함수이다.

㉠ $\therefore \int_{-1}^{1} f(x)dx=2\int_{0}^{1} f(x)dx=2\times 2=4$

(ii) 모든 실수 x에 대하여 $g(-x)=-g(x)$이므로

함수 $y=g(x)$는 그래프가 원점에 대하여 대칭인 기함수이다.

㉡ $\therefore \int_{-1}^{1} g(x)dx=0$

(i), (ii)에서

$\int_{-1}^{1} \{f(x)+g(x)\}dx=\int_{-1}^{1} f(x)dx+\int_{-1}^{1} g(x)dx=4+0=\mathbf{4}$

㉠ $f(x)$가 우함수이면

$\int_{-a}^{a} f(x)dx=2\int_{0}^{a} f(x)dx$

㉡ $g(x)$가 기함수이면

$\int_{-a}^{a} g(x)dx=0$

확인 문제

정답과 해설 | 82쪽

05-1 (상 중 하) 두 다항함수 $f(x)$, $g(x)$가 모든 실수 x에 대하여

$$f(-x)=f(x),\ g(-x)=-g(x)$$

를 만족시킨다. $\int_{0}^{3} f(x)dx=7$, $\int_{0}^{3} g(x)dx=-2$일 때, 정적분

$\int_{-3}^{3} \{2f(x)-3g(x)\}dx$의 값을 구하시오.

MY 셀파

05-1

$\int_{-3}^{3}\{2f(x)-3g(x)\}dx$

$=2\int_{-3}^{3}f(x)dx-3\int_{-3}^{3}g(x)dx$

해법 06 적분 구간이 상수인 정적분을 포함한 등식

$f(x)=g(x)+\int_a^b f(t)dt$ (a, b는 상수) 꼴의 등식이 주어지면 다음과 같은 순서로 $f(x)$를 구한다.

1. $\int_a^b f(t)dt=k$ (k는 상수)로 놓는다.
2. $f(x)=g(x)+k$를 1의 식에 대입하여 k의 값을 구한다.
3. k의 값을 $f(x)=g(x)+k$에 대입하여 $f(x)$를 구한다.

PLUS

a, b가 상수이고 $F'(x)=f(x)$일 때

$\int_a^b f(x)dx=\Big[F(x)\Big]_a^b$
$=F(b)-F(a)$

이므로 정적분 $\int_a^b f(x)dx$는 상수이다.

예제 다음 등식을 만족시키는 함수 $f(x)$를 구하시오.

(1) $f(x)=3x^2+1+\int_0^2 f(t)dt$ (2) $f(x)=x^3+x+\int_0^2 tf'(t)dt$

해법 코드

(1) $\int_0^2 f(t)dt=k$로 놓는다.

(2) $\int_0^2 tf'(t)dt=k$로 놓는다.

셀파 $\int_a^b f(t)dt=k$ **(k는 상수)로 놓고 k의 값을 구한다.**

풀이 (1) ㉠ $\int_0^2 f(t)dt=k$ (k는 상수) ……㉠로 놓으면 $f(x)=3x^2+1+k$

이것을 ㉠에 대입하면

$\int_0^2 f(t)dt=\int_0^2 (3t^2+1+k)dt=\Big[t^3+t+kt\Big]_0^2=10+2k$

즉, $10+2k=k$에서 $k=-10$ $\therefore$ $\boldsymbol{f(x)=3x^2-9}$

(2) $\int_0^2 tf'(t)dt=k$ (k는 상수) ……㉠로 놓으면 $f(x)=x^3+x+k$

$f'(x)=3x^2+1$을 ㉠에 대입하면

$\int_0^2 tf'(t)dt=\int_0^2 t(3t^2+1)dt=\int_0^2 (3t^3+t)dt=\Big[\frac{3}{4}t^4+\frac{1}{2}t^2\Big]_0^2=12+2=14$

즉, $k=14$ $\therefore$ $\boldsymbol{f(x)=x^3+x+14}$

㉠ 적분 구간이 상수로만 되어 있으므로 상수 k로 놓을 수 있다.

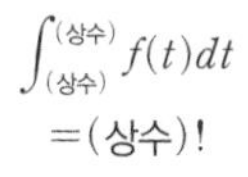

확인 문제

정답과 해설 | 82쪽

06-1 등식 $f(x)=2x^2+4x-\int_0^1 f(t)dt$를 만족시키는 함수 $f(x)$에 대하여 $f(0)$의 값을 구하시오.

상 중 하

06-2 등식 $f(x)=x^2-3x+\int_0^2 tf(t)dt$를 만족시키는 함수 $f(x)$에 대하여 $f(3)$의 값을 구하시오.

상 중 하

MY 셀파

06-1

$\int_0^1 f(t)dt=k$로 놓으면

$f(x)=2x^2+4x-k$

06-2

$\int_0^2 tf(t)dt=k$로 놓으면

$f(x)=x^2-3x+k$

해법 07 적분 구간에 변수가 있는 정적분을 포함한 등식

$\int_a^x f(t)dt=g(x)$ (a는 상수) ······㉠ 꼴일 때

❶ ㉠의 양변을 x에 대하여 미분하면 $\frac{d}{dx}\int_a^x f(t)dt=g'(x)$이므로 $f(x)=g'(x)$

❷ ㉠의 양변에 $x=a$를 대입하면 $\int_a^a f(t)dt=g(a)$이므로 $g(a)=0$

PLUS ⊕

아래끝이나 위끝에 변수 x가 있는 정적분은 아래끝과 위끝을 같게 하는 값을 x에 대입해 그 적분값이 0임을 이용한다.

예제 1. 다항함수 $f(x)$가 모든 실수 x에 대하여 $\int_1^x f(t)dt=x^2+3x-a$를 만족시킬 때, 상수 a의 값과 함수 $f(x)$를 구하시오.

2. 다항함수 $f(x)$가 모든 실수 x에 대하여 $xf(x)=\frac{2}{3}x^3+\int_1^x f(t)dt$를 만족시킬 때, $f(2)$의 값을 구하시오.

해법 코드

1. 주어진 식의 양변에 $x=1$을 대입하면 (좌변)$=0$

2. 주어진 식의 양변을 x에 대하여 미분한다.

셀파 ㉠ $\frac{d}{dx}\int_a^x f(t)dt=f(x)$, $\int_a^a f(t)dt=0$

풀이 1. 주어진 식의 양변을 x에 대하여 미분하면 $\boldsymbol{f(x)=2x+3}$

주어진 식의 양변에 $x=1$을 대입하면 ㉡ $\int_1^1 f(t)dt=1+3-a$, $4-a=0$

$\therefore$ $\boldsymbol{a=4}$

2. 주어진 식의 양변을 x에 대하여 미분하면

$f(x)+xf'(x)=2x^2+f(x)$ $\quad\therefore f'(x)=2x$

$\therefore f(x)=\int f'(x)dx=\int 2x\,dx=x^2+C$

주어진 식의 양변에 $x=1$을 대입하면 $f(1)=\frac{2}{3}$에서 ㉢ $C=-\frac{1}{3}$

따라서 $f(x)=x^2-\frac{1}{3}$이므로 $f(2)=4-\frac{1}{3}=\boldsymbol{\frac{11}{3}}$

㉠ $F'(x)=f(x)$이면

$\frac{d}{dx}\int_a^x f(t)dt$

$=\frac{d}{dx}\Big[F(t)\Big]_a^x$

$=\frac{d}{dx}\{F(x)-F(a)\}$

$=F'(x)=f(x)$

㉡ $\int_1^1 f(t)dt=0$

㉢ $f(x)=x^2+C$에서 $f(1)=1+C=\frac{2}{3}$

확인 문제

정답과 해설 | 82쪽

MY 셀파

07-1 (상 중 하) 다항함수 $f(x)$가 모든 실수 x에 대하여 $\int_2^x f(t)dt=3x^2+2ax-4$를 만족시킬 때, $f(3)$의 값을 구하시오. (단, a는 상수)

07-1 주어진 식의 양변에 $x=2$를 대입하여 상수 a의 값을 구한다.

07-2 (상 중 하) 다항함수 $f(x)$가 모든 실수 x에 대하여 $\int_1^x f(t)dt=xf(x)-x^3+2x^2-3$을 만족시킬 때, $f(0)$의 값을 구하시오.

07-2 주어진 식의 양변을 x에 대하여 미분한다.

셀파 특강 02 정적분으로 정의된 함수를 두 번 미분하는 경우

다항함수 $f(x)$가 모든 실수 x에 대하여 $\int_1^x (x-t)f(t)dt=2x^3-3x^2+1$을 만족시킬 때, 함수 $f(x)$를 구하시오.

Q 위끝에 문자가 있으니까 양변을 미분해야겠어요. 좌변을 미분하면
$\frac{d}{dx}\int_1^x (x-t)f(t)dt=(x-x)f(x)=0\times f(x)=0$, 우변을 미분하면 $6x^2-6x$이므로 $0=6x^2-6x$가 돼요. 이상하다? $f(x)$가 없어져 버렸는데 어떻게 구하죠?

A 위끝에 x가 있으니까 미분해야 하는 건 맞지만 이 문제처럼 $\int$의 안쪽에 적분변수 t가 아닌 x가 있을 때는 주의할 점이 있어.

Q $\int_1^x (x-t)f(t)dt$에서 표시한 x 때문에 문제가 생겼단 말씀이죠?

A 그래. x에 대해 미분할 때, x는 중요한 역할을 하는 변수이므로 먼저 x를 $\int$밖으로 빼내야 해. 즉, $\int \square\, dt$ 꼴에서 적분변수는 t이기 때문에 x는 상수로 취급할 수 있어. 그러니까 ㉠$\int_1^x (x-t)f(t)dt=x\int_1^x f(t)dt-\int_1^x tf(t)dt$로 놓고 양변을 미분해 봐!

Q ㉡$x\int_1^x f(t)dt-\int_1^x tf(t)dt=2x^3-3x^2+1$의 양변을 x에 대하여 미분하면
$\int_1^x f(t)dt+xf(x)-xf(x)=6x^2-6x$, 즉 $\int_1^x f(t)dt=6x^2-6x$
그런데 이번에도 구하는 $f(x)$가 안 나왔어요.

A 그럴 땐 한 번 더 미분해 봐.

Q 아하~. $\int_1^x f(t)dt=6x^2-6x$의 양변을 x에 대하여 미분하면 $\boldsymbol{f(x)=12x-6}$

> $\int_a^x (x-t)f(t)dt=g(x)$ (a는 상수)
> ⇨ $x\int_a^x f(t)dt-\int_a^x tf(t)dt=g(x)$로 놓고 양변을 x에 대하여 두 번 미분하여 $f(x)$를 구한다.

㉠ $\int_1^x (x-t)f(t)dt$
$=\int_1^x \{xf(t)-tf(t)\}dt$
$=\int_1^x xf(t)dt-\int_1^x tf(t)dt$
$=x\int_1^x f(t)dt-\int_1^x tf(t)dt$

㉡ 두 함수의 곱으로 이루어진 함수의 곱의 미분법
$\{f(x)g(x)\}'$
$=f'(x)g(x)+f(x)g'(x)$
를 이용하면
$\left\{x\int_1^x f(t)dt\right\}'$
$=x'\times\int_1^x f(t)dt+x\times\left\{\int_1^x f(t)dt\right\}'$
$=\int_1^x f(t)dt+xf(x)$

확인 체크 02

정답과 해설 | 83쪽

다항함수 $f(x)$가 모든 실수 x에 대하여 ㉢$\int_1^x (x-t)f(t)dt=x^3+ax+b$를 만족시킬 때, $a+b+f(1)$의 값을 구하시오. (단, a, b는 상수)

㉢ 적분하는 함수에 상관없이 아래끝과 위끝이 같은 정적분의 값은 0이다. 즉,
$\int_1^1 f(t)dt=0$, $\int_1^1 tf(t)dt=0$

9 정적분

해법 08 정적분으로 정의된 함수의 극대, 극소

$f(x)=\int_a^x g(t)dt$ (a는 상수)와 같이 정의된 함수 $f(x)$의 극값은 다음과 같이 구한다.

1 주어진 식의 양변을 x에 대하여 미분하여 $f'(x)$를 구한다.
2 함수 $f(x)$의 증가와 감소를 표로 나타낸다.
3 정적분을 계산하여 함수의 극댓값과 극솟값을 구한다.

PLUS

적분 구간에 변수 x가 있는 등식은 양변을 x에 대하여 미분한다.

$\frac{d}{dx}\int_a^x f(t)dt=f(x)$

(단, a는 상수)

예제 함수 $f(x)=\int_{-2}^x (t^2-t-2)dt$의 극댓값과 극솟값을 구하시오.

해법 코드
주어진 식의 양변을 x에 대하여 미분하면 $f'(x)=x^2-x-2$

셀파 $f(x)=\int_a^x g(t)dt$의 양변을 x에 대하여 미분한다.

풀이 주어진 식의 양변을 x에 대하여 미분하면

$f'(x)=x^2-x-2=(x+1)(x-2)$

$f'(x)=0$에서 $x=-1$ 또는 $x=2$

함수 $f(x)$의 증가와 감소를 표로 나타내면 오른쪽과 같다.

x	$\cdots$	-1	$\cdots$	2	$\cdots$
$f'(x)$	$+$	0	$-$	0	$+$
$f(x)$	↗	극대	↘	극소	↗

즉, 함수 $f(x)$는 $x=-1$에서 극댓값, $x=2$에서 극솟값을 갖는다. 이때

$$f(-1)=\int_{-2}^{-1}(t^2-t-2)dt=\left[\frac{1}{3}t^3-\frac{1}{2}t^2-2t\right]_{-2}^{-1}$$

$$=\left(-\frac{1}{3}-\frac{1}{2}+2\right)-\left(-\frac{8}{3}-2+4\right)=\frac{11}{6}$$

$$f(2)=\int_{-2}^{2}(t^2-t-2)dt=2\int_0^2(t^2-2)dt$$

$$=2\left[\frac{1}{3}t^3-2t\right]_0^2=2\times\left(\frac{8}{3}-4\right)=-\frac{8}{3}$$

∴ **극댓값 : $\frac{11}{6}$, 극솟값 : $-\frac{8}{3}$**

주어진 식을 바로 적분해서 함수 $f(x)$를 구한 다음 $f(x)$의 극대, 극소를 구하면 안 돼요?

그래도 되지만 $f(x)$의 극대, 극소를 구할 때는 어차피 $f'(x)$가 필요하니까 처음부터 주어진 식의 양변을 x에 대해 미분해서 $f'(x)$를 구하는 것이 더 편리해.

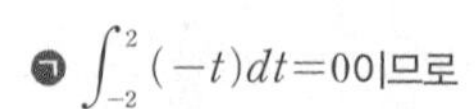

㉠ $\int_{-2}^{2}(-t)dt=0$이므로

$\int_{-2}^{2}(t^2-t-2)dt$

$=\int_{-2}^{2}(t^2-2)dt$

$=2\int_0^2(t^2-2)dt$

확인 문제

정답과 해설 | 83쪽

08-1 함수 $f(x)=\int_{-1}^x t(t-1)dt$의 극댓값과 극솟값의 합을 구하시오.

상 중 하

08-2 함수 $f(x)=\int_0^x t(t-1)(t-2)dt$의 극댓값을 구하시오.

상 중 하

MY 셀파

08-1
$f'(x)=x(x-1)$

08-2
$f'(x)=x(x-1)(x-2)$

해법 09 정적분으로 정의된 함수의 최대, 최소

$f(x)=\int_{x}^{x+a} g(t)dt$ (a는 상수)와 같이 정의된 함수 $f(x)$의 최댓값과 최솟값은 다음과 같이 구한다.

1 주어진 식의 양변을 x에 대하여 미분한다. ⇨ $f'(x)=g(x+a)-g(x)$

2 $f'(x)=0$에서 함수 $f(x)$의 극값을 구한다.

3 주어진 구간의 양 끝 값에서의 함숫값과 극값을 비교한다.

PLUS ⊕

$\frac{d}{dx}\int_{x}^{x+a} g(t)dt$
$=g(x+a)-g(x)$

예제 닫힌구간 $[-2, 2]$에서 함수 $f(x)=\int_{0}^{x}(t^2+t)dt$의 최댓값과 최솟값을 구하시오.

해법 코드
주어진 식의 양변을 x에 대하여 미분한다.

셀파 닫힌구간 $[a, b]$에서 함수 $f(x)$의 최대, 최소 ⇨ 극값, $f(a)$, $f(b)$를 비교

풀이 주어진 식의 양변을 x에 대하여 미분하면 $f'(x)=x^2+x=x(x+1)$

$f'(x)=0$에서 $x=-1$ 또는 $x=0$이므로 ㉠ 닫힌구간 $[-2, 2]$에서 함수 $f(x)$의 증가와 감소를 표로 나타내면 다음과 같다.

x	-2	$\cdots$	-1	$\cdots$	0	$\cdots$	2
$f'(x)$		$+$	0	$-$	0	$+$	
$f(x)$		↗	극대	↘	극소	↗	

$$f(-2)=\int_{0}^{-2}(t^2+t)dt=\left[\frac{1}{3}t^3+\frac{1}{2}t^2\right]_{0}^{-2}=-\frac{8}{3}+2=-\frac{2}{3}$$

$$f(-1)=\int_{0}^{-1}(t^2+t)dt=\left[\frac{1}{3}t^3+\frac{1}{2}t^2\right]_{0}^{-1}=-\frac{1}{3}+\frac{1}{2}=\frac{1}{6}$$

$$f(0)=\int_{0}^{0}(t^2+t)dt=0$$

$$f(2)=\int_{0}^{2}(t^2+t)dt=\left[\frac{1}{3}t^3+\frac{1}{2}t^2\right]_{0}^{2}=\frac{8}{3}+2=\frac{14}{3}$$

따라서 닫힌구간 $[-2, 2]$에서 함수 $f(x)$의 **최댓값은 $\frac{14}{3}$, 최솟값은 $-\frac{2}{3}$**

㉠ 함수 $f(x)$는 $x=-1$에서 극대이고, $x=0$에서 극소이므로 구간 $[-2, 2]$에서 함수 $y=f(x)$의 그래프는 다음 그림과 같다.

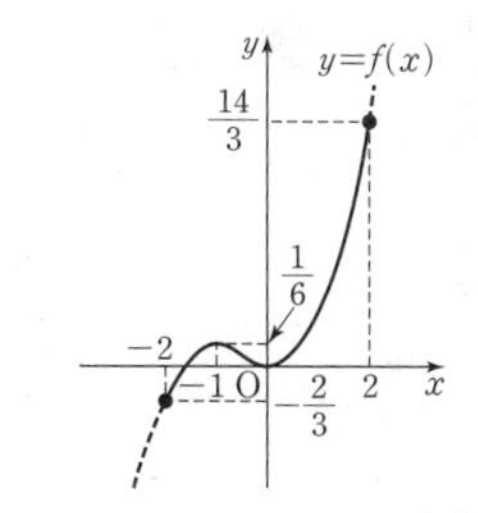

따라서 이 구간에서 함수 $f(x)$의 최댓값은 $f(2)=\frac{14}{3}$, 최솟값은 $f(-2)=-\frac{2}{3}$

확인 문제

정답과 해설 | 84쪽

09-1 상중하

이차함수 $y=f(x)$의 그래프가 오른쪽 그림과 같고, $g(x)=\int_{x}^{x+1} f(t)dt$이다. 닫힌구간 $[0, 3]$에서 함수 $g(x)$는 $x=a$에서 최댓값, $x=b$에서 최솟값을 가질 때, $a+b$의 값을 구하시오.

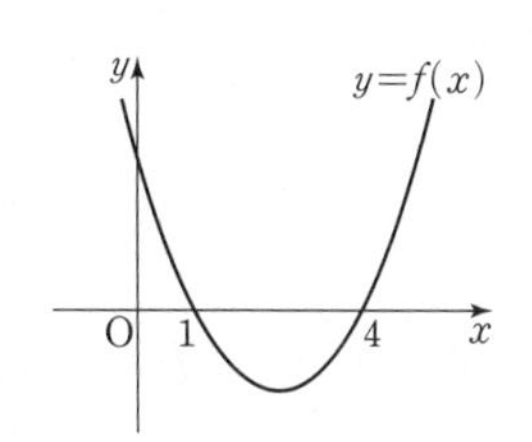

MY 셀파

09-1
$f(x)=k(x-1)(x-4)$ $(k>0)$로 놓고, 주어진 식의 양변을 x에 대하여 미분한다.

9 정적분

해법 10 정적분으로 정의된 함수의 극한

함수 $f(t)$의 한 부정적분을 $F(t)$라 하면 $F'(t)=f(t)$

❶ $\lim_{x\to a}\frac{1}{x-a}\int_a^x f(t)dt=\lim_{x\to a}\frac{\left[F(t)\right]_a^x}{x-a}=\lim_{x\to a}\frac{F(x)-F(a)}{x-a}=F'(a)=f(a)$

❷ $\lim_{x\to 0}\frac{1}{x}\int_a^{x+a} f(t)dt=\lim_{x\to 0}\frac{\left[F(t)\right]_a^{x+a}}{x}=\lim_{x\to 0}\frac{F(x+a)-F(a)}{x}=F'(a)=f(a)$

PLUS ⊕

$f'(a)$

$=\lim_{h\to 0}\frac{f(a+h)-f(a)}{h}$

$=\lim_{x\to a}\frac{f(x)-f(a)}{x-a}$

예제 다음 극한값을 구하시오.

(1) $\lim_{x\to 1}\frac{1}{x-1}\int_1^x (t^2-3t+2)dt$ (2) $\lim_{h\to 0}\frac{1}{h}\int_3^{3+h} (t^2+1)dt$

해법 코드

(1) $f(t)=t^2-3t+2$로 놓는다.

(2) $f(t)=t^2+1$로 놓는다.

셀파 $\lim_{x\to a}\frac{1}{x-a}\int_a^x f(t)dt=f(a)$, $\lim_{x\to 0}\frac{1}{x}\int_a^{x+a} f(t)dt=f(a)$

풀이 (1) $f(t)=t^2-3t+2$로 놓고 $f(t)$의 한 부정적분을 $F(t)$라 하면

$$(\text{주어진 식})=\lim_{x\to 1}\frac{1}{x-1}\int_1^x f(t)dt=\lim_{x\to 1}\frac{\left[F(t)\right]_1^x}{x-1}$$

$$\overset{㉠}{=}\lim_{x\to 1}\frac{F(x)-F(1)}{x-1}\overset{㉡}{=}F'(1)=f(1)$$

$$=1-3+2=\mathbf{0}$$

(2) $f(t)=t^2+1$로 놓고 $f(t)$의 한 부정적분을 $F(t)$라 하면

$$(\text{주어진 식})=\lim_{h\to 0}\frac{1}{h}\int_3^{3+h} f(t)dt=\lim_{h\to 0}\frac{\left[F(t)\right]_3^{3+h}}{h}$$

$$=\lim_{h\to 0}\frac{F(3+h)-F(3)}{h}=F'(3)=f(3)$$

$$=9+1=\mathbf{10}$$

㉠ 미분계수의 정의에 따라
$\lim_{x\to 1}\frac{F(x)-F(1)}{x-1}=F'(1)$

㉡ $F'(t)=f(t)$이므로
$F'(1)=f(1)$

확인 문제

정답과 해설 | 84쪽

10-1 다음 극한값을 구하시오.
상중하

(1) $\lim_{h\to 0}\frac{1}{h}\int_1^{1+h} (x^3-2x^2+3x)dx$ (2) $\lim_{x\to 1}\frac{1}{x-1}\int_1^{x^2} (2t^2+3t-1)dt$

10-2 $f'(x)=3x^2+2x+1$이고 $\lim_{x\to 0}\frac{1}{x}\int_0^x f(t)dt=1$일 때, $f(2)$의 값을 구하시오.
상중하

MY 셀파

10-1
미분계수의 정의를 이용한다.

10-2
$f'(x)=3x^2+2x+1$이므로
$f(x)=x^3+x^2+x+C$

정적분의 정의

01 다음 정적분을 바르게 구한 것은?

상 중 하

① $\int_{0}^{1} x^2\,dx=2$ ② $\int_{2}^{3} 2x\,dx=13$

③ $\int_{-1}^{-2} x\,dx=-1$ ④ $\int_{-2}^{3} x^3\,dx=\frac{65}{4}$

⑤ $\int_{-5}^{5} (x^3+x^2)dx=0$

정적분의 정의

02 함수 $f(x)=-3x^2+2x+k$에 대하여 $\int_{0}^{3} f(x)dx=k$를 만족시킬 때, 상수 k의 값을 구하시오.

상 중 하

정적분의 정의

03 함수 $f(x)$가

상 중 하

$$f(x)=\frac{d}{dx}\int(4x^3+2x)dx-\frac{d}{dx}\int\left(\frac{d}{dx}3x^2\right)dx$$

일 때, 정적분 $\int_{0}^{2} f(x)dx$의 값을 구하시오.

정적분의 정의 융합형

04 다항함수 $f(x)$가 다음 조건을 만족시킬 때, $f(10)$의 값을 구하시오.

상 중 하

(가) $\int f(x)dx=\{f(x)\}^2$

(나) $\int_{0}^{2} f(x)dx=5$

정적분의 성질

05 등식 $\int_{-2}^{1} f(x)dx=3$, $\int_{4}^{0} f(x)dx=-5$, $\int_{1}^{4} f(x)dx=6$을 만족시키는 다항함수 $f(x)$에 대하여 정적분 $\int_{-2}^{0}\{f(x)-2x\}dx$의 값을 구하시오.

상 중 하

정적분의 성질

06 함수 $f(x)=x^2+x+1$에 대하여 정적분

상 중 하

$$\int_{0}^{2} f(x)dx-\int_{0}^{-2} f(x)dx-\int_{-1}^{2} f(x)dx$$

의 값을 구하시오.

구간에 따라 다르게 정의된 함수의 정적분

07 함수 $f(x)=\begin{cases}2x+1 & (x\le 0)\\ |x-1| & (x\ge 0)\end{cases}$에 대하여

상 중 하

정적분 $\int_{-1}^{2} f(x)dx$의 값을 구하시오.

절댓값 기호를 포함한 함수의 정적분

08 다음 정적분의 값을 구하시오.

상 중 하

(1) $\int_{0}^{3} |x^2-4x+3|dx$

(2) $\int_{2}^{4} (|x-2|+|x-3|)dx$

우함수와 기함수의 정적분

09 다음 정적분의 값을 구하시오.

상 중 하

$$\int_{-2}^{1} (2x^3+3x^2-5x+1)dx - \int_{2}^{1} (2x^3+3x^2-5x+1)dx$$

우함수와 기함수의 정적분 창의력

10 다항함수 $f(x)$가 모든 실수 x에 대하여 $f(x)=f(-x)$를 만족시킨다. $\int_{0}^{2} x^2f(x)dx=4$일 때, 정적분 $\int_{-2}^{2} (x^3+2x^2-4x)f(x)dx$의 값을 구하시오.

상 중 하

적분 구간이 상수인 정적분을 포함한 등식

11 등식 $f(x)=3x^2-6x-\int_{0}^{1} f(t)dt$를 만족시키는 함수 $f(x)$에 대하여 정적분 $\int_{-1}^{1} f(x)dx$의 값을 구하시오.

상 중 하

적분 구간이 상수인 정적분을 포함한 등식 서술형

12 이차함수 $f(x)$가

상 중 하

$$f(x)=\frac{12}{7}x^2-2x\int_{1}^{2} f(t)dt+\left\{\int_{1}^{2} f(t)dt\right\}^2$$

일 때, 정적분 $\int_{1}^{2} f(x)dx$의 값을 구하시오.

적분 구간이 상수인 정적분을 포함한 등식

13 두 함수 $f(x)$, $g(x)$가

상 중 하

$$f(x)=x+2+\int_{0}^{2} g(t)dt,\ g(x)=x-1+\int_{0}^{1} f(t)dt$$

를 만족시킬 때, $f(1)\times g(1)$의 값을 구하시오.

적분 구간에 변수가 있는 정적분을 포함한 등식

14 다항함수 $f(x)$가 모든 실수 x에 대하여 $\int_{a}^{x} f(t)dt=x^3-x^2-2x$를 만족시킬 때, 상수 a의 값의 합을 구하시오.

상 중 하

적분 구간에 변수가 있는 정적분을 포함한 등식

15 함수 $f(x)=\int_0^x (3t^2+1)dt-\int_0^x 2t\,dt$에 대하여 $f'(3)$의 값을 구하시오.

상 중 하

적분 구간에 변수가 있는 정적분을 포함한 등식

16 다항함수 $f(x)$가 모든 실수 x에 대하여 다음을 만족시킬 때, $f(a)$의 값을 구하시오. (단, a는 상수)

상 중 하

(1) $\int_1^x f(t)dt=x^2+2ax+3$

(2) $\int_1^x f(t)dt=x^3+ax+\int_0^1 f(t)dt$

적분 구간에 변수가 있는 정적분을 포함한 등식 서술형

17 다항함수 $f(x)$가 모든 실수 x에 대하여

상 중 하

$$\int_1^x (x-t)f(t)dt=x^3-x^2+ax+1$$

을 만족시킬 때, $f(3)$의 값을 구하시오.

(단, a는 상수)

정적분으로 정의된 함수의 극대, 극소

18 함수 $f(x)=\int_0^x (3t^2+3t-6)dt$의 극댓값을 M, 극솟값을 m이라 할 때, $M+2m$의 값을 구하시오.

상 중 하

정적분으로 정의된 함수의 최대, 최소

19 $x\geq -2$에서 함수 $f(x)=\int_x^{x+2} (t^3-4t)dt$의 최솟값을 구하시오.

상 중 하

정적분으로 정의된 함수의 극한

20 함수 $f(x)=\int_0^x (t^2+4t-3)dt$에 대하여 $\lim_{x\to 1}\frac{f(x)-f(1)}{x-1}$의 값을 구하시오.

상 중 하

정적분으로 정의된 함수의 극한

21 함수 $f(x)=\int_0^x (3t^2+2t+1)dt$에 대하여 $\lim_{h\to 0}\frac{f(-2+h)-f(-2-h)}{h}$의 값을 구하시오.

상 중 하

농장 체험을 하러 왔습니다.
아미고~
일은 매우 단순 간단합니다. 저희 밭에 튤립 꽃을 심으시면 됩니다.
헥 헥
거기서 기다리세요~
헥 헥
여기까지 심으시면 됩니다.
이게 체험이야? 중노동이야?
일단 밭의 크기를 알아봐야겠어.

10

정적분의 활용

개념 1 정적분과 넓이의 관계

개념 2 곡선과 x축 사이의 넓이

개념 3 두 곡선 사이의 넓이

개념 4 속도와 거리

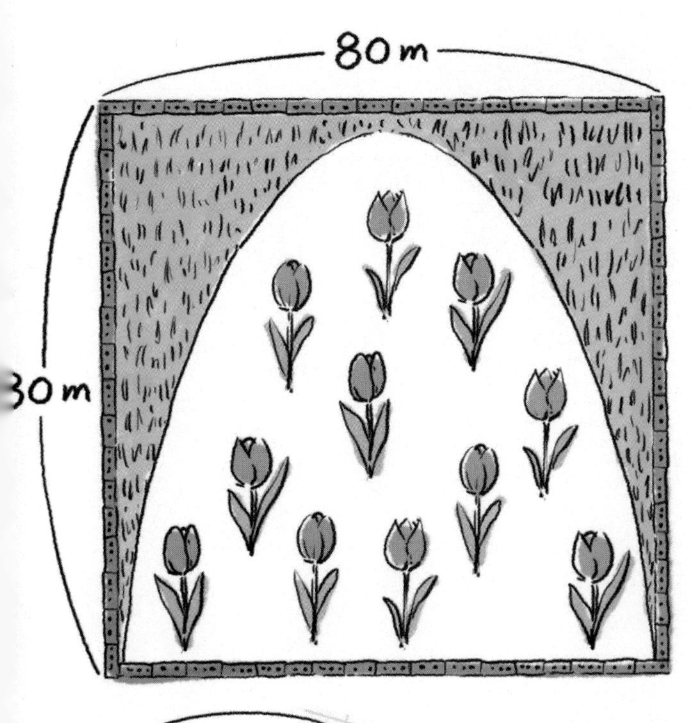

10. 정적분의 활용

개념 1 정적분과 넓이의 관계

함수 $f(x)$가 닫힌구간 $[a, b]$에서 연속이고 $f(x) \geq 0$일 때, 곡선 $y=f(x)$와 ❶ ____ 축 및 두 직선 $x=a$, $x=$ ❷ ____ 로 둘러싸인 도형의 넓이 S는

ㄱ $S=\int_a^b f(x)dx$

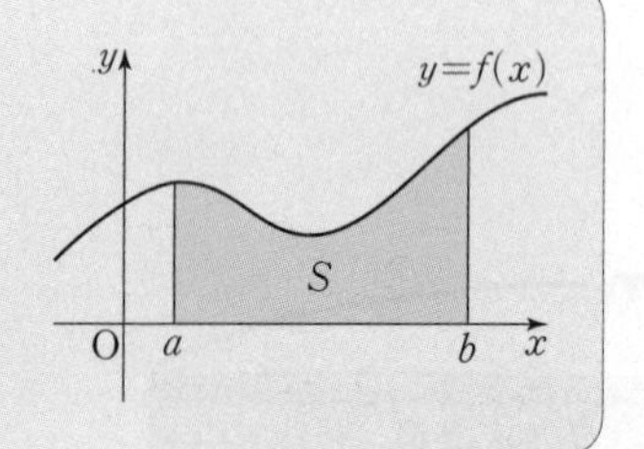

답 ❶ x ❷ b

개념 플러스

ㄱ $f(x) \geq 0$이므로

$S=\int_a^b f(x)dx$

$=\int_a^b |f(x)|dx$

보기 오른쪽 그림과 같이 직선 $y=2x$와 x축 및 직선 $x=1$로 둘러싸인 도형의 넓이를 S라 할 때, S와 $\int_0^1 2x\,dx$를 각각 구하여 이들을 서로 비교하시오.

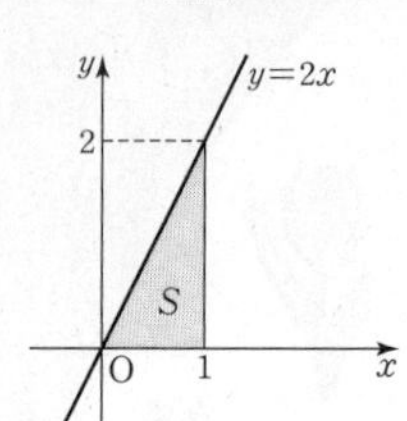

연구 $S=\frac{1}{2}\times1\times2=1$, $\int_0^1 2x\,dx=\left[x^2\right]_0^1=1$

따라서 $S=\int_0^1 2x\,dx$이므로 **서로 같다.**

넓이 S는 $f(x)$를 a에서 b까지 적분한 값이구나.

개념 2 곡선과 x축 사이의 넓이

함수 $f(x)$가 닫힌구간 $[a, b]$에서 연속일 때, 곡선 $y=f(x)$와 ❶ ____ 축 및 두 직선 $x=a$, $x=b$로 둘러싸인 도형의 넓이 S는

$S=\int_a^b$ ❷ ____ dx

답 ❶ x ❷ $|f(x)|$

ㄴ S는 곡선 $y=-f(x)$와 x축 및 두 직선 $x=a$, $x=b$로 둘러싸인 도형의 넓이와 같다.

해설 (i) 닫힌구간 $[a, b]$에서 $f(x) \leq 0$일 때

곡선 $y=f(x)$는 곡선 $y=-f(x)$와 x축에 대하여 대칭이고 $-f(x) \geq 0$이므로

ㄴ $S=\int_a^b \{-f(x)\}dx=\int_a^b |f(x)|dx$

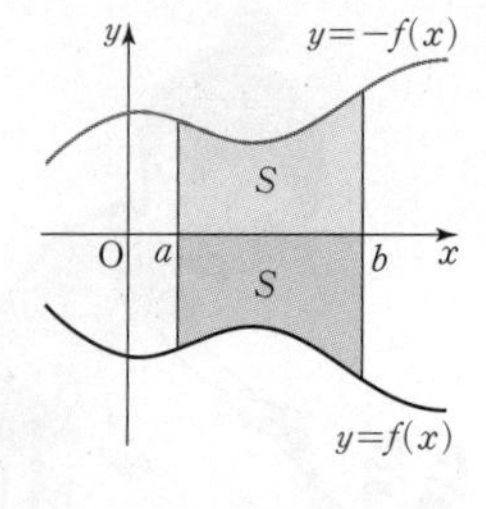

ㄷ 닫힌구간 $[a, b]$에서 함수 $f(x)$가 양의 값과 음의 값을 모두 가질 때는 $f(x)$의 값이 양수인 구간과 음수인 구간으로 나누어 생각한다.

(ii) 닫힌구간 $[a, c]$에서 $f(x) \leq 0$,

닫힌구간 $[c, b]$에서 $f(x) \geq 0$일 때

ㄷ $S=\int_a^c \{-f(x)\}dx+\int_c^b f(x)dx$

$=\int_a^c |f(x)|dx+\int_c^b |f(x)|dx$

$=\int_a^b |f(x)|dx$

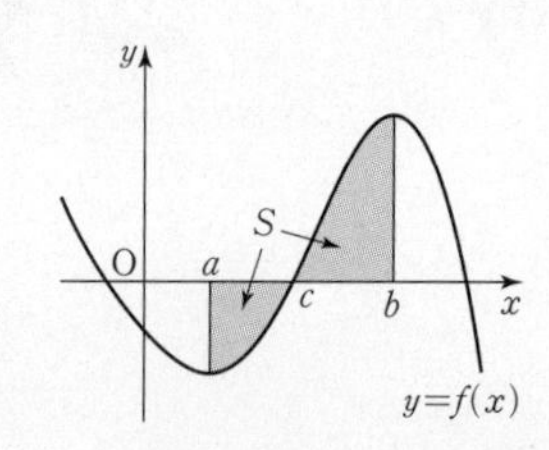

1-1 | 곡선과 x축 사이의 넓이 (1) |

다음 그림에서 색칠한 도형의 넓이를 구하시오.

(1)
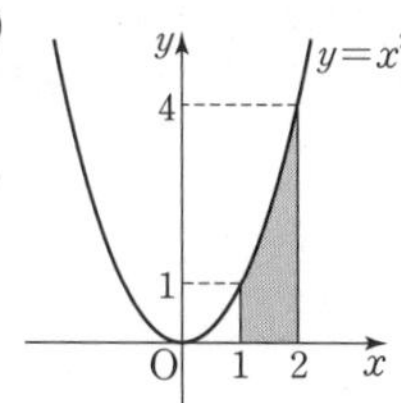

(2)
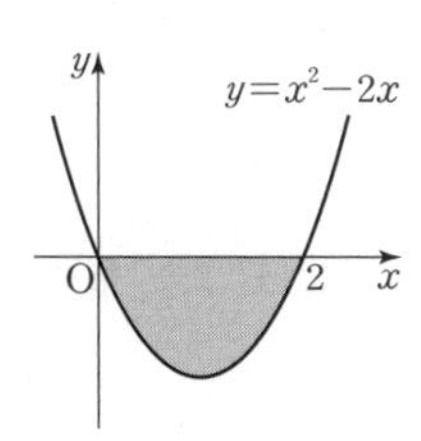

연구

(1) 닫힌구간 $[1, 2]$에서 y ☐ 0이므로 구하는 도형의 넓이 S는

$S=\int_{1}^{2} x^2\,dx=\left[\frac{1}{3}x^3\right]_1^2=\mathbf{\frac{7}{3}}$

(2) 닫힌구간 $[0, 2]$에서 y ☐ 0이므로 구하는 도형의 넓이 S는

$S=-\int_{0}^{2}(x^2-2x)dx=-\left[\frac{1}{3}x^3-x^2\right]_0^2$

$=-\left(\frac{8}{3}-4\right)=\frac{\square}{\mathbf{3}}$

1-2 | 따라풀기 |

다음 그림에서 색칠한 도형의 넓이를 구하시오.

(1)
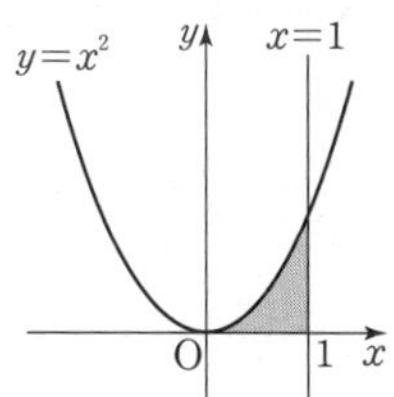

(2)
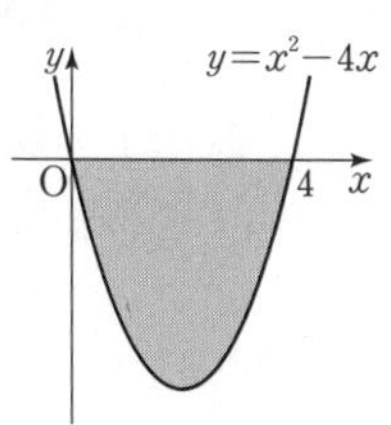

풀이

2-1 | 곡선과 x축 사이의 넓이 (2) |

오른쪽 그림에서 색칠한 도형의 넓이를 구하시오.

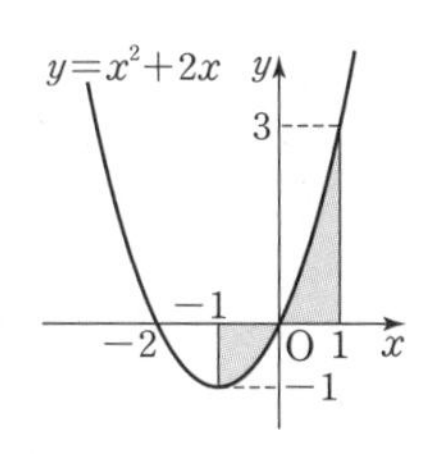

연구

닫힌구간 $[-1, 0]$에서 y ☐ 0,

닫힌구간 $[0, 1]$에서 y ☐ 0

따라서 구하는 도형의 넓이 S는

$S=-\int_{-1}^{0}(x^2+2x)dx+\int_{0}^{1}(x^2+2x)dx$

$=-\left[\frac{1}{3}x^3+x^2\right]_{-1}^{0}+\left[\frac{1}{3}x^3+x^2\right]_0^1$

$=\left(-\frac{1}{3}+1\right)+\left(\frac{1}{3}+1\right)=$ ☐

2-2 | 따라풀기 |

오른쪽 그림에서 색칠한 도형의 넓이를 구하시오.

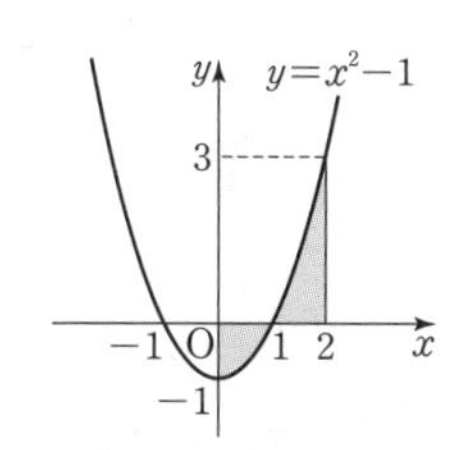

풀이

개념 3 두 곡선 사이의 넓이

두 함수 $f(x)$, $g(x)$가 닫힌구간 $[a, b]$에서 ❶ ☐ 일 때, 두 곡선 $y=f(x)$, $y=g(x)$ 및 두 직선 $x=a$, $x=b$로 둘러싸인 도형의 넓이 S는

$$S=\int_a^b |f(x)-\text{❷ ☐}|dx$$

답 ❶ 연속 ❷ $g(x)$

개념 플러스

닫힌구간 $[a, b]$에서 두 곡선 사이의 넓이를 구할 때 넓이는 양수니까 (큰 값)$-$(작은 값)이 되도록 해야겠지?

해설 ❶ (i) 닫힌구간 $[a, b]$에서 $f(x)\ge g(x)\ge 0$일 때

$$S=\int_a^b f(x)dx-\int_a^b g(x)dx$$
$$=\int_a^b \{f(x)-g(x)\}dx$$
$$\overset{㉠}{=}\int_a^b |f(x)-g(x)|dx$$

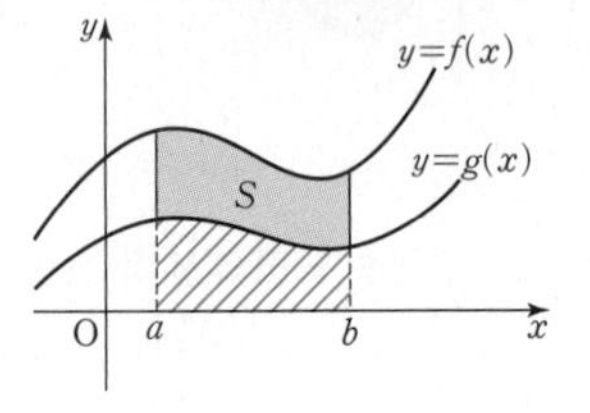

(ii) 닫힌구간 $[a, b]$에서 $f(x)\ge g(x)$이고 $f(x)$ 또는 $g(x)$가 음의 값을 가질 때
두 곡선 $y=f(x)$, $y=g(x)$를 y축의 방향으로 k만큼 평행이동하면

㉡ $S=\int_a^b |f(x)-g(x)|dx$

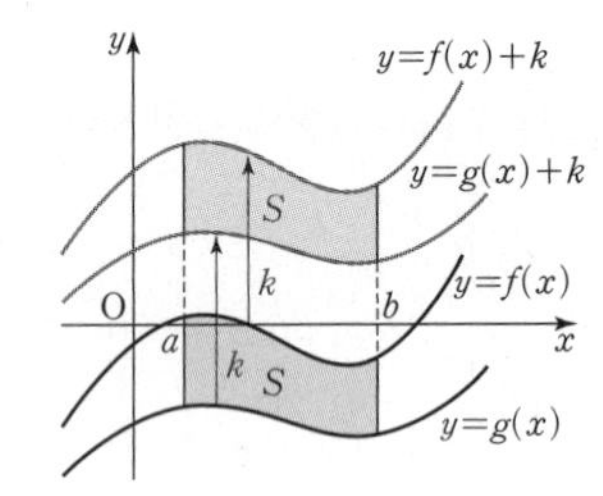

❷ 닫힌구간 $[a, c]$에서 $f(x)\ge g(x)$,
닫힌구간 $[c, b]$에서 $f(x)\le g(x)$일 때

$$S=\int_a^c \{f(x)-g(x)\}dx+\int_c^b \{g(x)-f(x)\}dx$$
$$=\int_a^c |f(x)-g(x)|dx+\int_c^b |f(x)-g(x)|dx$$
$$=\int_a^b |f(x)-g(x)|dx$$

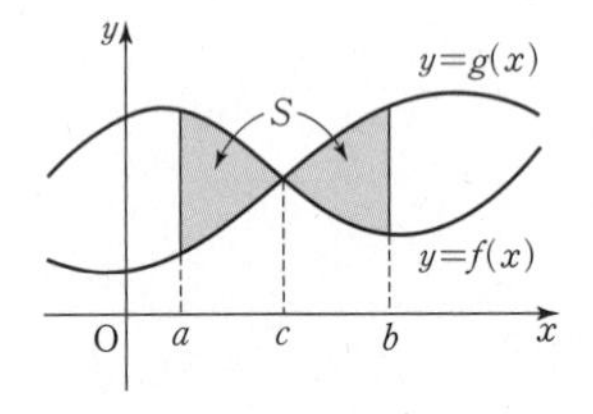

㉠ $f(x)\ge g(x)$에서
$f(x)-g(x)\ge 0$이므로
$|f(x)-g(x)|=f(x)-g(x)$

㉡ $S=\int_a^b \{f(x)+k\}dx$
$-\int_a^b \{g(x)+k\}dx$
$=\int_a^b \{f(x)+k-g(x)-k\}dx$
$=\int_a^b \{f(x)-g(x)\}dx$
$=\int_a^b |f(x)-g(x)|dx$

개념 4 속도와 거리

수직선 위를 움직이는 점 P의 시각 t에서의 속도가 $v(t)$, 시각 $t=a$에서의 위치를 x_0이라 할 때

❶ 시각 t에서 점 P의 위치 x는 $x=x_0+\int_a^t v(t)dt$

❷ 시각 $t=a$에서 $t=b$까지 ㉢점 P의 ❶ ☐ 의 변화량은 $\int_a^b v(t)dt$

❸ 시각 $t=a$에서 $t=b$까지 점 P가 움직인 ❷ ☐ 는 $\int_a^b |v(t)|dt$

예 원점을 출발하여 수직선 위를 움직이는 점 P의 시각 t에서의 속도가 $v(t)=2t$일 때, 시각 $t=0$에서 $t=3$까지 점 P의 위치의 변화량은 $\int_0^3 2t\,dt=\Big[t^2\Big]_0^3=9$

답 ❶ 위치 ❷ 거리

㉢ 위치의 변화량은 단순히 위치가 변화한 양을 나타내지만 움직인 거리는 양의 방향 또는 음의 방향으로 움직인 거리의 총합을 의미한다.

3-1 | 두 곡선 사이의 넓이 |

오른쪽 그림과 같이 두 곡선 $y=3x^2$, $y=x^2+2$로 둘러싸인 도형의 넓이를 구하시오.

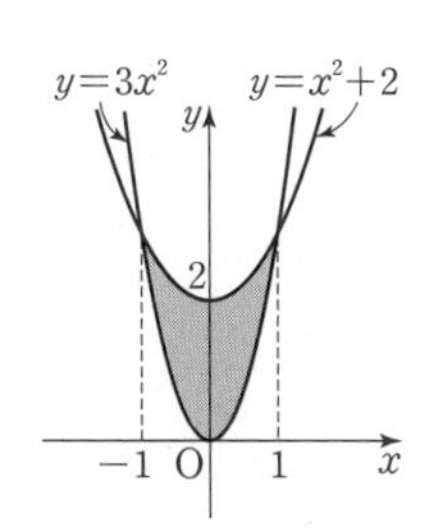

연구

닫힌구간 $[-1, 1]$에서 x^2+2 ☐ $3x^2$이므로

구하는 도형의 넓이 S는

$$S=\int_{-1}^{1}\{(x^2+2)-3x^2\}dx$$

$$=\int_{-1}^{1}(-2x^2+2)dx=2\int_{☐}^{1}(-2x^2+2)dx$$

$$=2\left[-\frac{2}{3}x^3+2x\right]_0^1=2\times\left(-\frac{2}{3}+2\right)=\frac{☐}{3}$$

3-2 | 따라풀기 |

오른쪽 그림과 같이 두 곡선 $y=-x^2+3x$, 직선 $y=x$로 둘러싸인 도형의 넓이를 구하시오.

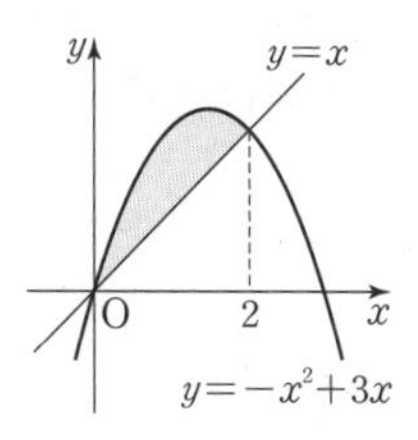

풀이

4-1 | 속도와 거리 |

원점을 출발하여 수직선 위를 움직이는 점 P의 시각 t에서의 속도가 $v(t)=2t-1$일 때, 다음을 구하시오.

(1) 시각 $t=1$에서 점 P의 위치

(2) 시각 $t=0$에서 $t=2$까지 점 P의 위치의 변화량

연구

(1) $☐+\int_0^{☐}v(t)dt=\int_0^1(2t-1)dt$

$$=\left[t^2-t\right]_0^1=\mathbf{0}$$

(2) $\int_0^{☐}v(t)dt=\int_0^2(2t-1)dt$

$$=\left[t^2-t\right]_0^2=☐$$

4-2 | 따라풀기 |

좌표가 2인 점을 출발하여 수직선 위를 움직이는 점 P의 시각 t에서의 속도가 $v(t)=3-t$일 때, 다음을 구하시오.

(1) 시각 $t=2$에서 점 P의 위치

(2) 시각 $t=1$에서 $t=4$까지 점 P의 위치의 변화량

풀이

해법 01 곡선과 x축 사이의 넓이

PLUS ⊕

곡선 $y=f(x)$와 x축 사이의 넓이를 구할 때는 그래프의 개형을 그린 후 x축과 그래프로 둘러싸인 부분이 x축 위에 있는지 아래에 있는지 판단한다.
이때 적분 구간은 곡선과 x축이 만나는 점의 x좌표이므로 방정식 $f(x)=0$을 풀어 두 근을 아래끝과 위끝으로 정한다.

❶ x축 위에 있을 때 $S=\int_a^b f(x)dx$　　❷ x축 아래에 있을 때 $S=-\int_a^b f(x)dx$

곡선 $y=f(x)$와 x축 및 두 직선 $x=a$, $x=b$로 둘러싸인 도형의 넓이 S는

$S=\int_a^b |f(x)|dx$

예제 다음 곡선과 x축으로 둘러싸인 도형의 넓이 S를 구하시오.

(1) $y=-x^2+3x-2$　　(2) $y=x^2+x$　　(3) $y=x^3-x$

해법 코드
곡선과 x축의 교점을 찾아 적분 구간을 정한다.

셀파 곡선과 x축으로 둘러싸인 도형의 넓이 S ⇨ $S=\int_a^b |f(x)|dx$

풀이 (1) ㉠ $-x^2+3x-2=0$에서 $-(x-1)(x-2)=0$

$\therefore x=1$ 또는 $x=2$

$\therefore$ ㉡ $S=\int_1^2 (-x^2+3x-2)dx$

$=\left[-\frac{1}{3}x^3+\frac{3}{2}x^2-2x\right]_1^2$

$=\left(-\frac{8}{3}+6-4\right)-\left(-\frac{1}{3}+\frac{3}{2}-2\right)=\mathbf{\frac{1}{6}}$

㉠ 곡선 $y=-x^2+3x-2$와 x축의 교점의 x좌표이다.

㉡ 닫힌구간 $[1, 2]$에서 $y\geq0$

(2) $x^2+x=0$에서 $x(x+1)=0$

$\therefore x=-1$ 또는 $x=0$

$\therefore$ ㉢ $S=-\int_{-1}^0 (x^2+x)dx=-\left[\frac{1}{3}x^3+\frac{1}{2}x^2\right]_{-1}^0=\mathbf{\frac{1}{6}}$

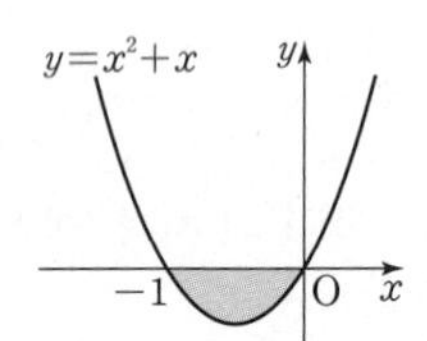

㉢ 닫힌구간 $[-1, 0]$에서 $y\leq0$

(3) $x^3-x=0$에서 $x(x+1)(x-1)=0$

$\therefore x=-1$ 또는 $x=0$ 또는 $x=1$

$\therefore$ ㉣ $S=S_1+S_2=\int_{-1}^0 (x^3-x)dx-\int_0^1 (x^3-x)dx$

$=\left[\frac{1}{4}x^4-\frac{1}{2}x^2\right]_{-1}^0-\left[\frac{1}{4}x^4-\frac{1}{2}x^2\right]_0^1=\mathbf{\frac{1}{2}}$

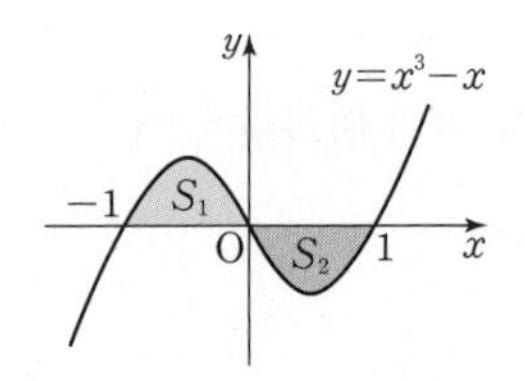

㉣ 닫힌구간 $[-1, 0]$에서 $y\geq0$
닫힌구간 $[0, 1]$에서 $y\leq0$

확인 문제

정답과 해설 | 90쪽

MY 셀파

01-1 다음 곡선과 x축으로 둘러싸인 도형의 넓이 S를 구하시오.

상중하

(1) $y=x^3+2x^2$　　(2) $y=x^2-4x+3$　　(3) $y=x^3-x^2-2x$

01-1
곡선과 x축의 교점을 찾아 적분 구간을 정한다.

해법 02 곡선과 x축 사이의 넓이의 활용

PLUS ⊕

오른쪽 그림에서
곡선 $y=f(x)$와 x축으로 둘러싸인 도형의 넓이를 S_1,
곡선 $y=f(x)$와 x축 및 직선 $x=c$로 둘러싸인 도형의 넓이를 S_2라 할 때,

$S_1=S_2$이면 ⇨ $\int_a^c f(x)dx=0$

$S_1=S_2$이므로
$$\int_a^c f(x)dx$$
$$=\int_a^b f(x)dx+\int_b^c f(x)dx$$
$$=-S_1+S_2=-S_1+S_1=0$$

예제 곡선 $y=x^2-x$와 x축 및 직선 $x=k$로 둘러싸인 두 도형의 넓이가 같을 때, 상수 k의 값을 구하시오. (단, $k<0$)

해법 코드
$y=x(x-1)$의 그래프에서 적분 구간을 구한다.

셀파 닫힌구간 $[a, b]$에서 곡선 $y=f(x)$와 x축으로 둘러싸인 두 도형의 넓이가 같으면
⇨ $\int_a^b f(x)dx=0$

풀이 곡선 $y=x^2-x$와 x축의 교점의 x좌표는
$x(x-1)=0$에서 $x=0$ 또는 $x=1$
이때 $k<0$이므로 곡선 $y=x^2-x$는 오른쪽 그림과 같다.
이 곡선과 x축 및 직선 $x=k$로 둘러싸인 두 도형의 넓이가 같으므로

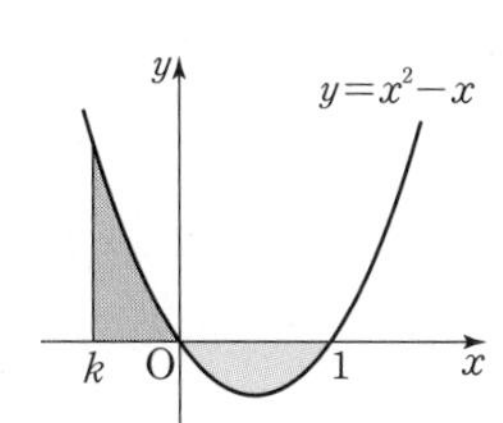

$\int_k^1 (x^2-x)dx=0$, $\left[\frac{1}{3}x^3-\frac{1}{2}x^2\right]_k^1=0$

$\left(\frac{1}{3}-\frac{1}{2}\right)-\left(\frac{1}{3}k^3-\frac{1}{2}k^2\right)=0$, $-\frac{1}{6}-\frac{1}{3}k^3+\frac{1}{2}k^2=0$

ⓐ $2k^3-3k^2+1=0$, $(k-1)^2(2k+1)=0$

$\therefore$ $\mathbf{k=-\frac{1}{2}}$ ($\because k<0$)

k부터 0까지 적분한 값과 0부터 1까지 적분한 값은 부호만 다르고 절댓값은 같아.

ⓐ 다음과 같이 조립제법을 이용하여 인수분해한다.

1	2	-3	0	1
		2	-1	-1
1	2	-1	-1	0
		2	1	
	2	1	0	

$\therefore 2k^3-3k^2+1$
$=(k-1)^2(2k+1)$

확인 문제

정답과 해설 | 90쪽

MY 셀파

02-1 (상중하) 오른쪽 그림과 같이 곡선 $y=-x^2+kx+4-2k$와 x축 및 y축으로 둘러싸인 두 도형의 넓이가 같을 때, 상수 k의 값을 구하시오.

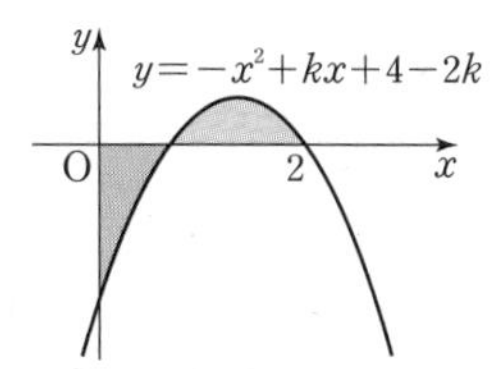

02-1
$\int_0^2 (-x^2+kx+4-2k)dx=0$

02-2 (상중하) 곡선 $y=x(x-1)(x-a)$와 x축으로 둘러싸인 두 도형의 넓이가 같을 때, 상수 a의 값을 구하시오. (단, $a>1$)

02-2
$\int_0^a x(x-1)(x-a)dx=0$

해법 03 두 곡선 사이의 넓이

PLUS ⊕

$$\int_a^b f(x)dx \quad - \quad \int_a^b g(x)dx \quad = \quad \int_a^b \{f(x)-g(x)\}dx$$

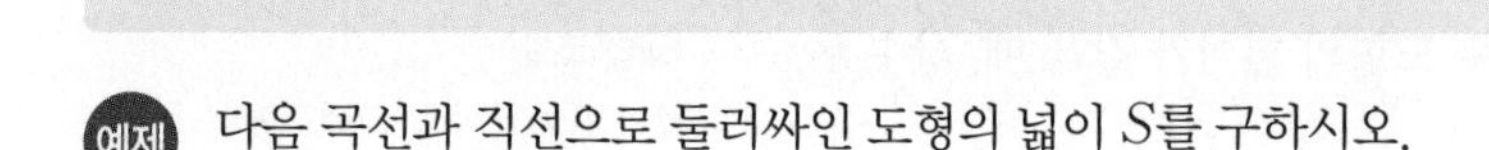

$S=\int_a^b |f(x)-g(x)|dx$에서

❶ $f(x)\ge g(x)$일 때

$S=\int_a^b \{f(x)-g(x)\}dx$

❷ $g(x)\ge f(x)$일 때

$S=\int_a^b \{g(x)-f(x)\}dx$

예제 다음 곡선과 직선으로 둘러싸인 도형의 넓이 S를 구하시오.

(1) $y=x^2$, $y=x+2$　　　　(2) $y=x^3-x^2-x$, $y=x$

해법 코드

그래프를 그리고 곡선과 직선의 교점을 찾아 적분 구간을 정한다.

셀파 두 곡선 사이의 넓이 ⇨ 두 곡선의 위치 관계를 파악한다.

풀이 (1) ㉠ $x^2=x+2$에서 $x^2-x-2=0$

$(x+1)(x-2)=0$　　$\therefore x=-1$ 또는 $x=2$

$\therefore$ ㉡ $S=\int_{-1}^{2}\{(x+2)-x^2\}dx=\left[-\frac{1}{3}x^3+\frac{1}{2}x^2+2x\right]_{-1}^{2}$

$=\frac{10}{3}-\left(-\frac{7}{6}\right)=\mathbf{\frac{9}{2}}$

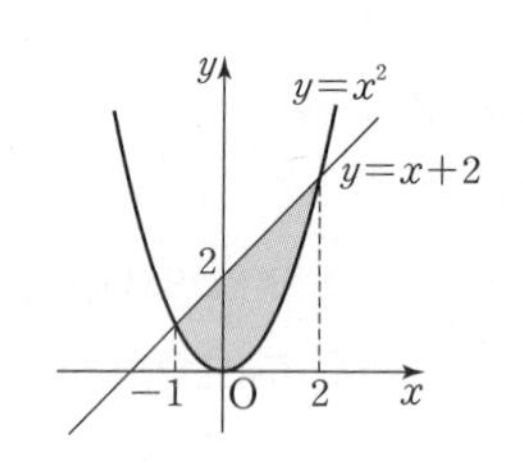

(2) $x^3-x^2-x=x$에서 $x^3-x^2-2x=0$

$x(x+1)(x-2)=0$

$\therefore x=-1$ 또는 $x=0$ 또는 $x=2$

$\therefore$ ㉢ $S=\int_{-1}^{0}\{(x^3-x^2-x)-x\}dx$

$+\int_{0}^{2}\{x-(x^3-x^2-x)\}dx$

$=\int_{-1}^{0}(x^3-x^2-2x)dx+\int_{0}^{2}(-x^3+x^2+2x)dx$

$=\left[\frac{1}{4}x^4-\frac{1}{3}x^3-x^2\right]_{-1}^{0}+\left[-\frac{1}{4}x^4+\frac{1}{3}x^3+x^2\right]_{0}^{2}=\frac{5}{12}+\frac{8}{3}=\mathbf{\frac{37}{12}}$

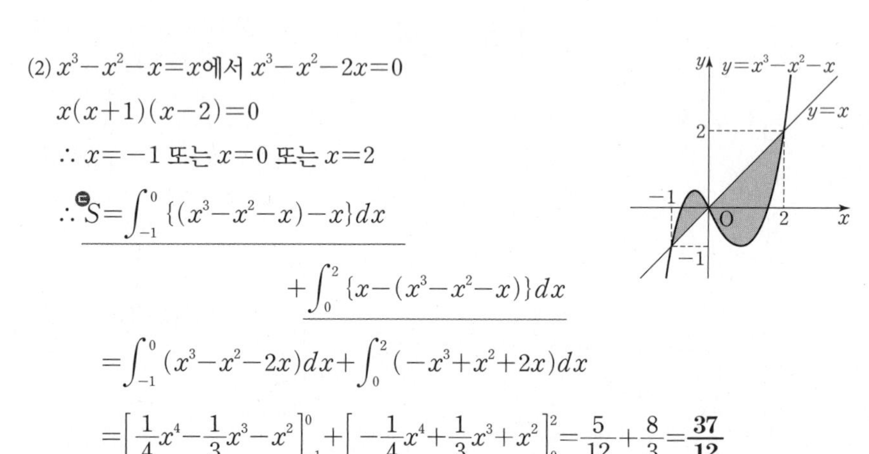

㉠ 곡선 $y=x^2$과 직선 $y=x+2$의 교점의 x좌표는 방정식 $x^2=x+2$의 근이다.

㉡ 닫힌구간 $[-1, 2]$에서 $x+2\ge x^2$이므로

$S=\int_{-1}^{2}\{(x+2)-x^2\}dx$

㉢ 닫힌구간 $[-1, 0]$에서 $x^3-x^2-x\ge x$이므로 넓이는

$\int_{-1}^{0}\{(x^3-x^2-x)-x\}dx$

또 닫힌구간 $[0, 2]$에서 $x\ge x^3-x^2-x$이므로 넓이는

$\int_{0}^{2}\{x-(x^3-x^2-x)\}dx$

확인 문제

정답과 해설 | 91쪽

03-1 다음 두 곡선으로 둘러싸인 도형의 넓이 S를 구하시오.

상 중 하

(1) $y=x^2+3x$, $y=-2x^2+6$

(2) $y=x^3-2x^2$, $y=x^2-2x$

MY 셀파

03-1

그래프를 그리고 두 곡선의 교점을 찾아 적분 구간을 정한다.

해법 04 곡선과 접선으로 둘러싸인 도형의 넓이

곡선 $y=f(x)$와 $y=f(x)$ 위의 점 $(a, f(a))$에서의 접선으로 둘러싸인 도형의 넓이는 다음과 같이 구한다.

1 곡선 $y=f(x)$ 위의 점 $(a, f(a))$에서의 접선의 방정식을 구한다.
이때 접선의 기울기는 $f'(a)$이다.

2 곡선과 접선을 그린 다음 적분 구간에서의 넓이를 구한다.

PLUS
곡선 $y=f(x)$ 위의 점 $(a, f(a))$에서의 접선의 방정식은
$y-f(a)=f'(a)(x-a)$

예제 곡선 $y=x^3$ 위의 점 $(1, 1)$에서의 접선과 이 곡선으로 둘러싸인 도형의 넓이 S를 구하시오.

해법 코드
$f(x)=x^3$이라 하면
접선의 기울기는 $f'(1)$이다.

셀파 접선의 방정식을 구한 다음 곡선과 접선의 위치 관계를 파악한다.

풀이 $f(x)=x^3$이라 하면 $f'(x)=3x^2$이므로 $f'(1)=3$
따라서 점 $(1, 1)$에서의 접선의 방정식은
$y-1=3(x-1)$ $\quad\therefore y=3x-2$
곡선 $y=x^3$과 직선 $y=3x-2$의 교점의 x좌표는
$x^3=3x-2$에서 ㉠ $x^3-3x+2=0$
$(x-1)^2(x+2)=0$ $\quad\therefore x=-2$ 또는 $x=1$

$$\therefore S= \text{㉡}\int_{-2}^{1}\{x^3-(3x-2)\}dx$$
$$=\int_{-2}^{1}(x^3-3x+2)dx$$
$$=\left[\frac{1}{4}x^4-\frac{3}{2}x^2+2x\right]_{-2}^{1}$$
$$=\left(\frac{1}{4}-\frac{3}{2}+2\right)-(4-6-4)$$
$$=\frac{3}{4}-(-6)=\mathbf{\frac{27}{4}}$$

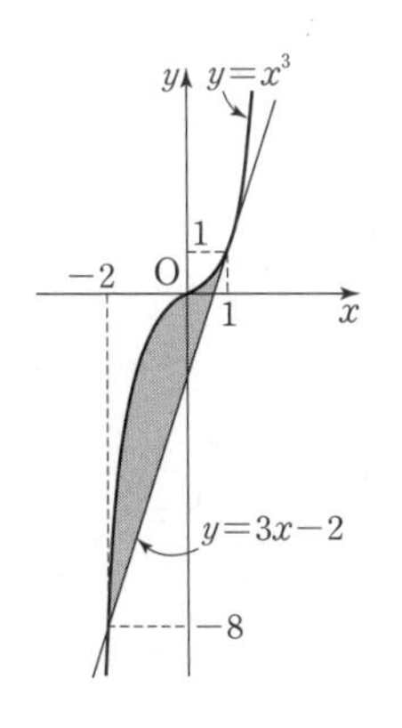

㉠ 곡선 $y=x^3$과 직선 $y=3x-2$가 $x=1$에서 접하므로 방정식 $x^3-3x+2=0$은 $(x-1)^2$을 인수로 갖는다.

1	1	0	-3	2
		1	1	-2
1	1	1	-2	0
		1	2	
	1	2	0	

㉡ 닫힌구간 $[-2, 1]$에서 $x^3\ge 3x-2$이다.

확인 문제

정답과 해설 | 91쪽

04-1 (상중하) 곡선 $y=x^2+1$과 이 곡선 위의 점 $(-1, 2)$에서의 접선 및 y축으로 둘러싸인 도형의 넓이 S를 구하시오.

04-2 (상중하) 점 $\left(-\frac{1}{2}, -2\right)$에서 곡선 $y=x^2$에 그은 두 접선과 이 곡선으로 둘러싸인 도형의 넓이 S를 구하시오.

MY 셀파

04-1
$f(x)=x^2+1$이라 하면
$f'(x)=2x$이므로
$f'(-1)=-2$

04-2
접점의 좌표를 (t, t^2)으로 놓고 접선의 방정식을 구한다.

셀파 특강 01 이차함수의 그래프와 넓이

A 곡선 $y=x^2-2x$와 x축으로 둘러싸인 도형의 넓이를 구해 볼까?

Q 이거 앞에서 푼 거잖아요. 오른쪽 그림에서 넓이는

$$-\int_0^2 (x^2-2x)dx=-\left[\frac{1}{3}x^3-x^2\right]_0^2=-\frac{8}{3}+4=\frac{4}{3}$$

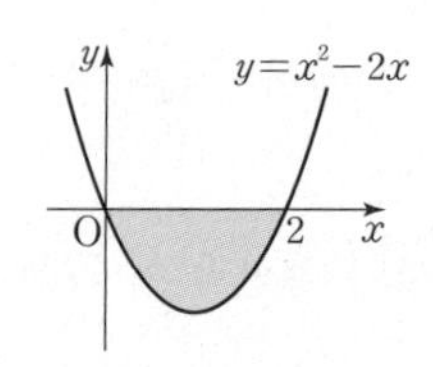

A 맞아, 방금 푼대로 하면 넓이를 구할 수 있지. 하지만 이런 경우는 공식을 이용하면 더 편리해. 다음과 같이 포물선과 x축 사이, 포물선과 직선 사이, 포물선과 포물선 사이의 넓이를 구할 때 이용하는 거야. ㉠세 가지 경우 모두 이차방정식의 두 근 α, β가 교점의 x좌표이므로 적분 구간은 닫힌구간 $[\alpha, \beta]$가 돼야 해.

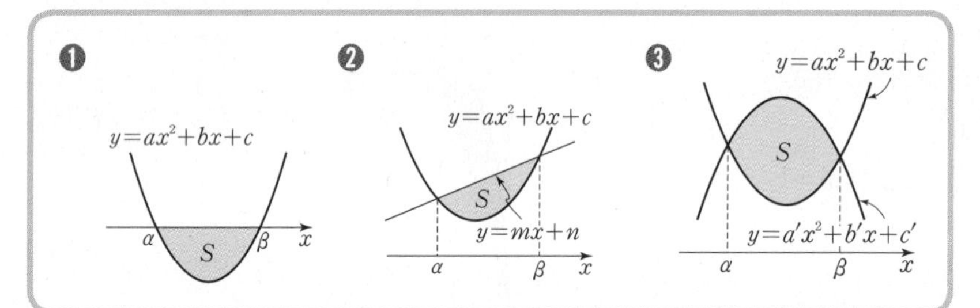

> ㉠ ❶은 포물선과 x축이 만나는 점의 x좌표가 α, β이다. 즉, $ax^2+bx+c=0$의 두 근이 α, β이므로 색칠한 도형의 넓이는
> $-\int_\alpha^\beta (ax^2+bx+c)dx$
>
> ❷는 포물선과 직선이 만나는 점의 x좌표가 α, β이다. 즉, $ax^2+bx+c=mx+n$의 두 근이 α, β이므로 색칠한 도형의 넓이는
> $\int_\alpha^\beta \{mx+n-(ax^2+bx+c)\}dx$
>
> ❸은 포물선과 포물선이 만나는 점의 x좌표가 α, β이다. 즉, $ax^2+bx+c=a'x^2+b'x+c'$의 두 근이 α, β이므로 색칠한 도형의 넓이는
> $\int_\alpha^\beta \{a'x^2+b'x+c'-(ax^2+bx+c)\}dx$

Q ❶은 ㉡$ax^2+bx+c=a(x-\alpha)(x-\beta)$ $(a>0)$로 나타낼 수 있고 넓이를 나타내는 부분이 x축 아래에 있으므로 $S=-\int_\alpha^\beta a(x-\alpha)(x-\beta)dx$인데, 이걸 구한 결과를 공식처럼 사용한다는 거네요.

> ㉡ $-\int_\alpha^\beta (ax^2+bx+c)dx$를 계산하기가 쉽지 않으므로 ax^2+bx+c 대신 $a(x-\alpha)(x-\beta)$를 사용한다.

A 그래, 다음과 같이 구할 수 있지.

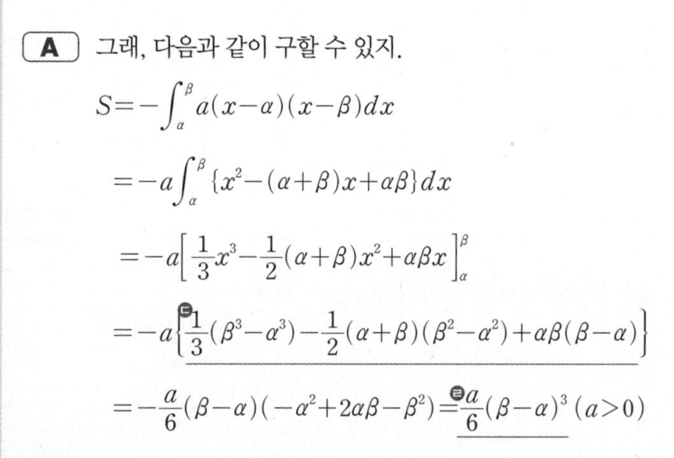

$$S=-\int_\alpha^\beta a(x-\alpha)(x-\beta)dx$$
$$=-a\int_\alpha^\beta \{x^2-(\alpha+\beta)x+\alpha\beta\}dx$$
$$=-a\left[\frac{1}{3}x^3-\frac{1}{2}(\alpha+\beta)x^2+\alpha\beta x\right]_\alpha^\beta$$
$$=-a\left\{\frac{1}{3}(\beta^3-\alpha^3)-\frac{1}{2}(\alpha+\beta)(\beta^2-\alpha^2)+\alpha\beta(\beta-\alpha)\right\}\ ㉢$$
$$=-\frac{a}{6}(\beta-\alpha)(-\alpha^2+2\alpha\beta-\beta^2)\overset{㉣}{=}\frac{a}{6}(\beta-\alpha)^3\ (a>0)$$

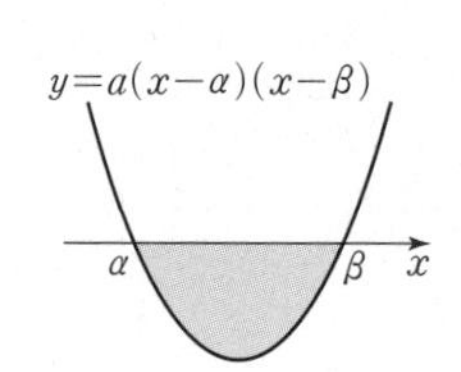

> ㉢ 공통인수 $\frac{1}{6}(\beta-\alpha)$로 묶어낼 수 있도록 식을 정리한다.
>
> ㉣ $S=-\int_\alpha^\beta a(x-\alpha)(x-\beta)dx=\frac{a}{6}(\beta-\alpha)^3$
> $\therefore \int_\alpha^\beta a(x-\alpha)(x-\beta)dx=-\frac{a}{6}(\beta-\alpha)^3$

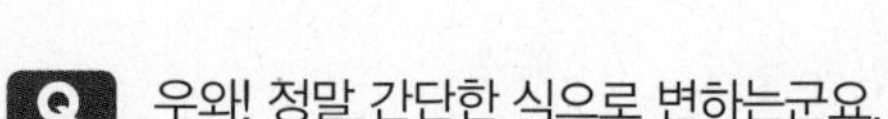

Q 우와! 정말 간단한 식으로 변하는군요.

A 이번에는 오른쪽 그림처럼 $a<0$인 경우를 구해 보자.

$S=\int_{\alpha}^{\beta} a(x-\alpha)(x-\beta)dx=a\int_{\alpha}^{\beta}(x-\alpha)(x-\beta)dx$

와 같지.

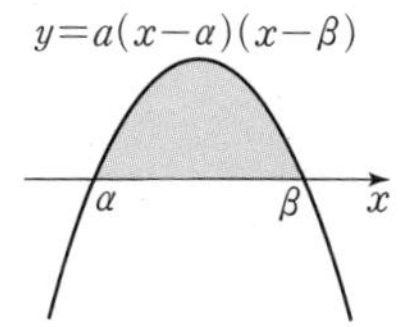

Q 부호만 바꾸면 $S=a\int_{\alpha}^{\beta}(x-\alpha)(x-\beta)dx=-\frac{a}{6}(\beta-\alpha)^3$이에요.

이때 $a<0$이므로 결과는 양수가 돼요.

A 잘했어. 결국 a의 값의 부호와 관계없이 이차함수 $y=ax^2+bx+c$의 그래프가 x축과 α, β에서 만날 때, 포물선과 x축 사이의 넓이 S는 $\boldsymbol{S=\frac{|a|}{6}(\beta-\alpha)^3}$이야.

Q ❷, ❸도 공식이 있는 거예요?

A ❷는 $a>0$일 때, 방정식 $ax^2+bx+c=mx+n$의 두 근을 α, β $(\alpha<\beta)$로 놓으면 $mx+n-(ax^2+bx+c)=-a(x-\alpha)(x-\beta)$로 나타낼 수 있잖아.

Q 그렇다면 ❶과 마찬가지로 $S=\frac{a}{6}(\beta-\alpha)^3$이에요. 또 $a<0$인 경우도 함께 생각하면

$\boldsymbol{S=\frac{|a|}{6}(\beta-\alpha)^3}$이 되네요.

A 맞아. ❸에서는 $a'<0$, $a>0$일 때 $ax^2+bx+c=a'x^2+b'x+c'$의 두 근이 α, β이므로 $(a'x^2+b'x+c')-(ax^2+bx+c)=(a'-a)(x-\alpha)(x-\beta)$

$\therefore S=(a'-a)\int_{\alpha}^{\beta}(x-\alpha)(x-\beta)dx=\frac{(a-a')}{6}(\beta-\alpha)^3$

$a'>0$, $a<0$인 경우도 함께 생각하면 $\boldsymbol{S=\frac{|a-a'|}{6}(\beta-\alpha)^3}$

◘ 두 근을 α, β로 놓을 때, 주어진 그림에서 $\beta>\alpha$이다.
따라서 $a<0$일 때
$-\frac{a}{6}>0$, $(\beta-\alpha)^3>0$이다.

▶ $ax^2+bx+c=0$의 두 근 α, β를 인수분해를 이용하여 쉽게 구하는 경우 $\beta-\alpha$의 값을 바로 알 수 있다.
그러나 인수분해가 쉽지 않은 경우 근과 계수의 관계를 이용한다.
$\alpha+\beta=-\frac{b}{a}$, $\alpha\beta=\frac{c}{a}$,
$(\beta-\alpha)^2=(\alpha+\beta)^2-4\alpha\beta$에서
$\beta-\alpha$의 값을 구한다.
예 곡선 $y=x^2-4x+2$와 x축으로 둘러싸인 도형의 넓이를 구할 경우 $a=1$은 바로 알 수 있지만 α, β의 값은 구하기 어려우므로 근과 계수의 관계를 이용한다. 즉,
$(\beta-\alpha)^2=(\alpha+\beta)^2-4\alpha\beta$
$=4^2-4\times2=8$
$\therefore \beta-\alpha=2\sqrt{2}$ ($\because \beta-\alpha>0$)

확인 체크 01

정답과 해설 | 92쪽

다음을 구하시오.

(1) 곡선 $y=x^2-x-2$와 x축으로 둘러싸인 도형의 넓이 S

(2) 곡선 $y=x^2$과 직선 $y=-x+2$로 둘러싸인 도형의 넓이 S

(3) 두 곡선 $y=x^2-6x+4$, $y=-x^2+2x-2$로 둘러싸인 도형의 넓이 S

(1), (2)는 $S=\frac{|a|}{6}(\beta-\alpha)^3$을 이용한다.

(3)은 $S=\frac{|a-a'|}{6}(\beta-\alpha)^3$을 이용한다.

해법 05 두 곡선 사이의 넓이의 활용

PLUS

오른쪽 그림에서 곡선 $y=f(x)$와 x축으로 둘러싸인 도형의 넓이 S를 곡선 $y=g(x)$가 이등분할 때

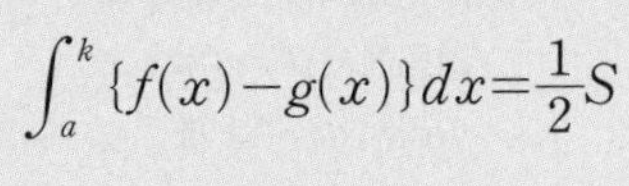

$$\int_a^k \{f(x)-g(x)\}dx=\frac{1}{2}S$$

곡선 $y=g(x)$가 S의 윗부분과 아랫부분을 1 : 2로 나누면

⇨ $\int_a^k \{f(x)-g(x)\}dx=\frac{1}{3}S$

예제 곡선 $y=-x^2+2x$와 x축으로 둘러싸인 도형의 넓이를 직선 $y=mx$가 이등분할 때, 상수 m의 값을 구하시오.

해법 코드
곡선 $y=-x^2+2x$와 x축으로 둘러싸인 도형의 넓이를 구한다.

셀파 곡선 $y=f(x)$와 x축 사이의 넓이를 곡선 $y=g(x)$가 나누면 넓이의 비를 이용한다.

풀이 곡선 $y=-x^2+2x$와 직선 $y=mx$의 교점의 x좌표는

$-x^2+2x=mx$에서 $x^2+(m-2)x=0$

$x(x+m-2)=0$ $\quad\therefore x=0$ 또는 $x=2-m$

곡선 $y=-x^2+2x$와 x축으로 둘러싸인 도형의 넓이를 S라 하면

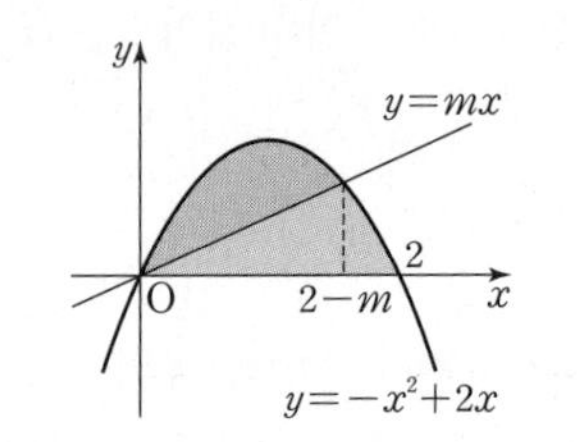

$$S=\int_0^2(-x^2+2x)dx=\left[-\frac{1}{3}x^3+x^2\right]_0^2=\frac{4}{3}$$

곡선 $y=-x^2+2x$와 직선 $y=mx$로 둘러싸인 도형의 넓이를 S_1이라 하면

$$S_1=\int_0^{2-m}\{(-x^2+2x)-mx\}dx=\int_0^{2-m}\{-x^2+(2-m)x\}dx$$

$$=\left[-\frac{1}{3}x^3+\frac{2-m}{2}x^2\right]_0^{2-m}=\frac{(2-m)^3}{6}$$

이때 ㉠ $S=2S_1$이므로 $\frac{4}{3}=2\times\frac{(2-m)^3}{6}$, $(2-m)^3=4$

$2-m=\sqrt[3]{4}$ $\quad\therefore$ $\boldsymbol{m=2-\sqrt[3]{4}}$

㉠ 주어진 조건에서 직선 $y=mx$가 S를 이등분하므로

$\int_0^{2-m}\{(-x^2+2x)-mx\}dx$

$=\frac{1}{2}S$

참고
함수식에 미지수가 포함되어 있을 때는 넓이 공식을 이용하면 편리하다.
즉,

$\int_0^{2-m}\{-x(x+m-2)\}dx$

$=\frac{|-1|}{6}\{(2-m)-0\}^3$

$=\frac{(2-m)^3}{6}$

확인 문제

정답과 해설 | 92쪽

05-1 (상중하) 곡선 $y=x^2-4x$와 직선 $y=mx$ $(m>0)$로 둘러싸인 도형의 넓이가 x축에 의하여 이등분될 때, 상수 m의 값을 구하시오.

05-2 (상중하) 오른쪽 그림과 같이 네 직선 $x=0$, $x=2$, $y=0$, $y=2$로 둘러싸인 정사각형을 곡선 $y=\frac{1}{2}x^2$이 두 부분으로 나눈다. 각 부분의 넓이를 P, Q라 할 때, $P : Q$를 가장 간단한 자연수의 비로 나타내시오.

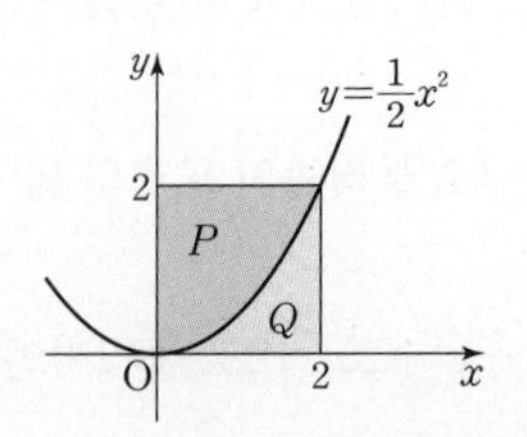

MY 셀파

05-1
곡선 $y=x^2-4x$와 직선 $y=mx$로 둘러싸인 도형의 넓이는 곡선 $y=x^2-4x$와 x축으로 둘러싸인 도형의 넓이의 2배이다.

05-2
$Q=\int_0^2\frac{1}{2}x^2\,dx$

해법 06 역함수의 그래프와 넓이

함수 $y=f(x)$의 그래프와 그 역함수 $y=g(x)$의 그래프는 직선 $y=x$에 대하여 대칭이므로 두 곡선 $y=f(x)$, $y=g(x)$로 둘러싸인 도형의 넓이는 곡선 $y=f(x)$와 직선 $y=x$로 둘러싸인 도형의 넓이의 2배이다. 즉,

$$S_1+S_2=2S_1=2S_2$$

PLUS 곡선 $y=f(x)$와 직선 $y=x$로 둘러싸인 도형의 넓이 S_1과 곡선 $y=g(x)$와 직선 $y=x$로 둘러싸인 도형의 넓이 S_2는 서로 같다.

예제 1. 함수 $f(x)=x^2$ $(x\geq 0)$의 역함수를 $g(x)$라 할 때, 두 곡선 $y=f(x)$, $y=g(x)$로 둘러싸인 도형의 넓이를 구하시오.

2. 함수 $f(x)=\sqrt{2x-4}$의 역함수를 $g(x)$라 할 때, $\int_0^2 g(x)dx+\int_2^4 f(x)dx$의 값을 구하시오.

해법 코드
두 곡선 $y=f(x)$, $y=g(x)$는 직선 $y=x$에 대하여 대칭임을 이용하여 그래프로 나타낸다.

셀파 함수의 그래프와 그 역함수의 그래프는 직선 $y=x$에 대하여 대칭이다.

풀이 1. 구하는 도형의 넓이를 S라 하면 S는 곡선 $y=f(x)$와 직선 $y=x$로 둘러싸인 도형의 넓이의 2배이다.
이때 곡선 $y=x^2$과 직선 $y=x$의 교점의 x좌표는
$x^2=x$에서 $x=0$ 또는 $x=1$

$\therefore S=2\int_0^1 (x-x^2)dx=2\left[\frac{1}{2}x^2-\frac{1}{3}x^3\right]_0^1=\mathbf{\frac{1}{3}}$

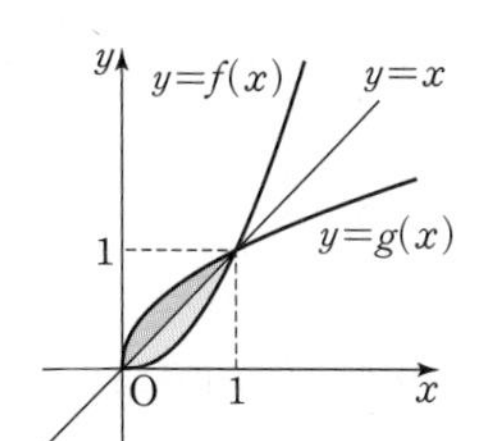

2. 곡선 $y=f(x)$와 x축, 직선 $x=4$로 둘러싸인 도형의 넓이를 ㉠P, 곡선 $y=g(x)$와 y축, 직선 $y=4$로 둘러싸인 도형의 넓이를 Q라 하면 ㉡$P=Q$이다.
이때 $\int_0^2 g(x)dx=R$라 하면

$\int_0^2 g(x)dx+\int_2^4 f(x)dx=R+P=R+Q=2\times 4=\mathbf{8}$

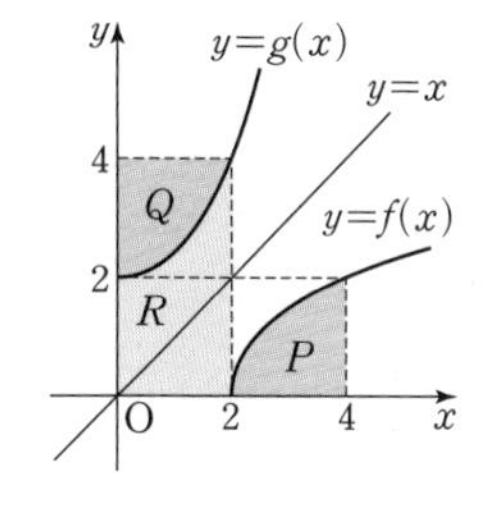

㉠ $P=\int_2^4 f(x)dx$
$=\int_2^4 \sqrt{2x-4}\,dx$
를 직접 구하기가 쉽지 않으므로 역함수의 대칭을 이용한다.

㉡ 두 곡선 $y=f(x)$, $y=g(x)$는 직선 $y=x$에 대하여 대칭이므로 $P=Q$이다. 따라서 구하는 넓이 $R+Q$는 직사각형의 넓이이다.

확인 문제 정답과 해설 | 92쪽

06-1 (상중하) 함수 $f(x)=\frac{1}{3}x^3+3$ $(x\geq 0)$의 역함수를 $g(x)$라 할 때, $\int_0^3 f(x)dx+\int_3^{12} g(x)dx$의 값을 구하시오.

MY 셀파

06-1
함수의 그래프와 그 역함수의 그래프는 직선 $y=x$에 대하여 대칭임을 이용한다.

해법 07 속도가 식으로 주어질 때

수직선 위를 움직이는 점 P의 시각 t에서의 속도를 $v(t)$라 할 때

속도 —적분→ 위치, 위치 —미분→ 속도

❶ 시각 $t=a$에서 $t=b$까지 점 P의 위치의 변화량 ⇨ $\int_a^b v(t)dt$

❷ 시각 $t=a$에서 $t=b$까지 점 P가 움직인 거리 ⇨ $\int_a^b |v(t)|dt$

참고 $t=a$에서 점 P의 위치를 $f(a)$라 하면 $t=b$에서 점 P의 위치는 $f(b)=f(a)+\int_a^b v(t)dt$

PLUS ⊕

❶ 점 P의 운동 방향이 바뀌는 지점에서는 속도가 0이므로 $v(t)=0$

❷ 점 P가 아래쪽 또는 왼쪽으로 이동할 때는 속도가 음수이므로 $v(t)<0$

예제 지면에서 40 m/s의 속도로 지면과 수직으로 쏘아 올린 물체의 t초 후의 속도가 $v(t)=40-10t$ (m/s)일 때, 다음을 구하시오.

(1) 쏘아 올린 후 5초가 지났을 때 물체의 지면으로부터의 높이

(2) 쏘아 올린 후 5초 동안 물체가 움직인 거리

해법 코드

(1) $\int_0^5 v(t)dt$

(2) $\int_0^5 |v(t)|dt$

셀파 위치의 변화량 ⇨ $\int_a^b v(t)dt$, 움직인 거리 ⇨ $\int_a^b |v(t)|dt$

풀이 (1) $v(t)=40-10t$이므로 5초가 지났을 때 물체의 높이는

$$\int_0^5 v(t)dt=\int_0^5 (40-10t)dt=\Big[40t-5t^2\Big]_0^5=\mathbf{75\ (m)}$$

(2) ㉠ $v(t)=40-10t$에서 $0\le t\le 4$일 때 $v(t)\ge 0$, $4\le t\le 5$일 때 $v(t)\le 0$이므로

쏘아 올린 후 5초 동안 물체가 움직인 거리는

$$\int_0^5 |v(t)|dt=\int_0^4 (40-10t)dt-\int_4^5 (40-10t)dt$$

$$=\Big[40t-5t^2\Big]_0^4-\Big[40t-5t^2\Big]_4^5=80+5=\mathbf{85\ (m)}$$

㉠
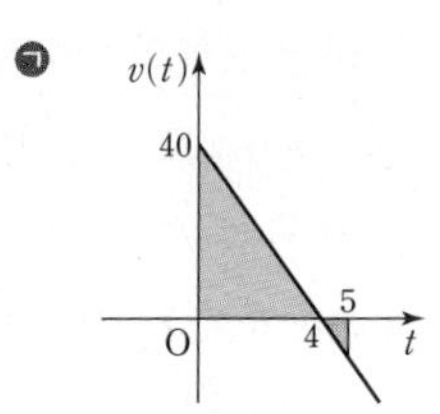

t축 위 색칠한 부분은 물체가 위로 올라간 거리를 나타내고, t축 아래 색칠한 부분은 물체가 아래로 내려온 거리를 나타낸다.
즉, 물체를 쏘아 올린 후 4초까지는 위로 올라가다가 4초에서 운동 방향을 바꾸어 아래로 내려온다.

확인 문제

정답과 해설 | 93쪽

07-1 상중하

원점을 출발하여 수직선 위를 움직이는 점 P의 t초 후의 속도가 $v(t)=3t-t^2$일 때, 다음을 구하시오.

(1) 원점을 출발하여 4초 후 점 P의 위치

(2) 원점을 출발하여 4초 동안 점 P가 움직인 거리

(3) 점 P가 다시 원점으로 돌아올 때까지 걸린 시간

MY 셀파

07-1

(2) 속도 $v(t)$의 그래프를 그린 다음 $v(t)\ge 0$인 구간과 $v(t)\le 0$인 구간을 파악한다.

(3) 점 P가 다시 원점으로 돌아오므로 점 P의 위치의 변화량이 0이다.

해법 08 속도가 그래프로 주어질 때

수직선 위를 움직이는 점 P의 시각 t에서의 속도 $v(t)$의 그래프가 오른쪽 그림과 같고, 세 부분의 넓이가 각각 A, B, C일 때

❶ 시각 $t=a$에서 $t=b$까지 점 P의 위치의 변화량

⇨ $\int_a^b v(t)dt=A-B+C$

❷ 점 P가 움직인 거리 ⇨ $\int_a^b |v(t)|dt=A+B+C$

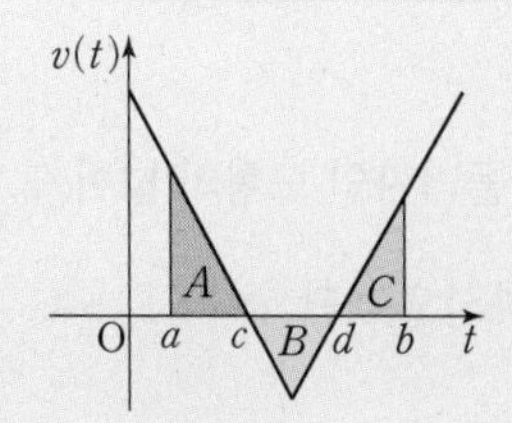

PLUS ⊕

❶ $v(t)=0$이 되는 점, 즉 $t=c$, $t=d$에서 점 P가 운동 방향을 바꾼다.

❷ $c<t<d$일 때, 점 P는 출발할 때와 반대 방향으로 이동한다.

예제 원점을 출발하여 수직선 위를 움직이는 점 P의 t초 후의 속도 $v(t)$의 그래프가 오른쪽 그림과 같을 때, 다음을 구하시오.

(1) 시각 $t=6$에서 점 P의 위치

(2) 시각 $t=0$에서 $t=6$까지 점 P가 움직인 거리

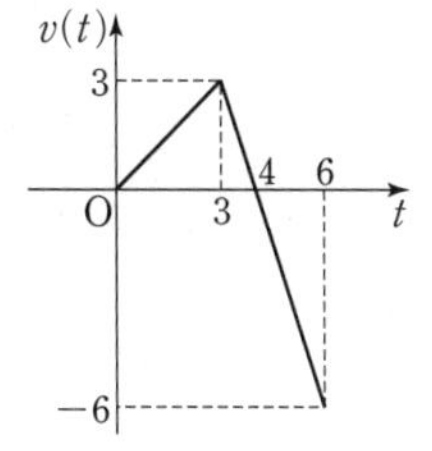

해법 코드

(2) 움직인 거리는 양의 방향으로 이동한 거리와 음의 방향으로 이동한 거리를 모두 더한 값이다.

셀파 점 P가 움직인 거리 ⇨ 속도 $v(t)$의 그래프와 t축 사이의 넓이와 같다.

풀이 오른쪽 그림과 같이 t축 윗부분의 넓이를 A, t축 아랫부분의 넓이를 B라 하면

$A=\frac{1}{2}\times4\times3=6$, $B=\frac{1}{2}\times2\times6=6$

(1) $0+\int_0^6 v(t)dt=\int_0^4 v(t)dt+\int_4^6 v(t)dt$

$=A-B=6-6=\mathbf{0}$

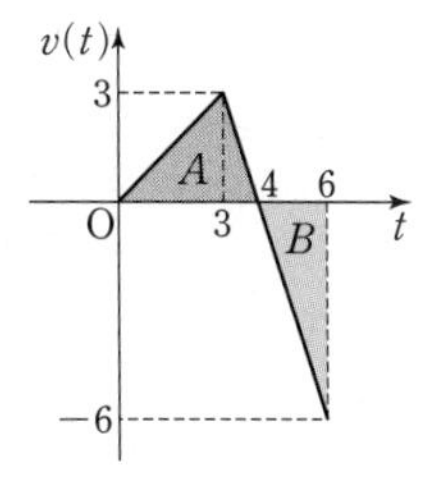

$v(t)$가 곡선으로 주어질 때는 정적분으로 넓이를 구해야 돼.

(2) $\int_0^6 |v(t)|dt=\int_0^4 v(t)dt+\int_4^6 \{-v(t)\}dt$

$=A+B=6+6=\mathbf{12}$

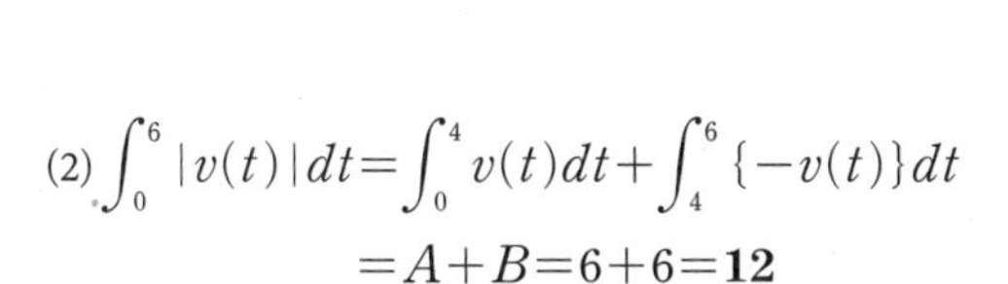

확인 문제

정답과 해설 | 93쪽

08-1 상중하

원점을 출발하여 수직선 위를 움직이는 점 P의 t초 후의 속도 $v(t)$의 그래프가 오른쪽 그림과 같다. $0\le t\le6$에서 $v(t)$는 이차항의 계수가 -1인 이차함수일 때, 다음을 구하시오.

(1) 시각 $t=10$에서 점 P의 위치

(2) 시각 $t=0$에서 $t=10$까지 점 P가 움직인 거리

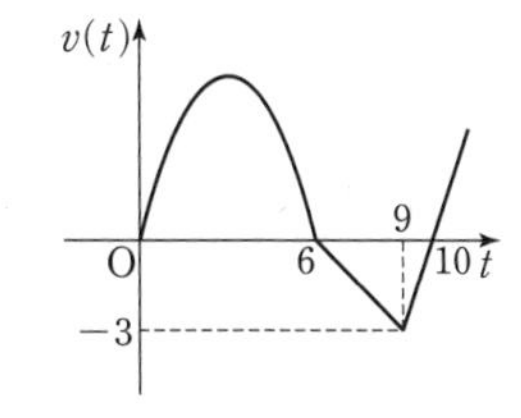

MY 셀파

08-1

$0\le t\le6$에서 $v(t)$는 이차항의 계수가 -1인 이차함수이고, t축과 0, 6에서 만나므로 $v(t)=-t(t-6)$

연습 문제 EXERCISE

곡선과 x축 사이의 넓이

01 곡선 $y=ax-x^2$과 x축으로 둘러싸인 도형의 넓이가 $\frac{32}{3}$일 때, 상수 a의 값을 구하시오. (단, $a>0$)

상 중 하

곡선과 x축 사이의 넓이

02 곡선 $y=x^2-3x$와 x축 및 두 직선 $x=-1$, $x=1$로 둘러싸인 도형의 넓이를 구하시오.

상 중 하

곡선과 x축 사이의 넓이

03 곡선 $y=x^2-ax$와 x축으로 둘러싸인 도형의 넓이를 S라 할 때, 곡선 $y=x^2-ax$와 x축 및 두 직선 $x=-a$, $x=a$로 둘러싸인 도형의 넓이를 S로 나타내면? (단, $a>0$)

상 중 하

① $5S$ ② $6S$ ③ $7S$
④ $8S$ ⑤ $9S$

곡선과 x축 사이의 넓이의 활용

04 곡선 $y=|x^2-2x|$와 x축 및 직선 $x=k$로 둘러싸인 두 도형의 넓이가 같을 때, 상수 k의 값을 구하시오. (단, $k>2$)

상 중 하

곡선과 x축 사이의 넓이의 활용

05 오른쪽 그림과 같이 곡선 $y=-x^2+4x+k$와 x축 및 y축으로 둘러싸인 도형의 넓이를 A, 이 곡선과 x축으로 둘러싸인 도형의 넓이를 B라 한다. $A:B=1:2$일 때, 상수 k의 값을 구하시오.

상 중 하

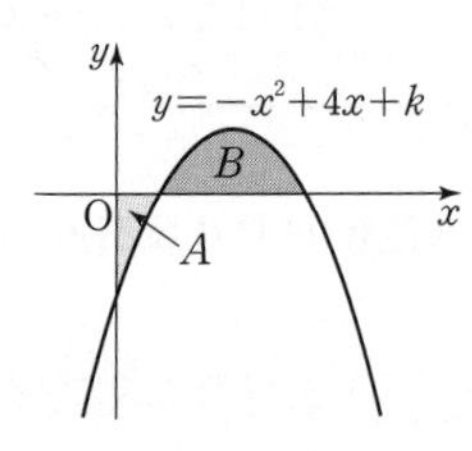

곡선과 x축 사이의 넓이의 활용 창의·융합

06 오른쪽 그림과 같이 $x\geq3$에서 $f(x)\geq0$인 연속함수 $f(x)$에 대하여 색칠한 도형의 넓이를 $S(t)$라 하자. $f(3)=6$일 때, $\lim_{t\to3}\frac{S(t)}{t-3}$의 값을 구하시오.

상 중 하

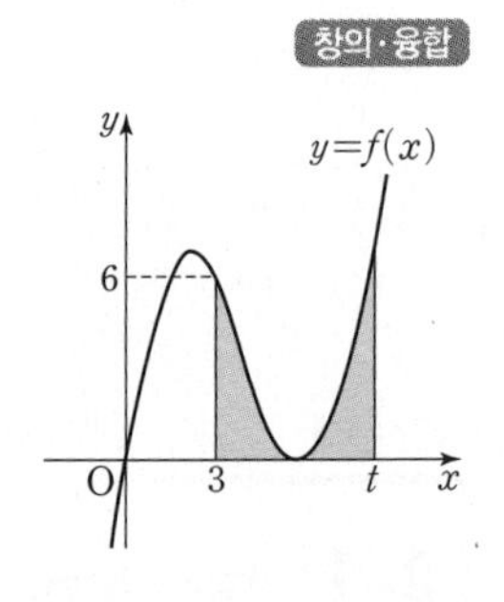

두 곡선 사이의 넓이 서술형

07 함수 $f(x)=(x-1)^2$에 대하여 두 함수 $y=f(x)$, $y=f'(x)$의 그래프로 둘러싸인 도형의 넓이를 S라 할 때, $60S$의 값을 구하시오.

상 중 하

두 곡선 사이의 넓이

08 두 곡선 $y=x^2$, $y=x^2(x-1)$로 둘러싸인 도형의 넓이를 구하시오.

상 중 하

두 곡선 사이의 넓이의 활용

09 다음 그림에서 두 곡선 $y=x^4-x^3$, $y=-x^4+x$로 둘러싸인 도형의 넓이가 곡선 $y=ax(1-x)$에 의하여 이등분될 때, 상수 a의 값을 구하시오. (단, $0<a<1$)

상 중 하

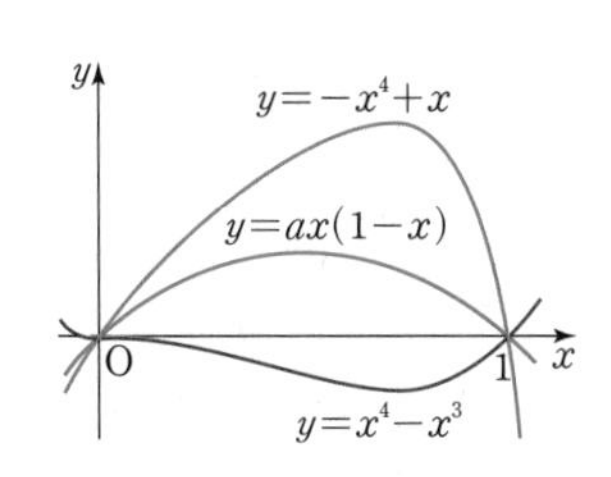

역함수의 그래프와 넓이

10 함수 $f(x)=x^2+2$ $(x\geq0)$의 역함수를 $g(x)$라 할 때,곡선 $y=g(x)$와 x축 및 직선 $x=6$으로 둘러싸인 도형의 넓이를 구하시오.

상 중 하

속도가 식으로 주어질 때 창의력

11 도로 위를 15 m/s의 속도로 달리는 자동차가 브레이크를 건 후 t초가 지났을 때의 속도가 $v(t)=15-5t$ (m/s)라 한다. 이 자동차가 브레이크를 건 후 정지할 때까지 움직인 거리를 구하시오.

상 중 하

속도가 그래프로 주어질 때

12 다음 그림은 원점에서 출발하여 수직선 위를 움직이는 점 P의 시각 t에서의 속도 $v(t)$를 나타낸 그래프이다. | 보기 |의 설명 중 옳은 것을 모두 고르시오.

(단, $0\leq t\leq8$)

상 중 하

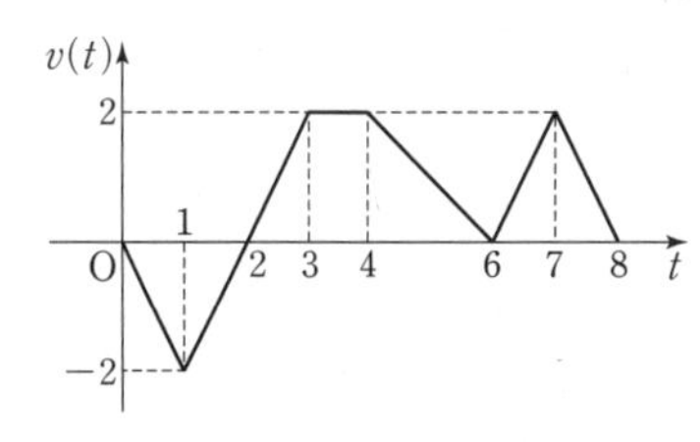

| 보기 |

ㄱ. 점 P는 출발하고 1초 동안 멈춘 적이 있다.

ㄴ. 점 P는 움직이는 동안 방향을 1번 바꾸었다.

ㄷ. 점 P의 시각 $t=3$에서의 위치는 원점이다.

memo

셀파

해 법 수 학

고등 수학 II

자기주도 해결책!
sherpa

고등 수학 II

정답과 해설

천재교육

지나간 슬픔에
새로운 눈물을 낭비하지 말라

에우리피데스(Euripides)

슬퍼해도 괜찮아요.

대신, 오늘의 슬픔은 딱 오늘까지만!

지난 일을 슬퍼하면서 인생을 낭비하진 마세요.

내일은 내일의 해가 뜰 테니까요.

정답과 해설

빠른 정답

- 빠른 정답 02
1 함수의 극한 10
2 함수의 연속 21
3 미분계수 30
4 도함수 37
5 접선의 방정식과 평균값 정리 44
6 함수의 증가·감소와 극대·극소 51
7 방정식과 부등식, 속도와 가속도 62
8 부정적분 71
9 정적분 78
10 정적분의 활용 89

SPEED ANSWER

1. 함수의 극한

개념 익히기 본문 | 11, 13쪽

1-1 (1) 1, 1 (2) 3, 3
1-2 (1) 3 (2) 3
2-1 0, ∞
2-2 (1) $-\infty$ (2) ∞
3-1 (1) 3, 3 (2) 1, 1
3-2 (1) 1 (2) 2 (3) 2 (4) 1
4-1 (1) $x+3$, -4 (2) -3, 4
4-2 (1) 5 (2) 5 (3) $\frac{1}{9}$ (4) -4

확인 문제 본문 | 14~29쪽

01-1 (1) 0 (2) 5 (3) 0 (4) 3
02-1 (1) $-\infty$ (2) ∞ (3) ∞ (4) ∞
셀파 특강 **확인 체크 01** (1) 2 (2) 2 (3) 2
03-1 (1) -1
(2) 존재하지 않는다.
(3) 존재하지 않는다.
04-1 (1) -150 (2) $-\frac{1}{2}$
04-2 $\frac{20}{9}$
셀파 특강 **확인 체크 02** -3
05-1 (1) $-\frac{7}{8}$ (2) 2 (3) 8 (4) $\frac{3}{8}$
06-1 (1) ∞ (2) 1
06-2 4
07-1 (1) 3 (2) 0
07-2 6
셀파 특강 **확인 체크 03** (1) 0 (2) $-\frac{1}{2}$ (3) 1 (4) -1

집중 연습 본문 | 24쪽

01 (1) -3 (2) 1 (3) 1 (4) $\frac{\sqrt{3}}{6}$ (5) 16
02 (1) $\frac{1}{2}$ (2) 1
03 (1) ∞ (2) 0 (3) 2
08-1 (1) 2 (2) 1 (3) $-\frac{1}{16}$ (4) 1
09-1 (1) $a=-2$, $b=-2$
(2) $a=8$, $b=-33$
(3) $a=-10$, $b=4$
(4) $a=1$, $b=2$
10-1 -3
10-2 $f(x)=2x^2-6x+4$
11-1 -2
11-2 $\frac{1}{3}$
12-1 2
12-2 $-\frac{1}{2}$

연습 문제 본문 | 30~31쪽

01 4 **02** ㄴ, ㄷ
03 5 **04** -1
05 $\frac{1}{2}$ **06** 1
07 -1 **08** $\frac{1}{2}$
09 -1 **10** 3
11 -6 **12** -10
13 8 **14** 12

2. 함수의 연속

개념 익히기 본문 | 35, 37쪽

1-1 (1) 0 (2) 1 (3) 1, 0

1-2 (1) 극한값 $\lim_{x \to -1} f(x)$가 존재하지 않는다.
(2) $f(x)$는 $x=-1$에서 정의되어 있지 않다.

2-1 (1) -2 (2) 1

2-2 (1) $(-\infty, \infty)$ (2) $(-\infty, 2]$

3-1 $g(a)$, 연속, 불연속

3-2 ㄱ, ㄴ, ㄷ, ㄹ

4-1 (1) 1 (2) 없다.

4-2 최댓값 : 1, 최솟값 : 0

셀파 특강 확인 체크 01 (1) 연속 (2) 불연속

확인 문제 본문 | 39~49쪽

01-1 (1) 불연속 (2) 불연속

02-1 $a=1$, $b=3$

03-1 1 또는 2

03-2 불연속

04-1 4

04-2 $a=-2$, $b=1$, $c=-3$

05-1 $a=1$, $b=-3$

05-2 $a=1$, $b=3$

집중 연습 본문 | 44쪽

01 (1) $a=2$, $b=-2$
(2) $a=7$, $b=6$
(3) $a=3$, $b=-2$

02 (1) $a=-2$, $b=3$
(2) $a=4$, $b=4$
(3) $a=3$, $b=\frac{2}{3}$

03 (1) $a=-2$, $b=2$
(2) $a=-2$, $b=3$
(3) $a=-\sqrt{2}$, $b=\frac{\sqrt{2}}{4}$

06-1 $\frac{1}{4}$

06-2 0

07-1 (1) $(-\infty, \infty)$
(2) $(-\infty, \infty)$
(3) $(-\infty, -3)$, $(-3, 2)$, $(2, \infty)$
(4) $(-\infty, -\sqrt{6})$, $(-\sqrt{6}, \sqrt{6})$, $(\sqrt{6}, \infty)$

셀파 특강 확인 체크 02 연속

08-1 (1) 최댓값 3, 최솟값 -1
(2) 최솟값 -1
(3) 최댓값 3, 최솟값 -1
(4) 최솟값 -1

08-2 (1) 최댓값 3, 최솟값 0
(2) 최댓값 1, 최솟값 -1

09-1 (1) 풀이 참조
(2) 풀이 참조

09-2 3개

연습 문제 본문 | 50~51쪽

01 ㄱ **02** -4
03 -4 **04** 3
05 22 **06** 2
07 $(-\infty, -2)$, $(-2, 0)$, $(0, \infty)$
08 ㄴ, ㄷ **09** -4
10 ㄱ, ㄷ **11** ②
12 ㄱ, ㄴ

3. 미분계수

개념 익히기 본문 | 55쪽

1-1 (1) -2 (2) 4, -1
1-2 (1) 4 (2) 4
2-1 1, 2
2-2 (1) 2 (2) -4

확인 문제 본문 | 56~64쪽

01-1 3
01-2 2

셀파 특강 **확인 체크 01** (1) 6 (2) 4

02-1 2
02-2 2
03-1 1 또는 3
03-2 12
04-1 4
04-2 12

집중 연습 본문 | 61쪽

01 (1) 4 (2) -6 (3) 3 (4) 4
02 (1) 3 (2) $-\frac{2}{3}$ (3) $\frac{1}{3}$ (4) 3
05-1 (1) -3 (2) 9 (3) $\frac{3}{2}$ (4) 1

집중 연습 본문 | 63쪽

01 (1) 2 (2) 4 (3) $\frac{1}{2}$ (4) 6
02 (1) 2 (2) $\frac{1}{3}$ (3) 3 (4) 0

06-1 (1) 풀이 참조
(2) 풀이 참조

셀파 특강 **확인 체크 02** ㄷ

연습 문제 본문 | 66~67쪽

01 (1) 1 (2) -8
02 (1) -1 (2) Δx
03 ㄷ
04 12
05 (1) A (2) B
06 2
07 -3
08 4
09 8
10 2
11 $\frac{1}{2}$
12 -1
13 ㄱ, ㄴ

4. 도함수

개념 익히기 본문 | 71쪽

1-1 (1) Δx, 1 (2) $4x$
1-2 (1) $f'(x)=0$, $f'(2)=0$
(2) $f'(x)=2x+3$, $f'(2)=7$
2-1 (2) -3 (3) $4x$
2-2 (1) 0 (2) 1 (3) $2x+1$ (4) $3x^2-2$

확인 문제 본문 | 72~81쪽

01-1 (1) $f'(x)=3x^2-2x+6$
(2) $f'(x)=\begin{cases} 1 & (x>0) \\ -1 & (x<0) \end{cases}$
01-2 $y'=2f(x)f'(x)$
02-1 2
02-2 -2
03-1 (1) 2 (2) -4 (3) -9

03-2 5050
04-1 76
04-2 19
05-1 $a=1$, $b=2$, $c=-2$
05-2 $a=-5$, $b=2$

집중 연습 본문 | 78 쪽

01 (1) $y'=6x^2-2x+4$
(2) $y'=5x^4-1$
(3) $y'=12x^3+21x^2-6x-9$
(4) $y'=3x^2+2x-2$
(5) $y'=6(2x+1)^2$
(6) $y'=6(x^2+2x-1)^2(x+1)$
(7) $y'=-(x+3)^2(3-2x)^4(16x+21)$
(8) $y'=2(2x+1)^2(x-1)^3(7x-1)$

셀파 특강 **확인 체크** 01 -27

06-1 $a=-2$, $b=-4$
06-2 $a=2$, $b=-4$
07-1 $a=2$, $b=-1$
07-2 $a=2$, $b=-5$

연습 문제 본문 | 82~83 쪽

01	$f'(x)=4x-3$	**02**	3
03	1	**04**	0
05	-10	**06**	$a=1$, $b=7$
07	$-\frac{1}{2}$	**08**	⑤
09	14	**10**	-8
11	19, 19	**12**	8
13	25	**14**	$2x+3$
15	10		

5. 접선의 방정식과 평균값 정리

개념 익히기 본문 | 87 쪽

1-1	(1) 2	(2) 7
1-2	(1) $y=2x$	(2) $y=3x-3$
2-1	(1) 2, 2, 1	(2) 1, 2, 0, 0, 2
2-2	(1) $y=3x+1$	(2) $y=3x+3$, $y=3x-1$

확인 문제 본문 | 88~97 쪽

01-1 $a=2$, $b=2$
01-2 2
02-1 $y=x$
02-2 $a=-5$, $b=6$
03-1 $y=x+1$
03-2 $(-1, 2)$, $(1, 0)$
04-1 $y=2$, $y=4x-2$
04-2 27
05-1 1
05-2 -3
06-1 -3
06-2 $\frac{1}{9}$
07-1 (1) $-\frac{3}{2}$ (2) 2
08-1 0
08-2 $-4<k<5$

연습 문제 본문 | 98~99 쪽

01	28	**02**	20
03	$-\frac{1}{2}<a<\frac{1}{2}$	**04**	25
05	5	**06**	$y=2x-4$
07	$y=12x+19$	**08**	6
09	$\frac{4}{3}$	**10**	-1
11	$a=-\frac{1}{3}$, $b=1$, $c=1$, $d=1$		
12	-7	**13**	-1
14	2	**15**	3

6. 함수의 증가·감소와 극대·극소

개념 익히기 　　본문 | 103, 105 쪽

1-1 0, -2

1-2 (1) 반닫힌 구간 $(-\infty, 1]$에서 증가,
반닫힌 구간 $[1, \infty)$에서 감소
(2) 반닫힌 구간 $(-\infty, -1]$, $[2, \infty)$에서 증가,
닫힌구간 $[-1, 2]$에서 감소

2-1 (1) 0, 0　(2) 0

2-2 (1) $x=1$에서 극대, 극댓값은 2
(2) $x=-1$에서 극소, 극솟값은 0

3-1 0, 0

3-2 (1) 극댓값 4, 극솟값 -4
(2) 극댓값 16, 극솟값 -16

4-1 -2, 1

4-2 (1) 최댓값 20, 최솟값 0
(2) 최댓값 2, 최솟값 -2

확인 문제 　　본문 | 106~119 쪽

01-1 $-1\le k\le 2$

01-2 -12

02-1 -3

02-2 $-4\le a\le 1$

03-1 (1) 극댓값 0, 극솟값 -27
(2) 극댓값 22, 극솟값 -10, 17

04-1 $a=3$, $b=2$

04-2 $p=-3$, $q=9$

05-1 (1) -3, 5　(2) 2

06-1 (1) 풀이 참조　(2) 풀이 참조

07-1 2

07-2 $p=-4$, $q=0$

08-1 $-9<k<0$ 또는 $k>0$

08-2 $k=0$ 또는 $k\ge\frac{1}{4}$

09-1 (1) 최댓값 31, 최솟값 -1
(2) 최댓값 16, 최솟값 -4

09-2 (1) 최댓값 21, 최솟값 -11
(2) 최댓값 15, 최솟값 -2

10-1 1

10-2 10

11-1 108π

집중 연습 　　본문 | 114 쪽

01 (1) 극댓값 2, 극솟값 -2
(2) 극댓값 0, 극솟값 -4
(3) 극값을 갖지 않는다.
(4) 극댓값 32, 극솟값 0
(5) 극댓값 7, 극솟값 -20

02 (1) 극댓값 1, 극솟값 0
(2) 극댓값 2
(3) 극댓값 0, 극솟값 -4
(4) 극댓값 5, 극솟값 -3
(5) 극댓값 22, 극솟값 -10, 17

연습 문제 　　본문 | 120~121 쪽

01 $[-1, 3]$　**02** $-2\le k\le 1$

03 $0\le k\le 3$　**04** 6

05 $a=-3$, $b=-9$　**06** 3

07 ③　**08** 1

09 -1　**10** ②

11 -1　**12** 16

13 $a=\frac{1}{3}$, $b=3$　**14** ②

7. 방정식과 부등식, 속도와 가속도

개념 익히기 본문 | 125, 127쪽

1-1 -2, 3

1-2 (1) 2 (2) 3

2-1 1, 2, 1, 2

2-2 1, 1, 1

3-1 2, 4

3-2 (1) 속도 6, 가속도 12 (2) 속도 39, 가속도 22

4-1 6

4-2 (1) 9 (2) 20

확인 문제 본문 | 128~139쪽

01-1 (1) 1 (2) 2

02-1 (1) $-4<k<0$ (2) $-16<k<0$

03-1 $-7<k<0$

집중 연습 본문 | 131쪽

01 (1) $-2<k<2$ (2) $k<-2$ 또는 $k>2$

02 (1) $k=0$ 또는 $k=2$ (2) $k<0$ 또는 $k>2$

03 (1) $-27<k<5$ (2) $k=-27$ 또는 $k=5$

04 (1) $k=-7$ 또는 $k=20$ (2) $k<-7$ 또는 $k>20$

04-1 $-1<k<0$

04-2 5

셀파 특강 **확인 체크 01** $k>0$

05-1 1

05-2 $a>3$

06-1 $p=-9$, $q=15$

07-1 (1) -10 m/s, -10 m/s^2

(2) 2초

(3) 10 m/s 또는 -10 m/s

08-1 4

09-1 10 m

10-1 7 cm^2/s

10-2 300π cm^3/s

연습 문제 본문 | 140~141쪽

01 2

02 $-3<k<3$

03 6

04 $k=-1$ 또는 $k=3$

05 4

06 22

07 $5\le k\le 9$

08 $k>8$

09 50

10 ①

11 16

12 $\frac{5}{3}$

13 2π m^2/s

14 -36 mL/s

8. 부정적분

개념 익히기 본문 | 145, 147쪽

1-1 (1) x^2 (2) x^2

1-2 (1) $2x+C$ (2) $\frac{1}{2}x^2+C$

(3) x^2-4x+C (4) x^3-2x^2+2x+C

2-1 (1) $2x$ (2) x^2

2-2 (1) 3 (2) $-2x+5$

(3) $6x^2-6x+1$

3-1 (1) 1, 4 (2) 4, 5

3-2 (1) $\frac{1}{6}x^6+C$ (2) $\frac{1}{7}x^7+C$

(3) $\frac{1}{8}x^8+C$ (4) $\frac{1}{9}x^9+C$

4-1 (1) 3, x^3 (2) $3x$, $3x$

4-2 (1) x^4+C (2) $\frac{2}{3}x^3-\frac{1}{2}x^2+5x+C$

(3) $-x^5+x^4+C$ (4) x^7-2x^2+C

확인 문제 본문 | 148~157쪽

01-1 -1

01-2 (1) $f(x)=\frac{1}{2}x-\frac{3}{2}$ (2) $f(x)=x+2$

02-1 $f(x)=x^2+4x+5$

02-2 8

집중 연습 본문 | 150쪽

01 (1) x^3+4x+C (2) $\frac{1}{4}x^4-x^2+C$
(3) $\frac{5}{4}x^4-2x^2+5x+C$ (4) $2x^4+\frac{1}{3}x^3-2x+C$
(5) $3x^3+9x^2+x+C$ (6) $-2x^3+6x^2+x+C$

02 (1) $\frac{1}{3}x^3+x^2-3x+C$ (2) $\frac{2}{3}x^3+\frac{9}{2}x^2+4x+C$
(3) $2y^3+\frac{1}{2}y^2-2y+C$ (4) $\frac{1}{4}t^4-t+C$
(5) $\frac{1}{4}x^4+x^3+\frac{3}{2}x^2+x+C$ (6) $\frac{1}{4}y^4-y^3+\frac{3}{2}y^2-y+C$

03-1 (1) $\frac{1}{3}x^3+x^2y+xy^2+C$ (2) $\frac{2}{3}x^3+\frac{1}{2}x^2-10x+C$
(3) $-2x^2+C$ (4) $4x^3+16x+C$

03-2 $\frac{11}{10}$

04-1 (1) $\frac{1}{2}x^2+x+C$ (2) $\frac{1}{3}x^3+x^2+4x+C$

04-2 $\frac{1}{2}$

05-1 9

05-2 3

06-1 -4

06-2 5

셀파 특강 **확인 체크** 01 6

07-1 $\frac{4}{3}$

07-2 1

08-1 $\frac{1}{2}$

연습 문제 본문 | 158~159쪽

01	②	02	3
03	⑤	04	ㄴ, ㄷ
05	8	06	⑤
07	$\frac{13}{4}$	08	3
09	-1	10	2
11	18	12	$\frac{32}{3}$
13	9		

9. 정적분

개념 익히기 본문 | 163, 165쪽

1-1 (1) 2, 6 (2) 2, 9

1-2 (1) 24 (2) $\frac{2}{3}$

2-1 (1) $4x$, 8 (2) 3, 3

2-2 (1) -2 (2) 0

3-1 (1) $f(x)$, $2x$ (2) $f(x)$, $4x^2$

3-2 (1) x^2+3x (2) $2x^3-x+5$

4-1 (1) 3 (2) $4x$

4-2 (1) $f(x)=6x-2$ (2) $f(x)=-3x^2+2x$

확인 문제 본문 | 166~178쪽

01-1 (1) 9 (2) -24

01-2 9

02-1 (1) -2 (2) $\frac{3}{2}$
(3) -8

집중 연습 본문 | 168쪽

01 (1) 1 (2) $\frac{5}{6}$
(3) 39 (4) 12
(5) $\frac{59}{6}$ (6) $\frac{29}{6}$
(7) 20

02 (1) -3 (2) 4
(3) $\frac{5}{6}$ (4) 12
(5) 18 (6) $\frac{16}{3}$
(7) 2

03-1 $\frac{19}{6}$

03-2 3

04-1 (1) $\frac{8}{3}$ (2) $\frac{2}{3}$

04-2 3

셀파 특강 **확인 체크 01** (1) $-\frac{4}{3}$ (2) 0

05-1 28

06-1 $-\frac{4}{3}$

06-2 4

07-1 14

07-2 $\frac{9}{2}$

셀파 특강 **확인 체크 02** 5

08-1 $\frac{3}{2}$

08-2 $\frac{1}{4}$

09-1 2

10-1 (1) 2 (2) 8

10-2 15

연습 문제 본문 | 179~181 쪽

01 ④ **02** 9

03 8 **04** 7

05 8 **06** $\frac{11}{6}$

07 1 **08** (1) $\frac{8}{3}$ (2) 3

09 20 **10** 16

11 4 **12** 2

13 5 **14** 1

15 22 **16** (1) -8 (2) 2

17 16 **18** 3

19 -4 **20** 2

21 18

10. 정적분의 활용

개념 익히기 본문 | 185, 187 쪽

1-1 (1) $\geq$ (2) $\leq$, 4

1-2 (1) $\frac{1}{3}$ (2) $\frac{32}{3}$

2-1 $\leq$, $\geq$, 2 **2-2** 2

3-1 $\geq$, 0, 8 **3-2** $\frac{4}{3}$

4-1 (1) 0, 1 (2) 2, 2

4-2 (1) 6 (2) $\frac{3}{2}$

확인 문제 본문 | 188~197 쪽

01-1 (1) $\frac{4}{3}$ (2) $\frac{4}{3}$ (3) $\frac{37}{12}$

02-1 $\frac{8}{3}$ **02-2** 2

03-1 (1) $\frac{27}{2}$ (2) $\frac{1}{2}$

04-1 $\frac{1}{3}$ **04-2** $\frac{9}{4}$

셀파 특강 **확인 체크 01** (1) $\frac{9}{2}$ (2) $\frac{9}{2}$ (3) $\frac{8}{3}$

05-1 $4(\sqrt[3]{2}-1)$

05-2 2 : 1

06-1 36

07-1 (1) $\frac{8}{3}$ (2) $\frac{19}{3}$ (3) $\frac{9}{2}$초

08-1 (1) 30 (2) 42

연습 문제 본문 | 198~199 쪽

01 4 **02** 3

03 ② **04** 3

05 $-\frac{8}{3}$ **06** 6

07 80 **08** $\frac{4}{3}$

09 $\frac{3}{4}$ **10** $\frac{16}{3}$

11 $\frac{45}{2}$ m **12** ㄴ

1. 함수의 극한

개념 익히기 본문 | 11, 13쪽

1-1 (1) x의 값이 1에 한없이 가까워질 때, $f(x)$의 값은 $\boxed{1}$에 한없이 가까워진다.

$\therefore \lim_{x\to1}f(x)=\boxed{\mathbf{1}}$

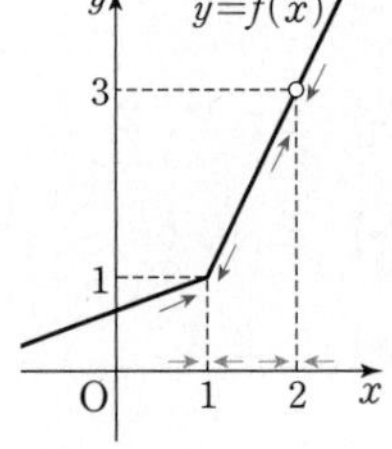

(2) x의 값이 2에 한없이 가까워질 때, $f(x)$의 값은 $\boxed{3}$에 한없이 가까워진다.

$\therefore \lim_{x\to2}f(x)=\boxed{\mathbf{3}}$

1-2 (1) x의 값이 한없이 커질 때, $f(x)$의 값은 3에 한없이 가까워진다.

$\therefore \lim_{x\to\infty}f(x)=\mathbf{3}$

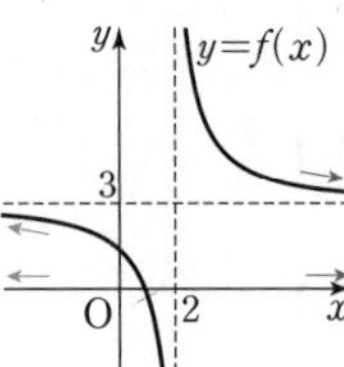

(2) x의 값이 음수이면서 그 절댓값이 한없이 커질 때, $f(x)$의 값은 3에 한없이 가까워진다.

$\therefore \lim_{x\to-\infty}f(x)=\mathbf{3}$

2-1 함수 $y=f(x)$의 그래프는 오른쪽 그림에서 x의 값이 $\boxed{0}$에 한없이 가까워질 때, $f(x)$의 값은 한없이 커지므로 함수 $f(x)$는 양의 무한대로 발산한다.

$\therefore \lim_{x\to0}f(x)=\boxed{\infty}$

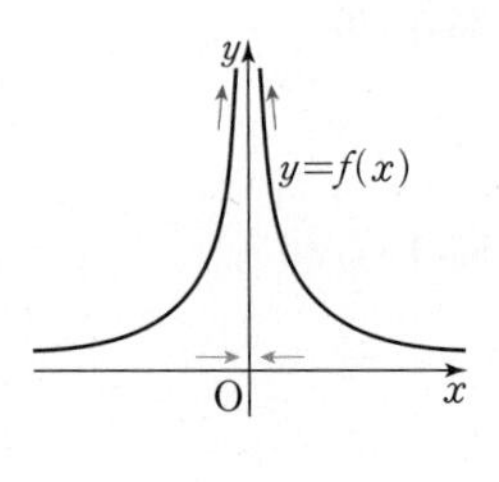

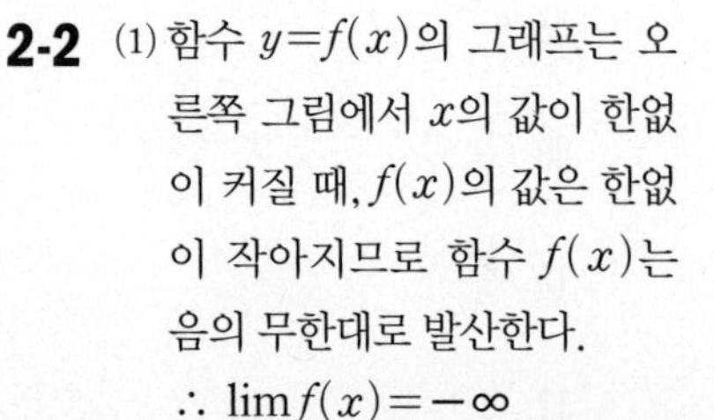

2-2 (1) 함수 $y=f(x)$의 그래프는 오른쪽 그림에서 x의 값이 한없이 커질 때, $f(x)$의 값은 한없이 작아지므로 함수 $f(x)$는 음의 무한대로 발산한다.

$\therefore \lim_{x\to\infty}f(x)=-\infty$

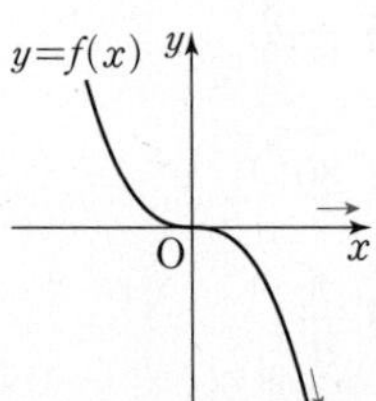

(2) 함수 $y=f(x)$의 그래프는 오른쪽 그림에서 x의 값이 음수이면서 그 절댓값이 한없이 커질 때, $f(x)$의 값은 한없이 커지므로 함수 $f(x)$는 양의 무한대로 발산한다.

$\therefore \lim_{x\to-\infty}f(x)=\infty$

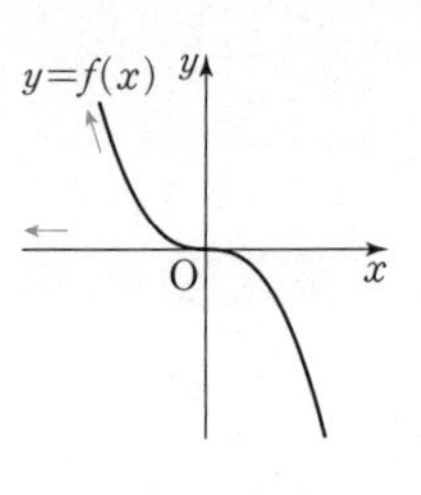

3-1 (1) x의 값이 1보다 작으면서 1에 한없이 가까워질 때, $f(x)$의 값은 $\boxed{3}$에 한없이 가까워진다.

$\therefore \lim_{x\to1-}f(x)=\boxed{\mathbf{3}}$

(2) x의 값이 1보다 크면서 1에 한없이 가까워질 때, $f(x)$의 값은 $\boxed{1}$에 한없이 가까워진다.

$\therefore \lim_{x\to1+}f(x)=\boxed{\mathbf{1}}$

3-2 (1) x의 값이 -1보다 작으면서 -1에 한없이 가까워질 때, $f(x)$의 값은 1에 한없이 가까워진다.

$\therefore \lim_{x\to-1-}f(x)=\mathbf{1}$

(2) x의 값이 -1보다 크면서 -1에 한없이 가까워질 때, $f(x)$의 값은 2에 한없이 가까워진다.

$\therefore \lim_{x\to-1+}f(x)=\mathbf{2}$

(3) x의 값이 0보다 작으면서 0에 한없이 가까워질 때, $f(x)$의 값은 2에 한없이 가까워진다.

$\therefore \lim_{x\to0-}f(x)=\mathbf{2}$

(4) x의 값이 0보다 크면서 0에 한없이 가까워질 때, $f(x)$의 값은 1에 한없이 가까워진다.

$\therefore \lim_{x\to0+}f(x)=\mathbf{1}$

4-1 (1) $\lim_{x\to-1}(x-1)(x+3)=\lim_{x\to-1}(x-1)\times\lim_{x\to-1}(\boxed{x+3})$

$=(-1-1)\times(-1+3)$

$=-2\times2=\boxed{\mathbf{-4}}$

(2) $\lim_{x\to-1}\frac{-3x+1}{x+2}=\frac{\lim_{x\to-1}(-3x+1)}{\lim_{x\to-1}(x+2)}$

$=\frac{\boxed{-3}\lim_{x\to-1}x+\lim_{x\to-1}1}{\lim_{x\to-1}x+\lim_{x\to-1}2}$

$=\frac{-3\times(-1)+1}{-1+2}=\boxed{\mathbf{4}}$

4-2 (1) $\lim_{x\to1}(3x+2)=3\lim_{x\to1}x+\lim_{x\to1}2$

$=3\times1+2=\mathbf{5}$

(2) $\lim_{x\to0}(x^2+5)=\lim_{x\to0}x^2+\lim_{x\to0}5$

$=0+5=\mathbf{5}$

(3) $\lim_{x\to3}\frac{x-2}{2x+3}=\frac{\lim_{x\to3}(x-2)}{\lim_{x\to3}(2x+3)}=\mathbf{\frac{1}{9}}$

(4) $\lim_{x\to2}\frac{-4}{(x-1)^2}=\frac{\lim_{x\to2}(-4)}{\lim_{x\to2}(x-1)^2}=\frac{-4}{1}=\mathbf{-4}$

확인 문제

본문 | 14~29 쪽

01-1 셀파 $\lim_{x\to a}f(x)$에서 함수 $y=f(x)$의 그래프를 그린다.

(1) $f(x)=x^2+x$라 하면

함수 $y=f(x)$의 그래프는 오른쪽 그림과 같다.

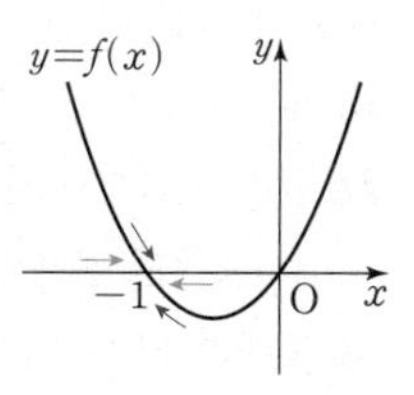

따라서 x의 값이 -1에 한없이 가까워질 때, $f(x)$의 값은 0에 한없이 가까워진다.

$\therefore \lim_{x\to-1}(x^2+x)=\mathbf{0}$

(2) $f(x)=\frac{x^2+x-6}{x-2}$이라 하면 $x\neq2$일 때

$\frac{x^2+x-6}{x-2}=\frac{(x+3)(x-2)}{x-2}=x+3$

이므로 함수 $y=f(x)$의 그래프는 오른쪽 그림과 같다.

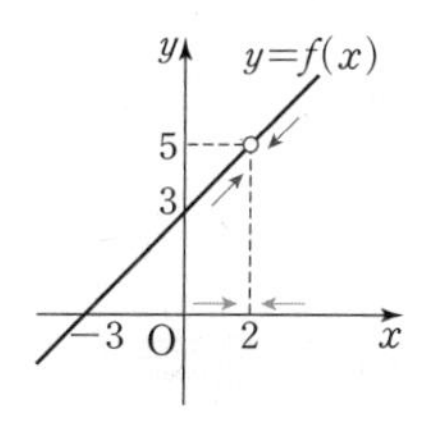

따라서 x의 값이 2에 한없이 가까워질 때, $f(x)$의 값은 5에 한없이 가까워진다.

$\therefore \lim_{x\to2}\frac{x^2+x-6}{x-2}=\mathbf{5}$

(3) $f(x)=\frac{1}{x^2}$이라 하면

함수 $y=f(x)$의 그래프는 오른쪽 그림과 같다.

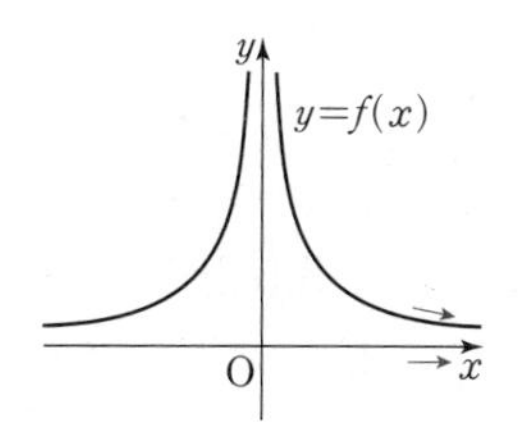

따라서 x의 값이 한없이 커질 때, $f(x)$의 값은 0에 한없이 가까워진다.

$\therefore \lim_{x\to\infty}\frac{1}{x^2}=\mathbf{0}$

(4) $f(x)=\frac{3x+1}{x}$이라 하면 $\frac{3x+1}{x}=\frac{1}{x}+3$이므로

함수 $y=f(x)$의 그래프는 오른쪽 그림과 같다.

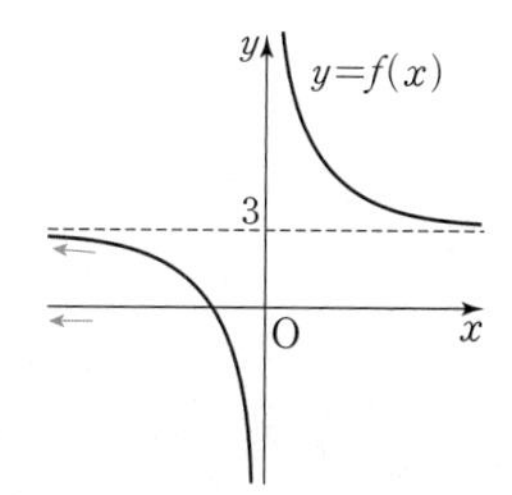

따라서 x의 값이 음수이면서 그 절댓값이 한없이 커질 때, $f(x)$의 값은 3에 한없이 가까워진다.

$\therefore \lim_{x\to-\infty}\frac{3x+1}{x}=\mathbf{3}$

02-1 셀파 $\lim_{x\to a}f(x)$에서 함수 $y=f(x)$의 그래프를 그린다.

(1) $f(x)=-\frac{1}{x^2}$이라 하면

함수 $y=f(x)$의 그래프는 오른쪽 그림과 같다.

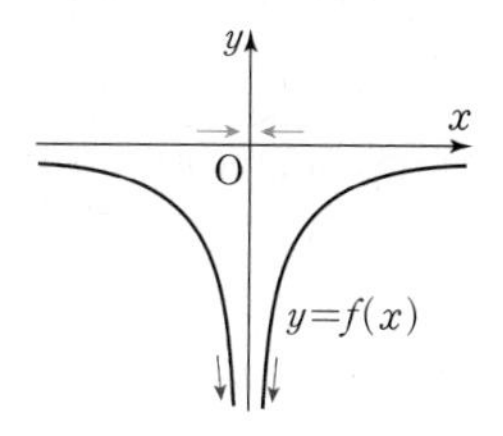

따라서 x의 값이 0에 한없이 가까워질 때, $f(x)$의 값은 음수이면서 그 절댓값이 한없이 커진다.

$\therefore \lim_{x\to0}\left(-\frac{1}{x^2}\right)=-\infty$

(2) $f(x)=\frac{1}{|x+1|}$이라 하면

함수 $y=f(x)$의 그래프는 오른쪽 그림과 같다.

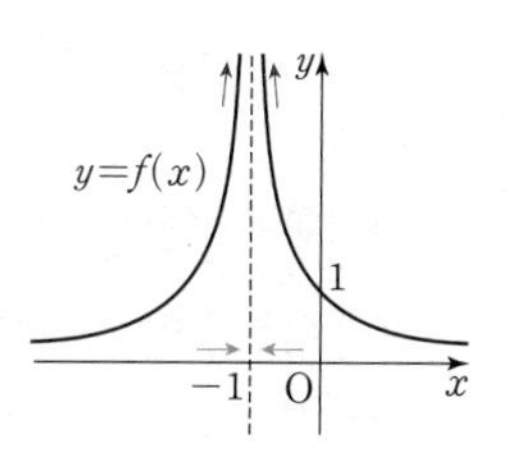

따라서 x의 값이 -1에 한없이 가까워질 때, $f(x)$의 값은 한없이 커진다.

$\therefore \lim_{x\to-1}\frac{1}{|x+1|}=\infty$

(3) $f(x)=x^2-2$라 하면

함수 $y=f(x)$의 그래프는 오른쪽 그림과 같다.

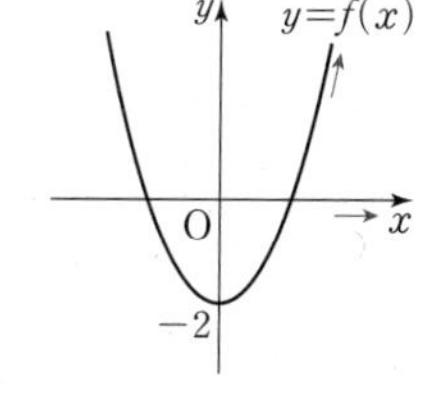

따라서 x의 값이 한없이 커질 때, $f(x)$의 값도 한없이 커진다.

$\therefore \lim_{x\to\infty}(x^2-2)=\infty$

(4) $f(x)=-x+3$이라 하면

함수 $y=f(x)$의 그래프는 오른쪽 그림과 같다.

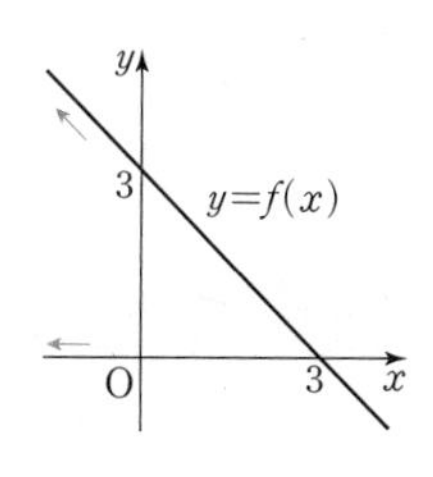

따라서 x의 값이 음수이면서 그 절댓값이 한없이 커질 때, $f(x)$의 값도 한없이 커진다.

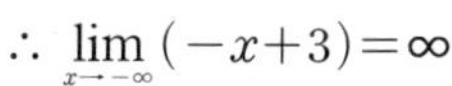

$\therefore \lim_{x\to-\infty}(-x+3)=\infty$

셀파 특강 확인 체크 01

(1) x의 값이 1보다 작으면서 1에 한없이 가까워질 때, $f(x)$의 값은 2에 한없이 가까워진다.

$\therefore \lim_{x \to 1-} f(x) = \mathbf{2}$

(2) x의 값이 1보다 크면서 1에 한없이 가까워질 때, $f(x)$의 값은 2에 한없이 가까워진다.

$\therefore \lim_{x \to 1+} f(x) = \mathbf{2}$

(3) $\lim_{x \to 1-} f(x) = 2$, $\lim_{x \to 1+} f(x) = 2$이므로 좌극한과 우극한이 서로 같다.

즉, $\lim_{x \to 1-} f(x) = \lim_{x \to 1+} f(x) = 2$이므로 $\lim_{x \to 1} f(x) = \mathbf{2}$

03-1

셀파 $\lim_{x \to a-} f(x) = \lim_{x \to a+} f(x)$ ⇨ 극한 $\lim_{x \to a} f(x)$는 존재한다.

(1) $x \geq 0$일 때, $|x| = x$이므로 $|x| - 1 = x - 1$

$x < 0$일 때, $|x| = -x$이므로 $|x| - 1 = -x - 1$

$f(x) = |x| - 1$이라 하면 함수 $y = f(x)$의 그래프는 오른쪽 그림과 같다.

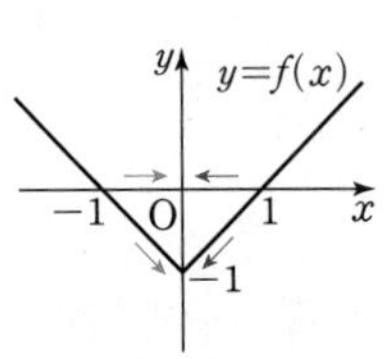

좌극한은 $\lim_{x \to 0-} (|x| - 1) = -1$,

우극한은 $\lim_{x \to 0+} (|x| - 1) = -1$

따라서 $\lim_{x \to 0-} (|x| - 1) = \lim_{x \to 0+} (|x| - 1) = -1$이므로

$\lim_{x \to 0} (|x| - 1) = \mathbf{-1}$

(2) $x > 1$일 때, $x - 1 > 0$이므로 $|x - 1| = x - 1$

$\therefore \frac{x-1}{|x-1|} = \frac{x-1}{x-1} = 1$

$x < 1$일 때, $x - 1 < 0$이므로 $|x - 1| = -(x - 1)$

$\therefore \frac{x-1}{|x-1|} = \frac{x-1}{-(x-1)} = -1$

$f(x) = \frac{x-1}{|x-1|}$이라 하면 함수 $y = f(x)$의 그래프는 오른쪽 그림과 같다.

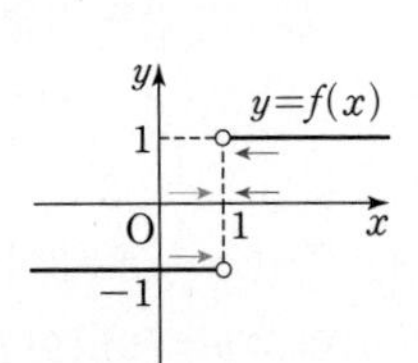

좌극한은 $\lim_{x \to 1-} \frac{x-1}{|x-1|} = -1$,

우극한은 $\lim_{x \to 1+} \frac{x-1}{|x-1|} = 1$

따라서 $\lim_{x \to 1-} \frac{x-1}{|x-1|} \neq \lim_{x \to 1+} \frac{x-1}{|x-1|}$이므로 $\lim_{x \to 1} \frac{x-1}{|x-1|}$은 **존재하지 않는다.**

(3) $x > 1$일 때, $x - 1 > 0$이므로 $|x - 1| = x - 1$

$\therefore \frac{x^2 - x}{|x-1|} = \frac{x(x-1)}{x-1} = x$

$x < 1$일 때, $x - 1 < 0$이므로 $|x - 1| = -(x - 1)$

$\therefore \frac{x^2 - x}{|x-1|} = \frac{x(x-1)}{-(x-1)} = -x$

$f(x) = \frac{x^2 - x}{|x-1|}$라 하면 함수 $y = f(x)$의 그래프는 오른쪽 그림과 같다.

좌극한은 $\lim_{x \to 1-} \frac{x^2 - x}{|x-1|} = -1$,

우극한은 $\lim_{x \to 1+} \frac{x^2 - x}{|x-1|} = 1$

따라서 $\lim_{x \to 1-} \frac{x^2 - x}{|x-1|} \neq \lim_{x \to 1+} \frac{x^2 - x}{|x-1|}$이므로 $\lim_{x \to 1} \frac{x^2 - x}{|x-1|}$는 **존재하지 않는다.**

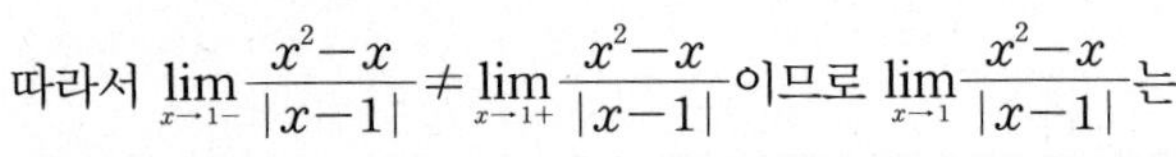

LECTURE 좌극한과 우극한이 다른 경우

다음과 같은 함수는 좌극한과 우극한이 다를 수도 있다.

❶ 유리함수 ⇨ 분모가 0이 되게 하는 x의 값

❷ 구간이 나누어져 정의된 함수
⇨ 구간의 경계가 되는 x의 값

❸ 절댓값 기호를 포함한 함수
⇨ 절댓값 기호 안의 식의 값이 0이 되게 하는 x의 값

❹ 가우스 기호를 포함한 함수
⇨ 가우스 기호 안의 식의 값이 정수가 되게 하는 x의 값

04-1

셀파 다항함수 $f(x)$에 대하여 $\lim_{x \to a} f(x) = f(a)$이다.

(1) $\lim_{x \to -2} (x^2 + 1)(x^3 - 3x^2 + 5x)$

$= \lim_{x \to -2} (x^2 + 1) \times \lim_{x \to -2} (x^3 - 3x^2 + 5x)$

$= \{(-2)^2 + 1\} \times \{(-2)^3 - 3 \times (-2)^2 + 5 \times (-2)\}$

$= 5 \times (-30) = \mathbf{-150}$

(2) $\lim_{x \to 1} \frac{x+1}{x^2 + x - 6}$

$= \frac{\lim_{x \to 1} (x+1)}{\lim_{x \to 1} (x^2 + x - 6)}$

$= \frac{1+1}{1^2 + 1 - 6} = \frac{2}{-4} = \mathbf{-\frac{1}{2}}$

04-2 셀파 $3f(x)-2g(x)=h(x)$로 놓는다.

$3f(x)-2g(x)=h(x)$로 놓으면 $2g(x)=3f(x)-h(x)$

이때 $\lim_{x\to\infty}f(x)=2$, $\lim_{x\to\infty}h(x)=-1$이므로

$$\lim_{x\to\infty}\frac{3f(x)+4g(x)}{6\{g(x)-f(x)\}}=\lim_{x\to\infty}\frac{3f(x)+2\{3f(x)-h(x)\}}{3\{3f(x)-h(x)\}-6f(x)}$$
$$=\lim_{x\to\infty}\frac{9f(x)-2h(x)}{3f(x)-3h(x)}$$
$$=\frac{\lim_{x\to\infty}\{9f(x)-2h(x)\}}{\lim_{x\to\infty}\{3f(x)-3h(x)\}}$$
$$=\frac{9\times2-2\times(-1)}{3\times2-3\times(-1)}=\mathbf{\frac{20}{9}}$$

| 다른 풀이 |

$3f(x)-2g(x)=h(x)$로 놓으면 $2g(x)=3f(x)-h(x)$

$\lim_{x\to\infty}f(x)=2$, $\lim_{x\to\infty}h(x)=-1$이므로

$\lim_{x\to\infty}2g(x)=\lim_{x\to\infty}\{3f(x)-h(x)\}=3\times2-(-1)=7$

$$\therefore \lim_{x\to\infty}\frac{3f(x)+4g(x)}{6\{g(x)-f(x)\}}=\lim_{x\to\infty}\frac{3f(x)+4g(x)}{6g(x)-6f(x)}$$
$$=\frac{6+14}{21-12}=\frac{20}{9}$$

셀파 특강 **확인 체크 02**

$f(x)=[x]^2+k[x]$이고 $\lim_{x\to2-}[x]=1$, $\lim_{x\to2+}[x]=2$이므로

$\lim_{x\to2-}f(x)=\lim_{x\to2-}([x]^2+k[x])=1+k$

$\lim_{x\to2+}f(x)=\lim_{x\to2+}([x]^2+k[x])=4+2k$

주어진 조건에서 $\lim_{x\to2-}f(x)=\lim_{x\to2+}f(x)$이므로

$1+k=4+2k \qquad \therefore \boldsymbol{k=-3}$

05-1 셀파 분모, 분자를 각각 인수분해하거나 분모 또는 분자 중 근호가 있는 쪽을 유리화한다.

(1) $\lim_{x\to-3}\frac{2x^2+5x-3}{x^3+3x^2-x-3}$
$$=\lim_{x\to-3}\frac{(x+3)(2x-1)}{(x+3)(x^2-1)}$$
$$=\lim_{x\to-3}\frac{2x-1}{x^2-1}=\mathbf{-\frac{7}{8}}$$

(2) $\lim_{x\to2}\frac{\sqrt{x^2-3}-1}{x-2}$
$$=\lim_{x\to2}\frac{(\sqrt{x^2-3}-1)(\sqrt{x^2-3}+1)}{(x-2)(\sqrt{x^2-3}+1)}$$
$$=\lim_{x\to2}\frac{x^2-3-1}{(x-2)(\sqrt{x^2-3}+1)}$$
$$=\lim_{x\to2}\frac{(x+2)(x-2)}{(x-2)(\sqrt{x^2-3}+1)}$$
$$=\lim_{x\to2}\frac{x+2}{\sqrt{x^2-3}+1}=\frac{4}{2}=\mathbf{2}$$

(3) $\lim_{x\to1}\frac{x^2-1}{\sqrt{x+3}-2}$
$$=\lim_{x\to1}\frac{(x^2-1)(\sqrt{x+3}+2)}{(\sqrt{x+3}-2)(\sqrt{x+3}+2)}$$
$$=\lim_{x\to1}\frac{(x+1)(x-1)(\sqrt{x+3}+2)}{x+3-4}$$
$$=\lim_{x\to1}(x+1)(\sqrt{x+3}+2)$$
$$=2\times4=\mathbf{8}$$

(4) $\lim_{x\to3}\frac{\sqrt{x+1}-2}{x-\sqrt{2x+3}}$
$$=\lim_{x\to3}\frac{(\sqrt{x+1}-2)(\sqrt{x+1}+2)(x+\sqrt{2x+3})}{(x-\sqrt{2x+3})(x+\sqrt{2x+3})(\sqrt{x+1}+2)}$$
$$=\lim_{x\to3}\frac{(x+1-4)(x+\sqrt{2x+3})}{(x^2-2x-3)(\sqrt{x+1}+2)}$$
$$=\lim_{x\to3}\frac{(x-3)(x+\sqrt{2x+3})}{(x-3)(x+1)(\sqrt{x+1}+2)}$$
$$=\lim_{x\to3}\frac{x+\sqrt{2x+3}}{(x+1)(\sqrt{x+1}+2)}=\frac{3+3}{4\times(2+2)}=\mathbf{\frac{3}{8}}$$

06-1 셀파 분모, 분자를 각각 분모의 최고차항으로 나눈다.

(1) $\lim_{x\to\infty}\frac{2+x^2}{x-1}=\lim_{x\to\infty}\frac{\frac{2}{x}+x}{1-\frac{1}{x}}=\infty$

(2) $\lim_{x\to\infty}\frac{\sqrt{x^2+1}+3x}{\sqrt{9x^2+x+1}+x}=\lim_{x\to\infty}\frac{\sqrt{1+\frac{1}{x^2}}+3}{\sqrt{9+\frac{1}{x}+\frac{1}{x^2}}+1}$
$$=\frac{1+3}{3+1}=\mathbf{1}$$

| 다른 풀이 |

(분모의 차수)=(분자의 차수)이므로 극한값은

최고차항의 계수의 비인 $\frac{\sqrt{1}+3}{\sqrt{9}+1}=1$

06-2 셀파 $\lim_{x\to\infty}\frac{f(x)}{x}=k$ (k는 상수)로 놓고 극한값을 구한다.

함수 $f(x)$에 대하여 $\lim_{x\to\infty}\frac{f(x)}{x}$의 값이 존재하므로

$\lim_{x\to\infty}\frac{f(x)}{x}=k$ (k는 상수)로 놓자.

이때 주어진 식의 분모, 분자를 각각 x^2으로 나누면

$$\lim_{x\to\infty}\frac{4x^2+5f(x)}{x^2+f(x)}=\lim_{x\to\infty}\frac{4+5\times\frac{f(x)}{x^2}}{1+\frac{f(x)}{x^2}}$$

$$=\lim_{x\to\infty}\frac{4+\frac{5}{x}\times\frac{f(x)}{x}}{1+\frac{1}{x}\times\frac{f(x)}{x}}$$

$$=\frac{4+0\times k}{1+0\times k}=\mathbf{4}$$

| 참고 |

상수 k에 대하여 $\lim_{x\to\infty}\frac{k}{x}=0$이므로 $\lim_{x\to\infty}\frac{1}{x}=0$, $\lim_{x\to\infty}\frac{5}{x}=0$

07-1 셀파 분모를 1로 보고 분자를 유리화한다.

(1) $\lim_{x\to\infty}(\sqrt{x^2+4x}-\sqrt{x^2-2x})$

$$=\lim_{x\to\infty}\frac{(\sqrt{x^2+4x}-\sqrt{x^2-2x})(\sqrt{x^2+4x}+\sqrt{x^2-2x})}{\sqrt{x^2+4x}+\sqrt{x^2-2x}}$$

$$=\lim_{x\to\infty}\frac{(x^2+4x)-(x^2-2x)}{\sqrt{x^2+4x}+\sqrt{x^2-2x}}$$

$$=\lim_{x\to\infty}\frac{6x}{\sqrt{x^2+4x}+\sqrt{x^2-2x}}$$

$$=\lim_{x\to\infty}\frac{6}{\sqrt{1+\frac{4}{x}}+\sqrt{1-\frac{2}{x}}}=\frac{6}{1+1}=\mathbf{3}$$

(2) $\lim_{x\to\infty}(x-\sqrt{x^2+1})$

$$=\lim_{x\to\infty}\frac{(x-\sqrt{x^2+1})(x+\sqrt{x^2+1})}{x+\sqrt{x^2+1}}$$

$$=\lim_{x\to\infty}\frac{x^2-(x^2+1)}{x+\sqrt{x^2+1}}$$

$$=\lim_{x\to\infty}\frac{-1}{x+\sqrt{x^2+1}}=\mathbf{0}$$

07-2 셀파 분모를 1로 보고 분자를 유리화한다.

$\lim_{x\to\infty}(\sqrt{x^2+kx+3}-\sqrt{x^2+1})$

$$=\lim_{x\to\infty}\frac{(\sqrt{x^2+kx+3}-\sqrt{x^2+1})(\sqrt{x^2+kx+3}+\sqrt{x^2+1})}{\sqrt{x^2+kx+3}+\sqrt{x^2+1}}$$

$$=\lim_{x\to\infty}\frac{x^2+kx+3-(x^2+1)}{\sqrt{x^2+kx+3}+\sqrt{x^2+1}}$$

$$=\lim_{x\to\infty}\frac{kx+2}{\sqrt{x^2+kx+3}+\sqrt{x^2+1}}$$

$$=\lim_{x\to\infty}\frac{k+\frac{2}{x}}{\sqrt{1+\frac{k}{x}+\frac{3}{x^2}}+\sqrt{1+\frac{1}{x^2}}}=\frac{k}{1+1}=\frac{k}{2}$$

따라서 $\frac{k}{2}=3$이므로 $\boldsymbol{k=6}$

셀파 특강 **확인 체크 03**

(1) $x=-t$로 치환하면 $x\to-\infty$일 때 $t\to\infty$이므로

$$\lim_{x\to-\infty}\frac{x^2-1}{x^3+x}=\lim_{t\to\infty}\frac{t^2-1}{-t^3-t}=\lim_{t\to\infty}\frac{-t^2+1}{t^3+t}$$

$$=\lim_{t\to\infty}\frac{-\frac{1}{t}+\frac{1}{t^3}}{1+\frac{1}{t^2}}=\mathbf{0}$$

(2) $x=-t$로 치환하면 $x\to-\infty$일 때 $t\to\infty$이므로

$$\lim_{x\to-\infty}\frac{x+1}{\sqrt{x^2+x}-x}=\lim_{t\to\infty}\frac{-t+1}{\sqrt{t^2-t}+t}$$

$$=\lim_{t\to\infty}\frac{-1+\frac{1}{t}}{\sqrt{1-\frac{1}{t}}+1}$$

$$=\frac{-1}{1+1}=-\mathbf{\frac{1}{2}}$$

(3) $x=-t$로 치환하면 $x\to-\infty$일 때 $t\to\infty$이므로

$$\lim_{x\to-\infty}\frac{\sqrt{9x^2+1}+x}{\sqrt{x^2+x+1}-x}=\lim_{t\to\infty}\frac{\sqrt{9t^2+1}-t}{\sqrt{t^2-t+1}+t}$$

$$=\lim_{t\to\infty}\frac{\sqrt{9+\frac{1}{t^2}}-1}{\sqrt{1-\frac{1}{t}+\frac{1}{t^2}}+1}$$

$$=\frac{3-1}{1+1}=\mathbf{1}$$

(4) $x=-t$로 치환하면 $x\to-\infty$일 때 $t\to\infty$이므로

$$\lim_{x\to-\infty}(\sqrt{9x^2+6x+1}+3x)=\lim_{t\to\infty}(\sqrt{9t^2-6t+1}-3t)$$
$$=\lim_{t\to\infty}\frac{(9t^2-6t+1)-9t^2}{\sqrt{9t^2-6t+1}+3t}$$
$$=\lim_{t\to\infty}\frac{-6t+1}{\sqrt{9t^2-6t+1}+3t}$$
$$=\lim_{t\to\infty}\frac{-6+\frac{1}{t}}{\sqrt{9-\frac{6}{t}+\frac{1}{t^2}}+3}$$
$$=\frac{-6}{3+3}=\mathbf{-1}$$

집중 연습

본문 | 24 쪽

01 (1) $\lim_{x\to-2}\frac{x^2+x-2}{x+2}=\lim_{x\to-2}\frac{(x+2)(x-1)}{x+2}$
$$=\lim_{x\to-2}(x-1)=-2-1=\mathbf{-3}$$

(2) $\lim_{x\to-1}\frac{x^3-x^2-2x}{x^3+1}=\lim_{x\to-1}\frac{x(x+1)(x-2)}{(x+1)(x^2-x+1)}$
$$=\lim_{x\to-1}\frac{x(x-2)}{x^2-x+1}$$
$$=\frac{-1\times(-3)}{1+1+1}=\mathbf{1}$$

(3) $\lim_{x\to1}\frac{x^3-x}{2x-2}=\lim_{x\to1}\frac{x(x+1)(x-1)}{2(x-1)}$
$$=\lim_{x\to1}\frac{x(x+1)}{2}=\frac{1\times2}{2}=\mathbf{1}$$

(4) $\lim_{x\to0}\frac{\sqrt{x+3}-\sqrt{3}}{x}=\lim_{x\to0}\frac{x+3-3}{x(\sqrt{x+3}+\sqrt{3})}$
$$=\lim_{x\to0}\frac{1}{\sqrt{x+3}+\sqrt{3}}=\frac{1}{2\sqrt{3}}=\frac{\sqrt{3}}{6}$$

(5) $\lim_{x\to2}\frac{x^2-4}{\sqrt{x+2}-2}=\lim_{x\to2}\frac{(x^2-4)(\sqrt{x+2}+2)}{(x+2)-4}$
$$=\lim_{x\to2}\frac{(x+2)(x-2)(\sqrt{x+2}+2)}{x-2}$$
$$=\lim_{x\to2}(x+2)(\sqrt{x+2}+2)$$
$$=4\times(2+2)=\mathbf{16}$$

02 (1) $\lim_{x\to\infty}(\sqrt{x^2+x}-x)=\lim_{x\to\infty}\frac{x^2+x-x^2}{\sqrt{x^2+x}+x}=\lim_{x\to\infty}\frac{x}{\sqrt{x^2+x}+x}$
$$=\lim_{x\to\infty}\frac{1}{\sqrt{1+\frac{1}{x}}+1}=\frac{1}{1+1}=\frac{1}{2}$$

(2) $\lim_{x\to\infty}(\sqrt{4x^2+3x}-\sqrt{4x^2-x})$
$$=\lim_{x\to\infty}\frac{4x^2+3x-(4x^2-x)}{\sqrt{4x^2+3x}+\sqrt{4x^2-x}}$$
$$=\lim_{x\to\infty}\frac{4x}{\sqrt{4x^2+3x}+\sqrt{4x^2-x}}$$
$$=\lim_{x\to\infty}\frac{4}{\sqrt{4+\frac{3}{x}}+\sqrt{4-\frac{1}{x}}}=\frac{4}{2+2}=\mathbf{1}$$

03 (1) $\lim_{x\to\infty}\frac{6x^2+13x-5}{x+1}=\lim_{x\to\infty}\frac{6x+13-\frac{5}{x}}{1+\frac{1}{x}}=\infty$

(2) $\lim_{x\to\infty}\frac{x-2}{x^2+x+1}=\lim_{x\to\infty}\frac{\frac{1}{x}-\frac{2}{x^2}}{1+\frac{1}{x}+\frac{1}{x^2}}=\mathbf{0}$

(3) $\lim_{x\to\infty}\frac{\sqrt{x+5}-\sqrt{x+3}}{\sqrt{x+1}-\sqrt{x}}$
$$=\lim_{x\to\infty}\frac{(x+5-x-3)(\sqrt{x+1}+\sqrt{x})}{(x+1-x)(\sqrt{x+5}+\sqrt{x+3})}$$
$$=\lim_{x\to\infty}\frac{2(\sqrt{x+1}+\sqrt{x})}{\sqrt{x+5}+\sqrt{x+3}}$$
$$=\lim_{x\to\infty}\frac{2\left(\sqrt{1+\frac{1}{x}}+1\right)}{\sqrt{1+\frac{5}{x}}+\sqrt{1+\frac{3}{x}}}=\frac{4}{2}=\mathbf{2}$$

08-1 셀파 주어진 식을 통분 또는 유리화한다.

(1) $\lim_{x\to-1}\frac{1}{x+1}\left(\frac{5x-1}{x-1}+3x\right)$
$$=\lim_{x\to-1}\left\{\frac{1}{x+1}\times\frac{5x-1+3x(x-1)}{x-1}\right\}$$
$$=\lim_{x\to-1}\frac{3x^2+2x-1}{(x+1)(x-1)}$$
$$=\lim_{x\to-1}\frac{(x+1)(3x-1)}{(x+1)(x-1)}$$
$$=\lim_{x\to-1}\frac{3x-1}{x-1}=\frac{-4}{-2}=\mathbf{2}$$

(2) $\lim_{x\to 0} x\left(\frac{1}{2x-1}+\frac{1}{x}\right)=\lim_{x\to 0}\frac{x(x+2x-1)}{(2x-1)x}$

$=\lim_{x\to 0}\frac{3x-1}{2x-1}=\mathbf{1}$

(3) $\lim_{x\to\infty} x\left(\frac{\sqrt{x}}{\sqrt{4x+1}}-\frac{1}{2}\right)=\lim_{x\to\infty}\frac{x(2\sqrt{x}-\sqrt{4x+1})}{2\sqrt{4x+1}}$

$=\lim_{x\to\infty}\frac{x(4x-4x-1)}{2\sqrt{4x+1}(2\sqrt{x}+\sqrt{4x+1})}$

$=\lim_{x\to\infty}\frac{-x}{2\sqrt{4x+1}(2\sqrt{x}+\sqrt{4x+1})}$

$=\lim_{x\to\infty}\frac{-1}{2\sqrt{4+\frac{1}{x}}\left(2+\sqrt{4+\frac{1}{x}}\right)}$

$=\frac{-1}{4\times(2+2)}=-\mathbf{\frac{1}{16}}$

(4) $\lim_{x\to\infty} x(\sqrt{x^2+1}-\sqrt{x^2-1})=\lim_{x\to\infty}\frac{x(x^2+1-x^2+1)}{\sqrt{x^2+1}+\sqrt{x^2-1}}$

$=\lim_{x\to\infty}\frac{2x}{\sqrt{x^2+1}+\sqrt{x^2-1}}$

$=\lim_{x\to\infty}\frac{2}{\sqrt{1+\frac{1}{x^2}}+\sqrt{1-\frac{1}{x^2}}}$

$=\frac{2}{1+1}=\mathbf{1}$

09-1 **셀파** (1), (2) $x \to a$일 때 (분모) $\to$ 0이면 (분자) $\to$ 0이다.
(3), (4) 0이 아닌 극한값이 존재하고 $x \to a$일 때 (분자) $\to$ 0이면 (분모) $\to$ 0이다.

(1) $x \to 2$일 때 (분모) $\to 0$이고 극한값이 존재하므로 (분자) $\to 0$이다.

즉, $\lim_{x\to 2}(x-2)=0$이므로 $\lim_{x\to 2}(\sqrt{x-a}+b)=0$

$\sqrt{2-a}+b=0$에서 $b=-\sqrt{2-a}$를 주어진 식의 좌변에 대입하면

$\lim_{x\to 2}\frac{\sqrt{x-a}-\sqrt{2-a}}{x-2}=\lim_{x\to 2}\frac{x-a-2+a}{(x-2)(\sqrt{x-a}+\sqrt{2-a})}$

$=\lim_{x\to 2}\frac{1}{\sqrt{x-a}+\sqrt{2-a}}$

$=\frac{1}{2\sqrt{2-a}}$

이때 $\frac{1}{2\sqrt{2-a}}=\frac{1}{4}$이므로 $\sqrt{2-a}=2$에서 $a=-2$

$a=-2$를 $b=-\sqrt{2-a}$에 대입하면 $b=-\sqrt{2+2}=-2$

$\therefore$ $\boldsymbol{a=-2,\ b=-2}$

(2) $x \to 3$일 때 (분모) $\to 0$이고 극한값이 존재하므로 (분자) $\to 0$이다.

즉, $\lim_{x\to 3}(x-3)=0$이므로 $\lim_{x\to 3}(x^2+ax+b)=0$

$9+3a+b=0$에서 $b=-3a-9$를 주어진 식의 좌변에 대입하면

$\lim_{x\to 3}\frac{x^2+ax-3a-9}{x-3}=\lim_{x\to 3}\frac{x^2+ax-3(a+3)}{x-3}$

$=\lim_{x\to 3}\frac{(x-3)(x+a+3)}{x-3}$

$=\lim_{x\to 3}(x+a+3)$

$=6+a$

이때 $6+a=14$이므로 $a=8$

$a=8$을 $b=-3a-9$에 대입하면 $b=-33$

$\therefore$ $\boldsymbol{a=8,\ b=-33}$

(3) $x \to 2$일 때 (분자) $\to 0$이고 0이 아닌 극한값이 존재하므로 (분모) $\to 0$이다.

즉, $\lim_{x\to 2}\{x^2-(a+2)x+2a\}=0$이므로 $\lim_{x\to 2}(x^2-b)=0$

$4-b=0$에서 $b=4$를 주어진 식의 좌변에 대입하면

$\lim_{x\to 2}\frac{x^2-(a+2)x+2a}{x^2-4}=\lim_{x\to 2}\frac{(x-2)(x-a)}{(x+2)(x-2)}$

$=\lim_{x\to 2}\frac{x-a}{x+2}=\frac{2-a}{4}$

이때 $\frac{2-a}{4}=3$이므로 $2-a=12$

$\therefore$ $\boldsymbol{a=-10,\ b=4}$

(4) $x \to 1$일 때 (분자) $\to 0$이고 0이 아닌 극한값이 존재하므로 (분모) $\to 0$이다.

즉, $\lim_{x\to 1}(x^2+ax-a-1)=0$이므로 $\lim_{x\to 1}(\sqrt{x+3}-b)=0$

$2-b=0$에서 $b=2$를 주어진 식의 좌변에 대입하면

$\lim_{x\to 1}\frac{x^2+ax-a-1}{\sqrt{x+3}-2}=\lim_{x\to 1}\frac{x^2+ax-(a+1)}{\sqrt{x+3}-2}$

$=\lim_{x\to 1}\frac{(x-1)(x+1+a)}{\sqrt{x+3}-2}$

$=\lim_{x\to 1}\frac{(x-1)(x+1+a)(\sqrt{x+3}+2)}{(x+3)-4}$

$=\lim_{x\to 1}(x+1+a)(\sqrt{x+3}+2)$

$=4(a+2)$

이때 $4(a+2)=12$이므로 $a+2=3$

$\therefore$ $\boldsymbol{a=1,\ b=2}$

10-1 셀파 $\lim_{x\to\infty}\frac{f(x)}{x^2-1}=-1$이므로 $f(x)$와 x^2-1의 차수가 같고 최고차항의 계수의 비는 -1이다.

$\lim_{x\to\infty}\frac{f(x)}{x^2-1}=-1$에서 함수 $f(x)$는 이차항의 계수가 -1인 이차식이다.

$\lim_{x\to-1}\frac{f(x)}{x^2-1}=1$에서 $x\to-1$일 때 (분모) $\to0$이고 극한값이 존재하므로 (분자) $\to0$이다.

즉, $\lim_{x\to-1}f(x)=0$이므로 $f(-1)=0$

$f(x)=-(x+1)(x+a)$ (a는 상수)로 놓으면

$$\lim_{x\to-1}\frac{f(x)}{x^2-1}=\lim_{x\to-1}\frac{-(x+1)(x+a)}{x^2-1}$$
$$=\lim_{x\to-1}\frac{-(x+1)(x+a)}{(x+1)(x-1)}$$
$$=\lim_{x\to-1}\frac{-(x+a)}{x-1}=\frac{1-a}{-2}$$

이때 $\frac{1-a}{-2}=1$이므로 $1-a=-2$ $\quad\therefore a=3$

따라서 $f(x)=-(x+1)(x+3)$이므로 $f(0)=\mathbf{-3}$

10-2 셀파 주어진 조건에서 $f(x)$의 차수와 최고차항의 계수, $f(1), f(2)$를 알 수 있다.

$\lim_{x\to\infty}\frac{f(x)}{x^2-2x+3}=2$에서 함수 $f(x)$는 이차항의 계수가 2인 이차식이다.

$\lim_{x\to1}\frac{f(x)}{x-1}$와 $\lim_{x\to2}\frac{f(x)}{x-2}$의 값이 존재하므로

$\lim_{x\to1}f(x)=\lim_{x\to2}f(x)=0$에서 $f(1)=f(2)=0$

이때 $f(x)$는 이차항의 계수가 2이고 $x-1$, $x-2$를 인수로 갖는 이차식이므로

$f(x)=2(x-1)(x-2)$ $\quad\therefore \boldsymbol{f(x)=2x^2-6x+4}$

11-1 셀파 $f(x)\le h(x)\le g(x)$에서
$\lim_{x\to a}f(x)=\lim_{x\to a}g(x)=L$이면 $\lim_{x\to a}h(x)=L$이다.

$\lim_{x\to-1}(-x^2-1)=-2$, $\lim_{x\to-1}(x^2+4x+1)=-2$

따라서 함수의 극한의 대소 관계에 의하여

$\lim_{x\to-1}f(x)=\mathbf{-2}$

11-2 셀파 $f(x)<h(x)<g(x)$에서
$\lim_{x\to\infty}f(x)=\lim_{x\to\infty}g(x)=L$이면 $\lim_{x\to\infty}h(x)=L$이다.

$x>1$에서 $x-1\neq0$이므로 $\frac{x^2-1}{3x+4}<f(x)<\frac{x^3-x^2+x-1}{3x^2+2}$

의 각 변을 $x-1$로 나누면

$$\frac{x^2-1}{(x-1)(3x+4)}<\frac{f(x)}{x-1}<\frac{x^3-x^2+x-1}{(x-1)(3x^2+2)}$$

이때 $x^2-1=(x+1)(x-1)$, $x^3-x^2+x-1=(x-1)(x^2+1)$

이므로

$$\lim_{x\to\infty}\frac{(x+1)(x-1)}{(x-1)(3x+4)}=\lim_{x\to\infty}\frac{x+1}{3x+4}=\frac{1}{3},$$
$$\lim_{x\to\infty}\frac{(x-1)(x^2+1)}{(x-1)(3x^2+2)}=\lim_{x\to\infty}\frac{x^2+1}{3x^2+2}=\frac{1}{3}$$

따라서 함수의 극한의 대소 관계에 의하여

$\lim_{x\to\infty}\frac{f(x)}{x-1}=\boldsymbol{\frac{1}{3}}$

12-1 셀파 세 점 A, B, C의 좌표를 k에 대한 식으로 나타낸다.

$A(k, \sqrt{k+4})$, $B(k, \sqrt{-(k-4)})$, $C(k, 0)$이므로

$\overline{AB}=\sqrt{k+4}-\sqrt{-(k-4)}=\sqrt{k+4}-\sqrt{4-k}$, $\overline{OC}=k$

$$\therefore \lim_{k\to0+}\frac{\overline{OC}}{\overline{AB}}=\lim_{k\to0+}\frac{k}{\sqrt{k+4}-\sqrt{4-k}}$$
$$=\lim_{k\to0+}\frac{k(\sqrt{k+4}+\sqrt{4-k})}{k+4-(4-k)}$$
$$=\lim_{k\to0+}\frac{k(\sqrt{k+4}+\sqrt{4-k})}{2k}$$
$$=\lim_{k\to0+}\frac{\sqrt{k+4}+\sqrt{4-k}}{2}=\frac{4}{2}=\mathbf{2}$$

12-2 셀파 직선 AP의 기울기를 t에 대한 식으로 나타낸다.

포물선 $y=x^2-2$ 위의 두 점 $A(1, -1)$, $P(t, t^2-2)$를 지나는 직선 AP의 기울기는

$$\frac{t^2-2-(-1)}{t-1}=\frac{t^2-1}{t-1}=t+1$$

이때 직선 AP에 수직인 직선의 기울기가 $f(t)$이므로

$(t+1)\times f(t)=-1$에서 $f(t)=-\frac{1}{t+1}$

$$\therefore \lim_{t\to1}f(t)=\lim_{t\to1}\left(-\frac{1}{t+1}\right)=-\frac{1}{1+1}=\mathbf{-\frac{1}{2}}$$

연습 문제 본문 | 30~31 쪽

01 셀파 $\lim_{x\to a} f(x)$의 값이 존재하면 $\lim_{x\to a-} f(x) = \lim_{x\to a+} f(x)$

$\lim_{x\to 1-} f(x) = \lim_{x\to 1-} (x+3) = 4$

$\lim_{x\to 1+} f(x) = \lim_{x\to 1+} ax = a$

$\lim_{x\to 1} f(x)$의 값이 존재하므로 $\boldsymbol{a=4}$

02 셀파 (좌극한)=(우극한)이면 극한값이 존재한다.

ㄱ. $\lim_{x\to 1-} f(x) = -1$, $\lim_{x\to 1+} f(x) = 0$이므로

$\lim_{x\to 1-} f(x) \neq \lim_{x\to 1+} f(x)$

즉, 좌극한과 우극한이 서로 다르므로 $\lim_{x\to 1} f(x)$는 존재하지 않는다. (거짓)

ㄴ. $\lim_{x\to 2-} f(x) = \lim_{x\to 2+} f(x) = 1$

즉, 좌극한과 우극한이 같으므로 $\lim_{x\to 2} f(x)$가 존재한다. (참)

ㄷ. $-1<a<1$인 임의의 실수 a에 대하여 좌극한과 우극한이 같으므로 $\lim_{x\to a} f(x)$가 존재한다. (참)

따라서 보기의 설명 중 옳은 것은 ㄴ, ㄷ이다.

03 셀파 $\lim_{x\to a+} f(f(x))$에서 $f(x)=t$로 놓고

$x\to a+$일 때 $t\to b+$이면 $\lim_{x\to a+} f(f(x)) = \lim_{t\to b+} f(t)$이다.

$f(x)=t$로 놓으면 $x\to 1+$일 때, $t\to -1+$이므로

$\lim_{x\to 1+} f(f(x)) = \lim_{t\to -1+} f(t) = 3$

$\therefore \lim_{x\to 1+} f(f(x)) + \lim_{x\to -1-} f(x) = 3+2 = \mathbf{5}$

LECTURE 합성함수의 극한

$\lim_{x\to a+} g(f(x))$의 값은 $f(x)=t$로 놓고 다음을 이용한다.

❶ $x\to a+$일 때 $t\to b+$이면 $\lim_{x\to a+} g(f(x)) = \lim_{t\to b+} g(t)$

❷ $x\to a+$일 때 $t\to b-$이면 $\lim_{x\to a+} g(f(x)) = \lim_{t\to b-} g(t)$

❸ $x\to a+$일 때 $t=b$이면 $\lim_{x\to a+} g(f(x)) = g(b)$

04 셀파 $\lim_{x\to\infty} \{3f(x)-2g(x)\} = 1$이므로

$3f(x)-2g(x)=h(x)$로 놓는다.

$3f(x)-2g(x)=h(x)$로 놓으면 $\lim_{x\to\infty} h(x)=1$

$3f(x)-2g(x)=h(x)$에서 $2g(x)=3f(x)-h(x)$

$$\therefore \lim_{x\to\infty} \frac{2f(x)-2g(x)}{f(x)} = \lim_{x\to\infty} \frac{2f(x)-\{3f(x)-h(x)\}}{f(x)}$$

$$= \lim_{x\to\infty} \frac{-f(x)+h(x)}{f(x)}$$

$$= \lim_{x\to\infty} \frac{-1+\frac{h(x)}{f(x)}}{1} = \mathbf{-1}$$

| 참고 |

$\lim_{x\to\infty} f(x) = \infty$, $\lim_{x\to\infty} h(x) = 1$이므로 $\lim_{x\to\infty} \frac{h(x)}{f(x)} = 0$

05 셀파 $x-2=t$로 놓으면 $x\to 2$일 때 $t\to 0$이다.

$\lim_{x\to 2} \frac{f(x-2)}{x^3-8}$에서 $x-2=t$로 놓으면 $x=t+2$

$x\to 2$일 때 $t\to 0$이므로

$$\lim_{x\to 2} \frac{f(x-2)}{x^3-8} = \lim_{t\to 0} \frac{f(t)}{(t+2)^3-8}$$

$$= \lim_{t\to 0} \frac{f(t)}{t^3+6t^2+12t} \quad \cdots\cdots ㉠$$

이때 $\lim_{x\to 0} \frac{f(x)}{x} = 6$이므로

㉠의 분모, 분자를 각각 t로 나누면

$$\lim_{t\to 0} \frac{\frac{f(t)}{t}}{t^2+6t+12} = \frac{6}{12} = \mathbf{\frac{1}{2}}$$

| 다른 풀이 |

$$\lim_{x\to 2} \frac{f(x-2)}{x^3-8} = \lim_{x\to 2} \frac{f(x-2)}{(x-2)(x^2+2x+4)}$$

$$= \lim_{x\to 2} \frac{f(x-2)}{x-2} \times \lim_{x\to 2} \frac{1}{x^2+2x+4} \quad \cdots\cdots ㉠$$

㉠에서 $x-2=t$로 놓으면 $x\to 2$일 때 $t\to 0$이므로

$$\lim_{x\to 2} \frac{f(x-2)}{x-2} = \lim_{t\to 0} \frac{f(t)}{t} = 6 \left(\because \lim_{x\to 0} \frac{f(x)}{x} = 6\right)$$

$$\lim_{x\to 2} \frac{1}{x^2+2x+4} = \frac{1}{4+4+4} = \frac{1}{12}$$

㉠에 이 값을 대입하면

$$\lim_{x\to 2} \frac{f(x-2)}{x^3-8} = 6 \times \frac{1}{12} = \frac{1}{2}$$

06 셀파 $\lim_{x\to1}\{g(x)-2x\}=0$에서 $g(1)-2=0$이다.

$\lim_{x\to1}\frac{g(x)-2x}{x-1}$가 존재하고 $\lim_{x\to1}(x-1)=0$이므로

$\lim_{x\to1}\{g(x)-2x\}=0$

$\therefore g(1)=2$

또 $f(x)+x-1=(x-1)g(x)$이므로

$f(x)=(x-1)g(x)-(x-1)=(x-1)\{g(x)-1\}$

$$\begin{aligned}\therefore \lim_{x\to1}\frac{f(x)g(x)}{x^2-1}&=\lim_{x\to1}\frac{(x-1)\{g(x)-1\}g(x)}{(x+1)(x-1)}\\&=\lim_{x\to1}\frac{\{g(x)-1\}g(x)}{x+1}\\&=\frac{\{g(1)-1\}g(1)}{2}=\frac{(2-1)\times2}{2}=\mathbf{1}\end{aligned}$$

07 셀파 $\frac{\infty}{\infty}$ 꼴의 극한에서는 분모의 최고차항으로 분모, 분자를 각각 나눈다.

$-1<x<1$일 때, $x^2-1<0$이므로

$$\begin{aligned}\lim_{x\to1-}\frac{x^2-x}{|x^2-1|}&=\lim_{x\to1-}\frac{x^2-x}{-(x^2-1)}=\lim_{x\to1-}\frac{x(x-1)}{-(x+1)(x-1)}\\&=\lim_{x\to1-}\frac{x}{-(x+1)}=-\frac{1}{2}\end{aligned}$$

$$\lim_{x\to\infty}\frac{\sqrt{9x^2+1}-1}{3x}=\lim_{x\to\infty}\frac{\sqrt{9+\frac{1}{x^2}}-\frac{1}{x}}{3}=\frac{\sqrt{9}}{3}=1$$

따라서 $a=-\frac{1}{2}$, $b=1$이므로

$4a+b=-2+1=\mathbf{-1}$

08 셀파 $\lim_{x\to-\infty}f(x)$, $\lim_{x\to-\infty}g(x)$의 값을 각각 구한다.

$\lim_{x\to-\infty}f(x)=\alpha$, $\lim_{x\to-\infty}g(x)=\beta$ (α, β는 상수)라 하면

$x=-t$로 놓으면 $x\to-\infty$일 때 $t\to\infty$이므로

$$\begin{aligned}\lim_{x\to-\infty}f(x)&=\lim_{t\to\infty}\frac{(1+t)(t^2+1)}{-2t^3+t^2-1}=\lim_{t\to\infty}\frac{t^3+t^2+t+1}{-2t^3+t^2-1}\\&=\lim_{t\to\infty}\frac{1+\frac{1}{t}+\frac{1}{t^2}+\frac{1}{t^3}}{-2+\frac{1}{t}-\frac{1}{t^3}}=-\frac{1}{2}\end{aligned}$$

$$\lim_{x\to-\infty}g(x)=\lim_{t\to\infty}\frac{-t}{\sqrt{t^2+1}+1}=\lim_{t\to\infty}\frac{-1}{\sqrt{1+\frac{1}{t^2}}+\frac{1}{t}}=-1$$

$\therefore \lim_{x\to-\infty}\{f(x)g(x)\}=-\frac{1}{2}\times(-1)=\mathbf{\frac{1}{2}}$

09 셀파 분모를 1로 보고 분자를 유리화한다.

$$\begin{aligned}\lim_{x\to\infty}(\sqrt{x^2-kx}-\sqrt{x^2+kx})&=\lim_{x\to\infty}\frac{(x^2-kx)-(x^2+kx)}{\sqrt{x^2-kx}+\sqrt{x^2+kx}}\\&=\lim_{x\to\infty}\frac{-2kx}{\sqrt{x^2-kx}+\sqrt{x^2+kx}}\\&=\lim_{x\to\infty}\frac{-2k}{\sqrt{1-\frac{k}{x}}+\sqrt{1+\frac{k}{x}}}\\&=\frac{-2k}{1+1}=-k\end{aligned}$$

이때 $-k=1$이므로 $\mathbf{k=-1}$

LECTURE 여러 가지 꼴의 극한의 판단

실수 k에 대하여

❶ $\infty\times k$ 꼴 또는 $\frac{\infty}{k}$ 꼴

⇨ $k>0$일 때 ∞, $k<0$일 때 $-\infty$

❷ $\frac{k}{\infty}$ 꼴 ⇨ 극한값은 0

❸ $\frac{k}{+0}$ 꼴 ⇨ $k>0$일 때 ∞, $k<0$일 때 $-\infty$

10 셀파 $x\to a$일 때 (분모)$\to0$이고 극한값이 존재하면 (분자)$\to0$이다.

㉮ $x\to2$일 때 (분모)$\to0$이고 극한값이 존재하므로 (분자)$\to0$이다.

즉, $\lim_{x\to2}(ax^2-3x+b)=0$이므로 $4a-6+b=0$

$\therefore b=-4a+6$ ……㉠

㉯ ㉠을 주어진 식의 좌변에 대입하면

$$\begin{aligned}\lim_{x\to2}\frac{ax^2-3x-4a+6}{x-2}&=\lim_{x\to2}\frac{(x-2)(ax+2a-3)}{x-2}\\&=\lim_{x\to2}(ax+2a-3)\\&=2a+2a-3=4a-3\end{aligned}$$

㉰ 이때 $4a-3=1$에서 $a=1$이므로 ㉠에 대입하면 $b=2$

㉱ $\therefore a+b=1+2=\mathbf{3}$

채점 기준	배점
㉮ b를 a에 대한 식으로 나타낸다.	30%
㉯ 주어진 식의 좌변을 a에 대한 식으로 나타낸다.	40%
㉰ a, b의 값을 구한다.	20%
㉱ $a+b$의 값을 구한다.	10%

11 셀파 두 다항함수 $f(x)$, $g(x)$에 대하여

$\lim_{x\to\infty}\frac{f(x)}{g(x)}=k$ ($k\neq0$인 실수)이면 $f(x)$와 $g(x)$의 차수는 같다.

$\lim_{x\to\infty}\frac{f(x)}{x^2+x-2}=1$에서 함수 $f(x)$는 이차항의 계수가 1인 이차식이다.

$\lim_{x\to-2}\frac{f(x)}{x^2+x-2}=-2$에서 $x\to-2$일 때 (분모)$\to0$이고 극한값이 존재하므로 (분자)$\to0$이다.

즉, $\lim_{x\to-2}f(x)=0$이므로 $f(-2)=0$

$f(x)=(x+2)(x+a)$ (a는 상수)로 놓으면

$$\lim_{x\to-2}\frac{f(x)}{x^2+x-2}=\lim_{x\to-2}\frac{(x+2)(x+a)}{(x+2)(x-1)}=\lim_{x\to-2}\frac{x+a}{x-1}=\frac{-2+a}{-3}=\frac{2-a}{3}$$

이때 $\frac{2-a}{3}=-2$이므로 $2-a=-6$ $\therefore a=8$

따라서 $f(x)=(x+2)(x+8)$이므로

$$\lim_{x\to-8}\frac{f(x)}{x+8}=\lim_{x\to-8}\frac{(x+2)(x+8)}{x+8}=\lim_{x\to-8}(x+2)=\mathbf{-6}$$

12 셀파 극한값의 조건이 여러 개 있을 때는 $x\to\infty$인 조건부터 먼저 적용한다.

$g(x)=ax^3+bx^2+cx+d$라 하면

$\lim_{x\to\infty}f(x)=2$에서 $\lim_{x\to\infty}\frac{g(x)}{x^2-4}=2$이므로

함수 $g(x)$는 이차항의 계수가 2인 이차식이다.

$\therefore a=0, b=2$

$\lim_{x\to2}f(x)=\lim_{x\to2}\frac{2x^2+cx+d}{x^2-4}=3$에서 $x\to2$일 때 (분모)$\to0$이고 극한값이 존재하므로 (분자)$\to0$이다.

즉, $\lim_{x\to2}(2x^2+cx+d)=0$이므로 $8+2c+d=0$

$\therefore d=-2c-8$ ……㉠

㉠을 $\lim_{x\to2}\frac{2x^2+cx+d}{x^2-4}=3$의 좌변에 대입하면

$$\lim_{x\to2}\frac{2x^2+cx-2c-8}{x^2-4}=\lim_{x\to2}\frac{(x-2)(2x+c+4)}{(x+2)(x-2)}=\lim_{x\to2}\frac{2x+c+4}{x+2}=\frac{c+8}{4}$$

이때 $\frac{c+8}{4}=3$이므로 $c+8=12$ $\therefore c=4$

$c=4$를 ㉠에 대입하면 $d=-16$

$\therefore a+b+c+d=0+2+4-16=\mathbf{-10}$

13 셀파 세 함수 $f(x)$, $g(x)$, $h(x)$에 대하여

$f(x)<h(x)<g(x)$이고

$\lim_{x\to a}f(x)=\lim_{x\to a}g(x)=L$ (L은 실수)이면 $\lim_{x\to a}h(x)=L$

$2x+3<f(x)<2x+5$의 각 변을 세제곱하면

$(2x+3)^3<\{f(x)\}^3<(2x+5)^3$

$x^3-1>0$이므로 각 변을 x^3-1로 나누면

$$\frac{(2x+3)^3}{x^3-1}<\frac{\{f(x)\}^3}{x^3-1}<\frac{(2x+5)^3}{x^3-1}$$

이때 $\lim_{x\to\infty}\frac{(2x+3)^3}{x^3-1}=\lim_{x\to\infty}\frac{(2x+5)^3}{x^3-1}=8$이므로

함수의 극한의 대소 관계에 의하여

$$\lim_{x\to\infty}\frac{\{f(x)\}^3}{x^3-1}=\mathbf{8}$$

| 다른 풀이 |

$x>1$이므로 $2x+3<f(x)<2x+5$의 각 변을 x로 나누면

$$\frac{2x+3}{x}<\frac{f(x)}{x}<\frac{2x+5}{x}$$

이때 $\lim_{x\to\infty}\frac{2x+3}{x}=2$, $\lim_{x\to\infty}\frac{2x+5}{x}=2$이므로

$$\lim_{x\to\infty}\frac{f(x)}{x}=2$$

$$\therefore \lim_{x\to\infty}\frac{\{f(x)\}^3}{x^3-1}=\lim_{x\to\infty}\frac{\left\{\frac{f(x)}{x}\right\}^3}{1-\frac{1}{x^3}}=2^3=8$$

14 셀파 구하는 선분의 길이 또는 점의 좌표를 식으로 나타낸 다음 극한의 성질을 이용하여 극한값을 구한다.

함수 $y=x^2$의 그래프와 직선 $y=t$의 교점의 x좌표는

$x^2=t$에서 $x=\pm\sqrt{t}$

즉, A, B의 좌표는 $\mathrm{A}(-\sqrt{t}, t)$, $\mathrm{B}(\sqrt{t}, t)$이므로

선분 AB의 길이는 $\sqrt{t}-(-\sqrt{t})=2\sqrt{t}$

삼각형 AOB의 넓이는

$$S(t)=\frac{1}{2}\times\overline{\mathrm{AB}}\times t=\frac{1}{2}\times2\sqrt{t}\times t=t\sqrt{t}$$

$$\therefore \lim_{t\to4}\frac{S(t)-8}{\sqrt{t}-2}=\lim_{t\to4}\frac{t\sqrt{t}-8}{\sqrt{t}-2}=\lim_{t\to4}\frac{(\sqrt{t}-2)(t+2\sqrt{t}+4)}{\sqrt{t}-2}=\lim_{t\to4}(t+2\sqrt{t}+4)=4+4+4=\mathbf{12}$$

| 참고 |

$t\sqrt{t}-8=(\sqrt{t})^3-2^3=(\sqrt{t}-2)(t+2\sqrt{t}+4)$

2. 함수의 연속

개념 익히기

본문 | 35, 37쪽

1-1 (1) $f(0)=$ [0] 이므로

함수 $f(x)$는 $x=0$에서 **정의되어 있다.**

(2) $\lim_{x\to 0-} f(x)=\lim_{x\to 0+} f(x)=$ [1] 이므로

$\lim_{x\to 0} f(x)=\mathbf{1}$

(3) $\lim_{x\to 0} f(x)=$ [1], $f(0)=$ [0] 에서

$\lim_{x\to 0} f(x)\neq f(0)$이므로

함수 $f(x)$는 $x=0$에서 **불연속**이다.

1-2 (1) $\lim_{x\to -1-} f(x)=\infty$, $\lim_{x\to -1+} f(x)=-\infty$이므로

극한값 $\lim_{x\to -1} f(x)$가 존재하지 않는다.

따라서 함수 $f(x)$는 $x=-1$에서 불연속이다.

(2) $f(-1)$의 값이 존재하지 않으므로 **함수 $f(x)$는 $x=-1$에서 정의되어 있지 않다.**

따라서 함수 $f(x)$는 $x=-1$에서 불연속이다.

2-1 (1) 함수 $f(x)=\sqrt{x+2}-1$의 그래프는 오른쪽 그림과 같이 $x\geq$ [-2] 에서 이어져 있다.

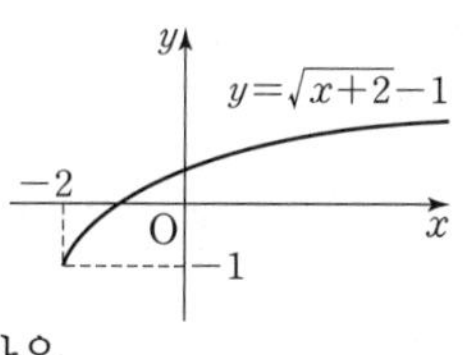

따라서 함수 $f(x)$가 연속인 구간은 $[-2, \infty)$

(2) 함수 $f(x)=\dfrac{2x}{x-1}$의 그래프는 오른쪽 그림과 같이 $x=$ [1] 에서 끊어져 있다.

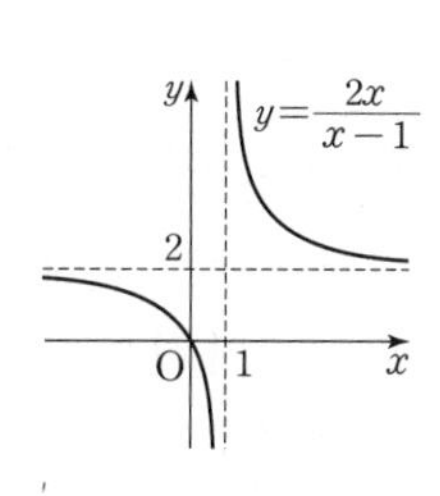

따라서 함수 $f(x)$가 연속인 구간은 $(-\infty, 1)$, $(1, \infty)$

2-2 (1) 함수 $f(x)=x^2+1$의 그래프는 오른쪽 그림과 같이 모든 실수 x에서 이어져 있다.

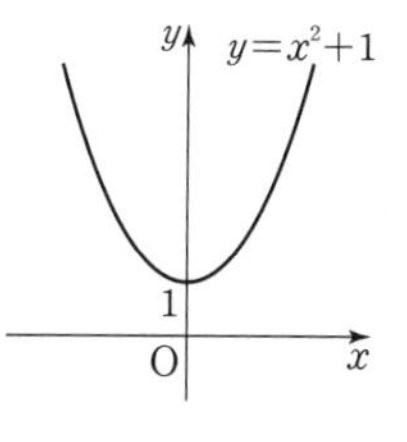

따라서 함수 $f(x)$가 연속인 구간은 $(-\infty, \infty)$

(2) 함수 $f(x)=\sqrt{4-2x}$의 그래프는 오른쪽 그림과 같이 $x\leq 2$에서 이어져 있다.

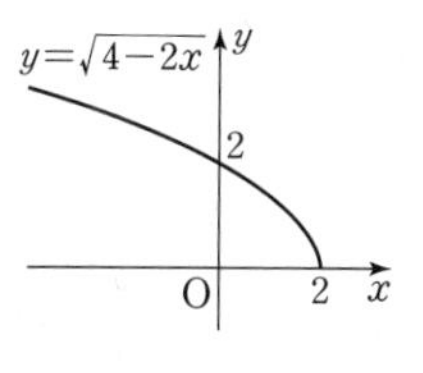

따라서 함수 $f(x)$가 연속인 구간은 $(-\infty, 2]$

3-1 $\lim_{x\to a} f(x)=f(a)$, $\lim_{x\to a} g(x)=$ [$g(a)$] 이다.

ㄱ. $\lim_{x\to a}\{f(x)+2g(x)\}=f(a)+2g(a)$이므로

함수 $f(x)+2g(x)$는 $x=a$에서 연속이다.

ㄴ. $\lim_{x\to a}\{2f(x)-4g(x)\}=2f(a)-4g(a)$이므로

함수 $2f(x)-4g(x)$는 $x=a$에서 연속이다.

ㄷ. $\lim_{x\to a}\{f(x)g(x)\}=f(a)g(a)$이므로

함수 $f(x)g(x)$는 $x=a$에서 [연속] 이다.

ㄹ. $\lim_{x\to a}\dfrac{f(x)}{g(x)}=\dfrac{f(a)}{g(a)}$에서 $g(a)=0$일 때, 불연속이므로

함수 $\dfrac{f(x)}{g(x)}$는 $x=a$에서 [불연속] 이다.

따라서 $x=a$에서 연속인 함수는 ㄱ, ㄴ, ㄷ이다.

3-2 두 함수 $f(x)=x-1$, $g(x)=x^2+1$은 임의의 실수 a에 대하여 모두 $x=a$에서 연속이므로

$\lim_{x\to a} f(x)=f(a)$, $\lim_{x\to a} g(x)=g(a)$

ㄱ. $\lim_{x\to a}\{3f(x)+g(x)\}=3f(a)+g(a)$이므로

함수 $3f(x)+g(x)$는 $x=a$에서 연속이다.

ㄴ. $\lim_{x\to a}\{f(x)-2g(x)\}=f(a)-2g(a)$이므로

함수 $f(x)-2g(x)$는 $x=a$에서 연속이다.

ㄷ. $\lim_{x\to a}\{f(x)\}^2=\lim_{x\to a}\{f(x)f(x)\}=f(a)f(a)=\{f(a)\}^2$

이므로 함수 $\{f(x)\}^2$은 $x=a$에서 연속이다.

ㄹ. $g(x)=x^2+1\neq 0$이므로 $\lim_{x\to a}\dfrac{f(x)}{g(x)}=\dfrac{f(a)}{g(a)}$이다.

즉, 함수 $\dfrac{f(x)}{g(x)}$는 $x=a$에서 연속이다.

따라서 실수 전체의 집합에서 연속인 함수는 ㄱ, ㄴ, ㄷ, ㄹ이다.

4-1 (1)

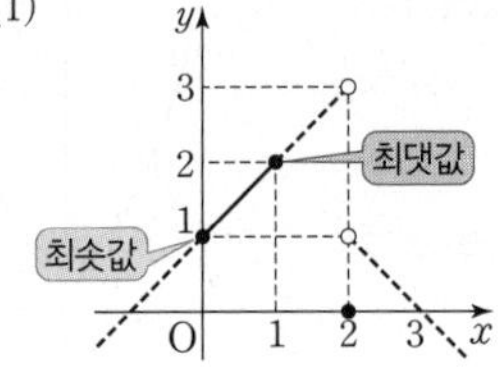

최댓값 : 2, 최솟값 : 1

(2)

최댓값 : 없다., 최솟값 : 0

4-2 구간 $[1, 2]$에서 함수 $f(x)$의 그래프는 오른쪽 그림과 같으므로

최댓값 : 1, 최솟값 : 0

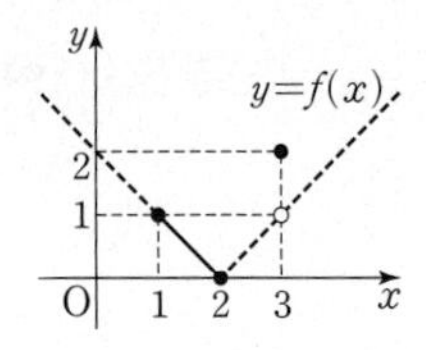

셀파 특강 확인 체크 01

(1) 함수 $f(x)=x+1$에 대하여

❶ $f(1)=2$이므로 $f(1)$의 값이 존재한다.

❷ $\lim_{x\to 1}f(x)=\lim_{x\to 1}(x+1)=2$이므로

$\lim_{x\to 1}f(x)$의 값이 존재한다.

❸ $\lim_{x\to 1}f(x)=f(1)=2$

따라서 함수 $f(x)$는 $x=1$에서 **연속**

(2) 함수 $f(x)=\dfrac{x^2-1}{x-1}$에 대하여 $f(1)$의 값이 존재하지 않는다.

따라서 함수 $f(x)$는 $x=1$에서 **불연속**

확인 문제

본문 | 39~49쪽

01-1 셀파 주어진 구간에서 그래프가 이어져 있으면 연속이고, 끊어져 있으면 불연속이다.

(1) $x\neq -2$일 때

$$f(x)=\frac{x^2+x-2}{x+2}$$

$$=\frac{(x+2)(x-1)}{x+2}=x-1$$

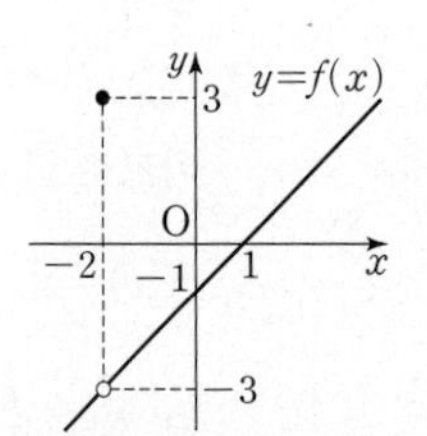

$\therefore \lim_{x\to -2}f(x)=\lim_{x\to -2}(x-1)=-3$

이때 $f(-2)=3$이므로 $\lim_{x\to -2}f(x)\neq f(-2)$이다.

따라서 함수 $f(x)$는 $x=-2$에서 **불연속**

(2) $x>-2$일 때, $x+2>0$이므로

$$f(x)=\frac{x^2-4}{x+2}=x-2$$

$\therefore \lim_{x\to -2+}f(x)=\lim_{x\to -2+}(x-2)=-4$

$x<-2$일 때, $x+2<0$이므로

$$f(x)=\frac{x^2-4}{-(x+2)}=-(x-2)$$

$\therefore \lim_{x\to -2-}f(x)=\lim_{x\to -2-}(-x+2)=4$

이때 $\lim_{x\to -2+}f(x)\neq \lim_{x\to -2-}f(x)$이므로 $\lim_{x\to -2}f(x)$의 값이 존재하지 않는다.

따라서 함수 $f(x)$는 $x=-2$에서 **불연속**

02-1 셀파 함수의 그래프가 끊어진 점에서 (좌극한)$\neq$(우극한)이면 함수의 극한이 존재하지 않는다.

(i) $x\to 1$일 때의 극한값은

$\lim_{x\to 1+}f(x)=2$, $\lim_{x\to 1-}f(x)=1$에서 $\lim_{x\to 1+}f(x)\neq \lim_{x\to 1-}f(x)$

이므로 $\lim_{x\to 1}f(x)$는 존재하지 않는다.

(ii) $x=2$에서의 함숫값은 $f(2)=3$

$x\to 2$일 때의 극한값은

$\lim_{x\to 2+}f(x)=\lim_{x\to 2-}f(x)=2$에서 $\lim_{x\to 2}f(x)=2$

즉, $\lim_{x\to 2}f(x)\neq f(2)$이므로 함수 $f(x)$는 $x=2$에서 불연속이다.

(iii) $x=3$에서의 함숫값 $f(3)$이 존재하지 않는다.

$x\to 3$일 때의 극한값은

$\lim_{x\to 3+}f(x)=\lim_{x\to 3-}f(x)=3$에서 $\lim_{x\to 3}f(x)=3$

극한값이 존재하지 않는 x의 값의 개수는 $x=1$의 1

불연속인 x의 값의 개수는 $x=1$, $x=2$, $x=3$의 3

$\therefore$ $\boldsymbol{a=1,\ b=3}$

03-1 셀파 유리함수는 분모가 0이 되는 x의 값에서 불연속이다.

$$(f\circ g)(x)=f(g(x))=\frac{2}{g(x)+1}=\frac{2}{\dfrac{1}{x-2}+1}$$

(i) $x-2=0$, 즉 $x=2$에서 함수 $f(g(x))$는 정의되어 있지 않으므로 불연속이다.

(ii) $\dfrac{1}{x-2}+1=0$, $\dfrac{1}{x-2}=-1$, 즉 $x=1$에서 함수 $f(g(x))$는 정의되어 있지 않으므로 불연속이다.

(i), (ii)에서 함수 $f(g(x))$는 $x=1$, $x=2$에서 불연속이므로 상수 a의 값은 **1 또는 2**

03-2 셀파 함수 $f(f(x))$의 연속성은 $f(x)=t$로 치환한 함수 $f(t)$에서 생각한다.

$x=1$에서의 함숫값은 $f(f(1))=f(1)=1$

$f(x)=t$로 놓으면

$x \to 1+$일 때 $t \to 0+$이므로

$\lim_{x\to1+}f(f(x))=\lim_{t\to0+}f(t)=\frac{3}{2}$

$x \to 1-$일 때 $t \to 2-$이므로

$\lim_{x\to1-}f(f(x))=\lim_{t\to2-}f(t)=1$

즉, $\lim_{x\to1+}f(f(x)) \neq \lim_{x\to1-}f(f(x))$이므로

$\lim_{x\to1}f(f(x))$의 값이 존재하지 않는다.

따라서 함수 $f(f(x))$는 $x=1$에서 **불연속**

04-1 셀파 함수 $f(x)$가 $x=1$에서 연속이어야 한다.

$\lim_{x\to1-}f(x)=f(1)$이므로

$\lim_{x\to1-}(x+2)=-1+a$에서

$1+2=-1+a \qquad \therefore \boldsymbol{a=4}$

04-2 셀파 $\lim_{x\to-1-}f(x)=f(-1)$, $\lim_{x\to1-}f(x)=f(1)$

$-1\le x<1$에서 $f(x)=x^2-b$이고 $f(0)=-1$이므로

$f(0)=0-b=-1 \qquad \therefore \boldsymbol{b=1}$

함수 $f(x)$가 모든 실수 x에서 연속이려면

$x=-1$, $x=1$에서 연속이어야 한다.

(i) $x=-1$에서 연속

$x\to-1-$일 때, $f(x)=-2x+a$이므로

$\lim_{x\to-1-}(-2x+a)=-2\times(-1)+a=2+a$

$x=-1$일 때, $f(x)=x^2-1$ ($\because b=1$)이므로

$f(-1)=(-1)^2-1=0$

이때 $\lim_{x\to-1-}f(x)=f(-1)$에서

$2+a=0 \qquad \therefore \boldsymbol{a=-2}$

(ii) $x=1$에서 연속

$x\to1-$일 때, $f(x)=x^2-1$이므로

$\lim_{x\to1-}(x^2-1)=1^2-1=0$

$x=1$일 때, $f(x)=3x+c$이므로 $f(1)=3+c$

이때 $\lim_{x\to1-}f(x)=f(1)$에서

$0=3+c \qquad \therefore \boldsymbol{c=-3}$

05-1 셀파 $x=1$에서 연속일 조건을 구한다.

함수 $f(x)$가 모든 실수 x에서 연속이려면 $x=1$에서 연속이어야 한다.

즉, $\lim_{x\to1}f(x)=f(1)$이므로

$\lim_{x\to1}\frac{x^2+2ax+b}{x-1}=4 \qquad \cdots\cdots ㉠$

㉠에서 $x\to1$일 때 (분모)$\to0$이고 극한값이 존재하므로 (분자)$\to0$이다.

$\lim_{x\to1}(x^2+2ax+b)=0$에서 $1+2a+b=0$이므로

$b=-2a-1 \qquad \cdots\cdots ㉡$

㉡을 ㉠의 좌변에 대입하면

$$\lim_{x\to1}\frac{x^2+2ax-(2a+1)}{x-1}=\lim_{x\to1}\frac{(x-1)(x+2a+1)}{x-1}=\lim_{x\to1}(x+2a+1)=2a+2$$

이때 $2a+2=4$이므로 $\boldsymbol{a=1}$

$a=1$을 ㉡에 대입하면 $\boldsymbol{b=-3}$

05-2 셀파 함수 $f(x)=\begin{cases} g(x) & (x\neq a) \\ k & (x=a)\end{cases}$가 $x=a$에서 연속

⇨ $\lim_{x\to a}g(x)=k$

함수 $f(x)$가 $x=0$에서 연속이려면 $\lim_{x\to0}f(x)=f(0)$이므로

$\lim_{x\to0}\frac{\sqrt{1+2x}-\sqrt{a-4x}}{x}=b \qquad \cdots\cdots ㉠$

㉠에서 $x\to0$일 때 (분모)$\to0$이고 극한값이 존재하므로 (분자)$\to0$이다.

$\lim_{x\to0}(\sqrt{1+2x}-\sqrt{a-4x})=0$에서 $1-\sqrt{a}=0$이므로

$a=1 \qquad \cdots\cdots ㉡$

㉡을 ㉠의 좌변에 대입하면

$$\lim_{x\to0}\frac{\sqrt{1+2x}-\sqrt{1-4x}}{x}=\lim_{x\to0}\frac{1+2x-(1-4x)}{x(\sqrt{1+2x}+\sqrt{1-4x})}=\lim_{x\to0}\frac{6x}{x(\sqrt{1+2x}+\sqrt{1-4x})}=\lim_{x\to0}\frac{6}{\sqrt{1+2x}+\sqrt{1-4x}}=\frac{6}{2}=3$$

$\therefore \boldsymbol{a=1, b=3}$

집중 연습

본문 | 44쪽

01 함수 $f(x)$가 $x=-1$에서 연속이려면 $\lim_{x\to-1}f(x)=f(-1)$

(1) $\lim_{x\to-1}\frac{2x^2+ax}{x+1}=b$ ······㉠

㉠에서 $x\to-1$일 때 (분모)$\to0$이고

극한값이 존재하므로 (분자)$\to0$이다.

$\lim_{x\to-1}(2x^2+ax)=0$에서 $2-a=0$이므로

$a=2$ ······㉡

㉡을 ㉠의 좌변에 대입하면

$$\lim_{x\to-1}\frac{2x^2+2x}{x+1}=\lim_{x\to-1}\frac{2x(x+1)}{x+1}=\lim_{x\to-1}2x=-2$$

$\therefore$ $\boldsymbol{a=2,\ b=-2}$

(2) $\lim_{x\to-1}\frac{x^2+ax+b}{x+1}=5$ ······㉠

㉠에서 $x\to-1$일 때 (분모)$\to0$이고

극한값이 존재하므로 (분자)$\to0$이다.

$\lim_{x\to-1}(x^2+ax+b)=0$에서 $1-a+b=0$이므로

$b=a-1$ ······㉡

㉡을 ㉠의 좌변에 대입하면

$$\lim_{x\to-1}\frac{x^2+ax+a-1}{x+1}=\lim_{x\to-1}\frac{(x+1)(x+a-1)}{x+1}$$
$$=\lim_{x\to-1}(x+a-1)=a-2$$

이때 $a-2=5$이므로 $\boldsymbol{a=7}$

$a=7$을 ㉡에 대입하면 $\boldsymbol{b=6}$

(3) $\lim_{x\to-1}\frac{\sqrt{x^2+a}+b}{x+1}=-\frac{1}{2}$ ······㉠

㉠에서 $x\to-1$일 때 (분모)$\to0$이고

극한값이 존재하므로 (분자)$\to0$이다.

$\lim_{x\to-1}\sqrt{x^2+a}+b=0$에서 $\sqrt{1+a}+b=0$이므로

$b=-\sqrt{a+1}$ ······㉡

㉡을 ㉠의 좌변에 대입하면

$$\lim_{x\to-1}\frac{\sqrt{x^2+a}-\sqrt{a+1}}{x+1}=\lim_{x\to-1}\frac{x^2+a-(a+1)}{(x+1)(\sqrt{x^2+a}+\sqrt{a+1})}$$
$$=\lim_{x\to-1}\frac{(x+1)(x-1)}{(x+1)(\sqrt{x^2+a}+\sqrt{a+1})}$$
$$=\lim_{x\to-1}\frac{x-1}{(\sqrt{x^2+a}+\sqrt{a+1})}$$
$$=\frac{-2}{2\sqrt{a+1}}=-\frac{1}{\sqrt{a+1}}$$

이때 $-\frac{1}{\sqrt{a+1}}=-\frac{1}{2}$이므로 $\sqrt{a+1}=2$ $\quad\therefore$ $\boldsymbol{a=3}$

$a=3$을 ㉡에 대입하면 $\boldsymbol{b=-2}$

02 함수 $f(x)$가 $x=2$에서 연속이려면

$\lim_{x\to2}f(x)=f(2)$

(1) $\lim_{x\to2}\frac{x^2-x+a}{x-2}=b$ ······㉠

㉠에서 $x\to2$일 때 (분모)$\to0$이고

극한값이 존재하므로 (분자)$\to0$이다.

$\lim_{x\to2}(x^2-x+a)=0$에서 $4-2+a=0$이므로

$a=-2$ ······㉡

㉡을 ㉠의 좌변에 대입하면

$$\lim_{x\to2}\frac{x^2-x-2}{x-2}=\lim_{x\to2}\frac{(x-2)(x+1)}{x-2}$$
$$=\lim_{x\to2}(x+1)=3$$

$\therefore$ $\boldsymbol{a=-2,\ b=3}$

(2) $\lim_{x\to2}\frac{x^2-a}{x-2}=b$ ······㉠

㉠에서 $x\to2$일 때 (분모)$\to0$이고

극한값이 존재하므로 (분자)$\to0$이다.

$\lim_{x\to2}(x^2-a)=0$에서 $4-a=0$이므로

$a=4$ ······㉡

㉡을 ㉠의 좌변에 대입하면

$$\lim_{x\to2}\frac{x^2-4}{x-2}=\lim_{x\to2}\frac{(x-2)(x+2)}{x-2}$$
$$=\lim_{x\to2}(x+2)=4$$

$\therefore$ $\boldsymbol{a=4,\ b=4}$

(3) $\lim_{x\to2}\frac{\sqrt{x^2+5}-a}{x-2}=b$ ······㉠

㉠에서 $x\to2$일 때 (분모)$\to0$이고

극한값이 존재하므로 (분자)$\to0$이다.

$\lim_{x\to2}(\sqrt{x^2+5}-a)=0$에서 $3-a=0$이므로

$a=3$ ······㉡

㉡을 ㉠의 좌변에 대입하면

$$\lim_{x\to2}\frac{\sqrt{x^2+5}-3}{x-2}=\lim_{x\to2}\frac{x^2+5-9}{(x-2)(\sqrt{x^2+5}+3)}$$
$$=\lim_{x\to2}\frac{(x+2)(x-2)}{(x-2)(\sqrt{x^2+5}+3)}$$
$$=\lim_{x\to2}\frac{x+2}{\sqrt{x^2+5}+3}$$
$$=\frac{4}{3+3}=\frac{2}{3}$$

$\therefore$ $\boldsymbol{a=3,\ b=\frac{2}{3}}$

03 함수 $f(x)$가 $x=1$에서 연속이려면

$\lim_{x \to 1} f(x)=f(1)$

(1) $\lim_{x \to 1} \frac{2x^2+ax}{x-1}=b$ ⋯⋯㉠

㉠에서 $x \to 1$일 때 (분모) $\to 0$이고

극한값이 존재하므로 (분자) $\to 0$이다.

$\lim_{x \to 1} (2x^2+ax)=0$에서 $2+a=0$이므로

$a=-2$ ⋯⋯㉡

㉡을 ㉠의 좌변에 대입하면

$$\lim_{x \to 1} \frac{2x^2-2x}{x-1}=\lim_{x \to 1} \frac{2x(x-1)}{x-1}$$

$$=\lim_{x \to 1} 2x=2$$

$\therefore$ $\boldsymbol{a=-2,\ b=2}$

(2) $\lim_{x \to 1} \frac{x^2+x+a}{x-1}=b$ ⋯⋯㉠

㉠에서 $x \to 1$일 때 (분모) $\to 0$이고

극한값이 존재하므로 (분자) $\to 0$이다.

$\lim_{x \to 1} (x^2+x+a)=0$에서 $2+a=0$이므로

$a=-2$ ⋯⋯㉡

㉡을 ㉠의 좌변에 대입하면

$$\lim_{x \to 1} \frac{x^2+x-2}{x-1}=\lim_{x \to 1} \frac{(x-1)(x+2)}{x-1}$$

$$=\lim_{x \to 1} (x+2)=3$$

$\therefore$ $\boldsymbol{a=-2,\ b=3}$

(3) $\lim_{x \to 1} \frac{\sqrt{x+1}+a}{x-1}=b$ ⋯⋯㉠

㉠에서 $x \to 1$일 때 (분모) $\to 0$이고

극한값이 존재하므로 (분자) $\to 0$이다.

$\lim_{x \to 1} (\sqrt{x+1}+a)=0$에서 $\sqrt{2}+a=0$이므로

$a=-\sqrt{2}$ ⋯⋯㉡

㉡을 ㉠의 좌변에 대입하면

$$\lim_{x \to 1} \frac{\sqrt{x+1}-\sqrt{2}}{x-1}=\lim_{x \to 1} \frac{x+1-2}{(x-1)(\sqrt{x+1}+\sqrt{2})}$$

$$=\lim_{x \to 1} \frac{x-1}{(x-1)(\sqrt{x+1}+\sqrt{2})}$$

$$=\lim_{x \to 1} \frac{1}{\sqrt{x+1}+\sqrt{2}}$$

$$=\frac{1}{2\sqrt{2}}=\frac{\sqrt{2}}{4}$$

$\therefore$ $\boldsymbol{a=-\sqrt{2},\ b=\frac{\sqrt{2}}{4}}$

06-1 셀파 **함수 $f(x)$가 $x \geq -6$인 모든 실수 x에서 연속이면 $x=-2$에서도 연속이므로 $\lim_{x \to -2} f(x)=f(-2)$**

$(x+2)f(x)=\sqrt{x+6}-2$에서

$x \neq -2$일 때

$$f(x)=\frac{\sqrt{x+6}-2}{x+2}=\frac{(\sqrt{x+6}-2)(\sqrt{x+6}+2)}{(x+2)(\sqrt{x+6}+2)}$$

$$=\frac{x+2}{(x+2)(\sqrt{x+6}+2)}=\frac{1}{\sqrt{x+6}+2}$$

함수 $f(x)$가 $x \geq -6$인 모든 실수 x에서 연속이므로 $x=-2$에서도 연속이다.

$\therefore$ $\lim_{x \to -2} f(x)=f(-2)$

이때 $\lim_{x \to -2} f(x)=\lim_{x \to -2} \frac{1}{\sqrt{x+6}+2}=\frac{1}{4}$이므로

$f(-2)=\lim_{x \to -2} f(x)=\boldsymbol{\frac{1}{4}}$

06-2 셀파 **함수 $f(x)$가 모든 실수 x에서 연속이면 $\lim_{x \to -1} f(x)=f(-1)$, $\lim_{x \to 1} f(x)=f(1)$**

$(x^2-1)f(x)=x^3+px+q$에서

$x \neq \pm 1$일 때, $f(x)=\frac{x^3+px+q}{x^2-1}$ ⋯⋯㉠

함수 $f(x)$가 모든 실수 x에서 연속이므로 $x=-1$, $x=1$에서도 연속이다.

$\therefore$ $\lim_{x \to -1} f(x)=f(-1)$, $\lim_{x \to 1} f(x)=f(1)$

(i) $\lim_{x \to -1} \frac{x^3+px+q}{x^2-1}=f(-1)$에서

$x \to -1$일 때, (분모) $\to 0$이고 극한값이 존재하므로 (분자) $\to 0$이다.

$\lim_{x \to -1} (x^3+px+q)=0$에서 $-1-p+q=0$

$\therefore$ $p-q=-1$ ⋯⋯㉡

(ii) $\lim_{x \to 1} \frac{x^3+px+q}{x^2-1}=f(1)$에서

$x \to 1$일 때 (분모) $\to 0$이고 극한값이 존재하므로 (분자) $\to 0$이다.

$\lim_{x \to 1} (x^3+px+q)=0$에서 $1+p+q=0$

$\therefore$ $p+q=-1$ ⋯⋯㉢

㉡, ㉢을 연립하여 풀면 $p=-1$, $q=0$

이 값을 ㉠에 대입하면

$x \neq \pm 1$일 때, $f(x)=\frac{x^3-x}{x^2-1}=\frac{x(x^2-1)}{x^2-1}=x$

$$\therefore f(-1)+f(1)=\lim_{x \to -1} f(x)+\lim_{x \to 1} f(x)$$

$$=\lim_{x \to -1} x+\lim_{x \to 1} x$$

$$=-1+1=\boldsymbol{0}$$

07-1 셀파 유리함수 $\frac{f(x)}{g(x)}$는 $g(x)\neq0$인 모든 실수 x에서 연속이다.

두 함수 $f(x)=x$, $g(x)=x^2+x-6$은 모든 실수 x에서 연속이다.

(1) 연속함수의 성질 ❶, ❷에 의하여
$2f(x)+g(x)=2x+x^2+x-6=x^2+3x-6$이므로
함수 $2f(x)+g(x)$는 모든 실수, 즉 열린구간 $(-\infty, \infty)$에서 연속이다.

(2) 연속함수의 성질 ❸에 의하여
$f(x)g(x)=x(x^2+x-6)=x^3+x^2-6x$이므로
함수 $f(x)g(x)$는 모든 실수, 즉 열린구간 $(-\infty, \infty)$에서 연속이다.

(3) 연속함수의 성질 ❹에 의하여
$\frac{f(x)}{g(x)}=\frac{x}{x^2+x-6}=\frac{x}{(x+3)(x-2)}$이므로
함수 $\frac{f(x)}{g(x)}$는 $(x+3)(x-2)\neq0$인 모든 실수, 즉 열린구간
$(-\infty, -3)$, $(-3, 2)$, $(2, \infty)$에서 연속이다.

(4) 연속함수의 성질 ❹에 의하여
$\frac{f(x)+g(x)}{f(x)-g(x)}=\frac{x^2+2x-6}{-x^2+6}=\frac{x^2+2x-6}{-(x+\sqrt{6})(x-\sqrt{6})}$이므로
함수 $\frac{f(x)+g(x)}{f(x)-g(x)}$는 $-(x+\sqrt{6})(x-\sqrt{6})\neq0$인 모든 실수,
즉 열린구간 $(-\infty, -\sqrt{6})$, $(-\sqrt{6}, \sqrt{6})$, $(\sqrt{6}, \infty)$에서 연속이다.

셀파 특강 확인 체크 02

(i) $f(1)=0$, $g(1)=1$이므로 $f(1)g(1)=0$

(ii) $\lim_{x\to1-}f(x)=1$, $\lim_{x\to1-}g(x)=0$이므로
$\lim_{x\to1-}\{f(x)g(x)\}=0$,
$\lim_{x\to1+}f(x)=0$, $\lim_{x\to1+}g(x)=1$이므로
$\lim_{x\to1+}\{f(x)g(x)\}=0$
$\therefore \lim_{x\to1}\{f(x)g(x)\}=0$

(i), (ii)에서 $\lim_{x\to1}\{f(x)g(x)\}=f(1)g(1)$이므로
함수 $f(x)g(x)$는 $x=1$에서 **연속**

08-1 셀파 주어진 구간에서 함수 $y=f(x)$의 그래프를 그린다.

$f(x)=x^2-2x=(x-1)^2-1$

(1) 함수 $f(x)=x^2-2x$는 닫힌구간 $[-1, 2]$에서 연속이고 닫힌구간 $[-1, 2]$에서 함수 $y=f(x)$의 그래프는 오른쪽 그림과 같다.
따라서 $f(x)$는 $x=-1$에서 **최댓값 3**, $x=1$에서 **최솟값 -1**을 갖는다.

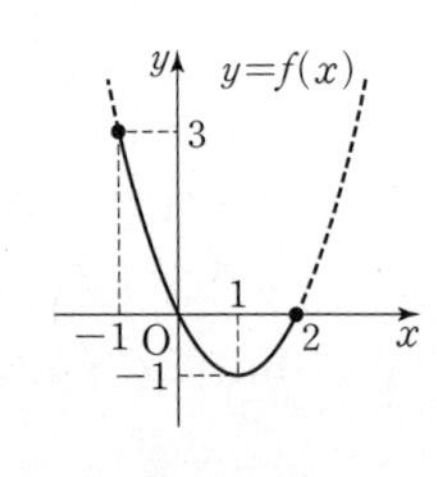

(2) 함수 $f(x)=x^2-2x$는 열린구간 $(-1, 2)$에서 연속이고 열린구간 $(-1, 2)$에서 함수 $y=f(x)$의 그래프는 오른쪽 그림과 같다.
따라서 $f(x)$는 최댓값은 없고, $x=1$에서 **최솟값 -1**을 갖는다.

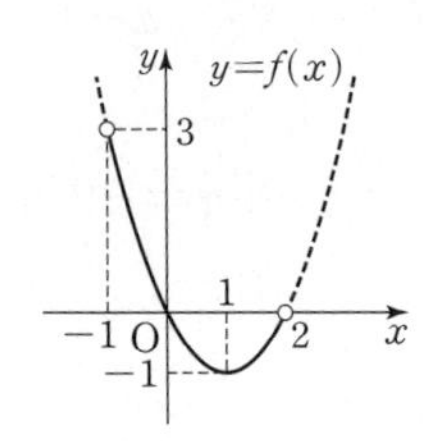

(3) 함수 $f(x)=x^2-2x$는 반열린 구간 $[-1, 2)$에서 연속이고 반열린 구간 $[-1, 2)$에서 함수 $y=f(x)$의 그래프는 오른쪽 그림과 같다.
따라서 $f(x)$는 $x=-1$에서 **최댓값 3**, $x=1$에서 **최솟값 -1**을 갖는다.

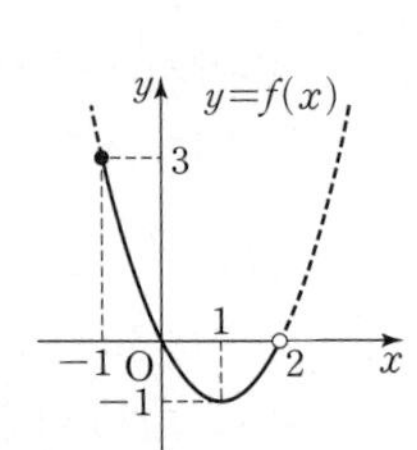

(4) 함수 $f(x)=x^2-2x$는 반열린 구간 $(-1, 2]$에서 연속이고 반열린 구간 $(-1, 2]$에서 함수 $y=f(x)$의 그래프는 오른쪽 그림과 같다.
따라서 $f(x)$는 최댓값은 없고, $x=1$에서 **최솟값 -1**을 갖는다.

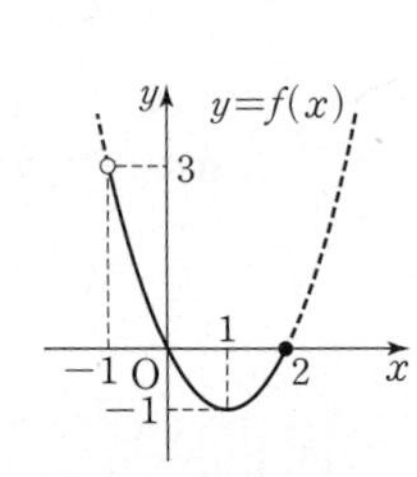

셀파 세미나 최대·최소가 존재하지 않는 경우

❶ 닫힌구간이 아닌 구간
오른쪽 그림과 같이 닫힌구간이 아닌 경우, 즉 $(a, b]$에서 정의된 함수 $f(x)$의 최댓값은 있지만 최솟값은 없다.

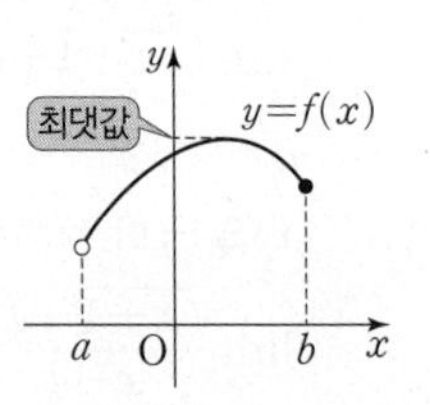

❷ 불연속인 함수
오른쪽 그림과 같이 닫힌구간 $[a, b]$에서 정의되었지만 $x=c$에서 불연속인 함수 $f(x)$의 최솟값은 있지만 최댓값은 없다.

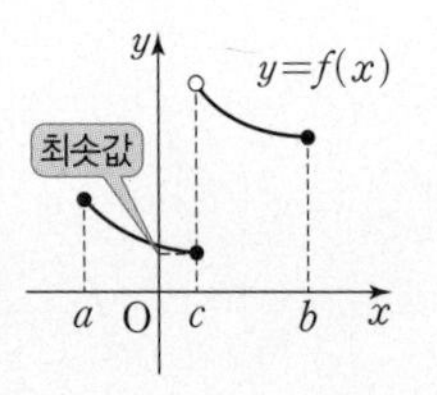

08-2 셀파 주어진 구간에서 함수 $y=f(x)$의 그래프를 그린다.

(1) 함수 $f(x)=|x-1|$은 닫힌구간 $[-1, 4]$에서 연속이고 닫힌구간 $[-1, 4]$에서 함수 $y=f(x)$의 그래프는 오른쪽 그림과 같다.

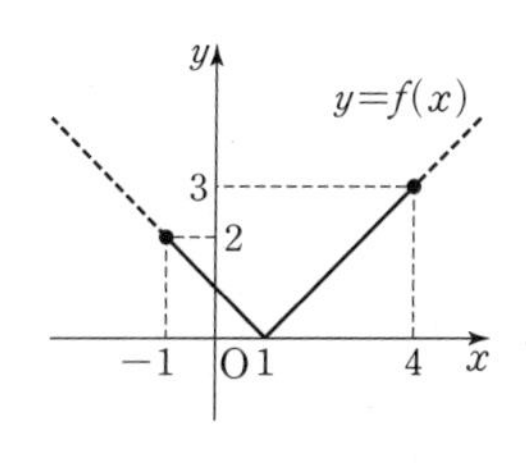

따라서 $f(x)$는 $x=4$에서 **최댓값 3**, $x=1$에서 **최솟값 0**을 갖는다.

(2) 함수 $f(x)=\sqrt{x+3}-2$는 닫힌구간 $[-2, 6]$에서 연속이고 닫힌구간 $[-2, 6]$에서 함수 $y=f(x)$의 그래프는 오른쪽 그림과 같다.

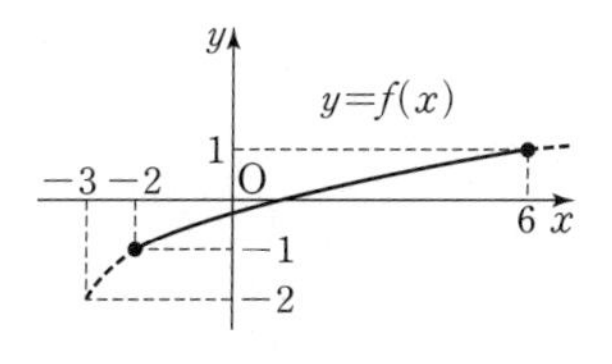

따라서 $f(x)$는 $x=6$에서 **최댓값 1**, $x=-2$에서 **최솟값 -1**을 갖는다.

09-1 셀파 (1) $f(x)=x^3+3x^2-1$로 놓고 $f(0)f(1)<0$을 보인다.
(2) $f(x)=3x^4-x-1$로 놓고 $f(0)f(1)<0$을 보인다.

(1) $f(x)=x^3+3x^2-1$로 놓으면 함수 $f(x)$는 닫힌구간 $[0, 1]$에서 연속이고

$f(0)=-1, f(1)=3$이므로 $f(0)f(1)<0$

따라서 사잇값의 정리에 의하여 방정식 $x^3+3x^2-1=0$은 열린구간 $(0, 1)$에서 적어도 하나의 실근을 갖는다.

(2) $f(x)=3x^4-x-1$로 놓으면 함수 $f(x)$는 닫힌구간 $[0, 1]$에서 연속이고

$f(0)=-1, f(1)=1$이므로 $f(0)f(1)<0$

따라서 사잇값의 정리에 의하여 방정식 $3x^4-x-1=0$은 열린구간 $(0, 1)$에서 적어도 하나의 실근을 갖는다.

09-2 셀파 연속함수 $f(x)$에 대하여 $f(a)f(b)<0$이면 방정식 $f(x)=0$은 열린구간 (a, b)에서 적어도 하나의 실근을 갖는다.

(i) $f(-2)=1, f(0)=-2$에서

$f(-2)f(0)<0$이므로 방정식 $f(x)=0$은 열린구간 $(-2, 0)$에서 적어도 하나의 실근을 갖는다.

(ii) $f(0)=-2, f(1)=5$에서

$f(0)f(1)<0$이므로 방정식 $f(x)=0$은 열린구간 $(0, 1)$에서 적어도 하나의 실근을 갖는다.

(iii) $f(1)=5, f(4)=-1$에서

$f(1)f(4)<0$이므로 방정식 $f(x)=0$은 열린구간 $(1, 4)$에서 적어도 하나의 실근을 갖는다.

(i), (ii), (iii)에서 방정식 $f(x)=0$은 열린구간 $(-2, 4)$에서 적어도 **3개**의 실근을 갖는다.

연습 문제

본문 | 50~51쪽

01 셀파 $x=1, x=2$에서 함수 $f(x)$의 연속성을 조사한다.

(i) $x=1$에서의 함숫값은 $f(1)=0$

$x \to 1$일 때의 극한값은

$\lim_{x\to1+}f(x)=\lim_{x\to1-}f(x)=1$에서 $\lim_{x\to1}f(x)=1$

$\lim_{x\to1}f(x)\neq f(1)$이므로 함수 $f(x)$는 $x=1$에서 불연속이다.

(ii) $x=2$에서의 함숫값은 $f(2)=2$

$x \to 2$일 때의 극한값은

$\lim_{x\to2+}f(x)=2$, $\lim_{x\to2-}f(x)=3$에서

$\lim_{x\to2+}f(x)\neq\lim_{x\to2-}f(x)$이므로 $\lim_{x\to2}f(x)$는 존재하지 않는다.

극한값이 존재하지 않으므로 함수 $f(x)$는 $x=2$에서 불연속이다.

ㄱ. 불연속인 x의 값의 개수는 $x=1, x=2$의 2이다. (참)

ㄴ. 극한값이 존재하지 않는 x의 값의 개수는 $x=2$의 1이다. (거짓)

ㄷ. $f(x)=t$로 놓으면 $x\to2+$일 때 $t=2+$이고,

$x\to2-$일 때 $t\to3-$이므로

$\lim_{x\to2+}f(f(x))=\lim_{t\to2+}f(t)=2$, $\lim_{x\to2-}f(f(x))=\lim_{t\to3-}f(t)=3$

$\lim_{x\to2+}f(f(x))\neq\lim_{x\to2-}f(f(x))$이므로 함수 $f(f(x))$는 $x=2$에서 불연속이다. (거짓)

따라서 보기의 설명 중 옳은 것은 ㄱ이다.

02 셀파 함수 $g(f(x))$의 연속은 $f(x)=t$로 치환하여 함수 $g(t)$에서 생각한다.

함수 $f(x)=\begin{cases}2-x & (x<1)\\2+x & (x\geq1)\end{cases}$, $g(x)=x^2+ax$에서

합성함수 $g(f(x))$가 $x=1$에서 연속이므로

$\lim_{x\to1-}g(f(x))=\lim_{x\to1+}g(f(x))=g(f(1))$이다.

$f(x)=t$로 치환하면 오른쪽 함수 $y=f(x)$의 그래프에서

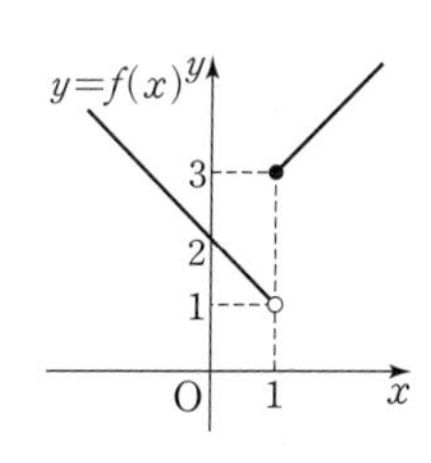

(i) $x\to1-$일 때 $t\to1+$이므로

$\lim_{x\to1-}g(f(x))=\lim_{t\to1+}g(t)$
$=g(1)=1+a$

(ii) $x\to1+$일 때 $t\to3+$이므로

$\lim_{x\to1+}g(f(x))=\lim_{t\to3+}g(t)$
$=g(3)=9+3a$

(iii) $g(f(1))=g(3)=9+3a$

(i), (ii), (iii)에서 $1+a=9+3a$, $2a=-8$ $\quad\therefore$ $\boldsymbol{a=-4}$

03 셀파 함수 $f(x)$가 $x=a$에서 연속 ⇨ $\lim_{x\to a}f(x)=f(a)$

함수 $f(x)$가 $x=2$에서 연속이려면

$\lim_{x\to 2-}f(x)=\lim_{x\to 2+}f(x)=f(2)$이므로

$\lim_{x\to 2-}(x+b)=\lim_{x\to 2+}(x^2+x+a)=f(2)$에서 $2+b=4+2+a$

$\therefore$ $\boldsymbol{a-b=-4}$

04 셀파 함수 $f(x)$가 $x=a$에서 연속 ⇨ $\lim_{x\to a}f(x)=f(a)$

함수 $f(x)$가 $x=0$에서 연속이려면 $\lim_{x\to 0}f(x)=f(0)$이어야 한다.

$$\begin{aligned}\lim_{x\to 0}f(x)&=\lim_{x\to 0}\frac{\sqrt{1+3x}-\sqrt{1-3x}}{x}\\&=\lim_{x\to 0}\frac{1+3x-(1-3x)}{x(\sqrt{1+3x}+\sqrt{1-3x})}\\&=\lim_{x\to 0}\frac{6x}{x(\sqrt{1+3x}+\sqrt{1-3x})}\\&=\lim_{x\to 0}\frac{6}{\sqrt{1+3x}+\sqrt{1-3x}}=\frac{6}{2}=3\end{aligned}$$

이때 $f(0)=k$이므로 $\boldsymbol{k=3}$

05 셀파 함수 $f(x)$가 $x=a$에서 연속 ⇨ $\lim_{x\to a}f(x)=f(a)$

함수 $f(x)$가 $x=1$에서 연속이려면 $\lim_{x\to 1}f(x)=f(1)$이므로

$\lim_{x\to 1}\frac{x^3-ax+b}{(x-1)^2}=c$ ……㉠

㉠에서 $x\to 1$일 때 (분모)$\to 0$이고 극한값이 존재하므로 (분자)$\to 0$이다.

$\lim_{x\to 1}(x^3-ax+b)=0$에서 $1-a+b=0$이므로

$b=a-1$ ……㉡

㉡을 ㉠의 좌변에 대입하면

$$\begin{aligned}\lim_{x\to 1}\frac{x^3-ax+a-1}{(x-1)^2}&=\lim_{x\to 1}\frac{(x-1)(x^2+x-a+1)}{(x-1)^2}\\&=\lim_{x\to 1}\frac{x^2+x-a+1}{x-1}\quad\cdots\cdots㉢\end{aligned}$$

㉢에서 $x\to 1$일 때 (분모)$\to 0$이므로 (분자)$\to 0$이다.

$\lim_{x\to 1}(x^2+x-a+1)=0$에서 $3-a=0$이므로 $a=3$

$a=3$을 ㉡에 대입하면 $b=2$

또 ㉢에 대입하면

$\lim_{x\to 1}\frac{x^2+x-2}{x-1}=\lim_{x\to 1}\frac{(x-1)(x+2)}{x-1}=\lim_{x\to 1}(x+2)=3$

$\therefore c=3$

$\therefore$ $a^2+b^2+c^2=3^2+2^2+3^2=9+4+9=\mathbf{22}$

| 다른 풀이 |

㉠에서 $\lim_{x\to 1}(x-1)^2=0$이므로 $\lim_{x\to 1}(x^3-ax+b)=0$

이때 x^3-ax+b는 $(x-1)^2$을 인수로 가지므로 조립제법에 의하여 인수분해하면 다음과 같다.

$$\begin{array}{c|cccc}1 & 1 & 0 & -a & b\\ & & 1 & 1 & -a+1\\ \hline 1 & 1 & 1 & -a+1 & b-a+1\\ & & 1 & 2 & \\ \hline & 1 & 2 & -a+3 & \end{array}$$

⇨ $x^3-ax+b=(x-1)^2(x+2)$

따라서 $-a+3=0$, $b-a+1=0$이므로 $a=3$, $b=2$

㉠에서 $\lim_{x\to 1}\frac{(x-1)^2(x+2)}{(x-1)^2}=\lim_{x\to 1}(x+2)=3=c$

$\therefore$ $a^2+b^2+c^2=9+4+9=22$

06 셀파 $(x-a)f(x)=g(x)$ ⇨ $f(x)=\frac{g(x)}{x-a}$ (단, $x\neq a$)

㉮ $(x-2)f(x)=a\sqrt{x+2}-16$에서

$x\neq 2$일 때, $f(x)=\frac{a\sqrt{x+2}-16}{x-2}$

$f(x)$가 $x\geq -2$인 모든 실수 x에서 연속이므로 $x=2$에서도 연속이다.

$\therefore$ $\lim_{x\to 2}f(x)=f(2)$

㉯ $\lim_{x\to 2}f(x)=\lim_{x\to 2}\frac{a\sqrt{x+2}-16}{x-2}$에서

$x\to 2$일 때 (분모)$\to 0$이 고 극한값이 존재하므로 (분자)$\to 0$이다.

$\lim_{x\to 2}(a\sqrt{x+2}-16)=0$에서 $2a-16=0$이므로 $a=8$

㉰
$$\begin{aligned}\lim_{x\to 2}f(x)&=\lim_{x\to 2}\frac{8\sqrt{x+2}-16}{x-2}\\&=\lim_{x\to 2}\frac{8(\sqrt{x+2}-2)(\sqrt{x+2}+2)}{(x-2)(\sqrt{x+2}+2)}\\&=\lim_{x\to 2}\frac{8(x-2)}{(x-2)(\sqrt{x+2}+2)}\\&=\lim_{x\to 2}\frac{8}{\sqrt{x+2}+2}=2\end{aligned}$$

$\therefore$ $f(2)=\lim_{x\to 2}f(x)=\mathbf{2}$

채점 기준	배점
㉮ $\lim_{x\to 2}f(x)=f(2)$임을 구한다.	20%
㉯ 상수 a의 값을 구한다.	40%
㉰ $f(2)$의 값을 구한다.	40%

07 셀파 유리함수는 분모가 0이 되는 x의 값에서 불연속이다.

두 함수 $f(x)=x-1$, $g(x)=x^2+x+1$은 모든 실수 x에서 연속이다.

$h(x)=\frac{f(x)}{f(x)+g(x)}=\frac{x-1}{x^2+2x}=\frac{x-1}{x(x+2)}$에서

함수 $h(x)$는 $x(x+2)\neq0$인 모든 실수에서 연속이다.

따라서 $x\neq-2$, $x\neq0$이므로 함수 $h(x)$는 열린구간

$(-\infty, -2)$, $(-2, 0)$, $(0, \infty)$에서 연속이다.

08 셀파 각 함수의 함숫값과 극한값을 구하여 비교한다.

ㄱ. $x\to0$일 때의 극한값은

$\lim_{x\to0+}\{f(x)+g(x)\}=\lim_{x\to0+}f(x)+\lim_{x\to0+}g(x)=0-2=-2$

$\lim_{x\to0-}\{f(x)+g(x)\}=\lim_{x\to0-}f(x)+\lim_{x\to0-}g(x)=0+0=0$

$\therefore \lim_{x\to0+}\{f(x)+g(x)\}\neq\lim_{x\to0-}\{f(x)+g(x)\}$

즉, 함수 $f(x)+g(x)$는 $x=0$에서 불연속이다.

ㄴ. $x=0$에서의 함숫값은 $f(0)g(0)=0\times(-2)=0$

$x\to0$일 때의 극한값은

$\lim_{x\to0+}\{f(x)g(x)\}=\lim_{x\to0+}f(x)\times\lim_{x\to0+}g(x)=0\times(-2)=0$

$\lim_{x\to0-}\{f(x)g(x)\}=\lim_{x\to0-}f(x)\times\lim_{x\to0-}g(x)=0\times0=0$

$\lim_{x\to0}f(x)g(x)=0$이므로 $\lim_{x\to0}f(x)g(x)=f(0)g(0)$

즉, 함수 $f(x)g(x)$는 $x=0$에서 연속이다.

ㄷ. $x=0$에서의 함숫값은 $g(-1)=1$

$x\to0$일 때의 극한값은

$x-1=t$로 놓으면 $x\to0+$일 때 $t\to-1+$, $x\to0-$일 때 $t\to-1-$이므로

$\lim_{x\to0+}g(x-1)=\lim_{t\to-1+}g(t)=1$

$\lim_{x\to0-}g(x-1)=\lim_{t\to-1-}g(t)=1$

$\lim_{x\to0}g(x-1)=1$이므로 $\lim_{x\to0}g(x-1)=g(-1)$

즉, 함수 $g(x-1)$은 $x=0$에서 연속이다.

따라서 $x=0$에서 연속인 함수는 ㄴ, ㄷ이다.

09 셀파 주어진 구간에서 함수 $y=f(x)$의 그래프를 그린다.

함수 $f(x)=x^2-2x-3=(x-1)^2-4$는 닫힌구간 $[0, 3]$에서 연속이고 닫힌구간 $[0, 3]$에서 함수 $y=f(x)$의 그래프는 오른쪽 그림과 같다.

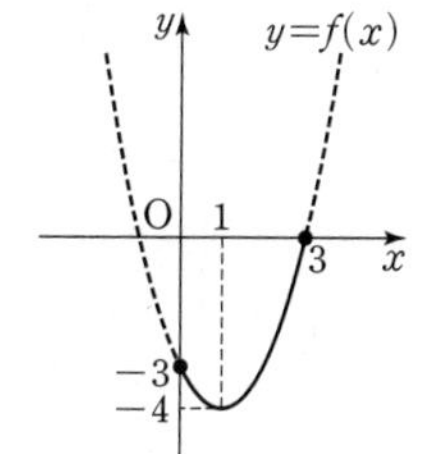

따라서 $f(x)$는 $x=3$에서 최댓값 0, $x=1$에서 최솟값 -4를 가지므로

$\alpha=0$, $\beta=-4$

$\therefore \alpha+\beta=-4$

10 셀파 닫힌구간에서 정의된 함수가 연속이 아니면 최댓값 또는 최솟값을 갖지 않을 수도 있다.

ㄱ. (i) $x=2$에서의 함숫값은 $f(2)=3$

$x\to2$일 때의 극한값은

$\lim_{x\to2+}f(x)=\lim_{x\to2-}f(x)=0$에서 $\lim_{x\to2}f(x)=0$

$\lim_{x\to2}f(x)\neq f(2)$이므로 함수 $f(x)$는 $x=2$에서 불연속이다.

(ii) $x\to3$일 때의 극한값은

$\lim_{x\to3+}f(x)=4$, $\lim_{x\to3-}f(x)=2$에서

$\lim_{x\to3+}f(x)\neq\lim_{x\to3-}f(x)$이므로 $\lim_{x\to3}f(x)$는 존재하지 않는다.

극한값이 존재하지 않으므로 함수 $f(x)$는 $x=3$에서 불연속이다.

(i), (ii)에서 불연속인 x의 값의 개수는 $x=2$, $x=3$의 2이다. (참)

ㄴ. 닫힌구간 $[2, 3]$에서 함수 $f(x)$의 최댓값은 $x=2$에서 3이지만 최솟값은 정할 수 없다. (거짓)

ㄷ. 닫힌구간 $[4, 5]$에서 함수 $f(x)$의 최솟값은 $x=4$에서 0이고, 최댓값은 $x=5$에서 2이다. (참)

따라서 보기의 설명 중 옳은 것은 ㄱ, ㄷ이다.

11 셀파 $f(x)=x^3+ax-5$로 놓고 $f(-1)f(2)<0$일 조건을 구한다.

$f(x)=x^3+ax-5$로 놓으면 함수 $f(x)$는 닫힌구간 $[-1, 2]$에서 연속이고 $f(-1)f(2)<0$이면 방정식 $x^3+ax-5=0$은 열린구간 $(-1, 2)$에서 적어도 하나의 실근을 갖는다.

$f(-1)=-a-6$, $f(2)=2a+3$이므로

$f(-1)f(2)=(-a-6)(2a+3)<0$에서

$(a+6)(2a+3)>0$

$\therefore a<-6$ 또는 $a>-\frac{3}{2}$

따라서 상수 a의 값이 될 수 없는 것은 ②

12 셀파 방정식 $f(x)=0$에서 $f(0)f(1)<0$인 것을 찾는다.

ㄱ. $f(x)=x^3+3x-1$로 놓으면

$f(0)=-1$, $f(1)=3$이므로 $f(0)f(1)=-3<0$

ㄴ. $f(x)=x^3+5x^2-1$로 놓으면

$f(0)=-1$, $f(1)=5$이므로 $f(0)f(1)=-5<0$

ㄷ. $f(x)=2x^5-5x-2$로 놓으면

$f(0)=-2$, $f(1)=-5$이므로 $f(0)f(1)=10>0$

따라서 적어도 하나의 실근을 갖는 것은 ㄱ, ㄴ이다.

3. 미분계수

개념 익히기

본문 | 55쪽

1-1 (1) $\frac{\Delta y}{\Delta x}=\frac{f(1)-f(\boxed{-2})}{1-(-2)}$

$=\frac{(-1+3+2)-(-4-6+2)}{3}=\frac{4-(-8)}{3}$

$=\frac{12}{3}=\mathbf{4}$

(2) $\frac{\Delta y}{\Delta x}=\frac{f(4)-f(0)}{\boxed{4}-0}$

$=\frac{(-16+12+2)-2}{4}=\frac{-2-2}{4}$

$=\frac{-4}{4}=\boxed{\mathbf{-1}}$

1-2 (1) $\frac{\Delta y}{\Delta x}=\frac{f(3)-f(-1)}{3-(-1)}=\frac{11-(-5)}{4}=\frac{16}{4}=\mathbf{4}$

(2) $\frac{\Delta y}{\Delta x}=\frac{f(6)-f(1)}{6-1}=\frac{23-3}{5}=\frac{20}{5}=\mathbf{4}$

2-1 $f'(1)=\lim_{\Delta x\to 0}\frac{f(\boxed{1}+\Delta x)-f(1)}{(1+\Delta x)-1}$

$=\lim_{\Delta x\to 0}\frac{(1+\Delta x)^2-1^2}{\Delta x}$

$=\lim_{\Delta x\to 0}\frac{\{1+2\Delta x+(\Delta x)^2\}-1}{\Delta x}$

$=\lim_{\Delta x\to 0}(\Delta x+\boxed{2})=\mathbf{2}$

| 다른 풀이 |

$f'(1)=\lim_{x\to 1}\frac{f(x)-f(1)}{x-1}$

$=\lim_{x\to 1}\frac{x^2-1}{x-1}$

$=\lim_{x\to 1}(x+1)=2$

2-2 (1) $f'(0)=\lim_{\Delta x\to 0}\frac{f(0+\Delta x)-f(0)}{(0+\Delta x)-0}=\lim_{\Delta x\to 0}\frac{(2\Delta x+1)-1}{\Delta x}$

$=\lim_{\Delta x\to 0}2=\mathbf{2}$

(2) $f'(0)=\lim_{\Delta x\to 0}\frac{f(0+\Delta x)-f(0)}{(0+\Delta x)-0}$

$=\lim_{\Delta x\to 0}\frac{-(\Delta x)^2-4\Delta x}{\Delta x}$

$=\lim_{\Delta x\to 0}(-\Delta x-4)=\mathbf{-4}$

| 다른 풀이 |

(1) $f'(0)=\lim_{x\to 0}\frac{f(x)-f(0)}{x-0}$

$=\lim_{x\to 0}\frac{(2x+1)-1}{x}$

$=\lim_{x\to 0}2=2$

(2) $f'(0)=\lim_{x\to 0}\frac{f(x)-f(0)}{x-0}$

$=\lim_{x\to 0}\frac{(-x^2-4x)-0}{x}$

$=\lim_{x\to 0}(-x-4)=-4$

확인 문제

본문 | 56~64쪽

01-1 셀파 **함수 $y=f(x)$에서 x의 값이 0에서 2까지 변할 때의 평균변화율은 ⇨ $\frac{\Delta y}{\Delta x}=\frac{f(2)-f(0)}{2-0}$**

함수 $f(x)=ax^2-x+3$에서 x의 값이 0에서 2까지 변할 때의 평균변화율은

$\frac{\Delta y}{\Delta x}=\frac{f(2)-f(0)}{2-0}=\frac{(4a+1)-3}{2-0}=\frac{4a-2}{2}=2a-1$

이때 $2a-1=5$에서 $2a=6$ $\quad\therefore \boldsymbol{a=3}$

01-2 셀파 **직선 PQ의 기울기는 함수 $y=f(x)$에서 x의 값이 -1에서 3까지 변할 때의 평균변화율과 같다.**

함수 $y=f(x)$에서 x의 값이 -1에서 3까지 변할 때의 평균변화율이 2이므로

$\frac{\Delta y}{\Delta x}=\frac{f(3)-f(-1)}{3-(-1)}=2$ ……㉠

이때 두 점 $P(-1,\ f(-1))$, $Q(3,\ f(3))$을 지나는 직선 PQ의 기울기는 $\frac{f(3)-f(-1)}{3-(-1)}$이므로 ㉠에서 구하는 기울기는 **2**

셀파 특강 확인 체크 01

(1) $\frac{\Delta y}{\Delta x}=\frac{f(4)-f(2)}{4-2}=\frac{17-5}{2}=\frac{12}{2}=\mathbf{6}$

(2) $f'(2)=\lim_{\Delta x\to 0}\frac{f(2+\Delta x)-f(2)}{\Delta x}$

$=\lim_{\Delta x\to 0}\frac{\{(2+\Delta x)^2+1\}-5}{\Delta x}$

$=\lim_{\Delta x\to 0}\frac{(\Delta x)^2+4\Delta x}{\Delta x}$

$=\lim_{\Delta x\to 0}(\Delta x+4)=\mathbf{4}$

02-1 셀파 함수 $y=f(x)$에서 x의 값이 a에서 t까지 변할 때의 평균변화율 $g(t)$는 $g(t)=\frac{f(t)-f(a)}{t-a}$

$g(t)=\frac{f(t)-f(a)}{t-a}$이므로

$\lim_{t\to a}g(t)=\lim_{t\to a}\frac{f(t)-f(a)}{t-a}=f'(a)$

이때 $f'(a)=2$이므로 $\lim_{t\to a}g(t)=\mathbf{2}$

02-2 셀파 평균변화율과 순간변화율 $\lim_{\Delta x\to 0}\frac{f(c+\Delta x)-f(c)}{\Delta x}$가 같을 때의 상수 c의 값을 구한다.

함수 $y=f(x)$에서 x의 값이 1에서 3까지 변할 때의 평균변화율은

$\frac{f(3)-f(1)}{3-1}=\frac{13-3}{2}=5$

함수 $y=f(x)$의 $x=c$에서의 순간변화율은

$f'(c)=\lim_{\Delta x\to 0}\frac{f(c+\Delta x)-f(c)}{\Delta x}$

$=\lim_{\Delta x\to 0}\frac{\{(c+\Delta x)^2+(c+\Delta x)+1\}-(c^2+c+1)}{\Delta x}$

$=\lim_{\Delta x\to 0}\frac{(2c+1)\Delta x+(\Delta x)^2}{\Delta x}$

$=\lim_{\Delta x\to 0}\{(2c+1)+\Delta x\}=2c+1$

$2c+1=5$에서 $2c=4$ $\quad\therefore\ \mathbf{c=2}$

03-1 셀파 $f'(a)=\lim_{h\to 0}\frac{f(a+h)-f(a)}{h}=9$

함수 $f(x)=-x^3+6x^2+8$의 $x=a$에서의 미분계수 $f'(a)$는

$f'(a)=\lim_{h\to 0}\frac{f(a+h)-f(a)}{h}$

$=\lim_{h\to 0}\frac{\{-(a+h)^3+6(a+h)^2+8\}-(-a^3+6a^2+8)}{h}$

$=\lim_{h\to 0}\frac{-h^3-(3a-6)h^2-(3a^2-12a)h}{h}$

$=\lim_{h\to 0}\{-h^2-(3a-6)h-(3a^2-12a)\}$

$=-3a^2+12a$

이때 $f'(a)=9$이므로 $-3a^2+12a=9$에서

$3a^2-12a+9=0$, $3(a-1)(a-3)=0$

$\therefore$ $\mathbf{a=1}$ **또는** $\mathbf{a=3}$

03-2 셀파 곡선 $y=f(x)$ 위의 점 (a, b)에서의 접선의 기울기는 $x=a$에서의 미분계수 $f'(a)$와 같다.

$f(x)=2x^2-3$이라 하면 곡선 $y=2x^2-3$ 위의 점 $(3, 15)$에서의 접선의 기울기는 $x=3$에서의 미분계수 $f'(3)$과 같으므로

$f'(3)=\lim_{h\to 0}\frac{f(3+h)-f(3)}{h}$

$=\lim_{h\to 0}\frac{\{2(3+h)^2-3\}-15}{h}$

$=\lim_{h\to 0}\frac{h(2h+12)}{h}$

$=\lim_{h\to 0}(2h+12)=\mathbf{12}$

04-1 셀파 $\lim_{h\to 0}\frac{f(-1+2h)-f(-1)}{2h}$ 꼴로 변형한다.

$\lim_{h\to 0}\frac{f(-1+2h)-f(-1)}{3h}$

$=\lim_{h\to 0}\frac{f(-1+2h)-f(-1)}{2h}\times\frac{2}{3}$

$=f'(-1)\times\frac{2}{3}=6\times\frac{2}{3}=\mathbf{4}$

04-2 셀파 미분계수의 정의를 이용할 수 있도록 주어진 식을 변형한다.

$$\lim_{h\to0}\frac{f(1+3h)-f(1-h)}{h}$$
$$=\lim_{h\to0}\frac{f(1+3h)-f(1)+f(1)-f(1-h)}{h}$$
$$=\lim_{h\to0}\frac{f(1+3h)-f(1)}{h}-\lim_{h\to0}\frac{f(1-h)-f(1)}{h}$$
$$=\lim_{h\to0}\frac{f(1+3h)-f(1)}{3h}\times3-\lim_{h\to0}\frac{f(1-h)-f(1)}{-h}\times(-1)$$
$$=f'(1)\times3-f'(1)\times(-1)$$
$$=4f'(1)=4\times3=\mathbf{12}$$

집중 연습

본문 | 61 쪽

01 (1) $\lim_{h\to0}\frac{f(a+2h)-f(a)}{h}$
$$=\lim_{h\to0}\frac{f(a+2h)-f(a)}{2h}\times2$$
$$=2f'(a)=2\times2=\mathbf{4}$$

(2) $\lim_{h\to0}\frac{f(a-3h)-f(a)}{h}$
$$=\lim_{h\to0}\frac{f(a-3h)-f(a)}{-3h}\times(-3)$$
$$=-3f'(a)=-3\times2=\mathbf{-6}$$

(3) $\lim_{h\to0}\frac{f(a+3h)-f(a)}{2h}$
$$=\lim_{h\to0}\frac{f(a+3h)-f(a)}{3h}\times\frac{3}{2}$$
$$=\frac{3}{2}f'(a)=\frac{3}{2}\times2=\mathbf{3}$$

(4) $\lim_{h\to0}\frac{f(a+h)-f(a-h)}{h}$
$$=\lim_{h\to0}\frac{f(a+h)-f(a)+f(a)-f(a-h)}{h}$$
$$=\lim_{h\to0}\frac{f(a+h)-f(a)}{h}-\lim_{h\to0}\frac{f(a-h)-f(a)}{-h}\times(-1)$$
$$=f'(a)+f'(a)$$
$$=2f'(a)=2\times2=\mathbf{4}$$

02 (1) $\lim_{h\to0}\frac{f(3+3h)-f(3)}{h}$
$$=\lim_{h\to0}\frac{f(3+3h)-f(3)}{3h}\times3$$
$$=3f'(3)=3\times1=\mathbf{3}$$

(2) $\lim_{h\to0}\frac{f(3-2h)-f(3)}{3h}$
$$=\lim_{h\to0}\frac{f(3-2h)-f(3)}{-2h}\times\left(-\frac{2}{3}\right)$$
$$=-\frac{2}{3}f'(3)=-\frac{2}{3}\times1=\mathbf{-\frac{2}{3}}$$

(3) $\lim_{h\to0}\frac{h}{f(3+3h)-f(3)}$
$$=\lim_{h\to0}\frac{1}{\frac{f(3+3h)-f(3)}{h}}$$
$$=\lim_{h\to0}\frac{1}{\frac{f(3+3h)-f(3)}{3h}\times3}$$
$$=\frac{1}{3f'(3)}=\frac{1}{3\times1}=\mathbf{\frac{1}{3}}$$

(4) $\lim_{h\to0}\frac{f(3+2h)-f(3-h)}{h}$
$$=\lim_{h\to0}\frac{f(3+2h)-f(3)+f(3)-f(3-h)}{h}$$
$$=\lim_{h\to0}\frac{f(3+2h)-f(3)}{2h}\times2-\frac{f(3-h)-f(3)}{-h}\times(-1)$$
$$=2f'(3)+f'(3)=3f'(3)=3\times1=\mathbf{3}$$

05-1 셀파 주어진 식을 변형하여 $\lim_{x\to1}\frac{f(x)-f(1)}{x-1}=f'(1)$을 이용한다.

(1) $\lim_{x\to1}\frac{f(1)-f(x)}{x-1}=-\lim_{x\to1}\frac{f(x)-f(1)}{x-1}$
$$=-f'(1)=\mathbf{-3}$$

(2) $\lim_{x\to1}\frac{f(x^3)-f(1)}{x-1}=\lim_{x\to1}\left\{\frac{f(x^3)-f(1)}{x^3-1}\times(x^2+x+1)\right\}$
$$=f'(1)\times\lim_{x\to1}(x^2+x+1)$$
$$=3\times3=\mathbf{9}$$

(3) $\lim_{x\to 1}\frac{f(x)-f(1)}{x^2-1}=\lim_{x\to 1}\left\{\frac{f(x)-f(1)}{x-1}\times\frac{1}{x+1}\right\}$

$=f'(1)\times\lim_{x\to 1}\frac{1}{x+1}$

$=3\times\frac{1}{2}=\mathbf{\frac{3}{2}}$

(4) $\lim_{x\to 1}\frac{x^3-1}{f(x)-f(1)}$

$=\lim_{x\to 1}\left\{\frac{x-1}{f(x)-f(1)}\times(x^2+x+1)\right\}$

$=\lim_{x\to 1}\frac{1}{\frac{f(x)-f(1)}{x-1}}\times\lim_{x\to 1}(x^2+x+1)$

$=\frac{1}{f'(1)}\times 3=\frac{1}{3}\times 3=\mathbf{1}$

집중 연습

본문 | 63 쪽

01 (1) $\lim_{x\to 2}\frac{f(x)-f(2)}{x-2}=f'(2)=\mathbf{2}$

(2) $\lim_{x\to 2}\frac{f(x^2)-f(4)}{x-2}$

$=\lim_{x\to 2}\left\{\frac{f(x^2)-f(4)}{x^2-4}\times(x+2)\right\}$

$=f'(4)\times\lim_{x\to 2}(x+2)$

$=1\times 4=\mathbf{4}$

(3) $\lim_{x\to 2}\frac{f(x)-f(2)}{x^2-4}=\lim_{x\to 2}\left\{\frac{f(x)-f(2)}{x-2}\times\frac{1}{x+2}\right\}$

$=f'(2)\times\lim_{x\to 2}\frac{1}{x+2}$

$=2\times\frac{1}{4}=\mathbf{\frac{1}{2}}$

(4) $\lim_{x\to 2}\frac{x^3-8}{f(x)-f(2)}$

$=\lim_{x\to 2}\left\{\frac{x-2}{f(x)-f(2)}\times(x^2+2x+4)\right\}$

$=\lim_{x\to 2}\frac{1}{\frac{f(x)-f(2)}{x-2}}\times\lim_{x\to 2}(x^2+2x+4)$

$=\frac{1}{f'(2)}\times 12=\frac{1}{2}\times 12=\mathbf{6}$

02 (1) $\lim_{x\to 3}\frac{f(x)-f(3)}{x-3}=f'(3)=\mathbf{2}$

(2) $\lim_{x\to 3}\frac{f(x)-f(3)}{x^2-9}=\lim_{x\to 3}\left\{\frac{f(x)-f(3)}{x-3}\times\frac{1}{x+3}\right\}$

$=f'(3)\times\lim_{x\to 3}\frac{1}{x+3}$

$=2\times\frac{1}{6}=\mathbf{\frac{1}{3}}$

(3) $\lim_{x\to 3}\frac{3f(x)-xf(3)}{x-3}$

$=\lim_{x\to 3}\frac{3f(x)-3f(3)+3f(3)-xf(3)}{x-3}$

$=\lim_{x\to 3}\frac{3\{f(x)-f(3)\}-(x-3)f(3)}{x-3}$

$=\lim_{x\to 3}\frac{3\{f(x)-f(3)\}}{x-3}-\lim_{x\to 3}\frac{(x-3)f(3)}{x-3}$

$=3f'(3)-f(3)$

$=3\times 2-3=\mathbf{3}$

(4) $\lim_{x\to 3}\frac{x^2f(3)-9f(x)}{x-3}$

$=\lim_{x\to 3}\frac{x^2f(3)-9f(3)+9f(3)-9f(x)}{x-3}$

$=\lim_{x\to 3}\frac{(x^2-9)f(3)}{x-3}-9\lim_{x\to 3}\frac{f(x)-f(3)}{x-3}$

$=f(3)\lim_{x\to 3}(x+3)-9f'(3)$

$=3\times 6-9\times 2=\mathbf{0}$

06-1 셀파 함수 $y=f(x)$의 $x=0$에서의 미분계수가 존재하면 $f(x)$는 $x=0$에서 미분가능하다.

(1) 함수 $f(x)=\begin{cases}\frac{x^2-1}{x+1} & (x\ge 0)\\ -1 & (x<0)\end{cases}=\begin{cases}x-1 & (x\ge 0)\\ -1 & (x<0)\end{cases}$에서

(i) $f(0)=-1$이고

$\lim_{x\to 0+}(x-1)=\lim_{x\to 0-}(-1)=-1$에서

$\lim_{x\to 0}f(x)=-1$이므로 $\lim_{x\to 0}f(x)=f(0)$

따라서 함수 $f(x)$는 $x=0$에서 연속이다.

(ii) $\lim_{h\to 0-}\frac{f(0+h)-f(0)}{h}=\lim_{h\to 0-}\frac{(-1)-(-1)}{h}=0$

$\lim_{h\to 0+}\frac{f(0+h)-f(0)}{h}=\lim_{h\to 0+}\frac{(h-1)-(-1)}{h}=1$

따라서 $\lim_{h\to 0}\frac{f(0+h)-f(0)}{h}$이 존재하지 않으므로

함수 $f(x)$는 $x=0$에서 미분가능하지 않다.

(i), (ii)에서 함수 $f(x)$는 $x=0$에서 연속이지만 미분가능하지 않다.

(2) (i) $f(0)=0$이고

$\lim_{x\to 0}f(x)=\lim_{x\to 0}(x+|x|)=0$

이므로 $\lim_{x\to 0}f(x)=f(0)$

따라서 함수 $f(x)$는 $x=0$에서 연속이다.

(ii) $\lim_{h\to 0-}\frac{f(0+h)-f(0)}{h}=\lim_{h\to 0-}\frac{h+|h|}{h}$

$=\lim_{h\to 0-}\frac{h+(-h)}{h}=0$

$\lim_{h\to 0+}\frac{f(0+h)-f(0)}{h}=\lim_{h\to 0+}\frac{h+|h|}{h}$

$=\lim_{h\to 0+}\frac{h+h}{h}=2$

따라서 $\lim_{h\to 0}\frac{f(0+h)-f(0)}{h}$이 존재하지 않으므로

함수 $f(x)$는 $x=0$에서 미분가능하지 않다.

(i), (ii)에서 함수 $f(x)$는 $x=0$에서 연속이지만 미분가능하지 않다.

LECTURE 미분가능하면 연속이다.

함수 $y=f(x)$가 $x=a$에서 미분가능하면

$f'(a)=\lim_{x\to a}\frac{f(x)-f(a)}{x-a}$

의 값이 존재한다.

이때 $x\to a$이면 분모의 극한값이 0이므로 분자의 극한값도 0이어야 한다. 즉,

$$\lim_{x\to a}\{f(x)-f(a)\}=\lim_{x\to a}\frac{f(x)-f(a)}{x-a}\times(x-a)$$

$$=\lim_{x\to a}\frac{f(x)-f(a)}{x-a}\times\lim_{x\to a}(x-a)$$

$$=f'(a)\times 0=0$$

$\lim_{x\to a}\{f(x)-f(a)\}=0$에서 $\lim_{x\to a}f(x)=f(a)$이므로 함수 $y=f(x)$는 $x=a$에서 연속이다.

일반적으로 함수 $y=f(x)$가 어떤 구간에서 미분가능하면 $f(x)$는 그 구간에서 연속이다.

셀파 특강 확인 체크 02

ㄱ. 주어진 그래프는 $x=a$에서 불연속이므로 이 점에서 함수 $f(x)$는 미분가능하지 않다.

ㄴ. 주어진 그래프는 $x=-a$, $x=a$에서 연속이지만 뾰족하므로 이 점에서 함수 $f(x)$는 미분가능하지 않다.

ㄷ. 주어진 그래프는 $x=0$에서 뾰족하지만 $x=a$에서는 뾰족한 부분이 없으므로 이 점에서 함수 $f(x)$는 미분가능하다.

즉, $x=a$에서 미분가능하다.

따라서 $x=a$에서 미분가능한 것은 ㄷ이다.

연습 문제

본문 | 66~67 쪽

01 셀파 **함수 $y=f(x)$에서 x의 값이 1에서 3까지 변할 때의 평균변화율은 $\frac{\Delta y}{\Delta x}=\frac{f(3)-f(1)}{3-1}$이다.**

(1) $\frac{\Delta y}{\Delta x}=\frac{f(3)-f(1)}{3-1}=\frac{5-3}{2}=\mathbf{1}$

(2) $\frac{\Delta y}{\Delta x}=\frac{f(3)-f(1)}{3-1}=\frac{-13-3}{2}=\mathbf{-8}$

02 셀파 **함수 $y=f(x)$에서 x의 값이 1에서 $1+\Delta x$까지 변할 때의 평균변화율은 $\frac{\Delta y}{\Delta x}=\frac{f(1+\Delta x)-f(1)}{\Delta x}$이다.**

(1) $\frac{\Delta y}{\Delta x}=\frac{(2-\Delta x)-2}{(1+\Delta x)-1}=\frac{-\Delta x}{\Delta x}=\mathbf{-1}$

(2) $\frac{\Delta y}{\Delta x}=\frac{\{(\Delta x)^2-1\}-(-1)}{(1+\Delta x)-1}=\frac{(\Delta x)^2}{\Delta x}=\boldsymbol{\Delta x}$

03 셀파 **함수 $y=f(x)$에서 x의 값이 a에서 b까지 변할 때의 평균변화율 $\frac{f(b)-f(a)}{b-a}$는 함수 $y=f(x)$의 그래프 위의 두 점 $(a, f(a))$, $(b, f(b))$를 지나는 직선의 기울기와 같다.**

ㄱ. 두 점 $(a, f(a))$, $(b, f(b))$에서

$f(b)-f(a)<b-a$이므로 $\frac{f(b)-f(a)}{b-a}<1$이다. (거짓)

ㄴ. 함수 $y=f(x)$의 그래프가 위로 볼록하고 $a<b$이므로

$\frac{f(a)}{a}>\frac{f(b)}{b}$이다. (거짓)

ㄷ. 함수 $y=f(x)$에서 x의 값이 a에서 b까지 변할 때의 평균변화율은 $\frac{f(b)-f(a)}{b-a}$이므로 1보다 작다. (참)

따라서 보기의 설명 중 옳은 것은 ㄷ이다.

| 참고 |

$\frac{f(a)}{a}$를 $\frac{f(a)-0}{a-0}$으로 생각하면 두 점 $(0, 0)$, $(a, f(a))$를 지나는 직선의 기울기를 나타낸다.

04 셀파 함수 $y=f(x)$의 $x=a$에서의 미분계수 $f'(a)$는

$$f'(a)=\lim_{h\to 0}\frac{f(a+h)-f(a)}{h}$$

함수 $f(x)=x^3$의 $x=2$에서의 미분계수 $f'(2)$는

$$\begin{aligned}f'(2)&=\lim_{h\to 0}\frac{f(2+h)-f(2)}{h}\\&=\lim_{h\to 0}\frac{(2+h)^3-2^3}{h}\\&=\lim_{h\to 0}\frac{12h+6h^2+h^3}{h}\\&=\lim_{h\to 0}(12+6h+h^2)=\mathbf{12}\end{aligned}$$

05 셀파 순간변화율은 그 점에서의 접선의 기울기와 같다.

다음 그림과 같이 세 점 P, Q, R를 잡자.

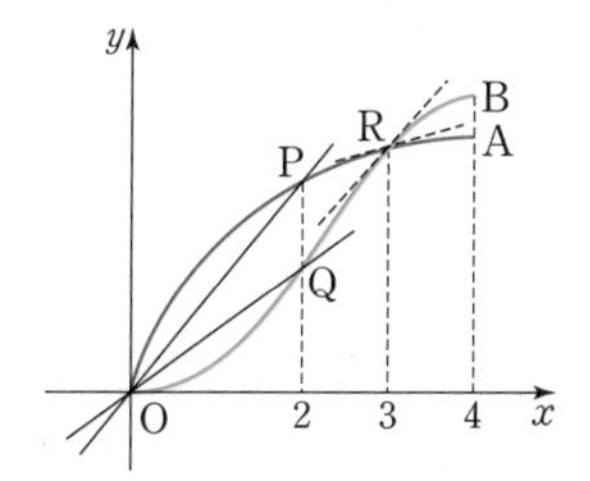

(1) (직선 OQ의 기울기)<(직선 OP의 기울기)이므로 출발 후 2시간 동안 달린 거리의 평균변화율이 더 큰 자동차는 **A**

(2) 점 R에서의 접선의 기울기는 자동차 B의 그래프가 더 크므로 출발한 지 3시간이 되는 순간 달린 거리의 순간변화율이 더 큰 자동차는 **B**

06 셀파 $\frac{f(b)-f(a)}{b-a}=\lim_{h\to 0}\frac{f(1+h)-f(1)}{h}$

㉮ 함수 $f(x)=x^2-2x$에서 x의 값이 a에서 b까지 변할 때의 평균변화율은

$$\begin{aligned}\frac{f(b)-f(a)}{b-a}&=\frac{(b^2-2b)-(a^2-2a)}{b-a}\\&=\frac{b^2-a^2-2b+2a}{b-a}\\&=\frac{(b+a)(b-a)-2(b-a)}{b-a}\\&=\frac{(b-a)(b+a-2)}{b-a}\\&=b+a-2 \quad \cdots\cdots ㉠\end{aligned}$$

㉯ $x=1$에서의 순간변화율은

$$\begin{aligned}f'(1)&=\lim_{h\to 0}\frac{f(1+h)-f(1)}{h}\\&=\lim_{h\to 0}\frac{(1+h)^2-2(1+h)-(-1)}{h}\\&=\lim_{h\to 0}\frac{h^2}{h}=\lim_{h\to 0}h=0 \quad \cdots\cdots ㉡\end{aligned}$$

㉰ 주어진 조건에서 ㉠=㉡이므로 $b+a-2=0$

$\therefore \boldsymbol{a+b=2}$

채점 기준	배점
㉮ x의 값이 a에서 b까지 변할 때의 평균변화율을 구한다.	40%
㉯ $x=1$에서의 순간변화율을 구한다.	40%
㉰ 상수 a, b의 합 $a+b$의 값을 구한다.	20%

07 셀파 $\lim_{h\to 0}\frac{f(1-3h)-f(1)}{-3h}=f'(1)$

$$\begin{aligned}\lim_{h\to 0}\frac{f(1-3h)-f(1)}{2h}&=\lim_{h\to 0}\frac{f(1-3h)-f(1)}{-3h}\times\left(-\frac{3}{2}\right)\\&=-\frac{3}{2}f'(1)=-\frac{3}{2}\times 2=\mathbf{-3}\end{aligned}$$

08 셀파 $\lim_{x\to 1}\frac{f(x)-f(1)}{x-1}=f'(1)$

$f(1)=3$이므로

$$\begin{aligned}\lim_{x\to 1}\frac{f(x)-3}{x-1}&=\lim_{x\to 1}\frac{f(x)-f(1)}{x-1}\\&=f'(1)=\mathbf{4}\end{aligned}$$

09 셀파 $\lim_{x\to-2}\frac{f(x^2)-f(4)}{x^2-4}=f'(4)$

$$\lim_{x\to-2}\frac{f(x^2)-f(4)}{f(x)-f(-2)}$$
$$=\lim_{x\to-2}\left\{\frac{f(x^2)-f(4)}{x^2-4}\times\frac{x-(-2)}{f(x)-(-2)}\times\frac{x^2-4}{x+2}\right\}$$
$$=f'(4)\times\frac{1}{f'(-2)}\times\lim_{x\to-2}(x-2)$$
$$=-6\times\frac{1}{3}\times(-4)=\mathbf{8}$$

10 셀파 $\lim_{h\to0}\frac{f(a+mh)-f(a-nh)}{h}=(m+n)f'(a)$

$$\lim_{h\to0}\frac{f(2+mh)-f(2-nh)}{h}$$
$$=\lim_{h\to0}\frac{f(2+mh)-f(2)+f(2)-f(2-nh)}{h}$$
$$=\lim_{h\to0}\frac{f(2+mh)-f(2)}{h}-\lim_{h\to0}\frac{f(2-nh)-f(2)}{h}$$
$$=\lim_{h\to0}\frac{f(2+mh)-f(2)}{mh}\times m-\lim_{h\to0}\frac{f(2-nh)-f(2)}{-nh}\times(-n)$$
$$=mf'(2)-(-n)f'(2)=(m+n)f'(2)$$

이때 주어진 조건에서 $(m+n)f'(2)=6$이고 $f'(2)=3$이므로

$3(m+n)=6\qquad\therefore\ \boldsymbol{m+n=2}$

셀파 세미나 미분계수를 이용한 극한값의 계산

❶ 분모의 항이 1개인 경우

$$\lim_{h\to0}\frac{f(a+kh)-f(a)}{h}=\lim_{h\to0}\frac{f(a+kh)-f(a)}{kh}\times k$$
$$=\lim_{kh\to0}\frac{f(a+kh)-f(a)}{kh}\times k$$
$$=kf'(a)$$

⇨ $f'(a)=\lim_{■\to0}\frac{f(a+■)-f(a)}{■}$에서 ■가 모두 같아지도록 식을 변형한다.

❷ 분모의 항이 2개인 경우

$$\lim_{x\to a}\frac{f(x^2)-f(a^2)}{x-a}=\lim_{x\to a}\left\{\frac{f(x^2)-f(a^2)}{(x-a)(x+a)}\times(x+a)\right\}$$
$$=\lim_{x\to a}\frac{f(x^2)-f(a^2)}{x^2-a^2}\times\lim_{x\to a}(x+a)$$
$$=\lim_{x^2\to a^2}\frac{f(x^2)-f(a^2)}{x^2-a^2}\times\lim_{x\to a}(x+a)$$
$$=2af'(a^2)$$

⇨ $f'(●)=\lim_{▲\to●}\frac{f(▲)-f(●)}{▲-●}$에서 ▲는 ▲끼리, ●는 ●끼리 서로 같아지도록 식을 변형한다.

11 셀파 $\frac{f^{-1}(7)-f^{-1}(5)}{7-5}$를 구한다.

$g(x)$는 $f(x)$의 역함수이므로 $g(x)=f^{-1}(x)$

함수 $y=g(x)$에서 x의 값이 5에서 7까지 변할 때의 평균변화율은

$$\frac{g(7)-g(5)}{7-5}=\frac{f^{-1}(7)-f^{-1}(5)}{2}$$

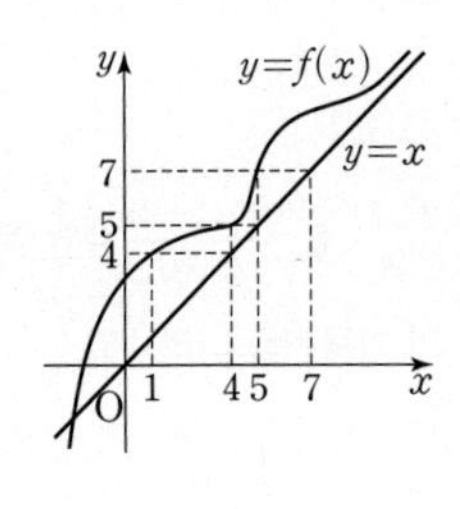

오른쪽 그림에서 $f(5)=7$이므로

$f^{-1}(7)=5$

또 $f(4)=5$이므로

$f^{-1}(5)=4$

따라서 구하는 평균변화율은

$$\frac{f^{-1}(7)-f^{-1}(5)}{2}=\frac{5-4}{2}=\mathbf{\frac{1}{2}}$$

| 참고 |

함수 $f(x)$의 역함수를 $f^{-1}(x)$라 할 때

$f(a)=b$이면 $f^{-1}(b)=a$

12 셀파 $\lim_{x\to1}\frac{f(x)-f(1)}{x-1}$ 꼴로 변형한다.

$f(1)=2$, $f'(1)=-1$이므로

$$\lim_{x\to1}\frac{f(x)-xf(1)}{x^2+x-2}$$
$$=\lim_{x\to1}\frac{f(x)-f(1)+f(1)-xf(1)}{(x+2)(x-1)}$$
$$=\left\{\lim_{x\to1}\frac{f(x)-f(1)}{x-1}-\lim_{x\to1}\frac{(x-1)f(1)}{x-1}\right\}\times\lim_{x\to1}\frac{1}{x+2}$$
$$=\{f'(1)-f(1)\}\times\frac{1}{3}$$
$$=(-1-2)\times\frac{1}{3}=\mathbf{-1}$$

13 셀파 그래프가 뾰족한 점에서는 미분가능하지 않다.

ㄱ. 주어진 그래프는 $x=2$에서만 끊어져 있으므로 불연속인 점은 1개이다. (참)

ㄴ. 주어진 그래프는 $x=1$에서 뾰족하므로 접선을 그을 수 없다. 즉, 미분가능하지 않다. (참)

ㄷ. ㄴ에서 $f'(1)$의 값이 존재하지 않으므로 $f'(x)$는 $x=1$에서 연속이 아니다. (거짓)

따라서 보기의 설명 중 옳은 것은 ㄱ, ㄴ이다.

4. 도함수

개념 익히기

본문 | 71 쪽

1-1 (1) $f'(x)=\lim_{\Delta x\to 0}\frac{f(x+\Delta x)-f(x)}{\Delta x}$

$=\lim_{\Delta x\to 0}\frac{(x+\Delta x+1)-(x+1)}{\Delta x}$

$=\lim_{\Delta x\to 0}\frac{\boxed{\Delta x}}{\Delta x}=\boxed{1}$

이때 $f'(1)=1$

(2) $f'(x)=\lim_{\Delta x\to 0}\frac{f(x+\Delta x)-f(x)}{\Delta x}$

$=\lim_{\Delta x\to 0}\frac{\{2(x+\Delta x)^2-3\}-(2x^2-3)}{\Delta x}$

$=\lim_{\Delta x\to 0}\frac{4x\Delta x+2(\Delta x)^2}{\Delta x}$

$=\lim_{\Delta x\to 0}(\boxed{4x}+2\Delta x)=4x$

이때 $f'(1)=4\times 1=4$

1-2 (1) $f'(x)=\lim_{\Delta x\to 0}\frac{f(x+\Delta x)-f(x)}{\Delta x}=\lim_{\Delta x\to 0}\frac{3-3}{\Delta x}=0$

이때 $f'(2)=0$

(2) $f'(x)=\lim_{\Delta x\to 0}\frac{f(x+\Delta x)-f(x)}{\Delta x}$

$=\lim_{\Delta x\to 0}\frac{\{(x+\Delta x)^2+3(x+\Delta x)\}-(x^2+3x)}{\Delta x}$

$=\lim_{\Delta x\to 0}\frac{(\Delta x)^2+(2x+3)\Delta x}{\Delta x}$

$=\lim_{\Delta x\to 0}(\Delta x+2x+3)=2x+3$

이때 $f'(2)=2\times 2+3=7$

2-1 (1) $f'(x)=(4x+1)'=(4x)'+(1)'=4$

(2) $f'(x)=(-3x+7)'=(-3x)'+(7)'=\boxed{-3}$

(3) $f'(x)=(2x^2+4x-3)'=(2x^2)'+(4x)'-(3)'$

$=\boxed{4x}+4$

(4) $f'(x)=(-x^3+7x)'=(-x^3)'+(7x)'=-3x^2+7$

2-2 (1) $f'(x)=(2)'=0$

(2) $f'(x)=(x-1)'=(x)'-(1)'=1$

(3) $f'(x)=(x^2+x)'=(x^2)'+(x)'=2x+1$

(4) $f'(x)=(x^3-2x)'=(x^3)'-(2x)'=3x^2-2$

확인 문제

본문 | 72~81 쪽

01-1 셀파 (2) $x>0$일 때와 $x<0$일 때로 나누어 구한다.

(1) $f'(x)=\lim_{h\to 0}\frac{f(x+h)-f(x)}{h}$

$=\lim_{h\to 0}\frac{\{(x+h)^3-(x+h)^2+6(x+h)\}-(x^3-x^2+6x)}{h}$

$=\lim_{h\to 0}\frac{h^3+(3x-1)h^2+(3x^2-2x+6)h}{h}$

$=\lim_{h\to 0}\{h^2+(3x-1)h+3x^2-2x+6\}$

$=3x^2-2x+6$

(2) $f'(x)=\lim_{h\to 0}\frac{f(x+h)-f(x)}{h}=\lim_{h\to 0}\frac{|x+h|-|x|}{h}$

(i) $x>0$일 때, $f(x)=x$이므로

$f'(x)=\lim_{h\to 0}\frac{(x+h)-x}{h}=\lim_{h\to 0}\frac{h}{h}=1$

(ii) $x<0$일 때, $f(x)=-x$이므로

$f'(x)=\lim_{h\to 0}\frac{-(x+h)+x}{h}=\lim_{h\to 0}\frac{-h}{h}=-1$

(i), (ii)에서 $f'(x)=\begin{cases}1 & (x>0)\\ -1 & (x<0)\end{cases}$

01-2 셀파 $g(x)=\{f(x)\}^2$으로 놓고

$g'(x)=\lim_{h\to 0}\frac{g(x+h)-g(x)}{h}$를 구한다.

$g(x)=\{f(x)\}^2$이라 하면

$g'(x)=\lim_{h\to 0}\frac{g(x+h)-g(x)}{h}$

$=\lim_{h\to 0}\frac{\{f(x+h)\}^2-\{f(x)\}^2}{h}$

$=\lim_{h\to 0}\frac{\{f(x+h)+f(x)\}\{f(x+h)-f(x)\}}{h}$

$=\lim_{h\to 0}\{f(x+h)+f(x)\}\times\lim_{h\to 0}\frac{f(x+h)-f(x)}{h}$

$=2f(x)f'(x)$

02-1 셀파 $f(0)=0$, $f(1+h)=f(1)+f(h)+2h$를 이용한다.

$f(x+y)=f(x)+f(y)+2xy$에 $x=0$, $y=0$을 대입하면

$f(0)=f(0)+f(0)+0$에서 $f(0)=0$

$$\therefore f'(1)=\lim_{h\to0}\frac{f(1+h)-f(1)}{h}$$
$$=\lim_{h\to0}\frac{f(1)+f(h)+2h-f(1)}{h}$$
$$=\lim_{h\to0}\frac{f(h)+2h}{h}$$
$$=\lim_{h\to0}\frac{f(h)}{h}+2$$
$$=\lim_{h\to0}\frac{f(h)-f(0)}{h}+2\ (\because f(0)=0)$$
$$=f'(0)+2=\mathbf{2}$$

02-2 셀파 $f(0)=-1$, $f(x+h)=f(x)+f(h)+1$을 이용한다.

$f(x+y)=f(x)+f(y)+1$에 $x=0$, $y=0$을 대입하면

$f(0)=f(0)+f(0)+1$에서 $f(0)=-1$

$$\therefore f'(x)=\lim_{h\to0}\frac{f(x+h)-f(x)}{h}$$
$$=\lim_{h\to0}\frac{f(x)+f(h)+1-f(x)}{h}$$
$$=\lim_{h\to0}\frac{f(h)+1}{h}$$
$$=\lim_{h\to0}\frac{f(h)-f(0)}{h}\ (\because f(0)=-1)$$
$$=f'(0)=\mathbf{-2}$$

03-1 셀파 $x=2$에서의 미분계수는 도함수에 $x=2$를 대입하여 구한다.

(1) $\{f(x)+g(x)\}'=f'(x)+g'(x)$이므로

$x=2$에서의 미분계수는

$f'(2)+g'(2)=-1+3=\mathbf{2}$

(2) $\{f(x)-g(x)\}'=f'(x)-g'(x)$이므로

$x=2$에서의 미분계수는

$f'(2)-g'(2)=-1-3=\mathbf{-4}$

(3) $\{3f(x)-2g(x)\}'=3f'(x)-2g'(x)$이므로

$x=2$에서의 미분계수는

$3f'(2)-2g'(2)=3\times(-1)-2\times3=\mathbf{-9}$

03-2 셀파 $(x^n)'=nx^{n-1}$, $\{f(x)+g(x)\}'=f'(x)+g'(x)$

$f(x)=1+x+x^2+x^3+\cdots+x^{100}$에서

$f'(x)=1+2x+3x^2+\cdots+100x^{99}$

$$\therefore f'(1)=1+2+3+\cdots+100$$
$$=\frac{100\times(100+1)}{2}=\mathbf{5050}$$

04-1 셀파 $f(5)=130$이므로 주어진 식을 변형한다.

$f(x)=x^3+x$에서 $f(5)=5^3+5=130$이므로

$$\lim_{h\to0}\frac{f(5+h)-130}{h}=\lim_{h\to0}\frac{f(5+h)-f(5)}{h}=f'(5)$$

이때 $f'(x)=3x^2+1$이므로 구하는 값은

$f'(5)=3\times5^2+1=\mathbf{76}$

04-2 셀파 $f(x)=x^4-x^3-x$로 놓고 미분계수의 정의를 이용한다.

$f(x)=x^4-x^3-x$로 놓으면

$f(2)=16-8-2=6$이므로

$$\lim_{x\to2}\frac{x^4-x^3-x-6}{x-2}=\lim_{x\to2}\frac{f(x)-f(2)}{x-2}=f'(2)$$

이때 $f'(x)=4x^3-3x^2-1$이므로 구하는 값은

$f'(2)=4\times8-3\times4-1=\mathbf{19}$

05-1 셀파 $f'(x)=a(x^2)'+b(x)'+(c)'=2ax+b$

$f(x)=ax^2+bx+c$에서 $f'(x)=2ax+b$

$f(2)=6$에서 $4a+2b+c=6$ ……㉠

$f'(0)=2$에서 $b=2$ ……㉡

$f'(1)=4$에서 $2a+b=4$ ……㉢

㉠, ㉡, ㉢을 연립하여 풀면 $\boldsymbol{a=1,\ b=2,\ c=-2}$

05-2 셀파 $f'(2)=14$, $\frac{1}{2}f'(1)=-2$이다.

$f(x)=x^4+ax^2+bx$에서 $f'(x)=4x^3+2ax+b$

$\lim_{x\to2}\frac{f(x)-f(2)}{x-2}=14$에서 $f'(2)=14$

$f'(2)=32+4a+b=14$ $\quad\therefore 4a+b=-18$ ……㉠

$$\lim_{x\to1}\frac{f(x)-f(1)}{x^2-1}=\lim_{x\to1}\frac{f(x)-f(1)}{x-1}\times\lim_{x\to1}\frac{1}{x+1}$$
$$=\frac{1}{2}f'(1)$$

$\frac{1}{2}f'(1)=-2$에서 $f'(1)=-4$

$f'(1)=4+2a+b=-4$ $\quad\therefore 2a+b=-8$ ……㉡

㉠, ㉡을 연립하여 풀면 $\boldsymbol{a=-5,\ b=2}$

01 (1) $y'=(x^2+2)'(2x-1)+(x^2+2)(2x-1)'$
$=2x(2x-1)+(x^2+2)\times 2$
$=(4x^2-2x)+(2x^2+4)$
$=\mathbf{6x^2-2x+4}$

(2) $y'=(x^2+1)'(x^3-x)+(x^2+1)(x^3-x)'$
$=2x(x^3-x)+(x^2+1)(3x^2-1)$
$=(2x^4-2x^2)+(3x^4-x^2+3x^2-1)$
$=\mathbf{5x^4-1}$

(3) $y'=(3x^2+4x-1)'(x^2+x-2)$
$+(3x^2+4x-1)(x^2+x-2)'$
$=(6x+4)(x^2+x-2)+(3x^2+4x-1)(2x+1)$
$=(6x^3+10x^2-8x-8)+(6x^3+11x^2+2x-1)$
$=\mathbf{12x^3+21x^2-6x-9}$

(4) $y'=(x)'(x+2)(x-1)+x(x+2)'(x-1)$
$+x(x+2)(x-1)'$
$=(x+2)(x-1)+x(x-1)+x(x+2)$
$=(x^2+x-2)+(x^2-x)+(x^2+2x)$
$=\mathbf{3x^2+2x-2}$

(5) $y'=\{(2x+1)^3\}'=3(2x+1)^2(2x+1)'$
$=3(2x+1)^2\times 2$
$=\mathbf{6(2x+1)^2}$

(6) $y'=3(x^2+2x-1)^2(x^2+2x-1)'$
$=3(x^2+2x-1)^2(2x+2)$
$=\mathbf{6(x^2+2x-1)^2(x+1)}$

(7) $y'=\{(x+3)^3\}'(3-2x)^5+(x+3)^3\{(3-2x)^5\}'$
$=3(x+3)^2(x+3)'(3-2x)^5$
$+(x+3)^3\times 5(3-2x)^4(3-2x)'$
$=3(x+3)^2(3-2x)^5-10(x+3)^3(3-2x)^4$
$=(x+3)^2(3-2x)^4\{3(3-2x)-10(x+3)\}$
$=(x+3)^2(3-2x)^4(-16x-21)$
$=\mathbf{-(x+3)^2(3-2x)^4(16x+21)}$

(8) $y'=\{(2x+1)^3\}'(x-1)^4+(2x+1)^3\{(x-1)^4\}'$
$=3(2x+1)^2(2x+1)'(x-1)^4$
$+(2x+1)^3\times 4(x-1)^3(x-1)'$
$=6(2x+1)^2(x-1)^4+4(2x+1)^3(x-1)^3$
$=2(2x+1)^2(x-1)^3\{3(x-1)+2(2x+1)\}$
$=\mathbf{2(2x+1)^2(x-1)^3(7x-1)}$

| 다른 풀이 |
식을 전개하기 쉬운 경우 다음과 같이 직접 전개하여 도함수를 구해도 된다.
(2) $y=(x^2+1)(x^3-x)$
$=x^5-x^3+x^3-x=x^5-x$
$\therefore y'=5x^4-1$
(4) $y=x(x+2)(x-1)$
$=x(x^2+x-2)=x^3+x^2-2x$
$\therefore y'=3x^2+2x-2$
(5) $y=(2x+1)^3$
$=8x^3+12x^2+6x+1$
$\therefore y'=24x^2+24x+6$

| 참고 |
(6) $y=(x^2+2x-1)^3$과 같이 전개하기가 복잡한 경우에는 곱의 미분법 응용 공식을 이용하는 것이 더 편리하다.

셀파 세미나 함수의 곱의 미분법

❶ 미분가능한 세 함수 $f(x)$, $g(x)$, $h(x)$에 대하여 다음이 성립한다.
$\{f(x)g(x)h(x)\}'=f'(x)g(x)h(x)+f(x)g'(x)h(x)+f(x)g(x)h'(x)$

해설 $\{f(x)g(x)h(x)\}'$
$=\{f(x)g(x)\}'h(x)+\{f(x)g(x)\}h'(x)$
$=\{f'(x)g(x)+f(x)g'(x)\}h(x)+f(x)g(x)h'(x)$
$=f'(x)g(x)h(x)+f(x)g'(x)h(x)+f(x)g(x)h'(x)$

❷ n이 자연수일 때, $y=\{f(x)\}^n$이면
⇨ $y'=n\{f(x)\}^{n-1}f'(x)$
해설 $y=\{f(x)\}^n$의 도함수를 추정해 보자.
(i) $y=\{f(x)\}^2=f(x)f(x)$일 때
$y'=f'(x)f(x)+f(x)f'(x)=2f(x)f'(x)$
(ii) $y=\{f(x)\}^3=\{f(x)\}^2f(x)$일 때
$y'=[\{f(x)\}^2]'f(x)+\{f(x)\}^2f'(x)$
$=2f(x)f'(x)f(x)+\{f(x)\}^2f'(x)$
$=2\{f(x)\}^2f'(x)+\{f(x)\}^2f'(x)$
$=3\{f(x)\}^2f'(x)$
⋮
이와 같이 계속할 경우 다음을 추정할 수 있다.
$y=\{f(x)\}^n$일 때 ⇨ $y'=n\{f(x)\}^{n-1}f'(x)$

셀파 특강 **확인 체크 01**

$g(x)=(x^2-2x)^3f(x)$의 양변을 x에 대하여 미분하면

$g'(x)=\{(x^2-2x)^3\}'f(x)+(x^2-2x)^3f'(x)$

$=3(x^2-2x)^2(2x-2)f(x)+(x^2-2x)^3f'(x)$

양변에 $x=-1$을 대입하면

$g'(-1)=-108f(-1)+27f'(-1)$

$=-108\times1+27\times3=\mathbf{-27}$

06-1 셀파 $x^3+ax^2+bx+8=(x-2)^2Q(x)$로 놓는다.

다항식 x^3+ax^2+bx+8을 $(x-2)^2$으로 나누었을 때의 몫을 $Q(x)$라 하면

$x^3+ax^2+bx+8=(x-2)^2Q(x)$ ······㉠

양변에 $x=2$를 대입하면

$8+4a+2b+8=0$, 즉 $2a+b=-8$ ······㉡

㉠의 양변을 x에 대하여 미분하면

$3x^2+2ax+b=2(x-2)Q(x)+(x-2)^2Q'(x)$

양변에 $x=2$를 대입하면

$12+4a+b=0$, 즉 $4a+b=-12$ ······㉢

㉡, ㉢을 연립하여 풀면 $\mathbf{a=-2,\ b=-4}$

| 다른 풀이 |

$f(x)=x^3+ax^2+bx+8$이라 하면 $f(x)$가 $(x-2)^2$으로 나누어떨어지므로

$f(2)=0, f'(2)=0$

$f(2)=8+4a+2b+8=0$에서 $2a+b=-8$ ······㉠

$f'(x)=3x^2+2ax+b$이므로

$f'(2)=12+4a+b=0$에서 $4a+b=-12$ ······㉡

㉠, ㉡을 연립하여 풀면 $a=-2, b=-4$

06-2 셀파 $x^3+ax^2+bx+3=(x-1)^2Q(x)+3x-1$로 놓는다.

다항식 x^3+ax^2+bx+3을 $(x-1)^2$으로 나누었을 때의 몫을 $Q(x)$라 하면 나머지가 $3x-1$이므로

$x^3+ax^2+bx+3=(x-1)^2Q(x)+3x-1$ ······㉠

양변에 $x=1$을 대입하면

$1+a+b+3=2$, 즉 $a+b=-2$ ······㉡

㉠의 양변을 x에 대하여 미분하면

$3x^2+2ax+b=2(x-1)Q(x)+(x-1)^2Q'(x)+3$

양변에 $x=1$을 대입하면

$3+2a+b=3$, 즉 $2a+b=0$ ······㉢

㉡, ㉢을 연립하여 풀면 $\mathbf{a=2,\ b=-4}$

07-1 셀파 $\lim_{x\to1}f(x)=f(1)$,

$\lim_{x\to1+}\frac{f(x)-f(1)}{x-1}=\lim_{x\to1-}\frac{f(x)-f(1)}{x-1}$

함수 $f(x)$가 $x=1$에서 미분가능하므로 $x=1$에서 연속이다. 즉,

$\lim_{x\to1}f(x)=f(1)$에서 $a+b=1$ ······㉠

또 $x=1$에서의 미분계수 $f'(1)$이 존재하므로

$$\lim_{x\to1+}\frac{f(x)-f(1)}{x-1}=\lim_{x\to1+}\frac{x^2-1}{x-1}=\lim_{x\to1+}\frac{(x+1)(x-1)}{x-1}=\lim_{x\to1+}(x+1)=2$$

$$\lim_{x\to1-}\frac{f(x)-f(1)}{x-1}=\lim_{x\to1-}\frac{(ax+b)-1}{x-1}=\lim_{x\to1-}\frac{(ax+1-a)-1}{x-1}\ (\because ㉠)=\lim_{x\to1-}\frac{a(x-1)}{x-1}=\lim_{x\to1-}a=a$$

$\therefore \mathbf{a=2}$

$a=2$를 ㉠에 대입하면 $\mathbf{b=-1}$

| 다른 풀이 |

$f(x)=\begin{cases}g(x)=x^2 & (x\ge1)\\ h(x)=ax+b & (x<1)\end{cases}$로 놓으면

$f'(x)=\begin{cases}g'(x)=2x & (x>1)\\ h'(x)=a & (x<1)\end{cases}$

(i) $x=1$에서 연속이므로 $g(1)=h(1)$

$\therefore 1=a+b$ ······㉠

(ii) $x=1$에서의 미분계수가 존재하므로 $g'(1)=h'(1)$

$\therefore a=2$

$a=2$를 ㉠에 대입하면 $b=-1$

07-2 셀파 $\lim_{x\to-1}f(x)=f(-1)$,

$\lim_{x\to-1+}\frac{f(x)-f(-1)}{x+1}=\lim_{x\to-1-}\frac{f(x)-f(-1)}{x+1}$

함수 $f(x)$가 $x=-1$에서 미분가능하므로 $x=-1$에서 연속이다. 즉,

$\lim_{x\to-1}f(x)=f(-1)$에서 $-1+1-b=a+3$

$\therefore a+b=-3$ ······㉠

또 $x=-1$에서의 미분계수 $f'(-1)$이 존재하므로

$$\lim_{x\to-1+}\frac{f(x)-f(-1)}{x-(-1)}=\lim_{x\to-1+}\frac{(ax^2+3)-(a+3)}{x+1}=\lim_{x\to-1+}\frac{a(x^2-1)}{x+1}=\lim_{x\to-1+}\frac{a(x+1)(x-1)}{x+1}=\lim_{x\to-1+}a(x-1)=-2a$$

$$\lim_{x\to -1-}\frac{f(x)-f(-1)}{x-(-1)}=\lim_{x\to -1-}\frac{(x^3+x^2+bx)-(a+3)}{x+1}$$
$$=\lim_{x\to -1-}\frac{(x^3+x^2+bx)-(-b-3+3)}{x+1}$$
$(\because ㉠)$
$$=\lim_{x\to -1-}\frac{x^2(x+1)+b(x+1)}{x+1}$$
$$=\lim_{x\to -1-}(x^2+b)=1+b$$

$-2a=1+b$ $\therefore 2a+b=-1$ ……㉡

㉠, ㉡을 연립하여 풀면 $\boldsymbol{a=2}$, $\boldsymbol{b=-5}$

| 다른 풀이 |

$f(x)=\begin{cases} g(x)=ax^2+3 & (x\ge -1) \\ h(x)=x^3+x^2+bx & (x<-1)\end{cases}$로 놓으면

$f'(x)=\begin{cases} g'(x)=2ax & (x>-1) \\ h'(x)=3x^2+2x+b & (x<-1)\end{cases}$

(i) $x=-1$에서 연속이므로 $g(-1)=h(-1)$

$a+3=-1+1-b$

$\therefore a+b=-3$ ……㉠

(ii) $x=-1$에서의 미분계수가 존재하므로 $g'(-1)=h'(-1)$

$-2a=3-2+b$ $\therefore 2a+b=-1$ ……㉡

㉠, ㉡을 연립하여 풀면 $a=2$, $b=-5$

연습 문제

본문 | 82~83쪽

01 셀파 $f'(x)=\lim_{\Delta x\to 0}\frac{f(x+\Delta x)-f(x)}{\Delta x}$

$$f'(x)=\lim_{\Delta x\to 0}\frac{f(x+\Delta x)-f(x)}{\Delta x}$$
$$=\lim_{\Delta x\to 0}\frac{\{2(x+\Delta x)^2-3(x+\Delta x)\}-(2x^2-3x)}{\Delta x}$$
$$=\lim_{\Delta x\to 0}\frac{2(\Delta x)^2+(4x-3)\Delta x}{\Delta x}$$
$$=\lim_{\Delta x\to 0}(2\Delta x+4x-3)=\boldsymbol{4x-3}$$

02 셀파 주어진 관계식에서 $f(0)$의 값을 구한다.

$f(x+y)=f(x)+f(y)+xy+xy^2+x^2y$에 $x=0$, $y=0$을 대입하면

$f(0)=f(0)+f(0)$에서 $f(0)=0$

$$\therefore f'(1)=\lim_{h\to 0}\frac{f(1+h)-f(1)}{h}$$
$$=\lim_{h\to 0}\frac{f(1)+f(h)+h+h^2+h-f(1)}{h}$$
$$=\lim_{h\to 0}\frac{f(h)+h^2+2h}{h}$$
$$=\lim_{h\to 0}\frac{f(h)}{h}+\lim_{h\to 0}\frac{h(h+2)}{h}$$
$$=\lim_{h\to 0}\frac{f(h)-f(0)}{h}+\lim_{h\to 0}(h+2)$$
$$=f'(0)+2=1+2=\boldsymbol{3}$$

03 셀파 $f(x)=x^n \Rightarrow f'(x)=nx^{n-1}$

$f(x)=2x^3+ax+3$에서 $f'(x)=6x^2+a$

이때 $f'(1)=7$이므로

$6+a=7$ $\therefore \boldsymbol{a=1}$

04 셀파 $h'(x)$를 구한 다음 $x=4$를 대입한다.

$h(x)=-\frac{1}{32}x^2+\frac{1}{4}x+\frac{4}{5}$에서

$h'(x)=-\frac{1}{32}\times 2x+\frac{1}{4}=-\frac{1}{16}x+\frac{1}{4}$ $(0\le x\le 8)$

$\therefore h'(4)=-\frac{1}{16}\times 4+\frac{1}{4}=\boldsymbol{0}$

05 셀파 $f'(1)=a$ (a는 상수)로 놓고 $f(x)$를 미분한다.

$f'(1)=a$ (a는 상수)로 놓으면

$f(x)=3x^2-2ax$

$f'(x)=6x-2a$ ……㉠

에서 $f'(1)=6-2a$이므로

$6-2a=a$ $\therefore a=2$

$a=2$를 ㉠에 대입하면

$f'(x)=6x-4$

$\therefore f'(-1)=-6-4=\boldsymbol{-10}$

| 다른 풀이 |

$f(x)=3x^2-2xf'(1)$의 양변을 x에 대하여 미분하면

$f'(x)=6x-2f'(1)$ ……㉠

㉠의 양변에 $x=1$을 대입하면

$f'(1)=6-2f'(1)$ $\therefore f'(1)=2$

이것을 ㉠에 대입하면

$f'(x)=6x-4$ $\therefore f'(-1)=-6-4=-10$

06 셀파 $f'(a)=4$, $f(a)=b$를 이용한다.

$f(x)=x^4-4x^3+6x^2+4$에서 $f'(x)=4x^3-12x^2+12x$

$x=a$에서의 접선의 기울기는 $f'(a)$이므로

$f'(a)=4a^3-12a^2+12a=4$

$a^3-3a^2+3a-1=0$, $(a-1)^3=0$ $\quad\therefore$ $\boldsymbol{a=1}$

또 점 $(1, b)$는 함수 $f(x)=x^4-4x^3+6x^2+4$의 그래프 위의 점이므로

$f(1)=1-4+6+4=b$ $\quad\therefore$ $\boldsymbol{b=7}$

07 셀파 $f(x)=ax^2+bx+c\ (a\neq0)$로 놓고, 항등식의 성질을 이용한다.

$f(x)=ax^2+bx+c\ (a\neq0)$로 놓으면 $f'(x)=2ax+b$

$f(x)$, $f'(x)$를 주어진 식에 대입하면

$(x-2)(2ax+b)-2(ax^2+bx+c)-x+1=0$

$-(4a+b+1)x-(2b+2c-1)=0$

이 식이 모든 실수 x에 대하여 성립하므로

$4a+b+1=0$ ……㉠, $2b+2c-1=0$ ……㉡

또 $f'(-1)=-2a+b=5$ ……㉢

㉠, ㉡, ㉢을 연립하여 풀면 $a=-1$, $b=3$, $c=-\frac{5}{2}$

따라서 $f(x)=-x^2+3x-\frac{5}{2}$이므로

$f(1)=-1+3-\frac{5}{2}=\boldsymbol{-\frac{1}{2}}$

08 셀파 $\lim_{h\to0}\frac{f(a+mh)-f(a)}{h}=mf'(a)$

$\lim_{h\to0}\frac{f(1+2h)-f(1)}{h}=\lim_{h\to0}\frac{f(1+2h)-f(1)}{2h}\times2=2f'(1)$

이때 $f(x)=x^2+8x$에서 $f'(x)=2x+8$이므로

$f'(1)=2+8=10$

구하는 값은 $2f'(1)=2\times10=20$

따라서 구하는 답은 ⑤

09 셀파 $\lim_{x\to1}\frac{f(x)-f(1)}{x-1}=f'(1)$

$\lim_{x\to1}\frac{f(x)-f(1)}{x^2-1}=\lim_{x\to1}\left\{\frac{f(x)-f(1)}{x-1}\times\frac{1}{x+1}\right\}=\frac{1}{2}f'(1)$

$\frac{1}{2}f'(1)=-1$ $\quad\therefore$ $f'(1)=-2$

$\therefore\ \lim_{h\to0}\frac{f(1-2h)-f(1+5h)}{h}$

$=\lim_{h\to0}\frac{\{f(1-2h)-f(1)\}-\{f(1+5h)-f(1)\}}{h}$

$=\lim_{h\to0}\frac{f(1-2h)-f(1)}{-2h}\times(-2)-\lim_{h\to0}\frac{f(1+5h)-f(1)}{5h}\times5$

$=-2f'(1)-5f'(1)=-7f'(1)$

$=-7\times(-2)=\mathbf{14}$

10 셀파 $f(x)=f(-x)$를 이용한다.

함수 $y=f(x)$의 그래프가 y축에 대하여 대칭이므로

$f(x)=f(-x)$에서 $f(-2)=f(2)$

$\therefore\ \lim_{x\to2}\frac{f(x^2)-f(4)}{f(x)-f(-2)}$

$=\lim_{x\to2}\frac{f(x^2)-f(4)}{f(x)-f(2)}$

$=\lim_{x\to2}\left\{\frac{f(x^2)-f(4)}{x^2-4}\times\frac{x-2}{f(x)-f(2)}\times(x+2)\right\}$

$=f'(4)\times\frac{1}{f'(2)}\times4=6\times\left(-\frac{1}{3}\right)\times4=\mathbf{-8}$

| 참고 |

$x\longrightarrow2$이면 $x^2\longrightarrow4$이므로

$\lim_{x\to2}\frac{f(x^2)-f(4)}{x^2-4}=\lim_{x^2\to4}\frac{f(x^2)-f(4)}{x^2-4}=f'(4)$

$\lim_{x\to2}\frac{x-2}{f(x)-f(2)}=\lim_{x\to2}\frac{1}{\frac{f(x)-f(2)}{x-2}}=\frac{1}{f'(2)}$

11 셀파 $\lim_{x\to2}\frac{f(x)-f(2)}{x-2}=f'(2)$

연이

$x^4-x^3-x-6=(x-2)(x^3+x^2+2x+3)$이므로

$\lim_{x\to2}\frac{x^4-x^3-x-6}{x-2}=\lim_{x\to2}\frac{(x-2)(x^3+x^2+2x+3)}{x-2}$

$=\lim_{x\to2}(x^3+x^2+2x+3)$

$=8+4+4+3=\mathbf{19}$

호준

$f(x)=x^4-x^3-x$로 놓으면 $f(2)=6$이므로

(주어진 식)$=\lim_{x\to2}\frac{f(x)-f(2)}{x-2}=f'(2)$

이때 $f'(x)=4x^3-3x^2-1$이므로 $f'(2)=\mathbf{19}$

12 셀파 $x \to 1$일 때, (분모)$\to 0$이므로 (분자)$\to 0$

㉮ $\lim_{x \to 1} \frac{f(x)g(x)-4}{x-1} = 16$에서

$x \to 1$일 때, (분모)$\to 0$이므로 (분자)$\to 0$이다.

즉, $\lim_{x \to 1} \{f(x)g(x)-4\} = 0$이므로

$f(1)g(1)=4 \qquad \therefore g(1)=4 \ (\because f(1)=1)$

㉯ $h(x)=f(x)g(x)$라 하면

$h(1)=f(1)g(1)=4 \ (\because f(1)=1, g(1)=4)$

$$\lim_{x \to 1} \frac{f(x)g(x)-4}{x-1} = \lim_{x \to 1} \frac{h(x)-h(1)}{x-1} = h'(1) = 16$$

㉰ 이때 $h'(x)=f'(x)g(x)+f(x)g'(x)$이므로

$$h'(1)=f'(1)g(1)+f(1)g'(1) = 2 \times 4 + 1 \times g'(1) = 16$$

$\therefore$ $\boldsymbol{g'(1)=8}$

채점 기준	배점
㉮ $x \to 0$일 때, (분자)$\to 0$임을 이용하여 $g(1)$의 값을 구한다.	30%
㉯ $h(x)=f(x)g(x)$로 놓고 주어진 식을 이용하여 $h'(1)$의 값을 구한다.	30%
㉰ $g'(1)$의 값을 구한다.	40%

13 셀파 $\lim_{h \to 0} \frac{f(h)-f(0)}{h} = f'(0)$

$\lim_{h \to 0} \frac{f(2h)}{h} = 5$에서 $\lim_{h \to 0} h = 0$이므로

$\lim_{h \to 0} f(2h) = 0$, 즉 $f(0)=0 \qquad \therefore b=0$

$$\lim_{h \to 0} \frac{f(2h)}{h} = \lim_{h \to 0} \frac{f(2h)-f(0)}{2h} \times 2 = 2f'(0) = 5$$

$f'(x)=2x+a$에서 $f'(0)=a$

$2a=5 \qquad \therefore a=\frac{5}{2}$

$\therefore 10(a+b) = 10 \times \frac{5}{2} = \mathbf{25}$

14 셀파 $f(x)=(x+2)^2Q(x)+ax+b$ (단, a, b는 상수)

다항식 $f(x)$를 $(x+2)^2$으로 나누었을 때의 몫을 $Q(x)$, 나머지를 $ax+b$ (a, b는 상수)라 하면

$f(x)=(x+2)^2Q(x)+ax+b \qquad \cdots\cdots$ ㉠

양변에 $x=-2$를 대입하면

$f(-2)=-2a+b=-1 \qquad \therefore 2a-b=1 \qquad \cdots\cdots$ ㉡

㉠의 양변을 x에 대하여 미분하면

$f'(x)=2(x+2)Q(x)+(x+2)^2Q'(x)+a$

양변에 $x=-2$를 대입하면

$f'(-2)=a \qquad \therefore a=2$

$a=2$를 ㉡에 대입하면 $4-b=1 \qquad \therefore b=3$

따라서 구하는 나머지는 $\boldsymbol{2x+3}$

15 셀파 함수 $f(x)$가 모든 실수 x에서 미분가능하므로 $x=-2$에서도 미분가능하다.

함수 $f(x)$가 $x=-2$에서 미분가능하므로 $x=-2$에서 연속이다. 즉,

$\lim_{x \to -2} f(x) = f(-2)$에서 $-4=4-2a+b$

$\therefore 2a-b=8 \qquad \cdots\cdots$ ㉠

또 $x=-2$에서의 미분계수 $f'(-2)$가 존재하므로

$$\lim_{x \to -2+} \frac{f(x)-f(-2)}{x-(-2)} = \lim_{x \to -2+} \frac{2x-(4-2a+b)}{x+2} = \lim_{x \to -2+} \frac{2x-(4-8)}{x+2} \ (\because ㉠) = \lim_{x \to -2+} \frac{2(x+2)}{x+2} = 2$$

$$\lim_{x \to -2-} \frac{f(x)-f(-2)}{x-(-2)} = \lim_{x \to -2-} \frac{(x^2+ax+b)-(4-2a+b)}{x+2} = \lim_{x \to -2-} \frac{x^2+ax+2a-4}{x+2} = \lim_{x \to -2-} \frac{(x+2)(x+a-2)}{x+2} = \lim_{x \to -2-} (x+a-2) = a-4$$

$a-4=2 \qquad \therefore a=6$

$a=6$을 ㉠에 대입하면 $b=4 \qquad \therefore \boldsymbol{a+b=10}$

| 다른 풀이 |

$f(x)=\begin{cases} g(x)=x^2+ax+b & (x \le -2) \\ h(x)=2x & (x > -2) \end{cases}$로 놓으면

$f'(x)=\begin{cases} g'(x)=2x+a & (x < -2) \\ h'(x)=2 & (x > -2) \end{cases}$

(i) $x=-2$에서 연속이므로 $g(-2)=h(-2)$

$4-2a+b=-4 \qquad \therefore 2a-b=8 \qquad \cdots\cdots$ ㉠

(ii) $x=-2$에서의 미분계수가 존재하므로 $g'(-2)=h'(-2)$

$-4+a=2 \qquad \therefore a=6$

$a=6$을 ㉠에 대입하면 $b=4 \qquad \therefore a+b=10$

5. 접선의 방정식과 평균값 정리

개념 익히기

본문 | 87 쪽

1-1 (1) $f(x)=-x^2+2x$라 하면 $f'(x)=-2x+2$
곡선 $y=f(x)$ 위의 점 $(0, 0)$에서의 접선의 기울기는
$f'(0)=$ [2]
따라서 구하는 접선의 방정식은
$y-0=2(x-0)$ $\therefore$ $\boldsymbol{y=2x}$

(2) $f(x)=3x^2-2x+2$라 하면 $f'(x)=6x-2$
곡선 $y=f(x)$ 위의 점 $(-1, 7)$에서의 접선의 기울기는
$f'(-1)=6\times(-1)-2=-8$
따라서 구하는 접선의 방정식은
$y-$ [7] $=-8\{x-(-1)\}$ $\therefore$ $\boldsymbol{y=-8x-1}$

1-2 (1) $f(x)=x^2+1$이라 하면 $f'(x)=2x$
곡선 $y=f(x)$ 위의 점 $(1, 2)$에서의 접선의 기울기는
$f'(1)=2\times1=2$
따라서 구하는 접선의 방정식은
$y-2=2(x-1)$ $\therefore$ $\boldsymbol{y=2x}$

(2) $f(x)=2x^2-x-1$이라 하면 $f'(x)=4x-1$
곡선 $y=f(x)$ 위의 점 $(1, 0)$에서의 접선의 기울기는
$f'(1)=4\times1-1=3$
따라서 구하는 접선의 방정식은
$y-0=3(x-1)$ $\therefore$ $\boldsymbol{y=3x-3}$

2-1 (1) $f(x)=x^2-2x+1$이라 하면 $f'(x)=2x-2$
접점의 좌표를 (t, t^2-2t+1)로 놓으면 접선의 기울기가 2이므로
$f'(t)=2t-2=$ [2] $\therefore$ $t=$ [2]
따라서 접점의 좌표는 (2, [1])이므로 구하는 접선의 방정식은
$y-1=2(x-2)$ $\therefore$ $\boldsymbol{y=2x-3}$

(2) $f(x)=x^3-x$라 하면 $f'(x)=3x^2-1$
접점의 좌표를 (t, t^3-t)로 놓으면 접선의 기울기가 2이므로
$f'(t)=3t^2-1=2$ $\therefore$ $t=-1$ 또는 $t=1$
(i) 접점의 좌표가 $(-1, 0)$일 때, 구하는 접선의 방정식은
$y-0=2(x+$ [1] $)$ $\therefore$ $y=2x+$ [2]
(ii) 접점의 좌표가 (1, [0])일 때, 구하는 접선의 방정식은
$y-$ [0] $=2(x-1)$ $\therefore$ $\boldsymbol{y=2x-}$ **[2]**

2-2 (1) $f(x)=-x^2+x$라 하면 $f'(x)=-2x+1$
접점의 좌표를 $(t, -t^2+t)$로 놓으면 접선의 기울기가 3이므로
$f'(t)=-2t+1=3$ $\therefore$ $t=-1$
따라서 접점의 좌표는 $(-1, -2)$이므로 구하는 접선의 방정식은
$y-(-2)=3(x+1)$ $\therefore$ $\boldsymbol{y=3x+1}$

(2) $f(x)=x^3+1$이라 하면 $f'(x)=3x^2$
접점의 좌표를 (t, t^3+1)로 놓으면 접선의 기울기가 3이므로
$f'(t)=3t^2=3$ $\therefore$ $t=-1$ 또는 $t=1$
(i) 접점의 좌표가 $(-1, 0)$일 때, 구하는 접선의 방정식은
$y-0=3(x+1)$ $\therefore$ $\boldsymbol{y=3x+3}$
(ii) 접점의 좌표가 $(1, 2)$일 때, 구하는 접선의 방정식은
$y-2=3(x-1)$ $\therefore$ $\boldsymbol{y=3x-1}$

확인 문제

본문 | 88~97 쪽

01-1 **셀파** 곡선 $y=f(x)$ 위의 점 $(-1, 2)$에서의 접선의 기울기가 1이므로 $f'(-1)=1$, $f(-1)=2$이다.

$f(x)=x^3+ax^2+bx+3$이라 하면 $f'(x)=3x^2+2ax+b$
곡선 $y=f(x)$ 위의 점 $(-1, 2)$에서의 접선의 기울기가 1이므로
$f'(-1)=3-2a+b=1$ $\therefore$ $2a-b=2$ ……㉠
또 $f(-1)=2$에서 $-1+a-b+3=2$
$\therefore$ $a-b=0$ ……㉡
㉠, ㉡을 연립하여 풀면
$\boldsymbol{a=2, b=2}$

01-2 셀파 $f'(x)=(x-m)^2+n$ 꼴로 변형하여 최솟값을 구한다.

$f(x)=x^3-3x^2+kx$라 하면

$f'(x)=3x^2-6x+k=3(x-1)^2+k-3$

$x=1$일 때 $f'(x)$의 최솟값은 $k-3$이고, 기울기의 최솟값이 -1이므로

$k-3=-1 \quad \therefore \boldsymbol{k=2}$

02-1 셀파 곡선 $y=f(x)$ 위의 $x=1$인 점에서의 접선의 기울기는 $f'(1)$이다.

$f(x)=x^3-ax+2$라 하면 $f'(x)=3x^2-a$

곡선 $y=f(x)$ 위의 $x=1$인 점에서의 접선의 기울기는

$f'(1)=3-a$

이때 $x=1$인 점에서의 접선의 방정식은

$y-(3-a)=(3-a)(x-1)$

$\therefore y=(3-a)x$

이 접선이 점 $(2, 2)$를 지나므로

$2=(3-a)\times 2,\ 1=3-a \qquad \therefore a=2$

따라서 구하는 접선의 방정식은

$\boldsymbol{y=x}$

02-2 셀파 곡선 $y=f(x)$ 위의 점 $(1, 2)$에서의 접선에 수직인 직선의 기울기는 $-\dfrac{1}{f'(1)}$이다.

$f(x)=x^3+ax+b$라 하면 $f'(x)=3x^2+a$

이때 곡선 $y=f(x)$ 위의 점 $(1, 2)$에서의 접선의 기울기는

$f'(1)=3+a$이고 이때, 접선에 수직인 직선의 방정식이

$x-2y+3=0$, 즉 $y=\dfrac{1}{2}x+\dfrac{3}{2}$이므로 접선의 기울기는 -2이다.

$3+a=-2 \qquad \therefore \boldsymbol{a=-5}$

또 점 $(1, 2)$는 곡선 $y=f(x)$ 위의 점이므로

$1+a+b=2 \qquad \therefore \boldsymbol{b=6}$

03-1 셀파 접선의 기울기는 $\tan 45°=1$이다.

$f(x)=x^3-3x^2+4x$라 하면 $f'(x)=3x^2-6x+4$

접점의 좌표를 $(t,\ t^3-3t^2+4t)$로 놓으면 접선의 기울기가

$\tan 45°=1$이므로 $f'(t)=3t^2-6t+4=1$

$3t^2-6t+3=0,\ 3(t-1)^2=0 \qquad \therefore t=1$

따라서 접점의 좌표는 $(1, 2)$이므로 구하는 접선의 방정식은

$y-2=x-1 \qquad \therefore \boldsymbol{y=x+1}$

03-2 셀파 접선의 기울기가 1인 접점의 좌표를 찾는다.

$f(x)=x^3-2x+1$이라 하면 $f'(x)=3x^2-2$

점 P의 좌표를 $\mathrm{P}(t,\ t^3-2t+1)$로 놓으면 점 P에서의 접선이 직선 $y=x$와 평행하므로 접선의 기울기는 1이다.

$f'(t)=3t^2-2=1$에서

$3t^2-3=0,\ 3(t+1)(t-1)=0$

$\therefore t=-1$ 또는 $t=1$

따라서 접점 P의 좌표는

$\boldsymbol{(-1,\ 2),\ (1,\ 0)}$

04-1 셀파 접점의 좌표를 $(t,\ t^2+2)$로 놓으면 기울기는 $2t$이다.

$f(x)=x^2+2$라 하면 $f'(x)=2x$

접점의 좌표를 $(t,\ t^2+2)$로 놓으면 이 점에서 그은 접선의 기울기는 $f'(t)=2t$이므로 접선의 방정식은

$y-(t^2+2)=2t(x-t)$

$\therefore y=2tx-t^2+2 \qquad \cdots\cdots ㉠$

이 접선이 점 $(1, 2)$를 지나므로

$2=2t-t^2+2,\ t^2-2t=0,\ t(t-2)=0$

$\therefore t=0$ 또는 $t=2$

이 값을 ㉠에 대입하면 구하는 접선의 방정식은

$\boldsymbol{y=2,\ y=4x-2}$

| 참고 |

곡선 밖의 점에서 접선을 그을 때는 접선이 한 개 이상 존재할 수도 있다.

예 점 $(0, -1)$에서 곡선 $y=x^2$에 그은 접선은 오른쪽 그림과 같이 2개이다.

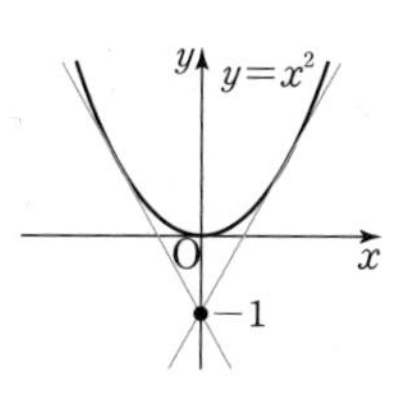

04-2 셀파 접점의 x좌표를 t로 놓고 접점과 기울기를 t로 나타낸다.

$f(x)=x^3-3x^2-5$라 하면 $f'(x)=3x^2-6x$

접점의 좌표를 (t, t^3-3t^2-5)로 놓으면 이 점에서의 접선의 기울기는 $f'(t)=3t^2-6t$이므로 접선의 방정식은

$y-(t^3-3t^2-5)=(3t^2-6t)(x-t)$

$\therefore y=(3t^2-6t)x-2t^3+3t^2-5$ ……㉠

이 접선이 점 $(0, 0)$을 지나므로

$2t^3-3t^2+5=0, (t+1)(2t^2-5t+5)=0$ $\therefore t=-1$

이 값을 ㉠에 대입하면 $y=9x$

이때 접선 $y=9x$가 점 $(3, k)$를 지나므로

$k=9\times3=\mathbf{27}$

| 참고 |

$2t^2-5t+5=2\left(t-\frac{5}{4}\right)^2+\frac{15}{8}>0$이므로

방정식 $2t^2-5t+5=0$은 실근을 갖지 않는다.

05-1 셀파 점 (t, t^3-at+2)에서의 접선의 방정식이 $y=2x$이다.

$f(x)=x^3-ax+2$라 하면 $f'(x)=3x^2-a$

접점의 좌표를 (t, t^3-at+2)로 놓으면 이 점에서의 접선의 기울기는 $f'(t)=3t^2-a$이므로 접선의 방정식은

$y-(t^3-at+2)=(3t^2-a)(x-t)$

$\therefore y=(3t^2-a)x-2t^3+2$

이 직선이 $y=2x$와 일치하므로

$3t^2-a=2$ ……㉠, $-2t^3+2=0$ ……㉡

㉡에서

$t^3-1=0, (t-1)(t^2+t+1)=0$

$t^2+t+1=\left(t+\frac{1}{2}\right)^2+\frac{3}{4}>0$이므로 $t=1$

$t=1$을 ㉠에 대입하면 $\boldsymbol{a=1}$

05-2 셀파 $f(x)=x^3-3x^2+kx$라 하면 $y-f(t)=f'(t)(x-t)$와 $y=-3x-4$가 일치한다.

$f(x)=x^3-3x^2+kx$라 하면 $f'(x)=3x^2-6x+k$

접점의 좌표를 (t, t^3-3t^2+kt)로 놓으면 이 점에서의 접선의 기울기는 $f'(t)=3t^2-6t+k$이므로 접선의 방정식은

$y-(t^3-3t^2+kt)=(3t^2-6t+k)(x-t)$

$\therefore y=(3t^2-6t+k)x-2t^3+3t^2$

이 직선이 $y=-3x-4$와 일치하므로

$3t^2-6t+k=-3$ ……㉠, $-2t^3+3t^2=-4$ ……㉡

㉡에서

$2t^3-3t^2-4=0, (t-2)(2t^2+t+2)=0$

$2t^2+t+2=2\left(t+\frac{1}{4}\right)^2+\frac{15}{8}>0$이므로 $t=2$

$t=2$를 ㉠에 대입하면 $\boldsymbol{k=-3}$

06-1 셀파 곡선 $y=x^2+3x-1$ 위의 점 $(3, 17)$에서의 접선과 곡선 $y=x^3+ax+6$의 $x=t$인 점에서의 접선이 일치한다.

$f(x)=x^2+3x-1$이라 하면 $f'(x)=2x+3$

$\therefore f'(3)=9$

곡선 $y=f(x)$ 위의 점 $(3, 17)$에서의 접선의 방정식은

$y-17=9(x-3)$ $\therefore y=9x-10$

직선 $y=9x-10$이 곡선 $y=x^3+ax+6$에 접하므로 접점의 x좌표를 t라 하면 점 (t, t^3+at+6)에서의 접선의 방정식은

$y-(t^3+at+6)=(3t^2+a)(x-t)$

$\therefore y=(3t^2+a)x-2t^3+6$

이 직선이 $y=9x-10$과 일치하므로

$3t^2+a=9$ ……㉠, $-2t^3+6=-10$ ……㉡

㉡에서

$t^3-8=0, (t-2)(t^2+2t+4)=0$

$t^2+2t+4=(t+1)^2+3>0$이므로 $t=2$

$t=2$를 ㉠에 대입하면 $\boldsymbol{a=-3}$

06-2 셀파 점 $(1, k)$에서의 두 접선이 서로 수직으로 만난다.

$f(x)=x^3+2a, g(x)=ax^2+bx$라 하면

(i) 두 곡선이 점 $(1, k)$에서 만나므로

$f(1)=g(1)$에서

$1+2a=a+b$

$\therefore a-b=-1$ ……㉠

(ii) $x=1$인 점에서의 두 곡선의 접선이 서로 수직이므로

$f'(x)=3x^2, g'(x)=2ax+b$에서

$f'(1)g'(1)=-1, 3(2a+b)=-1$

$\therefore 2a+b=-\frac{1}{3}$ ……㉡

㉠, ㉡을 연립하여 풀면 $a=-\frac{4}{9}, b=\frac{5}{9}$

$\therefore k=f(1)=1+2a=1-\frac{8}{9}=\boldsymbol{\frac{1}{9}}$

07-1 셀파 $f'(c)=0$을 만족시키는 c의 값을 구한다.

(1) 함수 $f(x)=x^2+3x-2$는 닫힌구간 $[-2, -1]$에서 연속이고 열린구간 $(-2, -1)$에서 미분가능하다.
이때 $f(-2)=f(-1)=-4$이므로 롤의 정리에 의하여 $f'(c)=0$인 c가 열린구간 $(-2, -1)$에 적어도 하나 존재한다.
$f'(x)=2x+3$이므로 롤의 정리를 만족시키는 c의 값은
$f'(c)=2c+3=0$
$\therefore \boldsymbol{c=-\frac{3}{2}}$

(2) 함수 $f(x)=x^3-3x^2+4$는 닫힌구간 $[0, 3]$에서 연속이고 열린구간 $(0, 3)$에서 미분가능하다.
이때 $f(0)=f(3)=4$이므로 롤의 정리에 의하여 $f'(c)=0$인 c가 열린구간 $(0, 3)$에 적어도 하나 존재한다.
$f'(x)=3x^2-6x$이므로 롤의 정리를 만족시키는 c의 값은
$f'(c)=3c^2-6c=0$
$3c(c-2)=0 \qquad \therefore \boldsymbol{c=2}\ (\because 0<c<3)$

08-1 셀파 **닫힌구간 $[-1, 1]$에서 함수 $f(x)=3x^2+2x-1$에 대하여 평균값 정리를 이용한다.**

함수 $f(x)=3x^2+2x-1$은 닫힌구간 $[-1, 1]$에서 연속이고 열린구간 $(-1, 1)$에서 미분가능하므로

$$\frac{f(1)-f(-1)}{1-(-1)}=\frac{4-0}{2}=2=f'(c)$$

인 c가 열린구간 $(-1, 1)$에 적어도 하나 존재한다.
이때 $f'(x)=6x+2$이므로
$f'(c)=6c+2=2 \qquad \therefore \boldsymbol{c=0}$

08-2 셀파 **함수 $f(x)$는 닫힌구간 $[a, b]$에서 연속이고 열린구간 (a, b)에서 미분가능하므로 평균값 정리를 만족시킨다.**

평균값 정리에 의하여 $\frac{f(b)-f(a)}{b-a}=f'(c)$인 c가 열린구간 (a, b)에 적어도 하나 존재한다.
$f(x)=\frac{1}{3}x^3+2x^2+5$에서
$f'(x)=x^2+4x$이므로
$f'(c)=c^2+4c=(c+2)^2-4$
이때 $-2<c<1$이므로
$-4<f'(c)<5$
따라서 구하는 실수 k의 값의 범위는
$\boldsymbol{-4<k<5}$

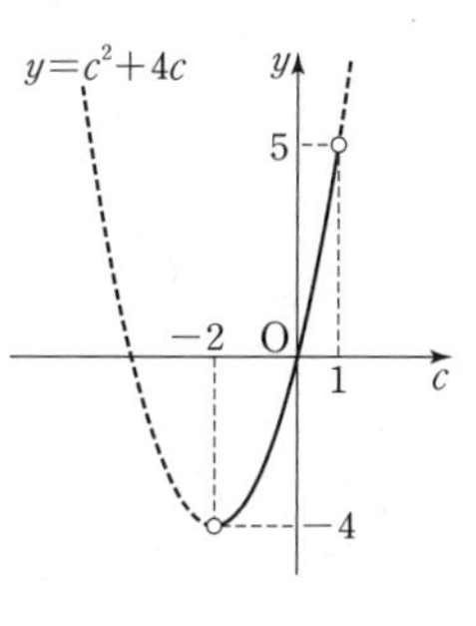

연습 문제

본문 | 98~99 쪽

01 셀파 $\{f(x)g(x)\}'=f'(x)g(x)+f(x)g'(x)$

점 $(2, 1)$이 곡선 $y=f(x)$ 위의 점이므로
$f(2)=1$
곡선 $y=f(x)$ 위의 점 $(2, 1)$에서의 접선의 기울기가 2이므로
$f'(2)=2$
이때 $g(x)=x^3f(x)$에서 $g'(x)=3x^2f(x)+x^3f'(x)$
$\therefore g'(2)=12f(2)+8f'(2)=12\times1+8\times2=\boldsymbol{28}$

02 셀파 **$f(x)=-x^2+60x$ 위의 점 $(20, 800)$에서의 접선의 기울기는 $f'(20)$이다.**

$f(x)=-x^2+60x$라 하면 $f'(x)=-2x+60$
따라서 A지점에서 그은 접선의 기울기는
$f'(20)=-2\times20+60=\boldsymbol{20}$

03 셀파 **모든 실수 x에 대하여 $f'(x)\neq-\frac{1}{3}$이어야 한다.**

$f(x)=x^2(x+2a)$라 하면 $f'(x)=3x^2+4ax$
이때 기울기가 $-\frac{1}{3}$인 접선이 존재하지 않으려면 모든 실수 x에 대하여 $f'(x)\neq-\frac{1}{3}$이어야 한다.
즉, 방정식 $3x^2+4ax=-\frac{1}{3}$의 실근이 존재하지 않아야 한다.
따라서 방정식 $9x^2+12ax+1=0$의 판별식을 D라 하면
$\frac{D}{4}=36a^2-9<0,\ 4a^2-1<0,\ (2a+1)(2a-1)<0$
$\therefore \boldsymbol{-\frac{1}{2}<a<\frac{1}{2}}$

| 다른 풀이 |
$f'(x)=3x^2+4ax=3\left(x+\frac{2}{3}a\right)^2-\frac{4}{3}a^2$
이때 기울기가 $-\frac{1}{3}$인 접선이 존재하지 않으려면 $f'(x)$의 최솟값이 $-\frac{1}{3}$보다 커야 한다.
따라서 $-\frac{4}{3}a^2>-\frac{1}{3}$이어야 하므로
$4a^2-1<0,\ (2a+1)(2a-1)<0$
$\therefore -\frac{1}{2}<a<\frac{1}{2}$

04 셀파 $f'(1)\times\left(-\frac{1}{2}\right)=-1$

점 $(1, 1)$이 곡선 $y=2x^3+ax+b$ 위의 점이므로

$1=2+a+b \qquad \therefore a+b=-1 \qquad \cdots\cdots ㉠$

$f(x)=2x^3+ax+b$라 하면 $f'(x)=6x^2+a$

점 $(1, 1)$에서의 접선과 수직인 직선의 기울기가 $-\frac{1}{2}$이므로

점 $(1, 1)$에서의 접선의 기울기는 2이다.

즉, $f'(1)=2$

이때 $f'(1)=a+6$이므로

$a+6=2 \qquad \therefore a=-4$

$a=-4$를 ㉠에 대입하면 $b=3$

$\therefore a^2+b^2=(-4)^2+3^2=\mathbf{25}$

| 참고 |

두 직선 $y=mx+n$, $y=m'x+n'$이 수직이면 ⇨ $mm'=-1$

05 셀파 곡선 $y=f(x)$ 위의 점 $(a, f(a))$에서의 접선의 방정식

⇨ $y-f(a)=f'(a)(x-a)$

$f(x)=x^3+6x^2-11x+7$이라 하면

$f'(x)=3x^2+12x-11$이므로 $f'(1)=4$

따라서 기울기가 4이고 점 $(1, 3)$을 지나는 접선의 방정식은

$y-3=4(x-1) \qquad \therefore y=4x-1$

$m=4$, $n=-1$이므로 $\boldsymbol{m-n=5}$

06 셀파 k의 값에 관계없이 $Ak+B=0 \Longleftrightarrow A=0, B=0$

$y=x^3+kx^2-(2k+1)x+k-2$를 k에 대하여 정리하면

$k(x^2-2x+1)+(x^3-x-2-y)=0$

이 식은 k에 대한 항등식이므로

$x^2-2x+1=0$, $x^3-x-2-y=0$

$x^2-2x+1=0$에서 $(x-1)^2=0 \qquad \therefore x=1$

$x=1$을 $x^3-x-2-y=0$에 대입하면

$1-1-2-y=0 \qquad \therefore y=-2$

따라서 k의 값에 관계없이 주어진 곡선은 점 $\mathrm{P}(1, -2)$를 지난다.

이때 $f(x)=x^3+kx^2-(2k+1)x+k-2$라 하면

$f'(x)=3x^2+2kx-(2k+1)$

따라서 점 $\mathrm{P}(1, -2)$에서의 접선의 기울기는

$f'(1)=3+2k-(2k+1)=2$이므로 구하는 접선의 방정식은

$y-(-2)=2(x-1) \qquad \therefore \boldsymbol{y=2x-4}$

LECTURE 항등식의 뜻과 성질

x에 대한 항등식을 나타내는 표현

❶ x의 값에 관계없이 등식이 항상 성립한다.

❷ 모든 x에 대하여 등식이 성립한다.

❸ 임의의 x에 대하여 등식이 성립한다.

❹ 어떤 x의 값에 대하여도 등식이 항상 성립한다.

항등식의 성질

❶ $ax+b=0$이 x에 대한 항등식

$\Longleftrightarrow a=0, b=0$

❷ $ax+b=a'x+b'$이 x에 대한 항등식

$\Longleftrightarrow a=a', b=b'$

❸ $ax^2+bx+c=0$이 x에 대한 항등식

$\Longleftrightarrow a=0, b=0, c=0$

❹ $ax^2+bx+c=a'x^2+b'x+c'$이 x에 대한 항등식

$\Longleftrightarrow a=a', b=b', c=c'$

07 셀파 점 P에서의 접선의 방정식을 구한다.

㉮ $f(x)=x^3+3$이라 하면 $f'(x)=3x^2$

점 $\mathrm{P}(1, 4)$에서의 접선의 기울기는 $f'(1)=3$이므로

점 P에서의 접선의 방정식은

$y-4=3(x-1) \qquad \therefore y=3x+1$

㉯ 곡선 $y=x^3+3$과 접선 $y=3x+1$이 다시 만나는 점 Q의 x좌표는 방정식 $x^3+3=3x+1$에서 1이 아닌 실근이다.

$x^3-3x+2=0$에서

$(x-1)^2(x+2)=0$

$\therefore \mathrm{Q}(-2, -5)$

1	1	0	−3	2
		1	1	−2
1	1	1	−2	0
		1	2	
	1	2	0	

㉰ 이때 $f'(-2)=12$

따라서 점 Q에서의 접선의 방정식은

$y-(-5)=12\{x-(-2)\}$

$\therefore \boldsymbol{y=12x+19}$

채점 기준	배점
㉮ 점 P에서의 접선의 방정식을 구한다.	30%
㉯ 점 Q의 좌표를 구한다.	40%
㉰ 점 Q에서의 접선의 방정식을 구한다.	30%

08 셀파 점 B의 x좌표를 t라 하면 $f'(3)=f'(t)$

$f(x)=x^3-3x^2+x+1$이라 하면

$f'(x)=3x^2-6x+1$

점 A의 x좌표가 3이므로 점 A에서의 접선의 기울기는

$f'(3)=27-18+1=10$

점 B의 x좌표를 t라 하면 점 B에서의 접선의 기울기가 10이므로

$f'(t)=10$

$3t^2-6t+1=10$에서 $t^2-2t-3=0$

$(t+1)(t-3)=0 \qquad \therefore t=-1$ 또는 $t=3$

이때 점 A의 x좌표가 3이므로 점 B의 x좌표는 -1이다.

$\therefore B(-1, -4)$

점 $B(-1, -4)$에서의 접선의 방정식은

$y+4=10(x+1) \qquad \therefore y=10x+6$

따라서 점 B에서의 접선의 y절편은 **6**

09 셀파 점 $(0, -4)$에서 곡선 $y=x^3-2$에 그은 접선의 접점의 좌표를 (t, t^3-2)로 놓고 접선의 방정식을 t에 대한 식으로 나타낸다.

$f(x)=x^3-2$라 하면 $f'(x)=3x^2$

점 $(0, -4)$에서 곡선 $y=f(x)$에 그은 접선의 접점의 좌표를 (t, t^3-2)로 놓으면 접선의 기울기는 $f'(t)=3t^2$이므로

접선의 방정식은

$y-(t^3-2)=3t^2(x-t)$

$\therefore y=3t^2x-2t^3-2 \qquad \cdots\cdots ㉠$

이 접선이 점 $(0, -4)$를 지나므로

$-4=-2t^3-2,\ t^3=1$

$(t-1)(t^2+t+1)=0$

이때 $t^2+t+1=\left(t+\frac{1}{2}\right)^2+\frac{3}{4}>0$이므로 $t=1$

이 값을 ㉠에 대입하면

$y=3x-4$

이때 접선 $y=3x-4$가 x축과 만나는 점의 좌표가 $(a, 0)$이므로

$x=a, y=0$을 대입하면 $0=3a-4$

$\therefore \boldsymbol{a=\frac{4}{3}}$

| 참고 |

접선 $y=3x-4$가 x축과 만나는 점, 즉 x절편은 $y=0$일 때이므로

$0=3x-4$에서 $x=\frac{4}{3}$

10 셀파 접점의 좌표를 (t, t^3-3t+1)로 놓는다.

$f(x)=x^3-3x+1$이라 하면 $f'(x)=3x^2-3$

접점의 좌표를 (t, t^3-3t+1)로 놓으면 접선의 기울기는

$f'(t)=3t^2-3$이므로 접선의 방정식은

$y-(t^3-3t+1)=(3t^2-3)(x-t)$

$\therefore y=(3t^2-3)x-2t^3+1$

이 접선이 점 $(2, a)$를 지나므로

$a=-2t^3+6t^2-5$

$\therefore 2t^3-6t^2+a+5=0 \qquad \cdots\cdots ㉠$

세 접점의 x좌표가 등차수열을 이루므로 삼차방정식 ㉠의 세 근은 등차수열을 이룬다.

세 근을 $\alpha-d, \alpha, \alpha+d$로 놓으면 근과 계수의 관계에서

(i) $(\alpha-d)+\alpha+(\alpha+d)=3$

$3\alpha=3 \qquad \therefore \alpha=1$

(ii) $(\alpha-d)\alpha+(\alpha-d)(\alpha+d)+(\alpha+d)\alpha=0$

$\alpha^2-\alpha d+\alpha^2-d^2+\alpha^2+\alpha d=0,\ 3\alpha^2-d^2=0$

$\alpha=1$을 대입하면

$3-d^2=0 \qquad \therefore d^2=3$

(iii) $\alpha(\alpha-d)(\alpha+d)=-\frac{a+5}{2}$

$\alpha(\alpha^2-d^2)=-\frac{a+5}{2}$

$\alpha=1, d^2=3$을 대입하면

$1-3=-\frac{a+5}{2},\ a+5=4 \qquad \therefore \boldsymbol{a=-1}$

| 참고 |

삼차방정식 $ax^3+bx^2+cx+d=0$의 세 근을 α, β, γ라 하면

$\alpha+\beta+\gamma=-\frac{b}{a},\ \alpha\beta+\beta\gamma+\gamma\alpha=\frac{c}{a},\ \alpha\beta\gamma=-\frac{d}{a}$

11 셀파 곡선 $y=f(x)$ 위의 점 A에서 $f'(0)=1$, 점 B에서 $f'(3)=-2$이다.

$f(x)=ax^3+bx^2+cx+d$라 하면

$f'(x)=3ax^2+2bx+c$

(i) 점 $A(0, 1)$에서의 접선의 기울기가 1이므로

$f'(0)=c=1 \qquad \therefore c=1$

또 점 $A(0, 1)$은 곡선 $y=f(x)$ 위의 점이므로

$f(0)=d=1 \qquad \therefore d=1$

(ii) 점 B(3, 4)에서의 접선의 기울기가 -2이므로

$f'(3)=27a+6b+c=-2$

이 식에 $c=1$을 대입하면 $9a+2b=-1$ ……㉠

또 점 B(3, 4)는 곡선 $y=f(x)$ 위의 점이므로

$f(3)=27a+9b+3c+d=4$

이 식에 $c=1$, $d=1$을 대입하면 $3a+b=0$ ……㉡

㉠, ㉡을 연립하여 풀면 $a=-\frac{1}{3}$, $b=1$

(i), (ii)에서 $\boldsymbol{a=-\frac{1}{3}, b=1, c=1, d=1}$

12 셀파 곡선 $y=x^3+ax-2$ 위의 접점의 좌표를 (t, t^3+at-2)로 놓는다.

$f(x)=x^2$이라 하면 $f'(x)=2x$

곡선 $y=f(x)$ 위의 점 $(-2, 4)$에서의 접선의 기울기는

$f'(-2)=-4$이므로 접선의 방정식은

$y-4=-4(x+2)$ $\therefore y=-4x-4$

$g(x)=x^3+ax-2$라 하면 $g'(x)=3x^2+a$

곡선 $y=g(x)$ 위의 접점의 좌표를 (t, t^3+at-2)로 놓으면 접선의 기울기는

$g'(t)=3t^2+a$이므로 접선의 방정식은

$y-(t^3+at-2)=(3t^2+a)(x-t)$

$\therefore y=(3t^2+a)x-2t^3-2$

이 접선이 직선 $y=-4x-4$와 일치하므로

(i) $3t^2+a=-4$ ……㉠

(ii) $-2t^3-2=-4$에서 $-2t^3=-2$, $t^3=1$

$(t-1)(t^2+t+1)=0$

이때 $t^2+t+1=\left(t+\frac{1}{2}\right)^2+\frac{3}{4}>0$이므로 $t=1$

$t=1$을 ㉠에 대입하면

$3+a=-4$ $\therefore \boldsymbol{a=-7}$

13 셀파 두 곡선 $y=f(x)$, $y=g(x)$가 $x=t$인 점에서 접할 때, $f(t)=g(t)$, $f'(t)=g'(t)$이다.

$f(x)=x^3+ax$, $g(x)=-x^2+1$에서

$f'(x)=3x^2+a$, $g'(x)=-2x$

두 곡선이 $x=t$인 점에서 접한다고 하면

(i) $x=t$에서 두 함수 $f(x)$, $g(x)$의 함숫값이 같으므로

$f(t)=g(t)$

$\therefore t^3+at=-t^2+1$ ……㉠

(ii) $x=t$에서의 접선의 기울기가 같으므로

$f'(t)=g'(t)$

$3t^2+a=-2t$ $\therefore a=-3t^2-2t$ ……㉡

㉡을 ㉠에 대입하면

$t^3+(-3t^2-2t)t=-t^2+1$

$2t^3+t^2+1=0$

-1	2	1	0	1
		-2	1	-1
	2	-1	1	0

$(t+1)(2t^2-t+1)=0$ $\therefore t=-1$

$t=-1$을 ㉡에 대입하면 $\boldsymbol{a=-1}$

| 참고 |

$2t^2-t+1=2\left(t-\frac{1}{4}\right)^2+\frac{7}{8}>0$이므로

방정식 $2t^2-t+1=0$은 실근을 갖지 않는다.

14 셀파 $\frac{f(a)-f(-1)}{a-(-1)}=f'\left(\frac{1}{2}\right)$을 만족시키는 a의 값을 구한다.

함수 $f(x)=x^2-3$은 닫힌구간 $[-1, a]$에서 연속이고 열린구간 $(-1, a)$에서 미분가능하므로 평균값 정리에 의하여

$$\frac{f(a)-f(-1)}{a-(-1)}=f'\left(\frac{1}{2}\right)$$

인 $\frac{1}{2}$이 열린구간 $(-1, a)$에 적어도 하나 존재한다.

이때 $f'(x)=2x$이므로 $f'\left(\frac{1}{2}\right)=1$

$\frac{(a^2-3)-(-2)}{a+1}=1$, $a^2-1=a+1$

$a^2-a-2=0$, $(a+1)(a-2)=0$

$\therefore \boldsymbol{a=2}$ ($\because a>-1$)

15 셀파 $\frac{f(b)-f(a)}{b-a}=f'(c)$ (단, $a<c<b$)

사차함수 $y=f(x)$는 닫힌구간 $[a, b]$에서 연속이고 열린구간 (a, b)에서 미분가능하므로 평균값 정리에 의하여

$$\frac{f(b)-f(a)}{b-a}=f'(c)$$

인 c가 열린구간 (a, b)에 적어도 하나 존재한다.

이때 구하는 c의 개수는 두 점 $(a, f(a))$, $(b, f(b))$를 지나는 직선의 기울기와 같은 기울기를 갖는 접선이 열린구간 (a, b)에서 곡선 $y=f(x)$와 접하는 접점의 개수와 같다.

따라서 오른쪽 그림에서 구하는 c의 개수는 **3**

6. 함수의 증가·감소와 극대·극소

개념 익히기 본문 | 103, 105 쪽

1-1 $f(x)=-x^3-3x^2$에서 $f'(x)=-3x^2-6x$

$f'(x)=0$에서 $-3x(x+2)=0$

$\therefore x=-2$ 또는 $x=$ [0]

함수 $f(x)$의 증가와 감소를 표로 나타내면 다음과 같다.

x	$\cdots$	-2	$\cdots$	0	$\cdots$
$f'(x)$	$-$	0	$+$	0	$-$
$f(x)$	↘	-4	↗	0	↘

따라서 함수 $f(x)$는

반닫힌 구간 $(-\infty,$ [-2] $]$, $[0, \infty)$에서 감소하고,

닫힌구간 $[-2, 0]$에서 증가한다.

1-2 (1) $f(x)=-x^2+2x$에서 $f'(x)=-2x+2$

$f'(x)=0$에서 $x=1$

함수 $f(x)$의 증가와 감소를 표로 나타내면 다음과 같다.

x	$\cdots$	1	$\cdots$
$f'(x)$	$+$	0	$-$
$f(x)$	↗	1	↘

따라서 함수 $f(x)$는

반닫힌 구간 $(-\infty, 1]$에서 증가하고,

반닫힌 구간 $[1, \infty)$에서 감소한다.

(2) $f(x)=x^3-\frac{3}{2}x^2-6x$에서 $f'(x)=3x^2-3x-6$

$f'(x)=0$에서 $3(x+1)(x-2)=0$

$\therefore x=-1$ 또는 $x=2$

함수 $f(x)$의 증가와 감소를 표로 나타내면 다음과 같다.

x	$\cdots$	-1	$\cdots$	2	$\cdots$
$f'(x)$	$+$	0	$-$	0	$+$
$f(x)$	↗	$\frac{7}{2}$	↘	10	↗

따라서 함수 $f(x)$는

반닫힌 구간 $(-\infty, -1]$, $[2, \infty)$에서 증가하고,

닫힌구간 $[-1, 2]$에서 감소한다.

2-1 (1) 함수 $f(x)$는 열린구간 $(-1, 1)$에 속하는 모든 x에 대하여 $f(x)\le f(0)$이다.

따라서 함수 $f(x)$는 **$x=$ [0] 에서 극대**가 되고

극댓값은 $f($ [0] $)=1$

(2) 함수 $f(x)$는 열린구간 $(0, \infty)$에 속하는 모든 x에 대하여 $f(x)\ge f(1)$이다.

따라서 함수 $f(x)$는 **$x=1$에서 극소**가 되고

극솟값은 $f(1)=$ [0]

2-2 (1) 함수 $f(x)$는 열린구간 $(0, \infty)$에 속하는 모든 x에 대하여 $f(x)\le f(1)$이다.

따라서 함수 $f(x)$는 **$x=1$에서 극대**가 되고 **극댓값은 $f(1)=2$**

(2) 함수 $f(x)$는 열린구간 $(-\infty, 0)$에 속하는 모든 x에 대하여 $f(x)\ge f(-1)$이다.

따라서 함수 $f(x)$는 **$x=-1$에서 극소**가 되고 **극솟값은 $f(-1)=0$**

3-1 $f'(x)=3x^2-18x=3x(x-6)$

$f'(x)=0$에서 $x=$ [0] 또는 $x=6$

함수 $f(x)$의 증가와 감소를 표로 나타내면 다음과 같다.

x	$\cdots$	0	$\cdots$	6	$\cdots$
$f'(x)$	$+$	0	$-$	0	$+$
$f(x)$	↗	0	↘	-108	↗

따라서 함수 $f(x)$는

$x=0$에서 극대이고

극댓값은 [0],

$x=6$에서 극소이고

극솟값은 -108

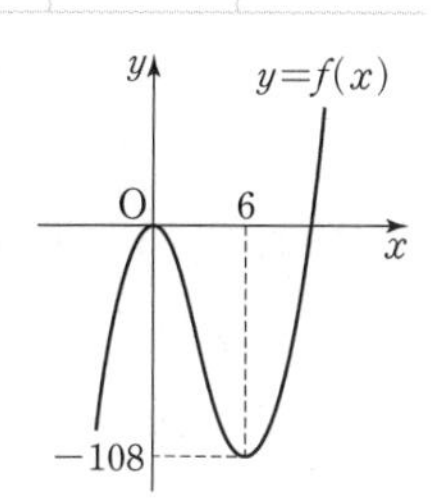

3-2 (1) $f'(x)=6x^2-6=6(x+1)(x-1)$

$f'(x)=0$에서 $x=-1$ 또는 $x=1$

함수 $f(x)$의 증가와 감소를 표로 나타내면 다음과 같다.

x	$\cdots$	-1	$\cdots$	1	$\cdots$
$f'(x)$	$+$	0	$-$	0	$+$
$f(x)$	↗	4	↘	-4	↗

따라서 함수 $f(x)$는

$x=-1$에서 극대이고

극댓값은 4,

$x=1$에서 극소이고

극솟값은 −4

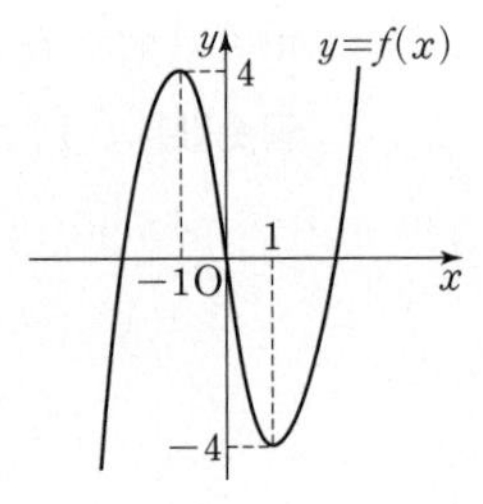

(2) $f'(x)=-3x^2+12=-3(x+2)(x-2)$

$f'(x)=0$에서 $x=-2$ 또는 $x=2$

함수 $f(x)$의 증가와 감소를 표로 나타내면 다음과 같다.

x	$\cdots$	-2	$\cdots$	2	$\cdots$
$f'(x)$	$-$	0	$+$	0	$-$
$f(x)$	↘	-16	↗	16	↘

따라서 함수 $f(x)$는

$x=2$에서 극대이고

극댓값은 16,

$x=-2$에서 극소이고

극솟값은 −16

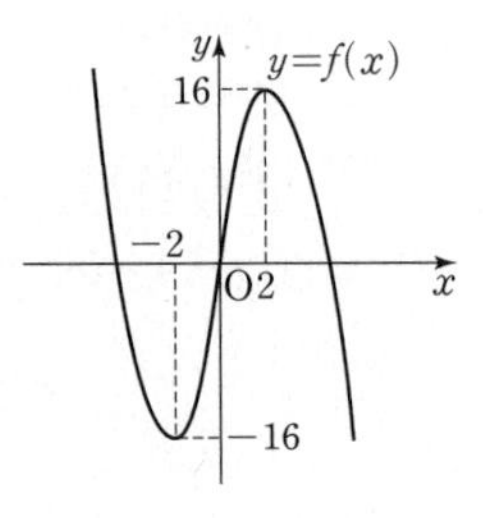

4-1 $f'(x)=6x^2+6x-12=6(x+2)(x-1)$

$f'(x)=0$에서 $x=-2$ 또는 $x=1$

닫힌구간 $[-3, 2]$에서 함수 $f(x)$의 증가와 감소를 표로 나타내면 다음과 같다.

x	-3	$\cdots$	-2	$\cdots$	1	$\cdots$	2
$f'(x)$		$+$	0	$-$	0	$+$	
$f(x)$	9	↗	20	↘	-7	↗	4

따라서 함수 $f(x)$는

$x=$ -2 에서 **최댓값 20,**

$x=$ 1 에서 **최솟값 −7**

을 갖는다.

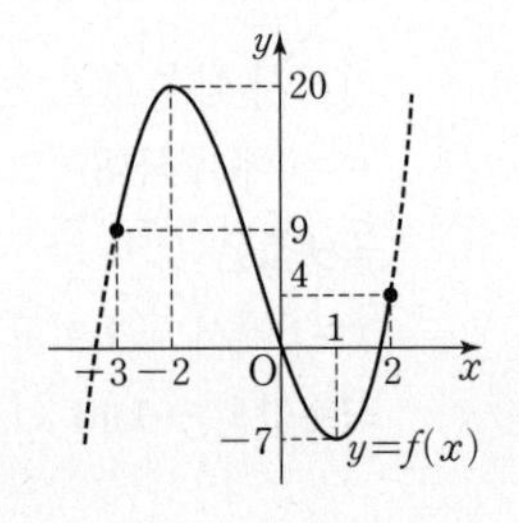

4-2 (1) $f'(x)=3x^2-3=3(x+1)(x-1)$

$f'(x)=0$에서 $x=-1$ 또는 $x=1$

닫힌구간 $[1, 3]$에서 함수 $f(x)$의 증가와 감소를 표로 나타내면 오른쪽과 같다.

x	1	$\cdots$	3
$f'(x)$	0	$+$	
$f(x)$	0	↗	20

따라서 함수 $f(x)$는

$x=3$에서 **최댓값 20,**

$x=1$에서 **최솟값 0**

을 갖는다.

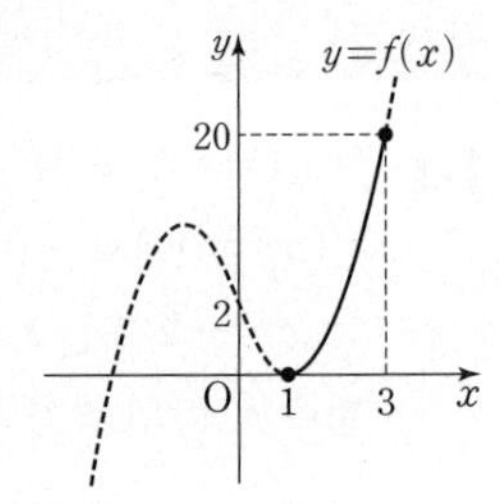

(2) $f'(x)=-3x^2+6x=-3x(x-2)$

$f'(x)=0$에서 $x=0$ 또는 $x=2$

닫힌구간 $[-1, 1]$에서 함수 $f(x)$의 증가와 감소를 표로 나타내면 다음과 같다.

x	-1	$\cdots$	0	$\cdots$	1
$f'(x)$		$-$	0	$+$	
$f(x)$	2	↘	-2	↗	0

따라서 함수 $f(x)$는

$x=-1$에서 **최댓값 2,**

$x=0$에서 **최솟값 −2**

를 갖는다.

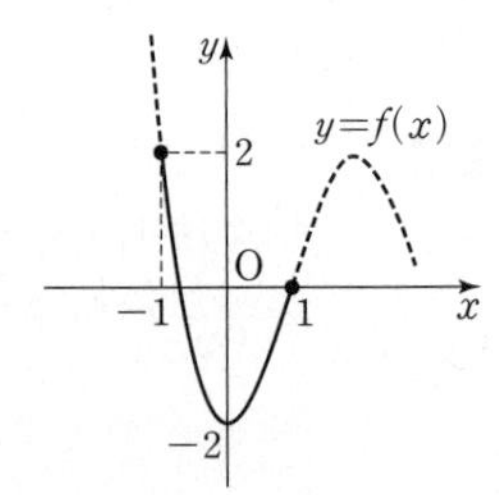

확인 문제

본문 | 106~119쪽

01-1 셀파 임의의 실수 x_1, x_2에 대하여 $x_1<x_2$일 때, $f(x_1)<f(x_2)$

⟺ 함수 $f(x)$는 실수 전체의 집합에서 증가한다.

$f(x)=\frac{1}{3}x^3+kx^2+(k+2)x-1$에서

$f'(x)=x^2+2kx+k+2$

임의의 실수 x_1, x_2에 대하여 $x_1<x_2$일 때, $f(x_1)<f(x_2)$가 성립하는 함수 $f(x)$는 실수 전체의 집합에서 증가하므로

모든 실수 x에 대하여 $f'(x)=x^2+2kx+k+2\geq0$

이때 이차방정식 $x^2+2kx+k+2=0$의 판별식을 D라 하면

$\frac{D}{4}=k^2-(k+2)\leq0$, $(k+1)(k-2)\leq0$

$\therefore$ $\mathbf{-1\leq k\leq2}$

01-2 셀파 삼차함수 $f(x)$가 실수 전체의 집합에서 감소하면 $f'(x)\le 0$이다.

$f(x)=-x^3+6x^2+ax+3$에서 $f'(x)=-3x^2+12x+a$

삼차함수 $f(x)$가 실수 전체의 집합에서 감소하려면 모든 실수 x에 대하여 $f'(x)=-3x^2+12x+a\le 0$이어야 한다.

이때 이차방정식 $-3x^2+12x+a=0$의 판별식을 D라 하면

$\frac{D}{4}=6^2-(-3a)\le 0$, $36+3a\le 0$ $\quad\therefore a\le -12$

따라서 실수 a의 최댓값은 $\mathbf{-12}$

02-1 셀파 닫힌구간 $[1, 3]$에서 함수 $f(x)$가 증가하면 이 구간에서 $f'(x)\ge 0$이다.

$f(x)=\frac{1}{3}x^3+x^2+kx-1$에서 $f'(x)=x^2+2x+k$

함수 $f(x)$가 닫힌구간 $[1, 3]$에서 증가하려면 이 구간에서 $f'(x)\ge 0$이어야 하므로

$f'(1)=1+2+k\ge 0$

$\therefore k\ge -3$ ……㉠

$f'(3)=9+6+k\ge 0$

$\therefore k\ge -15$ ……㉡

㉠, ㉡에서 실수 k의 값의 범위는 $k\ge -3$

따라서 실수 k의 최솟값은 $\mathbf{-3}$

02-2 셀파 닫힌구간 $[0, 1]$에서 함수 $f(x)$가 감소하면 $f'(0)\le 0$, $f'(1)\le 0$이다.

$f(x)=\frac{1}{3}x^3+2ax^2+(a^2+2a-8)x-1$에서

$f'(x)=x^2+4ax+a^2+2a-8$

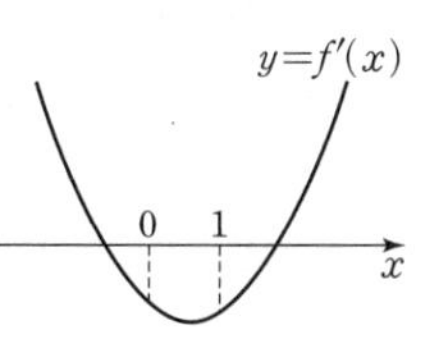

함수 $f(x)$가 닫힌구간 $[0, 1]$에서 감소하려면 이 구간에서 $f'(x)\le 0$이어야 하므로

$f'(0)=a^2+2a-8\le 0$, $(a+4)(a-2)\le 0$

$\therefore -4\le a\le 2$ ……㉠

$f'(1)=a^2+6a-7\le 0$, $(a+7)(a-1)\le 0$

$\therefore -7\le a\le 1$ ……㉡

㉠, ㉡에서 실수 a의 값의 범위는

$\mathbf{-4\le a\le 1}$

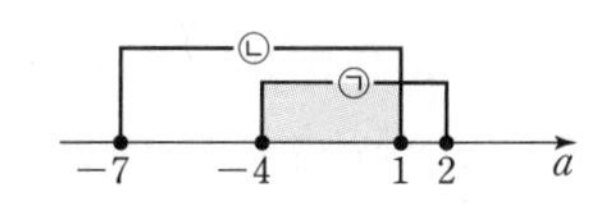

03-1 셀파 $f'(x)=0$인 x의 값을 기준으로 표를 구한다.

(1) $f'(x)=6x^2-6x-12=6(x+1)(x-2)$

$f'(x)=0$에서 $x=-1$ 또는 $x=2$

이때 함수 $f(x)$의 증가와 감소를 표로 나타내면 다음과 같다.

x	$\cdots$	-1	$\cdots$	2	$\cdots$
$f'(x)$	$+$	0	$-$	0	$+$
$f(x)$	↗	0	↘	-27	↗

따라서 함수 $f(x)$는 $x=-1$에서 **극댓값 0**,

$x=2$에서 **극솟값 −27**을 갖는다.

(2) $f'(x)=12x^3-24x^2-12x+24$

$=12(x+1)(x-1)(x-2)$

$f'(x)=0$에서 $x=-1$ 또는 $x=1$ 또는 $x=2$

이때 함수 $f(x)$의 증가와 감소를 표로 나타내면 다음과 같다.

x	$\cdots$	-1	$\cdots$	1	$\cdots$	2	$\cdots$
$f'(x)$	$-$	0	$+$	0	$-$	0	$+$
$f(x)$	↘	-10	↗	22	↘	17	↗

따라서 함수 $f(x)$는 $x=-1$에서 **극솟값 −10**,

$x=1$에서 **극댓값 22**, $x=2$에서 **극솟값 17**을 갖는다.

LECTURE 극대, 극소

$f'(x)$의 부호의 변화가 없으면 $f(x)$는 극값을 갖지 않는다.

즉, 모든 실수 x에 대하여 $f'(x)\ge 0$ 또는 $f'(x)\le 0$이면 극값이 존재하지 않는다.

예 $f(x)=x^3$에서 $f'(x)=3x^2$이므로 $f'(0)=0$이지만 모든 구간에서 증가하므로 함수 $f(x)$는 $x=0$에서 극값을 갖지 않는다.

x	$\cdots$	0	$\cdots$
$f'(x)$	$+$	0	$+$
$f(x)$	↗	0	↗

04-1 셀파 함수 $f(x)$가 $x=-2$에서 극댓값 2를 가지므로 $f'(-2)=0$, $f(-2)=2$

$f(x)=x^3+ax^2-b$에서 $f'(x)=3x^2+2ax$

함수 $f(x)$가 $x=-2$에서 극댓값 2를 가지므로

$f'(-2)=0$에서 $12-4a=0$ $\quad\therefore \mathbf{a=3}$

이때 $f(x)=x^3+3x^2-b$이므로 $f(-2)=2$에서

$-8+12-b=2$ $\quad\therefore \mathbf{b=2}$

04-2 셀파 $x=-3$, $x=1$에서 극값을 가지므로 $f'(-3)=0$, $f'(1)=0$

$f(x)=-x^3+px^2+qx-1$에서 $f'(x)=-3x^2+2px+q$

함수 $f(x)$가 $x=-3$에서 극솟값, $x=1$에서 극댓값을 가지므로

$f'(-3)=0$, $f'(1)=0$

$f'(-3)=0$에서 $-27-6p+q=0$ ······㉠

$f'(1)=0$에서 $-3+2p+q=0$ ······㉡

㉠, ㉡을 연립하여 풀면

$\mathbf{p=-3,\ q=9}$

| 다른 풀이 |

함수 $f(x)$가 $x=-3$과 $x=1$에서 극값을 가지므로

$f'(-3)=0$, $f'(1)=0$

$f'(x)=-3(x+3)(x-1)=-3x^2-6x+9$

$f'(x)=-3x^2+2px+q$

이므로 $2p=-6$, $q=9$

$\therefore p=-3$, $q=9$

05-1 셀파 $x=-3, -1, 2, 5, 7$일 때, $f'(x)=0$이다.

$f'(x)=0$을 만족시키는 x의 값은 $-3, -1, 2, 5, 7$이다.

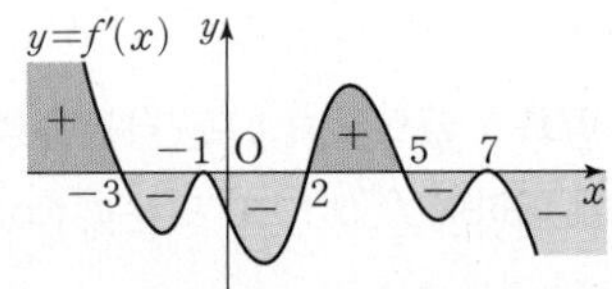

함수 $f(x)$의 증가와 감소를 표로 나타내면 다음과 같다.

x	$\cdots$	-3	$\cdots$	-1	$\cdots$	2	$\cdots$	5	$\cdots$	7	$\cdots$
$f'(x)$	$+$	0	$-$	0	$-$	0	$+$	0	$-$	0	$-$
$f(x)$	↗	극대	↘		↘	극소	↗	극대	↘		↘

(1) 함수 $f(x)$가 극댓값을 갖는 x의 값은 $\mathbf{-3,\ 5}$

(2) 함수 $f(x)$가 극솟값을 갖는 x의 값은 $\mathbf{2}$

06-1 셀파 $f'(x)=0$을 만족시키는 x의 값을 먼저 구한다.

(1) $f'(x)=-3x^2-6x=-3x(x+2)$

$f'(x)=0$에서 $x=-2$ 또는 $x=0$

이때 함수 $f(x)$의 증가와 감소를 표로 나타내면 다음과 같다.

x	$\cdots$	-2	$\cdots$	0	$\cdots$
$f'(x)$	$-$	0	$+$	0	$-$
$f(x)$	↘	2	↗	6	↘

함수 $f(x)$는 $x=-2$에서 극솟값 2, $x=0$에서 극댓값 6을 갖고 이때 $f(0)=6$이므로 함수 $y=f(x)$의 그래프는 y축과 점 $(0, 6)$에서 만난다. 따라서 함수 $y=f(x)$의 그래프의 개형은 오른쪽 그림과 같다.

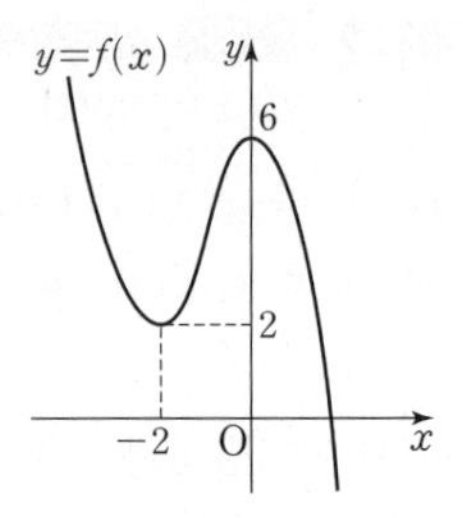

(2) $f'(x)=12x^3-12x^2-24x=12x(x+1)(x-2)$

$f'(x)=0$에서 $x=-1$ 또는 $x=0$ 또는 $x=2$

이때 함수 $f(x)$의 증가와 감소를 표로 나타내면 다음과 같다.

x	$\cdots$	-1	$\cdots$	0	$\cdots$	2	$\cdots$
$f'(x)$	$-$	0	$+$	0	$-$	0	$+$
$f(x)$	↘	7	↗	12	↘	-20	↗

함수 $f(x)$는 $x=-1$에서 극솟값 7, $x=0$에서 극댓값 12, $x=2$에서 극솟값 -20을 갖고 이때 $f(0)=12$이므로 함수 $y=f(x)$의 그래프는 y축과 점 $(0, 12)$에서 만난다.

따라서 함수 $y=f(x)$의 그래프의 개형은 오른쪽 그림과 같다.

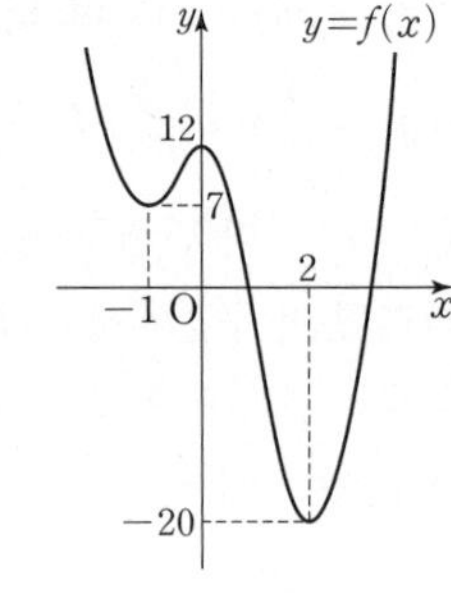

집중 연습

본문 | 114쪽

01 (1) $f(x)=x^3-3x$에서

$f'(x)=3x^2-3=3(x+1)(x-1)$

$f'(x)=0$에서 $x=-1$ 또는 $x=1$

함수 $f(x)$의 증가와 감소를 표로 나타내면 다음과 같다.

x	$\cdots$	-1	$\cdots$	1	$\cdots$
$f'(x)$	$+$	0	$-$	0	$+$
$f(x)$	↗	2	↘	-2	↗

따라서 함수 $f(x)$는

$x=-1$에서 **극댓값 2**, $x=1$에서 **극솟값 -2**를 갖는다.

이때 x축의 교점의 x좌표는
$x^3-3x=0$
$x(x+\sqrt{3})(x-\sqrt{3})=0$
$\therefore\ x=0$ 또는 $x=\pm\sqrt{3}$
따라서 함수 $y=f(x)$의 그래프의 개형은 오른쪽 그림과 같다.

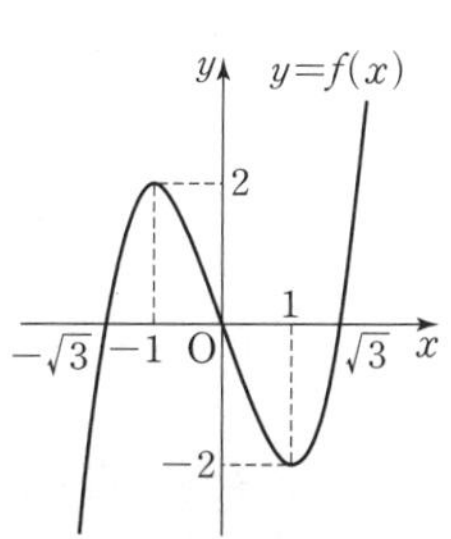

(2) $f(x)=-x^3-3x^2$에서
$f'(x)=-3x^2-6x=-3x(x+2)$
$f'(x)=0$에서 $x=-2$ 또는 $x=0$
함수 $f(x)$의 증가와 감소를 표로 나타내면 다음과 같다.

x	$\cdots$	-2	$\cdots$	0	$\cdots$
$f'(x)$	$-$	0	$+$	0	$-$
$f(x)$	↘	-4	↗	0	↘

따라서 함수 $f(x)$는
$x=-2$에서 **극솟값 -4**, $x=0$에서 **극댓값 0**을 갖는다.
이때 x축의 교점의 x좌표는
$-x^3-3x^2=0$
$-x^2(x+3)=0$
$\therefore\ x=-3$ 또는 $x=0$
따라서 함수 $y=f(x)$의 그래프의 개형은 오른쪽 그림과 같다.

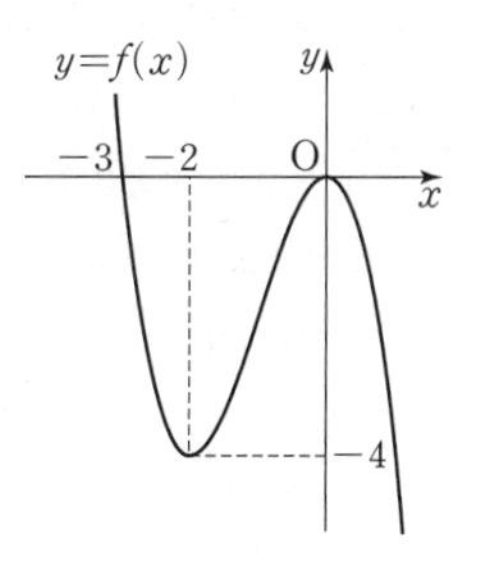

(3) $f(x)=x^3-3x^2+3x-1$에서
$f'(x)=3x^2-6x+3=3(x-1)^2$
$f'(x)=0$에서 $x=1$
함수 $f(x)$의 증가와 감소를 표로 나타내면 다음과 같다.

x	$\cdots$	1	$\cdots$
$f'(x)$	$+$	0	$+$
$f(x)$	↗	0	↗

따라서 함수 $f(x)$는
극값을 갖지 않는다.
이때 $f(0)=-1$이므로 y축과 점 $(0,\ -1)$에서 만난다.
따라서 함수 $y=f(x)$의 그래프의 개형은 오른쪽 그림과 같다.

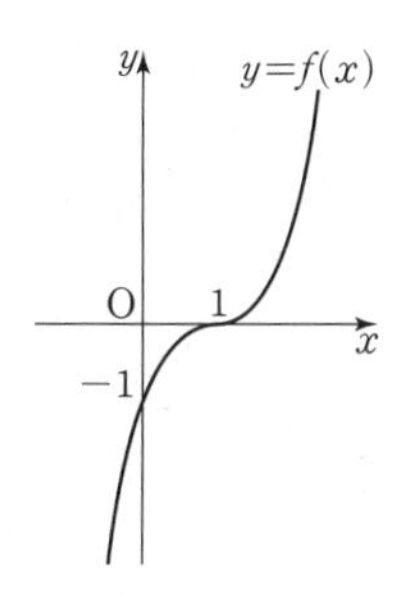

(4) $f(x)=(x-2)^2(x+4)=x^3-12x+16$에서
$f'(x)=3x^2-12=3(x+2)(x-2)$
$f'(x)=0$에서 $x=-2$ 또는 $x=2$
함수 $f(x)$의 증가와 감소를 표로 나타내면 다음과 같다.

x	$\cdots$	-2	$\cdots$	2	$\cdots$
$f'(x)$	$+$	0	$-$	0	$+$
$f(x)$	↗	32	↘	0	↗

따라서 함수 $f(x)$는
$x=-2$에서 **극댓값 32**, $x=0$에서 **극솟값 0**을 갖는다.
이때 x축의 교점의 x좌표는
$(x-2)^2(x+4)=0$
$\therefore\ x=-4$ 또는 $x=2$
따라서 함수 $y=f(x)$의 그래프의 개형은 오른쪽 그림과 같다.

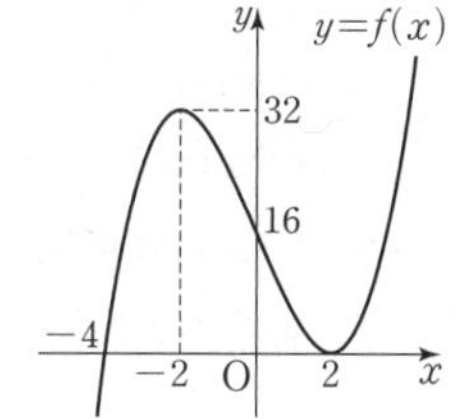

(5) $f(x)=-2x^3-3x^2+12x$에서
$f'(x)=-6x^2-6x+12=-6(x+2)(x-1)$
$f'(x)=0$에서 $x=-2$ 또는 $x=1$
함수 $f(x)$의 증가와 감소를 표로 나타내면 다음과 같다.

x	$\cdots$	-2	$\cdots$	1	$\cdots$
$f'(x)$	$-$	0	$+$	0	$-$
$f(x)$	↘	-20	↗	7	↘

따라서 함수 $f(x)$는
$x=-2$에서 **극솟값 -20**, $x=1$에서 **극댓값 7**을 갖는다.
이때 $f(0)=0$이므로 점 $(0,\ 0)$에서 만난다.
따라서 함수 $y=f(x)$의 그래프의 개형은 오른쪽 그림과 같다.

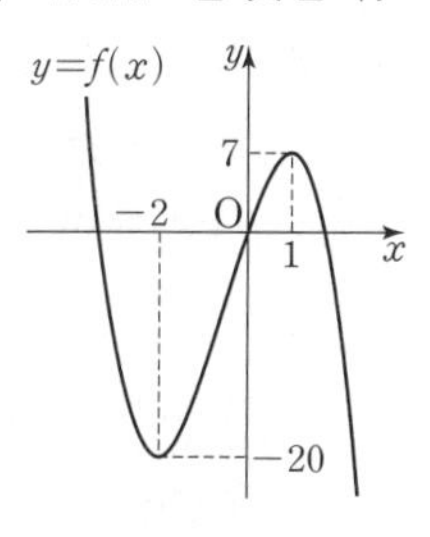

02 (1) $f(x)=x^4-4x^3+4x^2$에서
$f'(x)=4x^3-12x^2+8x=4x(x-1)(x-2)$
$f'(x)=0$에서 $x=0$ 또는 $x=1$ 또는 $x=2$
함수 $f(x)$의 증가와 감소를 표로 나타내면 다음과 같다.

x	$\cdots$	0	$\cdots$	1	$\cdots$	2	$\cdots$
$f'(x)$	$-$	0	$+$	0	$-$	0	$+$
$f(x)$	↘	0	↗	1	↘	0	↗

따라서 함수 $f(x)$는

$x=0$에서 **극솟값 0**, $x=1$에서 **극댓값 1**,

$x=2$에서 **극솟값 0**을 갖는다.

이때 x축의 교점의 x좌표는

$x^4-4x^3+4x^2=0$

$x^2(x-2)^2=0$

$\therefore x=0$ 또는 $x=2$

따라서 함수 $y=f(x)$의 그래프의 개형은 오른쪽 그림과 같다.

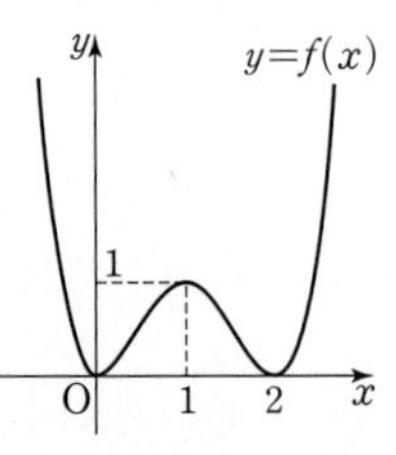

(2) $f(x)=-3x^4-4x^3+1$에서

$f'(x)=-12x^3-12x^2=-12x^2(x+1)$

$f'(x)=0$에서 $x=-1$ 또는 $x=0$

함수 $f(x)$의 증가와 감소를 표로 나타내면 다음과 같다.

x	$\cdots$	-1	$\cdots$	0	$\cdots$
$f'(x)$	$+$	0	$-$	0	$-$
$f(x)$	↗	2	↘	1	↘

따라서 함수 $f(x)$는

$x=-1$에서 **극댓값 2**를 갖는다.

이때 $f(0)=1$이므로 y축과 점 $(0,1)$에서 만난다.

따라서 함수 $y=f(x)$의 그래프의 개형은 오른쪽 그림과 같다.

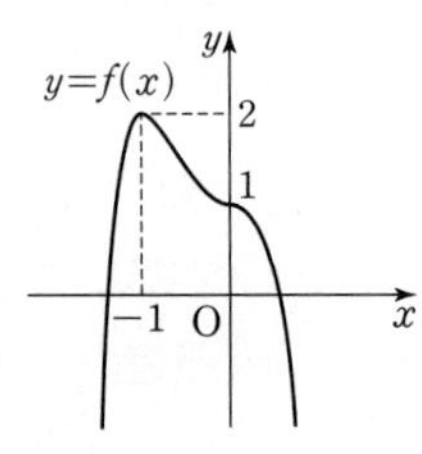

(3) $f(x)=-x^4+4x^2-4$에서

$f'(x)=-4x^3+8x=-4x(x+\sqrt{2})(x-\sqrt{2})$

$f'(x)=0$에서 $x=-\sqrt{2}$ 또는 $x=0$ 또는 $x=\sqrt{2}$

함수 $f(x)$의 증가와 감소를 표로 나타내면 다음과 같다.

x	$\cdots$	$-\sqrt{2}$	$\cdots$	0	$\cdots$	$\sqrt{2}$	$\cdots$
$f'(x)$	$+$	0	$-$	0	$+$	0	$-$
$f(x)$	↗	0	↘	-4	↗	0	↘

따라서 함수 $f(x)$는

$x=-\sqrt{2}$에서 **극댓값 0**, $x=0$에서 **극솟값 -4**,

$x=\sqrt{2}$에서 **극댓값 0**을 갖는다.

이때 x축의 교점의 x좌표는

$-x^4+4x^2-4=0$

$-(x+\sqrt{2})^2(x-\sqrt{2})^2=0$

$\therefore x=-\sqrt{2}$ 또는 $x=\sqrt{2}$

따라서 함수 $y=f(x)$의 그래프의 개형은 오른쪽 그림과 같다.

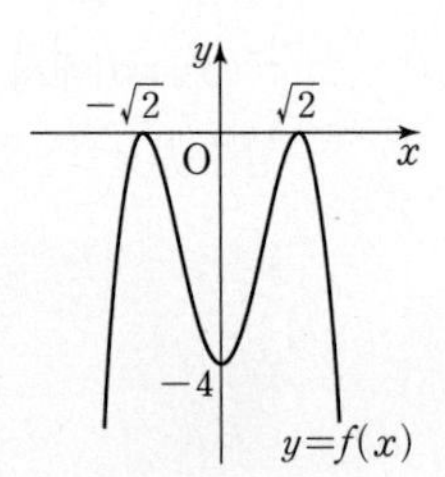

(4) $f(x)=\frac{1}{2}x^4-4x^2+5$에서

$f'(x)=2x^3-8x=2x(x+2)(x-2)$

$f'(x)=0$에서 $x=-2$ 또는 $x=0$ 또는 $x=2$

함수 $f(x)$의 증가와 감소를 표로 나타내면 다음과 같다.

x	$\cdots$	-2	$\cdots$	0	$\cdots$	2	$\cdots$
$f'(x)$	$-$	0	$+$	0	$-$	0	$+$
$f(x)$	↘	-3	↗	5	↘	-3	↗

따라서 함수 $f(x)$는

$x=-2$에서 **극솟값 -3**, $x=0$에서 **극댓값 5**,

$x=2$에서 **극솟값 -3**을 갖는다.

이때 $f(0)=5$이므로 y축과 점 $(0,5)$에서 만난다.

따라서 함수 $y=f(x)$의 그래프의 개형은 오른쪽 그림과 같다.

(5) $f(x)=3x^4+8x^3-6x^2-24x+9$에서

$f'(x)=12x^3+24x^2-12x-24$

$=12(x^3+2x^2-x-2)$

$=12(x+1)(x-1)(x+2)$

$f'(x)=0$에서 $x=-2$ 또는 $x=-1$ 또는 $x=1$

함수 $f(x)$의 증가와 감소를 표로 나타내면 다음과 같다.

x	$\cdots$	-2	$\cdots$	-1	$\cdots$	1	$\cdots$
$f'(x)$	$-$	0	$+$	0	$-$	0	$+$
$f(x)$	↘	17	↗	22	↘	-10	↗

따라서 함수 $f(x)$는

$x=-2$에서 **극솟값 17**, $x=-1$에서 **극댓값 22**,

$x=1$에서 **극솟값 -10**을 갖는다.

이때 $f(0)=9$이므로 y축과 점 $(0,9)$에서 만난다.

따라서 $y=f(x)$의 그래프의 개형은 오른쪽 그림과 같다.

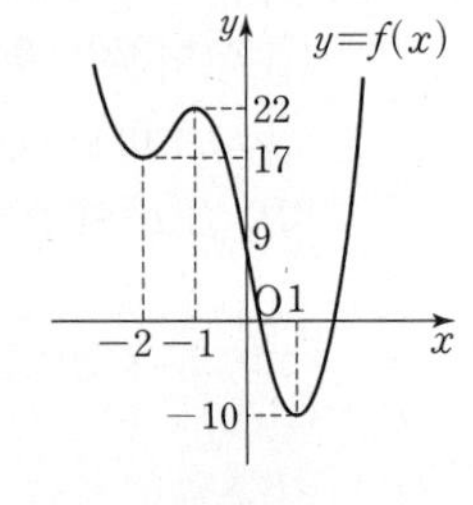

| 참고 |

$f'(x)=12(x^3+2x^2-x-2)$에서 $f'(1)=0$이므로 다음과 같이 조립제법을 이용하여 $f'(x)$를 인수분해할 수 있다.

1	1	2	-1	-2
		1	3	2
	1	3	2	0

$\therefore f'(x)=12(x-1)(x^2+3x+2)$

$=12(x-1)(x+1)(x+2)$

07-1 셀파 삼차함수 $f(x)$가 극댓값과 극솟값을 모두 가지면 이차방정식 $f'(x)=0$의 판별식 $D>0$이다.

$f(x)=ax^3-3x^2+ax-4$ $(a\neq0)$에서

$f'(x)=3ax^2-6x+a$

삼차함수 $f(x)$가 극댓값과 극솟값을 모두 가지려면 이차방정식 $f'(x)=0$이 서로 다른 두 실근을 가져야 한다.

이때 이차방정식 $3ax^2-6x+a=0$의 판별식을 D라 하면

$\frac{D}{4}=9-3a^2>0$, $(a+\sqrt{3})(a-\sqrt{3})<0$ $\therefore -\sqrt{3}<a<\sqrt{3}$

$a\neq0$이므로 구하는 정수 a의 개수는 -1, 1의 **2**

07-2 셀파 삼차함수 $f(x)$가 극값을 갖지 않으면 이차방정식 $f'(x)=0$의 판별식 $D\leq0$이다.

$f(x)=\frac{4}{3}x^3+ax^2-ax+1$에서

$f'(x)=4x^2+2ax-a$

삼차함수 $f(x)$가 극값을 갖지 않으려면 이차방정식 $f'(x)=0$이 중근 또는 서로 다른 두 허근을 가져야 한다.

이때 이차방정식 $4x^2+2ax-a=0$의 판별식을 D라 하면

$\frac{D}{4}=a^2+4a\leq0$, $a(a+4)\leq0$ $\therefore -4\leq a\leq0$

$\therefore$ $\boldsymbol{p=-4,\ q=0}$

08-1 셀파 최고차항의 계수가 음수인 사차함수 $f(x)$가 극솟값을 가지면 삼차방정식 $f'(x)=0$이 서로 다른 세 실근을 갖는다.

$f(x)=-x^4+8x^3+2kx^2$에서

$f'(x)=-4x^3+24x^2+4kx=-4x(x^2-6x-k)$

사차함수 $f(x)$가 극솟값을 가지려면 삼차방정식 $f'(x)=0$이 서로 다른 세 실근을 가져야 한다.

즉, 이차방정식 $x^2-6x-k=0$이 0이 아닌 서로 다른 두 실근을 가져야 한다.

이때 이차방정식 $x^2-6x-k=0$의 판별식을 D라 하면

$k\neq0$, $\frac{D}{4}=9+k>0$

$\therefore$ $\boldsymbol{-9<k<0}$ **또는** $\boldsymbol{k>0}$

LECTURE 사차함수가 극솟값을 갖는 경우

최고차항의 계수가 음수인 사차함수 $f(x)$에 대하여 $y=f(x)$와 $y=f'(x)$의 그래프의 개형이 각각 다음 그림과 같을 때 극솟값을 갖는다.

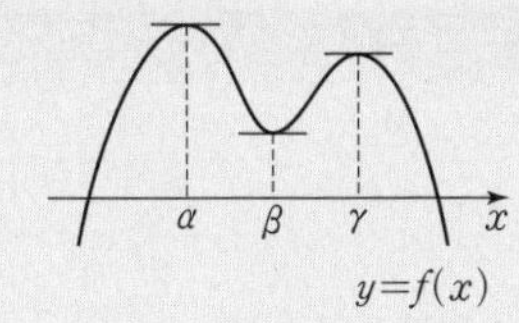

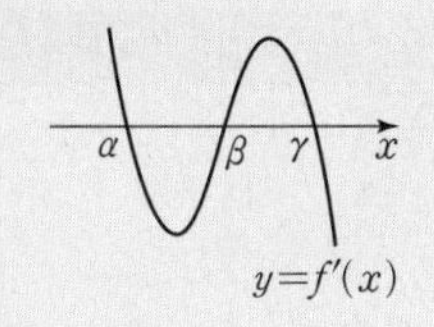

08-2 셀파 최고차항의 계수가 양수인 사차함수 $f(x)$가 극댓값을 갖지 않으려면 삼차방정식 $f'(x)=0$이 서로 다른 세 실근을 갖지 않아야 한다.

$f(x)=x^4-\frac{4}{3}x^3+2kx^2-4k$에서

$f'(x)=4x^3-4x^2+4kx=4x(x^2-x+k)$

사차함수 $f(x)$가 극댓값을 갖지 않으려면 삼차방정식 $f'(x)=0$이 서로 다른 세 실근을 갖지 않아야 한다.

이때 삼차방정식 $f'(x)=0$이 서로 다른 세 실근을 가지려면 방정식 $x^2-x+k=0$이 0이 아닌 서로 다른 두 실근을 가져야 하므로 이차방정식 $x^2-x+k=0$의 판별식을 D라 하면

$k\neq0$, $D=1-4k>0$ $\therefore k<0$ 또는 $0<k<\frac{1}{4}$

따라서 함수 $f(x)$가 극댓값을 갖지 않도록 하는 실수 k의 값 또는 k의 값의 범위는

$\boldsymbol{k=0}$ **또는** $\boldsymbol{k\geq\frac{1}{4}}$

09-1 셀파 극댓값과 극솟값, 경계에서의 함숫값을 각각 구하여 비교한다.

(1) $f(x)=x^3+3x^2-9x+4$에서

$f'(x)=3x^2+6x-9=3(x+3)(x-1)$

$f'(x)=0$에서 $x=-3$ 또는 $x=1$

닫힌구간 $[-4, 2]$에서 함수 $f(x)$의 증가와 감소를 표로 나타내면 다음과 같다.

x	-4	$\cdots$	-3	$\cdots$	1	$\cdots$	2
$f'(x)$		$+$	0	$-$	0	$+$	
$f(x)$	24	↗	31	↘	-1	↗	6

따라서 함수 $f(x)$는

$x=-3$에서 **최댓값 31**,

$x=1$에서 **최솟값 -1**

을 갖는다.

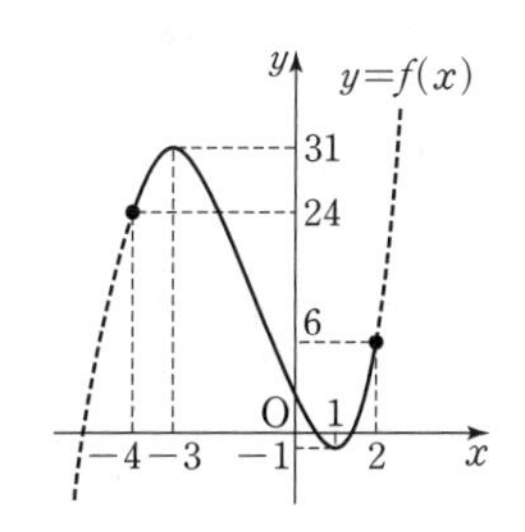

(2) $f(x)=-x^3+6x^2-9x$에서

$f'(x)=-3x^2+12x-9=-3(x-1)(x-3)$

$f'(x)=0$에서 $x=1$ 또는 $x=3$

닫힌구간 $[-1, 4]$에서 함수 $f(x)$의 증가와 감소를 표로 나타내면 다음과 같다.

x	-1	$\cdots$	1	$\cdots$	3	$\cdots$	4
$f'(x)$		$-$	0	$+$	0	$-$	
$f(x)$	16	↘	-4	↗	0	↘	-4

따라서 함수 $f(x)$는
$x=-1$에서 **최댓값 16**,
$x=1$, $x=4$에서 **최솟값 -4**
를 갖는다.

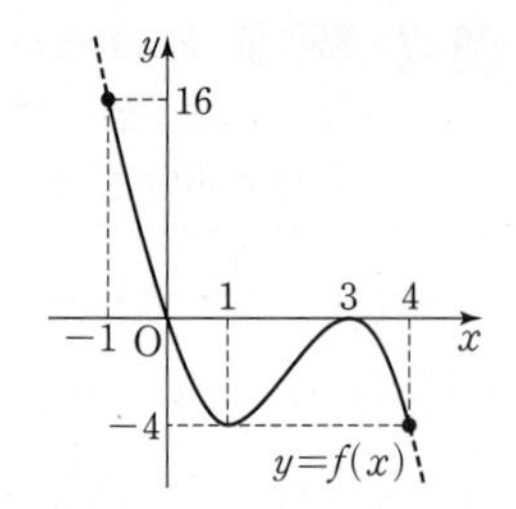

09-2 셀파 극댓값과 극솟값, 경계에서의 함숫값을 각각 구하여 비교한다.

(1) $f(x)=x^4+4x^3-16x$에서
$f'(x)=4x^3+12x^2-16=4(x+2)^2(x-1)$
$f'(x)=0$에서 $x=-2$ 또는 $x=1$
닫힌구간 $[-3, 2]$에서 함수 $f(x)$의 증가와 감소를 표로 나타내면 다음과 같다.

x	-3	$\cdots$	-2	$\cdots$	1	$\cdots$	2
$f'(x)$		$-$	0	$-$	0	$+$	
$f(x)$	21	↘	16	↘	-11	↗	16

따라서 함수 $f(x)$는
$x=-3$에서 **최댓값 21**,
$x=1$에서 **최솟값 -11**
을 갖는다.

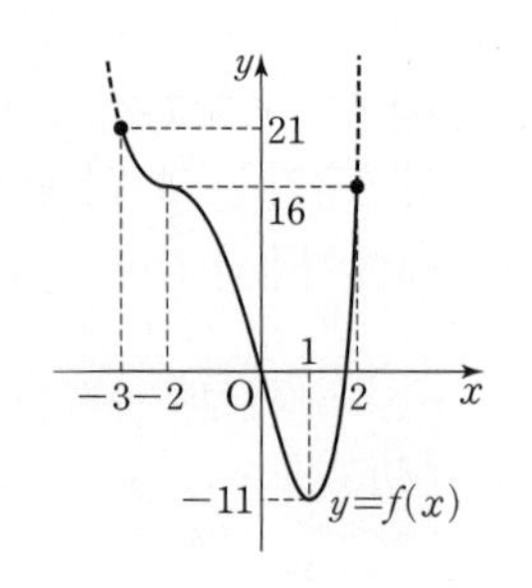

(2) $f(x)=3x^4-4x^3-1$에서
$f'(x)=12x^3-12x^2=12x^2(x-1)$
$f'(x)=0$에서 $x=0$ 또는 $x=1$
닫힌구간 $[-1, 2]$에서 함수 $f(x)$의 증가와 감소를 표로 나타내면 다음과 같다.

x	-1	$\cdots$	0	$\cdots$	1	$\cdots$	2
$f'(x)$		$-$	0	$-$	0	$+$	
$f(x)$	6	↘	-1	↘	-2	↗	15

따라서 함수 $f(x)$는
$x=2$에서 **최댓값 15**,
$x=1$에서 **최솟값 -2**
를 갖는다.

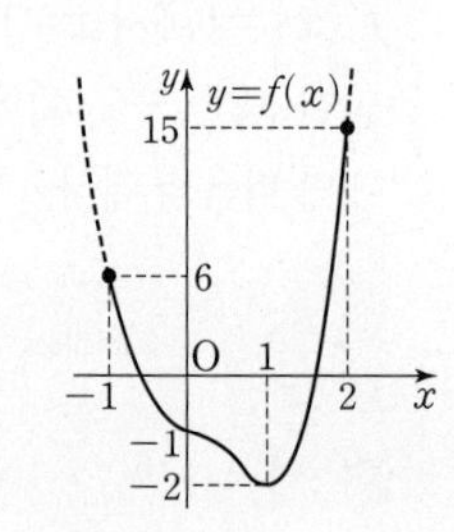

셀파 세미나 함수의 최댓값과 최솟값

❶ 함수 $f(x)$가 닫힌구간 $[a, b]$에서 연속이고 극값을 가질 때
① 최댓값 ⇨ 극값, $f(a)$, $f(b)$의 값 중 가장 큰 값
② 최솟값 ⇨ 극값, $f(a)$, $f(b)$의 값 중 가장 작은 값

❷ 함수 $f(x)$가 닫힌구간 $[a, b]$에서 연속이고 극값이 하나만 존재할 때
① 극값이 극댓값이면 극댓값이 곧 최댓값이다.
② 극값이 극솟값이면 극솟값이 곧 최솟값이다.

❸ 주어진 구간이 닫힌구간이 아닐 때
⇨ 최댓값 또는 최솟값이 존재하지 않을 수도 있다.

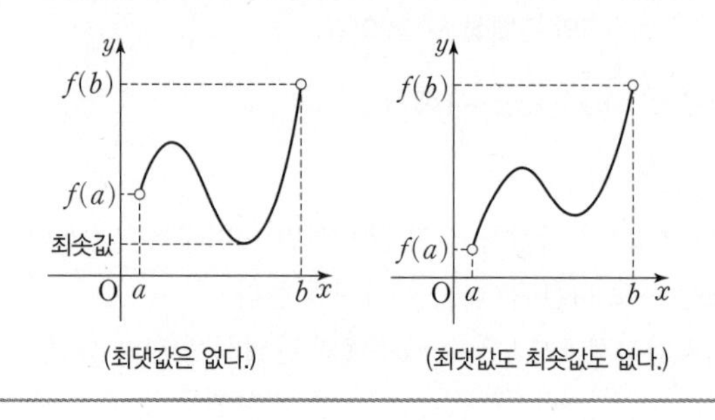

(최댓값은 없다.)　(최댓값도 최솟값도 없다.)

10-1 셀파 $f(-1)=-6$, $f'(-1)=0$을 이용하여 p, q의 값을 구한 다음 함수 $f(x)$를 구한다.

$f(x)=-x^3+px^2+qx-1$에서 $f'(x)=-3x^2+2px+q$
함수 $f(x)$가 $x=-1$에서 극솟값 -6을 가지므로
$f(-1)=1+p-q-1=-6$　$\therefore p-q=-6$　……㉠
$f'(-1)=-3-2p+q=0$　$\therefore 2p-q=-3$　……㉡
㉠, ㉡을 연립하여 풀면 $p=3$, $q=9$
이때 $f(x)=-x^3+3x^2+9x-1$에서
$f'(x)=-3x^2+6x+9=-3(x+1)(x-3)$
$f'(x)=0$에서 $x=-1$ 또는 $x=3$
닫힌구간 $[-2, 0]$에서 함수 $f(x)$의 증가와 감소를 표로 나타내면 다음과 같다.

x	-2	$\cdots$	-1	$\cdots$	0
$f'(x)$		$-$	0	$+$	
$f(x)$	1	↘	-6	↗	-1

따라서 함수 $f(x)$는 $x=-2$에서 최댓값 **1**을 갖는다.

10-2 셀파 주어진 구간에서의 극값과 $f(-1)$, $f(2)$를 비교한다.

$f(x)=x^3-6x^2+a$에서

$f'(x)=3x^2-12x=3x(x-4)$

$f'(x)=0$에서 $x=0$ 또는 $x=4$

닫힌구간 $[-1, 2]$에서 함수 $f(x)$의 증가와 감소를 표로 나타내면 다음과 같다.

x	-1	$\cdots$	0	$\cdots$	2
$f'(x)$		$+$	0	$-$	
$f(x)$	$a-7$	↗	a	↘	$a-16$

따라서 함수 $f(x)$는 $x=0$에서 최댓값 a, $x=2$에서 최솟값 $a-16$을 갖는다.

이때 최댓값과 최솟값의 합이 4이므로

$a+(a-16)=4$, $2a-16=4$ $\therefore$ $\boldsymbol{a=10}$

11-1 셀파 원기둥의 밑면의 반지름의 길이를 x, 높이를 y라 하면 $y=9-x$ $(0<x<9)$이다.

원기둥의 밑면의 반지름의 길이를 x, 높이를 y라 하면 닮음비에서

$9:9=x:(9-y)$, $x=9-y$

$\therefore$ $y=9-x$ $(0<x<9)$

원기둥의 부피를 $V(x)$라 하면

$V(x)=\pi x^2y=\pi x^2(9-x)=\pi(9x^2-x^3)$

$V'(x)=\pi(18x-3x^2)=3\pi x(6-x)$

$V'(x)=0$에서 $x=6$ ($\because$ $0<x<9$)

열린구간 $(0, 9)$에서 함수 $V(x)$의 증가와 감소를 표로 나타내면 다음과 같다.

x	(0)	$\cdots$	6	$\cdots$	(9)
$V'(x)$		$+$	0	$-$	
$V(x)$		↗	108π	↘	

따라서 함수 $V(x)$는 $x=6$에서 극대이면서 최대이므로 구하는 원기둥의 부피의 최댓값은 $\boldsymbol{108\pi}$

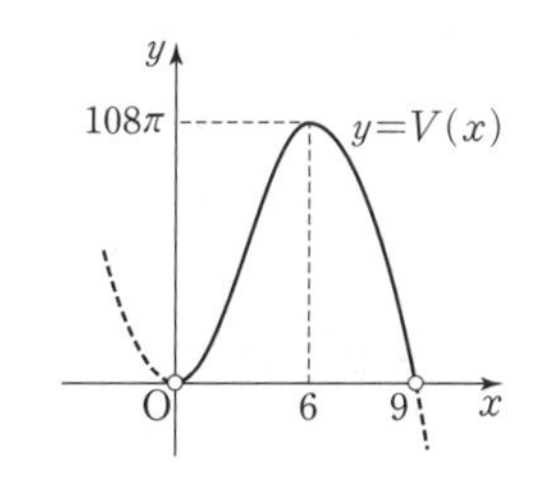

연습 문제

본문 | 120~121 쪽

01 셀파 함수 $f(x)$가 감소하는 구간은 $f'(x)\le 0$인 구간이다.

$f'(x)\le 0$인 구간은 $-1\le x\le 3$이므로

함수 $f(x)$가 감소하는 구간은 $\boldsymbol{[-1,\ 3]}$

02 셀파 삼차함수 $f(x)$가 실수 전체의 집합에서 감소하면
⇨ 모든 실수 x에 대하여 $f'(x)\le 0$

$f(x)=-x^3+3kx^2+3(k-2)x-1$에서

$f'(x)=-3x^2+6kx+3(k-2)$

삼차함수 $f(x)$가 실수 전체의 집합에서 감소하려면 모든 실수 x에 대하여 $f'(x)=-3x^2+6kx+3(k-2)\le 0$이어야 한다.

이때 이차방정식 $-3x^2+6kx+3(k-2)=0$의 판별식을 D라 하면

$\dfrac{D}{4}=9k^2+9(k-2)\le 0$, $9(k-1)(k+2)\le 0$

$\therefore$ $\boldsymbol{-2\le k\le 1}$

03 셀파 일대일대응일 때, 역함수가 존재한다.

$f(x)=x^3+kx^2+kx-2$에서 $f'(x)=3x^2+2kx+k$

함수 $f(x)$가 실수 전체의 집합에서 증가하려면 모든 실수 x에 대하여 $f'(x)=3x^2+2kx+k\ge 0$이어야 한다.

이때 이차방정식 $3x^2+2kx+k=0$의 판별식을 D라 하면

$\dfrac{D}{4}=k^2-3k\le 0$, $k(k-3)\le 0$ $\therefore$ $\boldsymbol{0\le k\le 3}$

| 참고 |

최고차항의 계수가 양수인 함수 $f(x)$의 역함수가 존재한다.

$\Longleftrightarrow$ 함수 $f(x)$가 일대일대응이다.

$\Longleftrightarrow$ 함수 $f(x)$가 증가한다.

04 셀파 표를 이용하여 극댓값, 극솟값을 찾고 점 P, Q의 좌표를 구한다.

$f(x)=-x^3-3x^2+6$에서

$f'(x)=-3x^2-6x=-3x(x+2)$

$f'(x)=0$에서 $x=-2$ 또는 $x=0$

함수 $f(x)$의 증가와 감소를 표로 나타내면 다음과 같다.

x	$\cdots$	-2	$\cdots$	0	$\cdots$
$f'(x)$	$-$	0	$+$	0	$-$
$f(x)$	↘	2	↗	6	↘

함수 $f(x)$는

$x=-2$에서 극솟값 2,

$x=0$에서 극댓값 6을 가지므로

$\mathrm{P}(0, 6)$, $\mathrm{Q}(-2, 2)$

따라서 삼각형 OPQ의 넓이는

$\dfrac{1}{2}\times 6\times 2=\boldsymbol{6}$

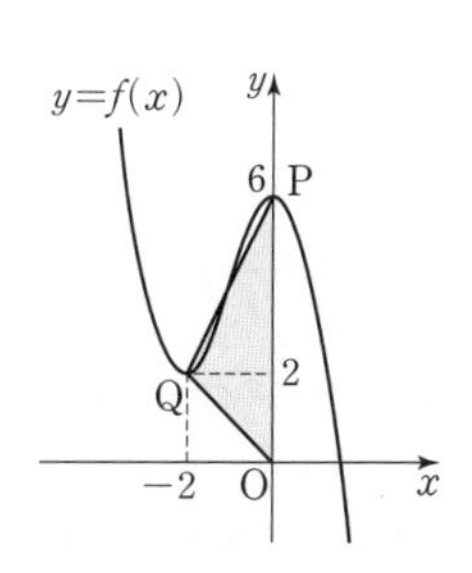

05 셀파 함수 $f(x)$가 $x=\alpha$에서 극값을 가지면 $f'(\alpha)=0$

$f(x)=x^3+ax^2+bx-2$에서

$f'(x)=3x^2+2ax+b$

$x=-1$에서 극댓값을 가지므로

$f'(-1)=3-2a+b=0 \quad \therefore 2a-b=3 \quad \cdots\cdots ㉠$

$x=3$에서 극솟값을 가지므로

$f'(3)=27+6a+b=0 \quad \therefore 6a+b=-27 \quad \cdots\cdots ㉡$

㉠, ㉡을 연립하여 풀면

$\boldsymbol{a=-3,\ b=-9}$

06 셀파 $f'(x)$의 부호가 바뀌면 $f(x)$는 극값을 갖는다.

㉮ $f(x)=x^3+kx^2-k^2x$에서

$f'(x)=3x^2+2kx-k^2=(x+k)(3x-k)$

$f'(x)=0$에서 $x=-k$ 또는 $x=\dfrac{k}{3}$

$k>0$이므로 함수 $f(x)$의 증가와 감소를 표로 나타내면 다음과 같다.

x	$\cdots$	$-k$	$\cdots$	$\dfrac{k}{3}$	$\cdots$
$f'(x)$	$+$	0	$-$	0	$+$
$f(x)$	↗	k^3	↘	$-\dfrac{5}{27}k^3$	↗

㉯ 따라서 함수 $f(x)$는

$x=-k$에서 극댓값 k^3,

$x=\dfrac{k}{3}$에서 극솟값 $-\dfrac{5}{27}k^3$

을 갖는다.

㉰ 이때 극댓값과 극솟값의 차가 32이므로

$k^3-\left(-\dfrac{5}{27}k^3\right)=32,\ \dfrac{32}{27}k^3=32$

$k^3=27,\ (k-3)(k^2+3k+9)=0$

$\therefore \boldsymbol{k=3}\ (\because k>0)$

채점 기준	배점
㉮ 극대, 극소가 되는 x의 값을 구한다.	30%
㉯ 극댓값과 극솟값을 k로 나타낸다.	40%
㉰ 극댓값과 극솟값의 차를 이용하여 k의 값을 구한다.	30%

07 셀파 $f'(\alpha)=0$이고 $x=\alpha$의 좌우에서 $f'(x)$의 부호가 바뀌면 그 점에서 극값을 갖는다.

$f'(x)=a(x-2)^2\ (a<0)$으로 놓고 $f'(x)$의 부호를 조사하여 함수 $f(x)$의 증가와 감소를 표로 나타내면 오른쪽과 같다.

x	$\cdots$	2	$\cdots$
$f'(x)$	$-$	0	$-$
$f(x)$	↘		↘

ㄱ. 위의 표에서 함수 $f(x)$는 열린구간 $(-\infty,\ \infty)$에서 감소한다. (참)

ㄴ. $f'(2)=0$이지만 $x=2$의 좌우에서 $f'(x)$의 부호가 바뀌지 않으므로 $x=2$에서 극댓값을 갖지 않는다. (거짓)

ㄷ. 함수 $y=f(x)$의 그래프의 개형은 다음 중 하나이다.

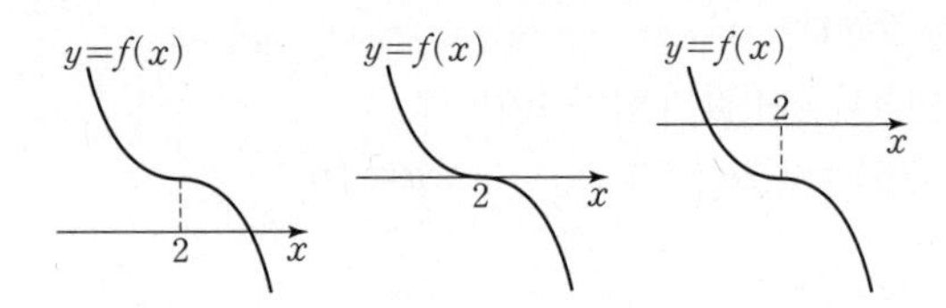

즉, 함수 $y=f(x)$의 그래프는 x축과 오직 한 점에서 만난다. (참)

따라서 옳은 것은 ㄱ, ㄷ이므로 구하는 답은 ③

08 셀파 $f'(x)$의 부호가 바뀌는 x의 값을 조사하여 극대와 극소를 찾는다.

$f'(x)=0$을 만족시키는 x의 값은 $-1,\ 1,\ 3$이므로 함수 $f(x)$의 증가와 감소를 표로 나타내면 다음과 같다.

x	$\cdots$	-1	$\cdots$	1	$\cdots$	3	$\cdots$
$f'(x)$	$-$	0	$+$	0	$-$	0	$+$
$f(x)$	↘	극소	↗	극대	↘	극소	↗

따라서 함수 $f(x)$는

$x=-1,\ x=3$에서 극소이므로 $p+q=2$

$x=1$에서 극대이므로 $r=1$

$\therefore \boldsymbol{p+q-r=1}$

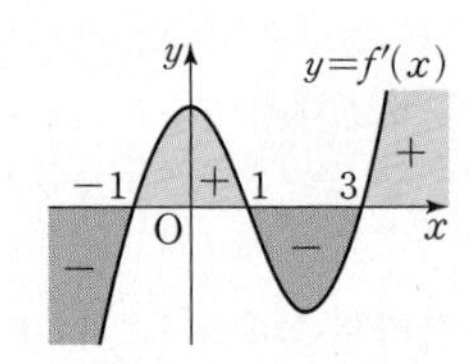

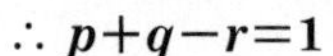

09 셀파 함수 $y=f'(x)$의 그래프에서 $x=3$의 좌우에서 $f'(x)$의 부호가 변하지 않음에 주의한다.

$f'(x)=0$을 만족시키는 x의 값은 $-1,\ 3$이므로 함수 $f(x)$의 증가와 감소를 표로 나타내면 다음과 같다.

x	$\cdots$	-1	$\cdots$	3	$\cdots$
$f'(x)$	$+$	0	$-$	0	$-$
$f(x)$	↗	극대	↘		↘

따라서 함수 $f(x)$가 극값을 갖는 x의 값은 $\boldsymbol{-1}$

10 셀파 $f(x)$의 삼차항의 계수가 양수일 때, 방정식 $f'(x)=0$의 서로 다른 두 실근 α, β $(\alpha<\beta)$에 대하여 극댓값은 $f(\alpha)$이다.

$f(x)=(x-1)^2(x+a)+1$에서

$f'(x)=2(x-1)(x+a)+(x-1)^2\times1$

$=(x-1)(3x+2a-1)$

$f'(x)=0$에서 $x=1$ 또는 $x=\frac{1-2a}{3}$

함수 $f(x)$의 삼차항의 계수가 양수이므로 $x=1$에서 극댓값을 가지려면

$\frac{1-2a}{3}>1$, $1-2a>3$ $\quad\therefore a<-1$

따라서 구하는 답은 ②

11 셀파 닫힌구간 $[a, b]$에서 삼차함수의 최댓값과 최솟값을 구할 때는 구간에서의 극값과 $f(a), f(b)$를 비교한다.

$f(x)=-x^3+12x-3$에서

$f'(x)=-3x^2+12=-3(x+2)(x-2)$

$f'(x)=0$에서 $x=-2$ 또는 $x=2$

닫힌구간 $[-1, 3]$에서 $f(x)$의 증가와 감소를 표로 나타내면 다음과 같다.

x	-1	$\cdots$	2	$\cdots$	3
$f'(x)$		$+$	0	$-$	
$f(x)$	-14	↗	13	↘	6

따라서 함수 $f(x)$는 $x=2$에서 최댓값 13, $x=-1$에서 최솟값 -14를 가지므로 최댓값과 최솟값의 합은 $13+(-14)=\mathbf{-1}$

12 셀파 닫힌구간 $[a, b]$에서 삼차함수의 최댓값과 최솟값을 구할 때는 구간에서의 극값과 $f(a), f(b)$를 비교한다.

$f(x)=-x^3+3x^2+a$에서

$f'(x)=-3x^2+6x=-3x(x-2)$

$f'(x)=0$에서 $x=0$ 또는 $x=2$

닫힌구간 $[-2, 2]$에서 함수 $f(x)$의 증가와 감소를 표로 나타내면 다음과 같다.

x	-2	$\cdots$	0	$\cdots$	2
$f'(x)$		$-$	0	$+$	
$f(x)$	$a+20$	↘	a	↗	$a+4$

함수 $f(x)$는 $x=-2$에서 최댓값 $a+20$, $x=0$에서 최솟값 a를 갖는다.

이때 함수 $f(x)$의 최솟값이 -4이므로 $a=-4$

따라서 함수 $f(x)$의 최댓값은 $a+20=-4+20=\mathbf{16}$

13 셀파 함수 $f(x)$가 닫힌구간 $[a, b]$에서 연속이면 $f(x)$는 이 구간에서 반드시 최댓값과 최솟값을 갖는다.

$f(x)=ax^4-4ax^3+b$에서

$f'(x)=4ax^3-12ax^2=4ax^2(x-3)$

$f'(x)=0$에서 $x=0$ 또는 $x=3$

닫힌구간 $[1, 4]$에서 함수 $f(x)$의 증가와 감소를 표로 나타내면 다음과 같다.

x	1	$\cdots$	3	$\cdots$	4
$f'(x)$		$-$	0	$+$	
$f(x)$	$b-3a$	↘	$b-27a$	↗	b

함수 $f(x)$의

최댓값은 $f(4)=b=3$ ······㉠

최솟값은 $f(3)=b-27a=-6$ ······㉡

㉠, ㉡을 연립하여 풀면 $\boldsymbol{a=\frac{1}{3}, b=3}$

14 셀파 점 P의 좌표를 (t, t^2-3t)로 놓으면 점 H의 좌표는 $(t, 0)$이다.

점 P의 좌표를 (t, t^2-3t) $(0<t<3)$로 놓으면

이때 점 H의 좌표는 $(t, 0)$이고,

삼각형 OPH는 오른쪽 그림과 같다.

$\overline{\mathrm{HP}}=-(t^2-3t)=-t^2+3t$

삼각형 OPH의 넓이를 $S(t)$라 하면

$S(t)=\frac{1}{2}\times\overline{\mathrm{OH}}\times\overline{\mathrm{HP}}$

$=\frac{1}{2}t(-t^2+3t)=-\frac{1}{2}t^3+\frac{3}{2}t^2$

$S'(t)=-\frac{3}{2}t^2+3t=-\frac{3}{2}t(t-2)$

$S'(t)=0$에서 $t=2$ ($\because 0<t<3$)

열린구간 $(0, 3)$에서 함수 $S(t)$의 증가와 감소를 표로 나타내면 다음과 같다.

t	(0)	$\cdots$	2	$\cdots$	(3)
$S'(t)$		$+$	0	$-$	
$S(t)$		↗	2	↘	

함수 $S(t)$는 $t=2$에서 극대이면서 최대이므로 구하는 삼각형 OPH의 넓이의 최댓값은 2

따라서 구하는 답은 ②

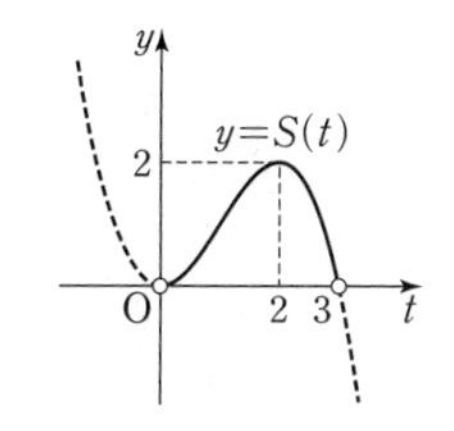

7. 방정식과 부등식, 속도와 가속도

개념 익히기

본문 | 125, 127 쪽

1-1 $f(x)=x^3-3x^2+2$라 하면

$f'(x)=3x^2-6x=3x(x-2)$

$f'(x)=0$에서 $x=0$ 또는 $x=2$

함수 $f(x)$의 증가와 감소를 표로 나타내면 다음과 같다.

x	$\cdots$	0	$\cdots$	2	$\cdots$
$f'(x)$	$+$	0	$-$	0	$+$
$f(x)$	↗	2	↘	-2	↗

오른쪽 그림에서 함수 $y=f(x)$의 그래프는 x축과 서로 다른 세 점에서 만나므로 방정식 $x^3-3x^2+2=0$의 서로 다른 실근의 개수는 **3**

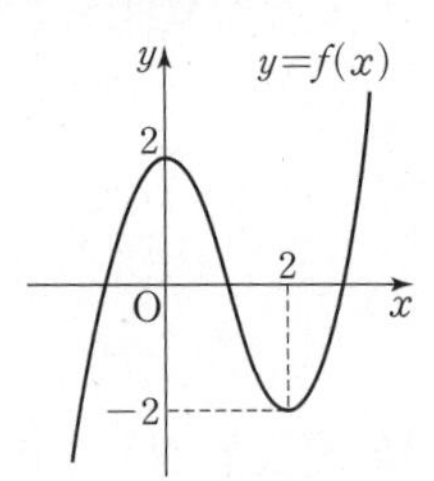

1-2 (1) $f(x)=x^3+6x^2+9x+4$라 하면

$f'(x)=3x^2+12x+9=3(x+1)(x+3)$

$f'(x)=0$에서 $x=-3$ 또는 $x=-1$

함수 $f(x)$의 증가와 감소를 표로 나타내면 다음과 같다.

x	$\cdots$	-3	$\cdots$	-1	$\cdots$
$f'(x)$	$+$	0	$-$	0	$+$
$f(x)$	↗	4	↘	0	↗

오른쪽 그림에서 함수 $y=f(x)$의 그래프는 x축과 한 점에서 접하고 다른 한 점에서 만나므로 방정식 $x^3+6x^2+9x+4=0$의 서로 다른 실근의 개수는 **2**

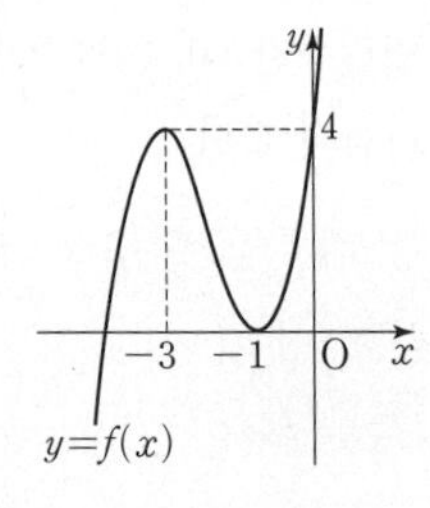

| 다른 풀이 |

함수 $f(x)$는 $x=-3$에서 극댓값 4, $x=-1$에서 극솟값 0을 갖는다.

이때 (극댓값)×(극솟값)=0이므로

방정식 $x^3+6x^2+9x+4=0$의 서로 다른 실근의 개수는 2

(2) $f(x)=x^3+3x^2-9x+1$이라 하면

$f'(x)=3x^2+6x-9=3(x+3)(x-1)$

$f'(x)=0$에서 $x=-3$ 또는 $x=1$

함수 $f(x)$의 증가와 감소를 표로 나타내면 다음과 같다.

x	$\cdots$	-3	$\cdots$	1	$\cdots$
$f'(x)$	$+$	0	$-$	0	$+$
$f(x)$	↗	28	↘	-4	↗

오른쪽 그림에서 함수 $y=f(x)$의 그래프는 x축과 서로 다른 세 점에서 만나므로 방정식 $x^3+3x^2-9x+1=0$의 서로 다른 실근의 개수는 **3**

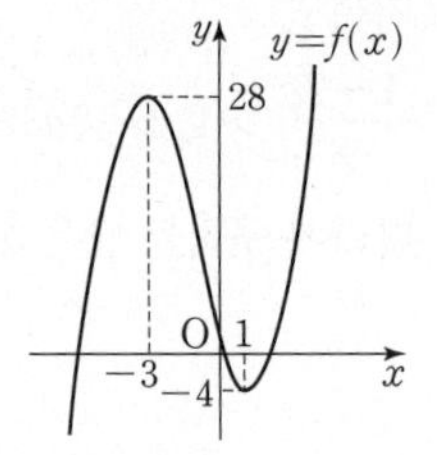

| 다른 풀이 |

함수 $f(x)$는 $x=-3$에서 극댓값 28, $x=1$에서 극솟값 -4를 갖는다.

이때 (극댓값)×(극솟값)$=28\times(-4)=-112<0$이므로

방정식 $x^3+3x^2-9x+1=0$의 서로 다른 실근의 개수는 3

LECTURE 방정식의 실근의 개수

❶ 이차방정식의 실근의 개수

⇨ 판별식 이용, 그래프 이용

❷ 삼차방정식 이상의 실근의 개수

⇨ 그래프 이용

2-1 $x\geq0$에서 $f(x)=2x^3-3x^2+3$이라 하면

$f'(x)=6x^2-6x=6x(x-1)$

$f'(x)=0$에서 $x=0$ 또는 $x=$ 1

반닫힌 구간 $[0, \infty)$에서 함수 $f(x)$의 증가와 감소를 표로 나타내면 다음과 같다.

x	0	$\cdots$	1	$\cdots$
$f'(x)$	0	$-$	0	$+$
$f(x)$	3	↘	2	↗

$x\geq0$일 때, 함수 $f(x)$의 최솟값은

$f($ 1 $)=$ 2

따라서 $x\geq0$에서 $f(x)\geq0$이므로

$2x^3-3x^2+3\geq0$이 성립한다.

2-2 $x \geq 0$에서 $f(x)=x^3-x^2-x+2$라 하면
$f'(x)=3x^2-2x-1=(3x+1)(x-1)$
$f'(x)=0$에서 $x=-\frac{1}{3}$ 또는 $x=1$
반닫힌 구간 $[0, \infty)$에서 함수 $f(x)$의 증가와 감소를 표로 나타내면 다음과 같다.

x	0	$\cdots$	1	$\cdots$
$f'(x)$		$-$	0	$+$
$f(x)$	2	↘	1	↗

$x \geq 0$일 때, 함수 $f(x)$의 최솟값은
$f(\boxed{1})=\boxed{1}$
따라서 $x \geq 0$에서 $f(x) \geq 0$이므로
$x^3-x^2-x+2 \geq 0$이 성립한다.

3-1 점 P의 시각 t에서의 속도를 v, 가속도를 a라 하면
$v=\frac{dx}{dt}=3t^2-8t+6$, $a=\frac{dv}{dt}=6t-8$
따라서 $t=2$에서의 속도와 가속도는
$v=3\times2^2-8\times\boxed{2}+6=\mathbf{2}$
$a=6\times2-8=\boxed{\mathbf{4}}$

3-2 점 P의 시각 t에서의 속도를 v, 가속도를 a라 하면
(1) $v=\frac{dx}{dt}=3t^2-6$, $a=\frac{dv}{dt}=6t$
따라서 $t=2$에서의 속도와 가속도는
$v=3\times2^2-6=\mathbf{6}$, $a=6\times2=\mathbf{12}$

(2) $v=\frac{dx}{dt}=3t^2+4t$, $a=\frac{dv}{dt}=6t+4$
따라서 $t=3$에서의 속도와 가속도는
$v=3\times3^2+4\times3=\mathbf{39}$, $a=6\times3+4=\mathbf{22}$

4-1 시각 t에서의 물체의 길이의 변화율은
$\frac{dl}{dt}=3t^2+3$
따라서 $t=1$에서의 물체의 길이의 변화율은
$3\times1^2+3=\boxed{\mathbf{6}}$

4-2 (1) 시각 t에서의 물체의 길이의 변화율은
$\frac{dl}{dt}=15t^2-6t$
따라서 $t=1$에서의 물체의 길이의 변화율은
$15\times1^2-6\times1=\mathbf{9}$

(2) 시각 t에서의 물체의 길이의 변화율은
$\frac{dl}{dt}=4t^3-6t$
따라서 $t=2$에서의 물체의 길이의 변화율은
$4\times2^3-6\times2=\mathbf{20}$

확인 문제

본문 | 128~139쪽

01-1 셀파 **방정식을 $f(x)=0$ 꼴로 놓고, 함수 $y=f(x)$의 그래프를 그린다.**

(1) $f(x)=x^3+6x^2+12x+8$이라 하면
$f'(x)=3x^2+12x+12=3(x+2)^2$
$f'(x)=0$에서 $x=-2$
함수 $f(x)$의 증가와 감소를 표로 나타내면 다음과 같다.

x	$\cdots$	-2	$\cdots$
$f'(x)$	$+$	0	$+$
$f(x)$	↗	0	↗

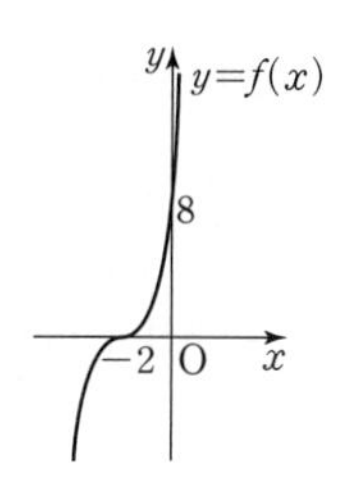

오른쪽 그림에서 함수 $y=f(x)$의 그래프는 x축과 한 점에서 만나므로 방정식 $x^3+6x^2+12x+8=0$의 서로 다른 실근의 개수는 **1**

(2) $f(x)=x^4-4x+1$이라 하면
$f'(x)=4x^3-4=4(x-1)(x^2+x+1)$
$f'(x)=0$에서 $x^2+x+1=\left(x+\frac{1}{2}\right)^2+\frac{3}{4}>0$이므로 $x=1$
함수 $f(x)$의 증가와 감소를 표로 나타내면 다음과 같다.

x	$\cdots$	1	$\cdots$
$f'(x)$	$-$	0	$+$
$f(x)$	↘	-2	↗

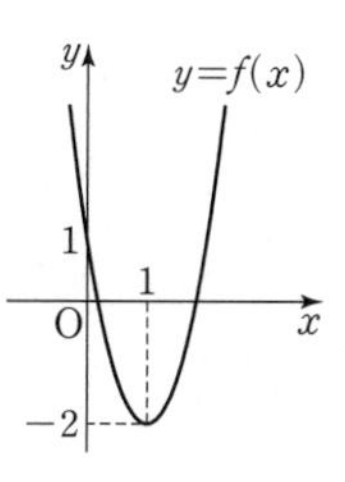

오른쪽 그림에서 함수 $y=f(x)$의 그래프는 x축과 서로 다른 두 점에서 만나므로 방정식 $x^4-4x+1=0$의 서로 다른 실근의 개수는 **2**

02-1 셀파 **방정식 $f(x)=k$의 실근의 개수는 $y=f(x)$의 그래프와 직선 $y=k$의 교점의 개수이다.**

(1) $x^3-3x^2=k$에서 $f(x)=x^3-3x^2$이라 하면

$f'(x)=3x^2-6x=3x(x-2)$

$f'(x)=0$에서 $x=0$ 또는 $x=2$

함수 $f(x)$의 증가와 감소를 표로 나타내면 다음과 같다.

x	$\cdots$	0	$\cdots$	2	$\cdots$
$f'(x)$	$+$	0	$-$	0	$+$
$f(x)$	↗	0	↘	-4	↗

주어진 방정식이 서로 다른 세 실근을 가지려면 함수 $y=f(x)$의 그래프와 직선 $y=k$가 서로 다른 세 점에서 만나야 하므로 오른쪽 그림에서

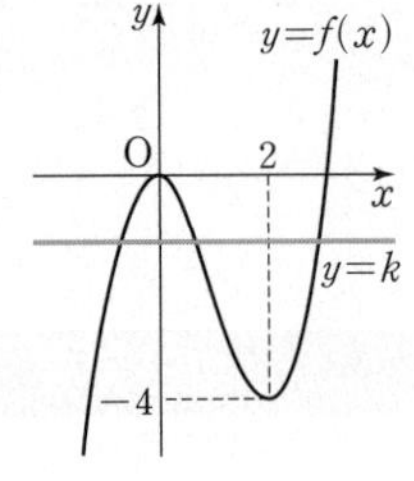

$\boldsymbol{-4<k<0}$

(2) $x^4-8x^2=k$에서

$f(x)=x^4-8x^2$이라 하면

$f'(x)=4x^3-16x=4x(x+2)(x-2)$

$f'(x)=0$에서 $x=-2$ 또는 $x=0$ 또는 $x=2$

함수 $f(x)$의 증가와 감소를 표로 나타내면 다음과 같다.

x	$\cdots$	-2	$\cdots$	0	$\cdots$	2	$\cdots$
$f'(x)$	$-$	0	$+$	0	$-$	0	$+$
$f(x)$	↘	-16	↗	0	↘	-16	↗

주어진 방정식이 서로 다른 네 실근을 가지려면 함수 $y=f(x)$의 그래프와 직선 $y=k$가 서로 다른 네 점에서 만나야 하므로 오른쪽 그림에서

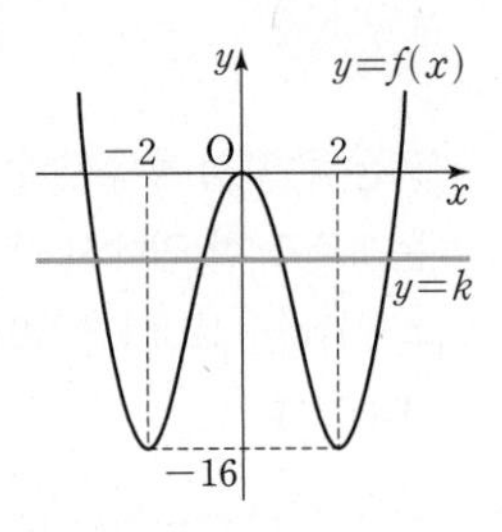

$\boldsymbol{-16<k<0}$

03-1 셀파 **주어진 방정식을 $f(x)=k$ (k는 상수) 꼴로 변형한 다음 $y=f(x)$의 그래프를 그린다.**

$k=-2x^3+3x^2+12x$에서

$f(x)=-2x^3+3x^2+12x$라 하면

$f'(x)=-6x^2+6x+12=-6(x+1)(x-2)$

$f'(x)=0$에서 $x=-1$ 또는 $x=2$

함수 $f(x)$의 증가와 감소를 표로 나타내면 다음과 같다.

x	$\cdots$	-1	$\cdots$	2	$\cdots$
$f'(x)$	$-$	0	$+$	0	$-$
$f(x)$	↘	-7	↗	20	↘

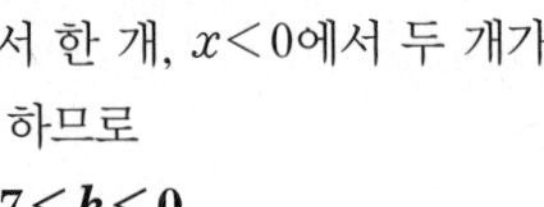

오른쪽 그림에서 함수 $y=f(x)$의 그래프와 직선 $y=k$의 교점이 $x>0$에서 한 개, $x<0$에서 두 개가 되어야 하므로

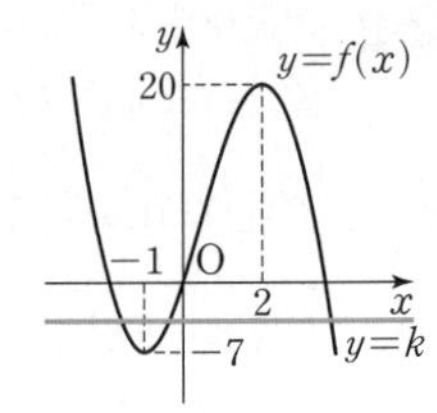

$\boldsymbol{-7<k<0}$

집중 연습

본문 | 131쪽

01 $f(x)=x^3-3x+k$라 하면

$f'(x)=3x^2-3=3(x+1)(x-1)$

$f'(x)=0$에서 $x=-1$ 또는 $x=1$

함수 $f(x)$의 증가와 감소를 표로 나타내면 다음과 같다.

x	$\cdots$	-1	$\cdots$	1	$\cdots$
$f'(x)$	$+$	0	$-$	0	$+$
$f(x)$	↗	극대	↘	극소	↗

(1) 삼차방정식 $f(x)=0$이 서로 다른 세 실근을 가질 조건은 (극댓값)$\times$(극솟값)<0에서 $f(-1)f(1)<0$, 즉

$(k+2)(k-2)<0$ $\quad\therefore$ $\boldsymbol{-2<k<2}$

(2) 삼차방정식 $f(x)=0$이 한 실근과 두 허근을 가질 조건은 (극댓값)$\times$(극솟값)>0에서 $f(-1)f(1)>0$, 즉

$(k+2)(k-2)>0$

$\therefore$ $\boldsymbol{k<-2}$ **또는** $\boldsymbol{k>2}$

02 $f(x)=4x^3-3x+1-k$라 하면

$f'(x)=12x^2-3=3(2x+1)(2x-1)$

$f'(x)=0$에서 $x=-\dfrac{1}{2}$ 또는 $x=\dfrac{1}{2}$

함수 $f(x)$의 증가와 감소를 표로 나타내면 다음과 같다.

x	$\cdots$	$-\frac{1}{2}$	$\cdots$	$\frac{1}{2}$	$\cdots$
$f'(x)$	$+$	0	$-$	0	$+$
$f(x)$	↗	극대	↘	극소	↗

(1) 삼차방정식 $f(x)=0$이 서로 다른 두 실근을 가질 조건은

(극댓값)$\times$(극솟값)$=0$에서 $f\left(-\dfrac{1}{2}\right)f\left(\dfrac{1}{2}\right)=0$, 즉

$(2-k)(-k)=0$

$\therefore$ $\boldsymbol{k=0}$ **또는** $\boldsymbol{k=2}$

(2) 삼차방정식 $f(x)=0$이 한 실근과 두 허근을 가질 조건은

(극댓값)×(극솟값)>0에서 $f\left(-\frac{1}{2}\right)f\left(\frac{1}{2}\right)>0$, 즉

$(2-k)(-k)>0$, $k(k-2)>0$

$\therefore$ **$k<0$ 또는 $k>2$**

03 $f(x)=x^3+3x^2-9x+k$라 하면

$f'(x)=3x^2+6x-9=3(x+3)(x-1)$

$f'(x)=0$에서 $x=-3$ 또는 $x=1$

함수 $f(x)$의 증가와 감소를 표로 나타내면 다음과 같다.

x	$\cdots$	-3	$\cdots$	1	$\cdots$
$f'(x)$	$+$	0	$-$	0	$+$
$f(x)$	↗	극대	↘	극소	↗

(1) 삼차방정식 $f(x)=0$이 서로 다른 세 실근을 가질 조건은

(극댓값)×(극솟값)<0에서 $f(-3)f(1)<0$, 즉

$(k+27)(k-5)<0$

$\therefore$ **$-27<k<5$**

(2) 삼차방정식 $f(x)=0$이 서로 다른 두 실근을 가질 조건은

(극댓값)×(극솟값)=0에서 $f(-3)f(1)=0$, 즉

$(k+27)(k-5)=0$

$\therefore$ **$k=-27$ 또는 $k=5$**

04 $f(x)=2x^3-3x^2-12x+k$라 하면

$f'(x)=6x^2-6x-12=6(x+1)(x-2)$

$f'(x)=0$에서 $x=-1$ 또는 $x=2$

함수 $f(x)$의 증가와 감소를 표로 나타내면 다음과 같다.

x	$\cdots$	-1	$\cdots$	2	$\cdots$
$f'(x)$	$+$	0	$-$	0	$+$
$f(x)$	↗	극대	↘	극소	↗

(1) 삼차방정식 $f(x)=0$이 서로 다른 두 실근을 가질 조건은

(극댓값)×(극솟값)=0에서 $f(-1)f(2)=0$, 즉

$(k+7)(k-20)=0$

$\therefore$ **$k=-7$ 또는 $k=20$**

(2) 삼차방정식 $f(x)=0$이 한 실근과 두 허근을 가질 조건은

(극댓값)×(극솟값)>0에서 $f(-1)f(2)>0$, 즉

$(k+7)(k-20)>0$

$\therefore$ **$k<-7$ 또는 $k>20$**

04-1 셀파 $f(x)=(2x^3-3x^2+x)-(x+k)$로 놓는다.

$f(x)=(2x^3-3x^2+x)-(x+k)=2x^3-3x^2-k$라 하면

$f'(x)=6x^2-6x=6x(x-1)$

$f'(x)=0$에서 $x=0$ 또는 $x=1$

함수 $f(x)$의 증가와 감소를 표로 나타내면 다음과 같다.

x	$\cdots$	0	$\cdots$	1	$\cdots$
$f'(x)$	$+$	0	$-$	0	$+$
$f(x)$	↗	극대	↘	극소	↗

곡선과 직선이 서로 다른 세 점에서 만나려면 방정식 $2x^3-3x^2-k=0$이 서로 다른 세 실근을 가져야 한다. 즉,

$f(0)f(1)<0$에서 $(-k)(-1-k)<0$, $k(k+1)<0$

$\therefore$ **$-1<k<0$**

| 참고 |

$f(x)=2x^3-3x^2$이라 하면 함수 $y=f(x)$의 그래프와 직선 $y=k$의 교점이 세 개 존재해야 하므로 오른쪽 그림에서 실수 k의 값의 범위는

$-1<k<0$

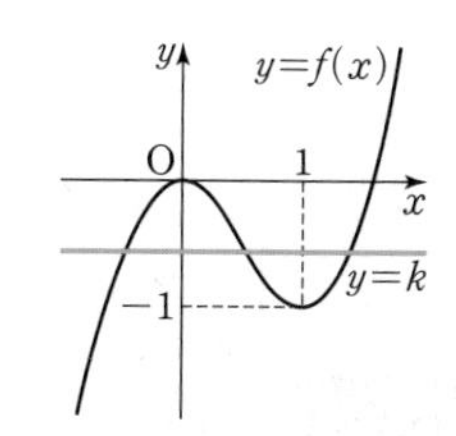

04-2 셀파 $f(x)=(x^3+8x)-(6x^2-x+k)$로 놓는다.

$f(x)=(x^3+8x)-(6x^2-x+k)=x^3-6x^2+9x-k$라 하면

$f'(x)=3x^2-12x+9=3(x-1)(x-3)$

$f'(x)=0$에서 $x=1$ 또는 $x=3$

함수 $f(x)$의 증가와 감소를 표로 나타내면 다음과 같다.

x	$\cdots$	1	$\cdots$	3	$\cdots$
$f'(x)$	$+$	0	$-$	0	$+$
$f(x)$	↗	극대	↘	극소	↗

두 곡선이 오직 한 점에서 만나려면 방정식 $x^3-6x^2+9x-k=0$이 한 실근과 두 허근을 가져야 한다. 즉,

$f(1)f(3)>0$에서 $-k(4-k)>0$, $k(k-4)>0$

$\therefore$ $k<0$ 또는 $k>4$

따라서 구하는 자연수 k의 최솟값은 **5**

| 참고 |

$f(x)=x^3-6x^2+9x$라 하면 함수 $y=f(x)$의 그래프와 직선 $y=k$의 교점이 한 개 존재해야 하므로 오른쪽 그림에서 실수 k의 값의 범위는

$k<0$ 또는 $k>4$

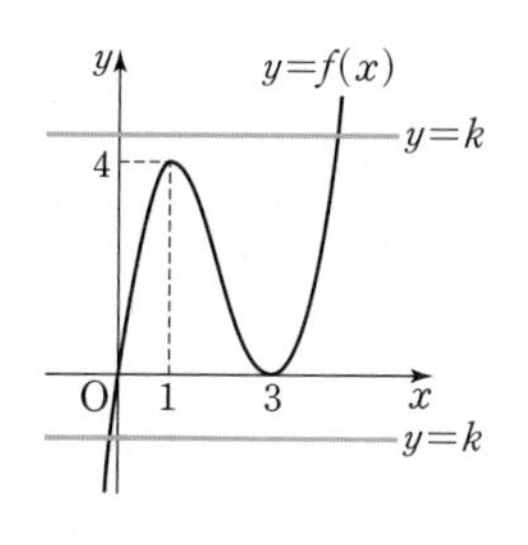

셀파 특강 **확인 체크 01**

$f(x)=x^3-6x^2+9x+k$라 하면

$f'(x)=3x^2-12x+9=3(x-1)(x-3)$

$f'(x)=0$에서 $x=1$ 또는 $x=3$

$x>0$일 때, 함수 $f(x)$의 증가와 감소를 표로 나타내면 다음과 같다.

x	(0)	$\cdots$	1	$\cdots$	3	$\cdots$
$f'(x)$		+	0	−	0	+
$f(x)$	k	↗	$k+4$	↘	k	↗

$x>0$일 때, 함수 $f(x)$는 $x=3$에서 극소이면서 최소이다.

따라서 $x>0$일 때, $f(x)>0$이 항상 성립하려면

$f(3)=k>0$

$\therefore$ $\boldsymbol{k>0}$

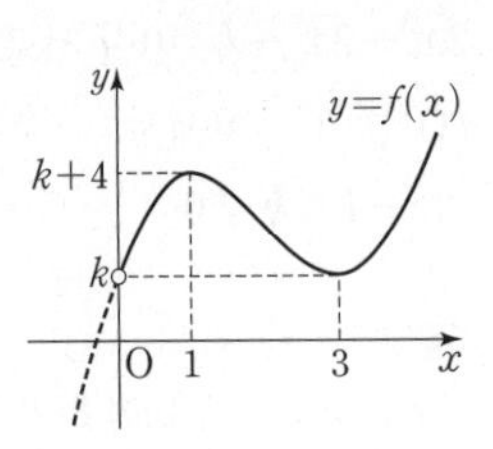

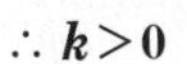
LECTURE **부등식이 성립할 조건**

(1) $x>a$일 때, $f(x)>0$이 항상 성립하려면 다음 중 한 가지를 보인다.

❶ $x>a$에서 함수 $f(x)$의 최솟값이 0보다 크다.

❷ $x>a$에서 함수 $f(x)$는 증가하고 $f(a)\geq 0$이다.

즉, $x>a$에서 $f'(x)>0$이고 $f(a)\geq 0$임을 보이면 된다.

(2) 어떤 구간에서 부등식 $f(x)\geq g(x)$가 성립하려면

$h(x)=f(x)-g(x)$

로 놓고 $h(x)\geq 0$임을 보이면 된다.

05-1

셀파 **부등식 $3x^4-4x^3+k\geq 0$에서 함수 $f(x)=3x^4-4x^3+k$의 최솟값을 구한다.**

$f(x)=3x^4-4x^3+k$라 하면

$f'(x)=12x^3-12x^2=12x^2(x-1)$

$f'(x)=0$에서 $x=0$ 또는 $x=1$

함수 $f(x)$의 증가와 감소를 표로 나타내면 다음과 같다.

x	$\cdots$	0	$\cdots$	1	$\cdots$
$f'(x)$	−	0	−	0	+
$f(x)$	↘	k	↘	극소	↗

함수 $f(x)$는 $x=1$에서 극소이면서 최소이므로

모든 실수 x에 대하여 $f(x)\geq 0$이면

$f(1)=3-4+k\geq 0$ $\quad\therefore k\geq 1$

따라서 구하는 실수 k의 최솟값은 **1**

05-2

셀파 **최고차항의 계수가 양수인 사차함수는 반드시 최솟값을 갖는다.**

$f(x)=x^4+2ax^2-4(a+1)x+a^2$이라 하면

$f'(x)=4x^3+4ax-4(a+1)=4(x-1)(x^2+x+a+1)$

$a>0$일 때, $x^2+x+a+1=\left(x+\dfrac{1}{2}\right)^2+\dfrac{3}{4}+a>0$이므로

$f'(x)=0$에서 $x=1$

함수 $f(x)$의 증가와 감소를 표로 나타내면 오른쪽과 같다.

x	$\cdots$	1	$\cdots$
$f'(x)$	−	0	+
$f(x)$	↘	극소	↗

함수 $f(x)$는 $x=1$에서 극소이면서 최소이므로 모든 실수 x에 대하여 $f(x)>0$이면

$f(1)=1+2a-4(a+1)+a^2>0$

$a^2-2a-3>0$, $(a+1)(a-3)>0$

$\therefore$ $\boldsymbol{a>3}$ ($\because a>0$)

06-1

셀파 **위치를 미분하면 속도이고, 운동 방향이 바뀔 때의 속도는 0이다.**

$f(t)=t^3+pt^2+qt-6$이라 하면

시각 t에서의 점 P의 속도는 $v=f'(t)=3t^2+2pt+q$

$t=1$에서 운동 방향을 바꾸므로 $f'(1)=0$이다.

$\therefore 3+2p+q=0$ $\quad\cdots\cdots$㉠

$t=1$에서의 위치가 1이므로 $f(1)=1$이다.

$1+p+q-6=1$ $\quad\therefore p+q=6$ $\quad\cdots\cdots$㉡

㉠, ㉡을 연립하여 풀면 $\boldsymbol{p=-9,\ q=15}$

07-1

셀파 **야구공이 최고 높이에 도달할 때의 속도는 0이다.**

시각 t에서의 야구공의 속도를 v m/s, 가속도를 a m/s^2 이라 하면

$x=1+20t-5t^2$이므로

$v=\dfrac{dx}{dt}=20-10t$, $a=\dfrac{dv}{dt}=-10$

(1) 3초 후의 속도는 $20-10\times 3=$ **−10 (m/s)**

3초 후의 가속도는 **−10 (m/s^2)**

(2) 최고 높이에서 야구공의 운동 방향이 바뀌므로

$v=0$에서 $20-10t=0$ $\quad\therefore t=2$

따라서 야구공이 최고 높이에 도달하는 시각은 **2초**

(3) $1+20t-5t^2=16$에서

$t^2-4t+3=0$, $(t-1)(t-3)=0$

$\therefore t=1$ 또는 $t=3$

이때 $v=20-10t$이므로

$t=1$일 때, $v=20-10\times1=10$ (m/s)

$t=3$일 때, $v=20-10\times3=-10$ (m/s)

따라서 야구공이 16 m 높이에 있을 때의 속도는

10 m/s 또는 −10 m/s

08-1 셀파 운동 방향을 바꿀 때는 속도가 0이므로 주어진 그래프에서 속도가 0인 점부터 찾는다.

오른쪽 그림과 같이 점 P의 시각 t에서의 속도 $v=f'(t)$의 그래프가 t축과 만나는 점의 t의 좌표를 각각 a, b, c, d, e, f라 하면 $t=b$, $t=d$, $t=e$, $t=f$의 좌우에서 $f'(t)$의 부호가 바뀐다.

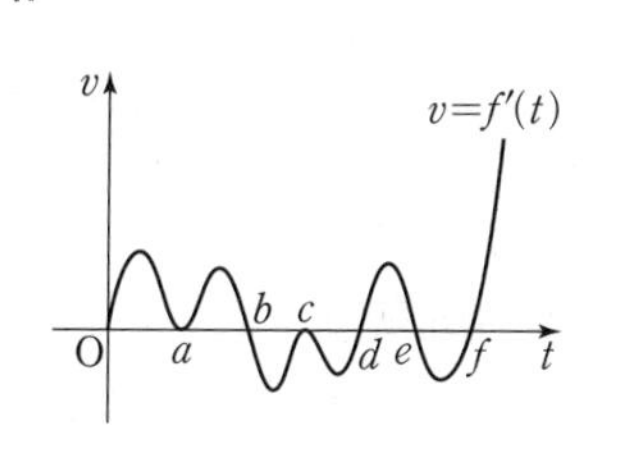

따라서 점 P가 운동 방향을 바꾼 횟수는 **4**

LECTURE 시각 t에서 속도를 나타내는 그래프의 활용

오른쪽 그래프로부터 다음 사실을 알 수 있다.

❶ $0<t<b$일 때

⇨ 양의 방향으로 움직인다.

❷ $t=b$일 때

⇨ b의 좌우에서 $f'(t)$의 부호가 바뀌므로 운동 방향을 바꾼다.

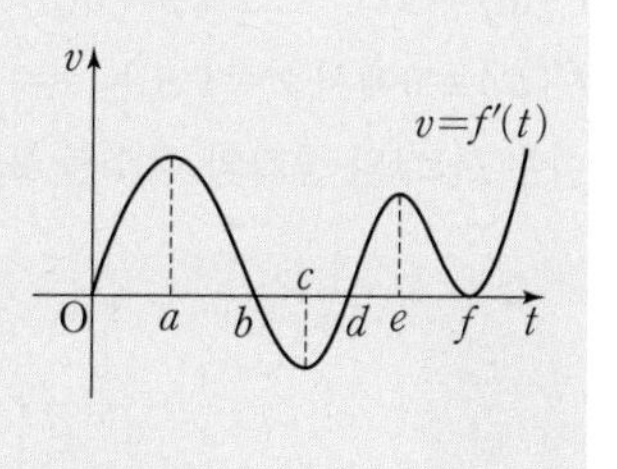

❸ $b<t<d$일 때 ⇨ 음의 방향으로 움직인다.

❹ $t=d$일 때 ⇨ 두 번째로 운동 방향을 바꾼다.

❺ $d<t<f$일 때 ⇨ 양의 방향으로 움직인다.

❻ $t=f$일 때 ⇨ 잠시 멈추었다.

❼ $t>f$일 때 ⇨ 양의 방향으로 계속 움직인다.

09-1 셀파 제동이 걸린 후 자동차의 t초 후의 속도는 거리(길이)의 변화율과 같다.

자동차의 속도는

$$\frac{dx}{dt}=10-5t\ (\text{m/초})$$

자동차가 정지한 순간 자동차의 속도는 0이므로

$10-5t=0$ $\quad\therefore t=2$ (초)

따라서 자동차는 제동이 걸린 후 2초 후에 정지하고, 이때 움직인 거리는

$10\times2-2.5\times2^2=$ **10 (m)**

10-1 셀파 t초 후의 정사각형의 넓이를 t에 대한 식으로 나타낸 다음 미분하여 넓이의 변화율을 구한다.

t초 후의 정사각형의 한 변의 길이는 $(5+0.5t)$ cm이므로

t초 후의 정사각형의 넓이를 S cm²라 하면

$S=(5+0.5t)^2=0.25t^2+5t+25$

시각 t에 대한 정사각형의 넓이 S의 변화율은

$$\frac{dS}{dt}=0.5t+5$$

이때 정사각형의 한 변의 길이가 7 cm이므로

$5+0.5t=7$에서 $t=4$(초)

따라서 구하는 넓이의 변화율은

$0.5\times4+5=$ **7 (cm²/s)**

10-2 셀파 시각 t에서 원뿔의 부피를 t에 대한 식으로 나타낸다.

매초 밑면의 반지름의 길이가 2 cm, 높이가 3 cm씩 증가하므로 t초 후 원뿔 모양의 모래 더미의 밑면의 반지름의 길이는 $2t$ cm, 높이는 $3t$ cm이다.

t초 후 모래 더미의 부피 V cm³는

$$V=\frac{1}{3}\pi\times(2t)^2\times3t=4\pi t^3$$

시각 t에 대한 모래 더미의 부피 V의 변화율은

$$\frac{dV}{dt}=12\pi t^2$$

따라서 $t=5$일 때, 모래 더미의 부피의 증가 속도는

$12\pi\times25=$ **300π (cm³/s)**

연습 문제 본문 | 140~141 쪽

01 셀파 함수 $f(x)$의 증가와 감소를 표로 나타내고 함수 $y=f(x)$의 그래프의 개형을 그려 본다.

$f'(x)=(x-a)(x-b)(x-c)(a<b<c)$이므로

$f'(x)=0$에서 $x=a$ 또는 $x=b$ 또는 $x=c$

함수 $f(x)$의 증가와 감소를 표로 나타내면 다음과 같다.

x	$\cdots$	a	$\cdots$	b	$\cdots$	c	$\cdots$
$f'(x)$	$-$	0	$+$	0	$-$	0	$+$
$f(x)$	↘	극소	↗	극대	↘	극소	↗

위의 표에서 함수 $f(x)$는 $x=a$ 또는 $x=c$일 때 극소이고, $x=b$일 때 극대이다.

그런데 주어진 조건에서 $f(b)<0$이므로 함수 $y=f(x)$의 그래프의 개형은 오른쪽 그림과 같다.

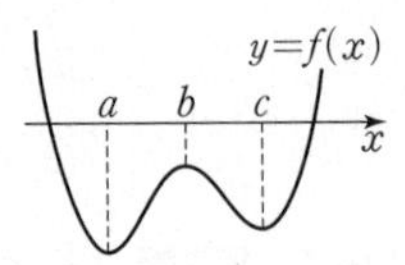

따라서 사차방정식 $f(x)=0$의 서로 다른 실근의 개수는 **2**

02 셀파 함수 $f(x)$는 $x=-1$에서 극솟값을 갖고, $x=4$에서 극댓값을 갖는다.

$y=f'(x)$의 그래프에서 $f'(-1)=0$, $f'(4)=0$

함수 $f(x)$의 증가와 감소를 표로 나타내면 다음과 같다.

x	$\cdots$	-1	$\cdots$	4	$\cdots$
$f'(x)$	$-$	0	$+$	0	$-$
$f(x)$	↘	-3	↗	3	↘

이때 함수 $y=f(x)$의 그래프와 직선 $y=k$가 서로 다른 세 점에서 만나려면 오른쪽 그림에서

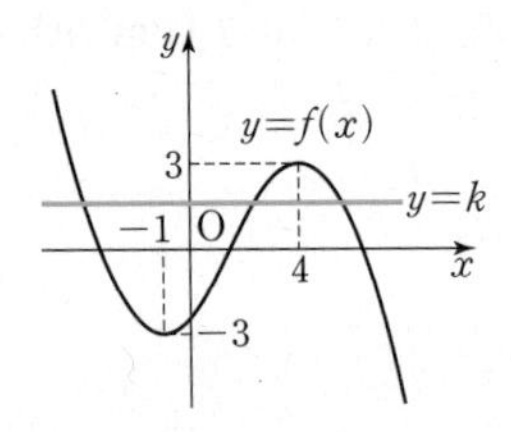

$-3<k<3$

03 셀파 함수 $y=f(x)$의 그래프의 개형을 그린다.

x	$\cdots$	0	$\cdots$	2	$\cdots$
$f'(x)$	$+$	0	$-$	0	$+$
$f(x)$	↗	8	↘	1	↗

함수 $y=f(x)$의 그래프의 개형은 오른쪽 그림과 같으므로 함수 $y=f(x)$의 그래프와 직선 $y=n$의 교점이 $x>0$에서 두 개, $x<0$에서 한 개가 되려면

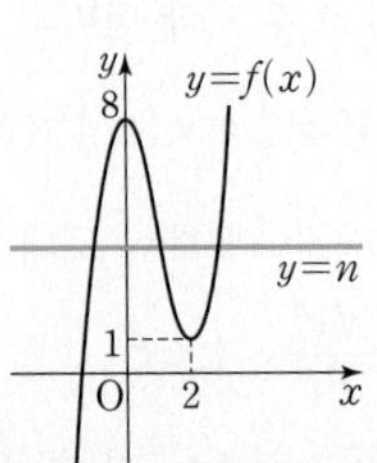

$1<n<8$

따라서 구하는 정수 n의 개수는 2, 3, 4, 5, 6, 7의 **6**

04 셀파 삼차방정식 $f(x)-k-2=0$이 서로 다른 두 실근을 갖는 경우이다.

삼차함수 $f(x)$의 극솟값과 극댓값이 각각 1, 5이고, k는 상수이므로 $f(x)-k-2=g(x)$라 하면 함수 $g(x)$에서

극솟값은 $1-k-2=-k-1$,

극댓값은 $5-k-2=-k+3$

이때 삼차방정식 $g(x)=0$이 서로 다른 두 실근을 가지려면

(극댓값)$\times$(극솟값)$=0$이어야 하므로

$(-k-1)(-k+3)=0$, $(k+1)(k-3)=0$

$\therefore$ **$k=-1$ 또는 $k=3$**

| 다른 풀이 |

삼차함수 $f(x)$의 극솟값과 극댓값이 각각 1, 5이므로 최고차항의 계수를 양수라 하면 $y=f(x)$의 그래프의 개형은 오른쪽 그림과 같다.

이때 방정식 $f(x)=k+2$가 서로 다른 두 실근을 가지려면 함수 $y=f(x)$의 그래프와 직선 $y=k+2$의 교점이 두 개 존재해야 하므로

$k+2=1$ 또는 $k+2=5$이어야 한다.

$\therefore k=-1$ 또는 $k=3$

05 셀파 두 곡선 $y=f(x)$, $y=g(x)$가 오직 한 점에서 만나려면 방정식 $f(x)=g(x)$가 한 개의 실근을 가져야 한다.

두 곡선 $y=x^3-3x^2+x$, $y=3x^2-8x+k$가 한 점에서 만나려면 방정식 $x^3-3x^2+x=3x^2-8x+k$, 즉 $x^3-6x^2+9x-k=0$이 한 개의 실근을 가져야 한다.

$f(x)=x^3-6x^2+9x-k$라 하면

$f'(x)=3x^2-12x+9=3(x-1)(x-3)$

$f'(x)=0$에서 $x=1$ 또는 $x=3$

함수 $f(x)$의 증가와 감소를 표로 나타내면 다음과 같다.

x	$\cdots$	1	$\cdots$	3	$\cdots$
$f'(x)$	$+$	0	$-$	0	$+$
$f(x)$	↗	$4-k$	↘	$-k$	↗

이때 삼차방정식 $f(x)=0$이 한 실근을 가지려면

(극댓값)$\times$(극솟값)>0이어야 하므로

$(4-k)\times(-k)>0$, $k(k-4)>0$

$\therefore k<0$ 또는 $k>4$

$\alpha=0$, $\beta=4$이므로 **$\alpha+\beta=4$**

| 다른 풀이 |

방정식 $x^3-6x^2+9x=k$에서

$f(x)=x^3-6x^2+9x$라 하면

오른쪽 그림과 같이 함수 $y=f(x)$의 그래프와 직선 $y=k$가 한 점에서 만나야 하므로

$k<0$ 또는 $k>4$　　$\therefore \alpha=0, \beta=4$

$\therefore \alpha+\beta=4$

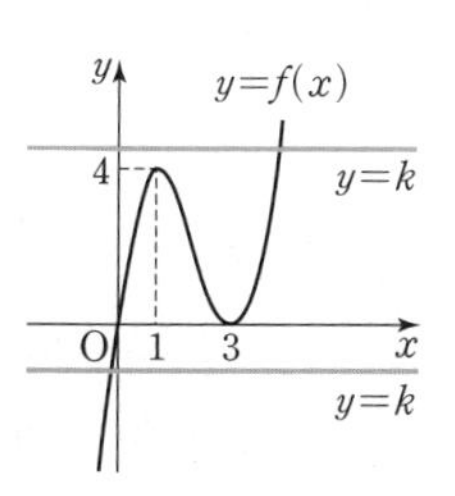

06 셀파 $h(x)=f(x)-g(x)$로 놓고 $0<x<3$에서 $h(x)$의 최솟값을 구한다.

$h(x)=f(x)-g(x)=5x^3-15x^2+k-2$로 놓으면

$h'(x)=15x^2-30x=15x(x-2)$

$h'(x)=0$에서 $x=0$ 또는 $x=2$

함수 $h(x)$의 증가와 감소를 표로 나타내면 다음과 같다.

x	(0)	$\cdots$	2	$\cdots$	(3)
$h'(x)$		$-$	0	$+$	
$h(x)$		↘	극소	↗	

$0<x<3$일 때, 함수 $h(x)$는 $x=2$에서 극소이면서 최소이므로 $h(x)\geq 0$이려면

$h(2)=k-22\geq 0$　　$\therefore k\geq 22$

따라서 실수 k의 최솟값은 **22**

07 셀파 주어진 구간에서 함수 $f(x)=x^3-3x^2+k$의 최댓값과 최솟값을 구한다.

㉮ $f(x)=x^3-3x^2+k$라 하면

$f'(x)=3x^2-6x=3x(x-2)$

$f'(x)=0$에서 $x=0$ 또는 $x=2$

함수 $f(x)$의 증가와 감소를 표로 나타내면 다음과 같다.

x	0	$\cdots$	2	$\cdots$	4
$f'(x)$		$-$	0	$+$	
$f(x)$	k	↘	$k-4$	↗	$k+16$

㉯ $0\leq x\leq 4$일 때, 함수 $f(x)$는 $x=2$에서 최솟값 $k-4$, $x=4$에서 최댓값 $k+16$을 갖는다.

㉰ 이때 $1\leq f(x)\leq 25$이려면

$k-4\geq 1$, $k+16\leq 25$

$\therefore$ **$5\leq k\leq 9$**

채점 기준	배점
㉮ 함수 $f(x)=x^3-3x^2+k$의 극대, 극소를 구한다.	30%
㉯ $0\leq x\leq 4$일 때, 주어진 함수의 최대, 최소를 구한다.	30%
㉰ 주어진 부등식이 성립하는 실수 k의 값의 범위를 구한다.	40%

08 셀파 $y=f(x)$의 그래프가 $y=g(x)$의 그래프보다 항상 위에 있으므로 $f(x)-g(x)>0$이다.

$h(x)=f(x)-g(x)=x^4-4x^3+6x^2-8x+k$라 하면

$h'(x)=4x^3-12x^2+12x-8=4(x-2)(x^2-x+1)$

이때 $x^2-x+1=\left(x-\frac{1}{2}\right)^2+\frac{3}{4}>0$이므로

$h'(x)=0$에서 $x=2$

함수 $h(x)$의 증가와 감소를 표로 나타내면 오른쪽과 같다.

x	$\cdots$	2	$\cdots$
$h'(x)$	$-$	0	$+$
$h(x)$	↘	극소	↗

함수 $h(x)$는 $x=2$에서 극소이면서 최소이므로 모든 실수 x에 대하여 $h(x)>0$이려면

$h(2)=-8+k>0$　　$\therefore$ **$k>8$**

09 셀파 $f(x)=x^{50}-50x+m$이라 하면 ($f(x)$의 최솟값)>0인 실수 m의 값의 범위를 구한다.

$f(x)=x^{50}-50x+m$이라 하면

$f'(x)=50x^{49}-50=50(x^{49}-1)$

$=50(x-1)(x^{48}+x^{47}+\cdots+x+1)$

$f'(x)=0$에서 $x=1$

함수 $f(x)$의 증가와 감소를 표로 나타내면 오른쪽과 같다.

x	$\cdots$	1	$\cdots$
$f'(x)$	$-$	0	$+$
$f(x)$	↘	극소	↗

함수 $f(x)$는 $x=1$에서 극소이면서 최소이므로 주어진 부등식이 항상 성립하려면

$f(1)=m-49>0$

$\therefore m>49$

따라서 정수 m의 최솟값은 **50**

10 셀파 점 P의 가속도가 0이 되는 순간의 t의 값을 구한 다음 그 때의 점 P의 속도를 구한다.

시각 t에서의 점 P의 속도를 v, 가속도를 a라 하면

$v=\frac{dx}{dt}=3t^2-12t$, $a=\frac{dv}{dt}=6t-12$

점 P의 가속도가 0이므로

$6t-12=0 \quad \therefore t=2$

$t=2$일 때, 점 P의 속도는

$3\times2^2-12\times2=-12$

따라서 구하는 답은 ①

11 셀파 두 점 P, Q의 속도가 같아지는 시각 t를 구한다.

시각 t에서의 점 P, Q의 속도는 각각

$f'(t)=t^2+9$, $g'(t)=6t$

이므로 두 점 P, Q의 속도가 같아지는 순간은

$t^2+9=6t$, $t^2-6t+9=0$

$(t-3)^2=0 \quad \therefore t=3$

$t=3$일 때, 두 점 P, Q의 위치는

$f(3)=\frac{1}{3}\times3^3+9\times3-10=26$

$g(3)=3\times3^2-17=10$

따라서 두 점 P, Q 사이의 거리는

$|f(3)-g(3)|=|26-10|=\mathbf{16}$

12 셀파 위치를 미분하면 속도, 속도를 미분하면 가속도이다.

$x=f(t)$에서 $f(0)=0$, $f(1)=0$, $f(4)=0$이고, $f(t)$는 t에 대한 삼차식이므로

$f(t)=kt(t-1)(t-4)=kt^3-5kt^2+4kt \ (k>0)$

로 놓을 수 있다.

이때 점 P의 속도와 가속도는 각각

$v=f'(t)=3kt^2-10kt+4k$, $a=\{f'(t)\}'=6kt-10k$

$a=0$에서 $6kt-10k=0 \quad \therefore t=\frac{5}{3}$

따라서 점 P의 가속도가 0이 되는 시각은 $\mathbf{\frac{5}{3}}$

LECTURE 시각 t에서의 위치를 나타내는 그래프의 활용

오른쪽 그래프로부터 다음 사실을 알 수 있다.

❶ 원점을 지나는 시각 t
⇨ $f(t)=0$이 되는 점
즉, $t=0$, $t=b$, $t=d$

❷ 운동 방향이 바뀌는 시각 t
⇨ 함수 $f(t)$가 극값을 갖는 시각, 즉 $t=a$, $t=c$

13 셀파 t초 후 가장 바깥쪽 원의 반지름의 길이를 구해 원의 넓이를 t에 대한 식으로 나타낸다.

가장 바깥쪽 원의 반지름의 길이가 1초에 0.5 m씩 커지므로

t초 후 가장 바깥쪽 원의 반지름의 길이를 r m라 하면

$r=0.5t$

또 가장 바깥쪽 원의 넓이를 S m^{2}라 하면

$S=\pi r^2=\pi(0.5t)^2=0.25\pi t^2$

이때 시각 t에 대한 바깥쪽 원의 넓이 S의 변화율은

$\frac{dS}{dt}=0.5\pi t$

따라서 $t=4$일 때, 가장 바깥쪽 원의 넓이의 변화율은

$0.5\pi\times4=\mathbf{2\pi\ (m^2/s)}$

14 셀파 t초 후의 부피의 변화율은 $\left\{1000\left(1-\frac{t}{50}\right)^2\right\}'$

$V=1000\left(1-\frac{t}{50}\right)^2$

$=1000\left(1-\frac{1}{25}t+\frac{1}{2500}t^2\right)$

$=\frac{2}{5}t^2-40t+1000$

이므로 t초 후의 부피의 변화율은

$\frac{dV}{dt}=\frac{4}{5}t-40$

따라서 $t=5$일 때, 주전자에 남아 있는 물의 부피의 변화율은

$\frac{4}{5}\times5-40=\mathbf{-36\ (mL/s)}$

| 참고 |

물을 버리기 시작한 지 5초 후 주전자에 남아 있는 물의 부피의 변화율이 -36이므로 그 순간에 물이 36 mL 감소하는 것을 나타낸다.

8. 부정적분

개념 익히기

본문 | 145, 147쪽

1-1 (1) $\left(\frac{1}{3}x^3\right)'=\boxed{x^2}$이므로 $\int x^2\,dx=\mathbf{\frac{1}{3}x^3+C}$

(2) $(x^3+x^2)'=3x^2+2x$이므로

$\int(3x^2+2x)dx=\mathbf{x^3+\boxed{x^2}+C}$

1-2 (1) $(2x)'=2$이므로 $\int 2\,dx=\mathbf{2x+C}$

(2) $\left(\frac{1}{2}x^2\right)'=x$이므로 $\int x\,dx=\mathbf{\frac{1}{2}x^2+C}$

(3) $(x^2-4x)'=2x-4$이므로

$\int(2x-4)dx=\mathbf{x^2-4x+C}$

(4) $(x^3-2x^2+2x)'=3x^2-4x+2$이므로

$\int(3x^2-4x+2)dx=\mathbf{x^3-2x^2+2x+C}$

2-1 (1) $f(x)=(x^2-2x+C)'=\boxed{\mathbf{2x}}\mathbf{-2}$

(2) $f(x)=\left(\frac{1}{3}x^3+x^2-5x+C\right)'=\boxed{\mathbf{x^2}}\mathbf{+2x-5}$

2-2 (1) $f(x)=(3x+C)'=\mathbf{3}$

(2) $f(x)=(-x^2+5x+C)'=\mathbf{-2x+5}$

(3) $f(x)=(2x^3-3x^2+x+C)'=\mathbf{6x^2-6x+1}$

3-1 (1) $\int x^3\,dx=\frac{1}{3+\boxed{1}}x^{3+1}+C$

$=\mathbf{\frac{1}{\boxed{4}}x^4+C}$

(2) $\int x^4\,dx=\frac{1}{4+1}x^{\boxed{4}+1}+C$

$=\mathbf{\frac{1}{5}x^{\boxed{5}}+C}$

3-2 (1) $\int x^5\,dx=\frac{1}{5+1}x^{5+1}+C=\mathbf{\frac{1}{6}x^6+C}$

(2) $\int x^6\,dx=\frac{1}{6+1}x^{6+1}+C=\mathbf{\frac{1}{7}x^7+C}$

(3) $\int x^7\,dx=\frac{1}{7+1}x^{7+1}+C=\mathbf{\frac{1}{8}x^8+C}$

(4) $\int x^8\,dx=\frac{1}{8+1}x^{8+1}+C=\mathbf{\frac{1}{9}x^9+C}$

4-1 (1) $\int(3x^2+1)dx=\boxed{3}\int x^2\,dx+\int dx$

$=\boxed{\mathbf{x^3}}\mathbf{+x+C}$

(2) $\int(x^3-2x+3)dx=\int x^3\,dx-2\int x\,dx+3\int dx$

$=\frac{1}{4}x^4-2\times\frac{1}{2}x^2+\boxed{3x}+C$

$=\mathbf{\frac{1}{4}x^4-x^2+\boxed{3x}+C}$

4-2 (1) $\int 4x^3dx=4\int x^3dx=4\times\frac{1}{4}x^4+C$

$=\mathbf{x^4+C}$

(2) $\int(2x^2-x+5)dx=2\int x^2dx-\int x\,dx+5\int dx$

$=\mathbf{\frac{2}{3}x^3-\frac{1}{2}x^2+5x+C}$

(3) $\int(-5x^4+4x^3)dx=-5\int x^4dx+4\int x^3dx$
$=\boldsymbol{-x^5+x^4+C}$

(4) $\int(7x^6-4x)dx=7\int x^6dx-4\int x\,dx$
$=\boldsymbol{x^7-2x^2+C}$

확인 문제

본문 | 148~157쪽

01-1 셀파 $\int f(x)dx=g(x) \Rightarrow f(x)=g'(x)$

$-12x^3+x^2+ax-1=\left(bx^4+cx^3+\frac{1}{2}x^2-x+C\right)'$이므로

$-12x^3+x^2+ax-1=4bx^3+3cx^2+x-1$

양변의 동류항의 계수를 비교하면

$-12=4b,\ 1=3c,\ a=1$

따라서 $a=1,\ b=-3,\ c=\frac{1}{3}$이므로

$abc=1\times(-3)\times\frac{1}{3}=\boldsymbol{-1}$

01-2 셀파 $\int f(x)dx=F(x)+C \Rightarrow f(x)=F'(x)$

(1) $xf(x)=\left(\frac{1}{6}x^3-\frac{3}{4}x^2+C\right)'$이므로

$xf(x)=\frac{1}{2}x^2-\frac{3}{2}x$

$\therefore \boldsymbol{f(x)=\frac{1}{2}x-\frac{3}{2}}$

(2) $(x-1)f(x)=\left(\frac{1}{3}x^3+\frac{1}{2}x^2-2x+C\right)'$이므로

$(x-1)f(x)=x^2+x-2$

따라서 $(x-1)f(x)=(x-1)(x+2)$이므로

$\boldsymbol{f(x)=x+2}$

02-1 셀파 $\int\left\{\frac{d}{dx}f(x)\right\}dx=f(x)+C$

$f(x)=\int\left\{\frac{d}{dx}(x^2+4x)\right\}dx=x^2+4x+C$

$f(x)=x^2+4x+C=(x+2)^2+C-4$이므로

최솟값은 $C-4$

이때 함수 $f(x)$의 최솟값이 1이므로

$C-4=1 \qquad \therefore C=5$

$\therefore \boldsymbol{f(x)=x^2+4x+5}$

02-2 셀파 $\frac{d}{dx}\left\{\int f(x)dx\right\}=f(x)$

$F(x)=\frac{d}{dx}\left\{\int f(x)dx\right\}=f(x)$이므로

$F(x)=f(x)=2x^3-3x^2-12x+1$

$\therefore F(-1)=-2-3+12+1=\boldsymbol{8}$

집중 연습

본문 | 150쪽

01 (1) $\int(3x^2+4)dx=\boldsymbol{x^3+4x+C}$

(2) $\int(x^3-2x)dx=\boldsymbol{\frac{1}{4}x^4-x^2+C}$

(3) $\int(5x^3-4x+5)dx=\boldsymbol{\frac{5}{4}x^4-2x^2+5x+C}$

(4) $\int(8x^3+x^2-2)dx=\boldsymbol{2x^4+\frac{1}{3}x^3-2x+C}$

(5) $\int(9x^2+18x+1)dx=\boldsymbol{3x^3+9x^2+x+C}$

(6) $\int(-6x^2+12x+1)dx=\boldsymbol{-2x^3+6x^2+x+C}$

02 (1) $\int(x-1)(x+3)dx=\int(x^2+2x-3)dx$
$=\boldsymbol{\frac{1}{3}x^3+x^2-3x+C}$

(2) $\int(2x+1)(x+4)dx=\int(2x^2+9x+4)dx$
$=\boldsymbol{\frac{2}{3}x^3+\frac{9}{2}x^2+4x+C}$

(3) $\int(3y+2)(2y-1)dy=\int(6y^2+y-2)dy$
$=\boldsymbol{2y^3+\frac{1}{2}y^2-2y+C}$

(4) $\int(t-1)(t^2+t+1)dt=\int(t^3-1)dt=\mathbf{\frac{1}{4}t^4-t+C}$

(5) $\int(x+1)^3dx=\int(x^3+3x^2+3x+1)dx$

$=\mathbf{\frac{1}{4}x^4+x^3+\frac{3}{2}x^2+x+C}$

(6) $\int(y-1)^3dy=\int(y^3-3y^2+3y-1)dy$

$=\mathbf{\frac{1}{4}y^4-y^3+\frac{3}{2}y^2-y+C}$

03-1 셀파 곱으로 표현된 함수는 전개한 다음 적분한다.

(1) $\int(x+y)^2dx=\int(x^2+2xy+y^2)dx$

$=\int x^2\,dx+2y\int x\,dx+y^2\int dx$

$=\frac{1}{3}x^3+yx^2+y^2x+C$

$=\mathbf{\frac{1}{3}x^3+x^2y+xy^2+C}$

(2) $\int(x-2)(2x+5)dx=\int(2x^2+x-10)dx$

$=2\int x^2\,dx+\int x\,dx-10\int dx$

$=\mathbf{\frac{2}{3}x^3+\frac{1}{2}x^2-10x+C}$

(3) $\int(x-1)^2dx-\int(x+1)^2dx=\int\{(x-1)^2-(x+1)^2\}dx$

$=\int(-4x)dx=-4\int x\,dx$

$=\mathbf{-2x^2+C}$

(4) $\int(x+2)^3dx-\int(x-2)^3dx=\int\{(x+2)^3-(x-2)^3\}dx$

$=\int(12x^2+16)dx$

$=12\int x^2\,dx+16\int dx$

$=\mathbf{4x^3+16x+C}$

03-2 셀파 $\int\{f(x)+g(x)\}dx=\int f(x)dx+\int g(x)dx$

$f(x)=\int(x^9+4x^3+2x+1)dx$

$=\int x^9\,dx+4\int x^3\,dx+2\int x\,dx+\int dx$

$=\frac{1}{10}x^{10}+x^4+x^2+x+C$

이때 $f(0)=0$에서 $C=0$이므로

$f(x)=\frac{1}{10}x^{10}+x^4+x^2+x$

$\therefore f(-1)=\frac{1}{10}+1+1-1=\mathbf{\frac{11}{10}}$

04-1 셀파 적분 기호 안에 있는 식을 간단히 한다.

(1) $\int\frac{x^2-1}{x-1}\,dx=\int\frac{(x+1)(x-1)}{x-1}\,dx$

$=\int(x+1)dx$

$=\mathbf{\frac{1}{2}x^2+x+C}$

(2) $\int\frac{x^3}{x-2}\,dx-\int\frac{8}{x-2}\,dx=\int\left(\frac{x^3}{x-2}-\frac{8}{x-2}\right)dx$

$=\int\frac{x^3-8}{x-2}\,dx$

$=\int\frac{(x-2)(x^2+2x+4)}{x-2}\,dx$

$=\int(x^2+2x+4)dx$

$=\mathbf{\frac{1}{3}x^3+x^2+4x+C}$

04-2 셀파 $\int f(x)dx+\int g(x)dx=\int\{f(x)+g(x)\}dx$

$f(x)=\int\frac{x^2-x}{x+1}\,dx+\int\frac{3x+1}{x+1}\,dx$

$=\int\frac{x^2+2x+1}{x+1}\,dx=\int\frac{(x+1)^2}{x+1}\,dx$

$=\int(x+1)dx=\frac{1}{2}x^2+x+C$

이때 $f(1)=2$에서 $\frac{1}{2}+1+C=2$ $\quad\therefore C=\frac{1}{2}$

따라서 $f(x)=\frac{1}{2}x^2+x+\frac{1}{2}$이므로 $\mathbf{f(0)=\frac{1}{2}}$

05-1 셀파 함수 $f(x)$의 도함수가 $f'(x)$이면

$$f(x)=\int f'(x)dx$$

$f(x)=\int f'(x)dx=\int (3x^2-4x+2)dx$

$=x^3-2x^2+2x+C$

이때 $f(-1)=0$이므로 $-1-2-2+C=0$

$\therefore C=5$

따라서 $f(x)=x^3-2x^2+2x+5$이므로

$f(2)=8-8+4+5=\mathbf{9}$

05-2 셀파 곡선 $y=f(x)$ 위의 임의의 점 $(x, f(x))$에서의 접선의 기울기는 $f'(x)$이다.

점 $(x, f(x))$에서의 접선의 기울기가 $6x^2-6x$이므로

$f'(x)=6x^2-6x$

$f(x)=\int f'(x)dx=\int (6x^2-6x)dx$

$=2x^3-3x^2+C$

곡선 $y=f(x)$가 점 $(1, -2)$를 지나므로 $f(1)=-2$에서

$2-3+C=-2 \qquad \therefore C=-1$

따라서 곡선 $f(x)=2x^3-3x^2-1$이 점 $(2, k)$를 지나므로

$f(2)=k$에서 $16-12-1=k \qquad \therefore \boldsymbol{k=3}$

06-1 셀파 $\frac{d}{dx}\{xf(x)-F(x)\}=f(x)+xf'(x)-F'(x)$

$xf(x)-F(x)=x^3+3x^2$의 양변을 x에 대하여 미분하면

$f(x)+xf'(x)-F'(x)=3x^2+6x$

$f(x)$의 부정적분이 $F(x)$이므로 $F'(x)=f(x)$에서

$f(x)+xf'(x)-f(x)=3x^2+6x$

$xf'(x)=3x^2+6x \qquad \therefore f'(x)=3x+6$

이때

$f(x)=\int f'(x)dx=\int (3x+6)dx=\frac{3}{2}x^2+6x+C$

$f(0)=3$에서 $C=3 \qquad \therefore f(x)=\frac{3}{2}x^2+6x+3$

따라서 방정식 $f(x)=0$에서 $\frac{3}{2}x^2+6x+3=0$

즉, $x^2+4x+2=0$의 모든 근의 합은 근과 계수의 관계에 의해

$-\frac{4}{1}=\mathbf{-4}$

LECTURE 이차방정식의 근과 계수의 관계

이차방정식 $ax^2+bx+c=0$ ($a\neq0$, a, b, c는 상수)의 두 근을 α, β라 할 때

❶ 두 근의 합 : $\alpha+\beta=-\frac{b}{a}$

❷ 두 근의 곱 : $\alpha\beta=\frac{c}{a}$

06-2 셀파 $\frac{d}{dx}\int g(x)dx=g(x)$

$\int g(x)dx=(x^2+x)f(x)+C$의 양변을 x에 대하여 미분하면

$g(x)=(2x+1)f(x)+(x^2+x)f'(x)$

이 식의 양변에 $x=1$을 대입하면

$g(1)=3f(1)+2f'(1)$

이때 주어진 조건에서 $f(1)=3$, $f'(1)=-2$이므로

$g(1)=3\times3+2\times(-2)=\mathbf{5}$

셀파 특강 확인 체크 01

$f'(x)=\begin{cases} 1 & (x<1) \\ 2x-1 & (x>1) \end{cases}$에서

$f(x)=\begin{cases} x+C_1 & (x<1) \\ x^2-x+C_2 & (x\geq1) \end{cases}$

$f(0)=2$에서 $f(x)=x+C_1$에 대입하면 $C_1=2$

함수 $f(x)$는 $x=1$에서 연속이므로

$\lim_{x\to1-}(x+2)=\lim_{x\to1+}(x^2-x+C_2)=f(1)$에서

$3=1-1+C_2 \qquad \therefore C_2=3$

따라서 $f(x)=\begin{cases} x+2 & (x<1) \\ x^2-x+3 & (x\geq1) \end{cases}$이므로

$f(-1)+f(2)=(-1+2)+(2^2-2+3)$

$=1+5=\mathbf{6}$

07-1 셀파 함수 $f(x)$의 증가와 감소를 표로 나타낸다.

$f'(x)=-x^2-2x=-x(x+2)$

$f'(x)=0$에서 $x=-2$ 또는 $x=0$이므로 함수 $f(x)$의 증가와 감소를 표로 나타내면 다음과 같다.

x	$\cdots$	-2	$\cdots$	0	$\cdots$
$f'(x)$	$-$	0	$+$	0	$-$
$f(x)$	↘	극소	↗	극대	↘

함수 $f(x)$는 $x=-2$에서 극솟값, $x=0$에서 극댓값을 갖는다.

$f(x)=\int f'(x)dx=\int(-x^2-2x)dx=-\frac{1}{3}x^3-x^2+C$

이때 $f(x)$의 극댓값은 $f(0)=C$,

극솟값은 $f(-2)=\frac{8}{3}-4+C=C-\frac{4}{3}$

따라서 극댓값과 극솟값의 차는

$f(0)-f(-2)=C-\left(C-\frac{4}{3}\right)=\mathbf{\frac{4}{3}}$

| 참고 |

$x=-2$의 좌우에서 $f'(x)$의 부호가 음에서 양으로 바뀌므로 $f(x)$는 $x=-2$에서 극솟값 $f(-2)$를 갖는다.

또 $x=0$의 좌우에서 $f'(x)$의 부호가 양에서 음으로 바뀌므로 $f(x)$는 $x=0$에서 극댓값 $f(0)$을 갖는다.

07-2 셀파 $f'(x)=k(x-1)^2+1\ (k<0)$로 놓는다.

$y=f'(x)$는 꼭짓점의 좌표가 $(1, 1)$인 이차함수이므로

$f'(x)=k(x-1)^2+1\ (k<0)$로 놓으면

$f'(0)=0$에서 $k+1=0 \qquad \therefore k=-1$

$\therefore f'(x)=-(x-1)^2+1=-x^2+2x=-x(x-2)$

$f'(x)=0$에서 $x=0$ 또는 $x=2$

함수 $f(x)$의 증가와 감소를 표로 나타내면 다음과 같다.

x	$\cdots$	0	$\cdots$	2	$\cdots$
$f'(x)$	$-$	0	$+$	0	$-$
$f(x)$	↘	극소	↗	극대	↘

함수 $f(x)$는 $x=0$에서 극솟값, $x=2$에서 극댓값을 갖는다.

$f(x)=\int(-x^2+2x)dx=-\frac{1}{3}x^3+x^2+C$

이때 $f(x)$의 극댓값이 1이므로 $f(2)=1$에서

$-\frac{8}{3}+4+C=1 \qquad \therefore C=-\frac{1}{3}$

따라서 $f(x)=-\frac{1}{3}x^3+x^2-\frac{1}{3}$이므로

$f(-1)=\frac{1}{3}+1-\frac{1}{3}=\mathbf{1}$

08-1 셀파 $f(x+y)=f(x)+f(y)-xy$에 $x=0$, $y=0$을 대입하여 $f(0)$의 값을 구한다.

$f(x+y)=f(x)+f(y)-xy$에 $x=0, y=0$을 대입하면

$f(0)=f(0)+f(0)-0 \qquad \therefore f(0)=0$

$f'(0)=1$이므로

$$f'(0)=\lim_{h\to0}\frac{f(0+h)-f(0)}{h}=\lim_{h\to0}\frac{f(0)+f(h)-f(0)}{h}=\lim_{h\to0}\frac{f(h)}{h}=1 \qquad \cdots\cdots ㉠$$

도함수의 정의를 이용하여 $f'(x)$를 구하면

$$f'(x)=\lim_{h\to0}\frac{f(x+h)-f(x)}{h}=\lim_{h\to0}\frac{f(x)+f(h)-xh-f(x)}{h}=\lim_{h\to0}\frac{f(h)-xh}{h}=\lim_{h\to0}\frac{f(h)}{h}-x=1-x\ (\because ㉠)$$

$f'(x)=1-x$이므로 $f(x)=\int(1-x)dx=x-\frac{1}{2}x^2+C$

이때 $f(0)=0$이므로 $C=0$

따라서 $f(x)=x-\frac{1}{2}x^2$이므로

$f(1)=1-\frac{1}{2}=\mathbf{\frac{1}{2}}$

연습 문제

본문 | 158~159 쪽

01 셀파 함수 $f(x)$의 한 부정적분이 $F(x)$이면 $F'(x)=f(x)$

$f(x)=(x^3+x^2+1)'=3x^2+2x$

따라서 구하는 함수 $f(x)$는 ②

02 셀파 $\int f(x)dx=g(x) \Rightarrow f(x)=g'(x)$

$(x+1)f(x)=(2x^3+3x^2)'=6x^2+6x=6x(x+1)$

따라서 $f(x)=6x$이므로

$f\left(\frac{1}{2}\right)=6\times\frac{1}{2}=\mathbf{3}$

03 셀파 $\int(2x-4)dx=2\int x\,dx-4\int dx$

$f(x)=\int(2x-4)dx=x^2-4x+C$

모든 실수 x에 대하여 $f(x)>0$이므로

이차방정식 $x^2-4x+C=0$의 판별식을 D라 하면

$\frac{D}{4}=4-C<0 \qquad \therefore C>4$

따라서 $f(0)=C>4$이므로 $f(0)$의 값이 될 수 있는 것은 ⑤

LECTURE 이차부등식이 항상 성립할 조건

이차방정식 $ax^2+bx+c=0$의 판별식을 $D=b^2-4ac$라 할 때, 모든 실수 x에 대하여 이차부등식이 성립할 조건은 다음과 같다.

❶ $ax^2+bx+c>0 \Rightarrow a>0,\ D<0$
❷ $ax^2+bx+c\geq0 \Rightarrow a>0,\ D\leq0$
❸ $ax^2+bx+c<0 \Rightarrow a<0,\ D<0$
❹ $ax^2+bx+c\leq0 \Rightarrow a<0,\ D\leq0$

04 셀파 $|x|=\begin{cases} x & (x\geq0) \\ -x & (x<0) \end{cases}$

ㄱ. $\int 8x^3\,dx=8\int x^3\,dx=8\times\frac{1}{4}x^4+C=2x^4+C$ (거짓)

ㄴ. $x^4\geq0$이므로 $\int|x^4|\,dx=\int x^4\,dx=\frac{1}{5}x^5+C$ (참)

ㄷ. $\frac{d}{dx}\left\{\int(2x+1)dx\right\}=2x+1$ (참)

ㄹ. $\int\left\{\frac{d}{dx}(2x+1)\right\}dx=2x+1+C$ (거짓)

따라서 보기 중 옳은 것은 ㄴ, ㄷ이다.

05 셀파 합, 차의 부정적분을 이용하여 간단히 한다.

$$\begin{aligned}f(x)&=\int\frac{(2x-1)^2}{x}dx-\int\frac{1}{x}dx\\&=\int\left\{\frac{(2x-1)^2}{x}-\frac{1}{x}\right\}dx\\&=\int\frac{4x^2-4x+1-1}{x}dx\\&=\int(4x-4)dx=2x^2-4x+C\end{aligned}$$

이때 $f(1)=0$이므로 $2-4+C=0 \qquad \therefore C=2$

따라서 $f(x)=2x^2-4x+2$이므로

$f(3)=18-12+2=$ **8**

06 셀파 함수 $f(x)$의 도함수가 $f'(x)$이면

$f(x)=\int f'(x)dx$

$f'(x)=(x+1)(3x-1)=3x^2+2x-1$이므로

$$\begin{aligned}f(x)&=\int f'(x)dx=\int(3x^2+2x-1)dx\\&=x^3+x^2-x+C\end{aligned}$$

이때 $f(-1)=3$이므로 $-1+1+1+C=3$

$\therefore C=2$

$\therefore f(x)=x^3+x^2-x+2$

따라서 구하는 함수 $f(x)$는 ⑤

07 셀파 곡선 $y=f(x)$ 위의 임의의 점 $(x, f(x))$에서의 접선의 기울기는 $f'(x)$이다.

㉮ 점 $(x, f(x))$에서의 접선의 기울기가 $-2x+3$이므로

$f'(x)=-2x+3$

$f(x)=\int(-2x+3)dx=-x^2+3x+C$

㉯ 곡선 $y=f(x)$의 y절편이 1이므로

$f(0)=1$에서 $C=1$

$\therefore f(x)=-x^2+3x+1$

㉰ $f(x)=-x^2+3x+1=-\left(x-\frac{3}{2}\right)^2+\frac{13}{4}$

따라서 구하는 함수 $f(x)$의 최댓값은 $\mathbf{\frac{13}{4}}$

채점 기준	배점
㉮ 함수 $f(x)$를 적분상수 C로 나타낸다.	40%
㉯ C의 값을 구하여 함수 $f(x)$를 구한다.	40%
㉰ 함수 $f(x)$의 최댓값을 구한다.	20%

08 셀파 주어진 식의 양변을 x에 대하여 미분한 다음 $f'(x)$를 구한다.

$\int(2x+1)f'(x)dx=\frac{8}{3}x^3+x^2-x$의 양변을 x에 대하여 미분하면

$(2x+1)f'(x)=8x^2+2x-1=(2x+1)(4x-1)$

$f'(x)=4x-1$이므로

$f(x)=\int(4x-1)dx=2x^2-x+C$

이때 $f(0)=2$이므로 $C=2$

따라서 $f(x)=2x^2-x+2$이므로

$f(1)=2-1+2=$ **3**

09 셀파 $\frac{d}{dx}\int f(x)dx=f(x)$

$\int f(x)dx=xf(x)-\frac{2}{3}x^3-\frac{1}{2}x^2+3$의 양변을 x에 대하여 미분하면

$f(x)=f(x)+xf'(x)-2x^2-x$이므로

$xf'(x)=2x^2+x \qquad \therefore f'(x)=2x+1$

$f(x)=\int(2x+1)dx=x^2+x+C$

이때 $f(1)=1$이므로 $1+1+C=1 \qquad \therefore C=-1$

따라서 $f(x)=x^2+x-1$이므로

$\boldsymbol{f(0)=-1}$

10 셀파 주어진 식의 양변을 x에 대하여 미분한다.

$\int\{f(x)-2x\}dx=xf(x)-2x^3+5x^2$의 양변을 x에 대하여 미분하면

$f(x)-2x=f(x)+xf'(x)-6x^2+10x$이므로

$xf'(x)=6x^2-12x \qquad \therefore f'(x)=6x-12$

$f(x)=\int(6x-12)dx=3x^2-12x+C$

$\quad =3(x-2)^2-12+C$

따라서 함수 $f(x)$는 $x=2$에서 최솟값을 갖는다.

$\therefore \boldsymbol{a=2}$

11 셀파 절댓값 기호 안의 식의 값을 0으로 하는 x의 값을 경계로 나누어 생각한다.

$f'(x)=3x|x-1|+x+2$

$\quad =\begin{cases} -3x^2+4x+2 & (x<1) \\ 3x^2-2x+2 & (x\geq 1) \end{cases}$

이므로

$f(x)=\begin{cases} -x^3+2x^2+2x+C_1 & (x<1) \\ x^3-x^2+2x+C_2 & (x\geq 1) \end{cases}$

이때 $f(0)=4$이므로 $C_1=4$

또 함수 $f(x)$가 $x=1$에서 연속이므로

$\lim_{x\to 1-}f(x)=\lim_{x\to 1+}f(x)=f(1)$

$\lim_{x\to 1-}(-x^3+2x^2+2x+4)=\lim_{x\to 1+}(x^3-x^2+2x+C_2)$

$-1+2+2+4=1-1+2+C_2 \qquad \therefore C_2=5$

$\therefore f(x)=\begin{cases} -x^3+2x^2+2x+4 & (x<1) \\ x^3-x^2+2x+5 & (x\geq 1) \end{cases}$

$f(-1)=1+2-2+4=5$

$f(2)=8-4+4+5=13$

$\therefore f(-1)+f(2)=5+13=\boldsymbol{18}$

12 셀파 $f'(x)=-(x+1)(x-3)$에서 함수 $f(x)$를 구한 다음 극댓값과 극솟값을 구한다.

도함수 $f'(x)$는 이차항의 계수가 -1이고 x절편이 -1, 3이므로

$f'(x)=-(x+1)(x-3)=-x^2+2x+3$

$\therefore f(x)=\int f'(x)dx$

$\quad =\int(-x^2+2x+3)dx$

$\quad =-\frac{1}{3}x^3+x^2+3x+C$

$f'(x)=0$에서 $x=-1$ 또는 $x=3$

함수 $f(x)$의 증가, 감소를 표로 나타내면 다음과 같다.

x	$\cdots$	-1	$\cdots$	3	$\cdots$
$f'(x)$	$-$	0	$+$	0	$-$
$f(x)$	↘	극소	↗	극대	↘

따라서 함수 $f(x)$는 $x=-1$에서 극솟값, $x=3$에서 극댓값을 갖는다.

$f(-1)=\frac{1}{3}+1-3+C=C-\frac{5}{3}$

$f(3)=-9+9+9+C=C+9$

따라서 극댓값과 극솟값의 차는

$f(3)-f(-1)=(C+9)-\left(C-\frac{5}{3}\right)=\boldsymbol{\frac{32}{3}}$

13 셀파 $\lim_{h\to 0}\frac{f(a+h)-f(a)}{h}=f'(a)$

조건 (가)에서

$\int f(x)dx=x^3+ax-1$의 양변을 x에 대하여 미분하면

$f(x)=3x^2+a \qquad \therefore f'(x)=6x \qquad \cdots\cdots$ ㉠

조건 (나)에서

$\lim_{h\to 0}\frac{f(1-h)-f(1)}{h}=\lim_{h\to 0}\frac{f(1-h)-f(1)}{-h}\times(-1)$

$\quad =-f'(1)=a-3$

$f'(1)=-a+3$이므로 ㉠에서

$6=-a+3 \qquad \therefore a=-3$

따라서 $f(x)=3x^2-3$이므로

$f(2)=12-3=\boldsymbol{9}$

9. 정적분

개념 익히기

본문 | 163, 165쪽

1-1 (1) $\int_0^2 (x^3+1)dx$

$=\left[\frac{1}{4}x^4+x\right]_0^2$

$=(4+\boxed{2})-0=\boxed{6}$

(2) $\int_1^2 (4t^3-2t-3)dt$

$=\left[t^4-t^2-3t\right]_1^{\boxed{2}}$

$=(16-4-6)-(1-1-3)=\boxed{9}$

1-2 (1) $\int_0^3 (4x+2)dx$

$=\left[2x^2+2x\right]_0^3$

$=(18+6)-0=\mathbf{24}$

(2) $\int_{-1}^1 (t^2-2t)dt$

$=\left[\frac{1}{3}t^3-t^2\right]_{-1}^1$

$=\left(\frac{1}{3}-1\right)-\left(-\frac{1}{3}-1\right)=\mathbf{\frac{2}{3}}$

2-1 (1) $\int_0^2 (x+1)^2dx-\int_0^2 (x-1)^2dx$

$=\int_0^2 \{(x+1)^2-(x-1)^2\}dx$

$=\int_0^2 \boxed{4x}\,dx=\left[2x^2\right]_0^2=\boxed{8}$

(2) $\int_0^1 (x^2+1)dx+\int_1^3 (x^2+1)dx$

$=\int_0^{\boxed{3}} (x^2+1)dx$

$=\left[\frac{1}{3}x^3+x\right]_0^{\boxed{3}}=\mathbf{12}$

2-2 (1) $\int_0^2 (x^2-x)dx+\int_0^2 (-x^2-x+1)dx$

$=\int_0^2 (-2x+1)dx$

$=\left[-x^2+x\right]_0^2$

$=-4+2=\mathbf{-2}$

(2) $\int_{-2}^1 (x^3+2x)dx+\int_1^2 (x^3+2x)dx$

$=\int_{-2}^2 (x^3+2x)dx$

$=\left[\frac{1}{4}x^4+x^2\right]_{-2}^2$

$=(4+4)-(4+4)=\mathbf{0}$

3-1 (1) $f(t)=3t^2-2t$라 하면

$\frac{d}{dx}\int_2^x f(t)dt=\boxed{f(x)}$이므로

$\frac{d}{dx}\int_2^x (3t^2-2t)dt=\mathbf{3x^2-}\boxed{\mathbf{2x}}$

(2) $f(t)=4t^2-3t+1$이라 하면

$\frac{d}{dx}\int_0^x f(t)dt=\boxed{f(x)}$이므로

$\frac{d}{dx}\int_0^x (4t^2-3t+1)dt=\boxed{\mathbf{4x^2}}\mathbf{-3x+1}$

3-2 (1) $f(t)=t^2+3t$라 하면

$\frac{d}{dx}\int_1^x f(t)dt=f(x)$이므로

$\frac{d}{dx}\int_1^x (t^2+3t)dt=\mathbf{x^2+3x}$

(2) $f(t)=2t^3-t+5$라 하면

$\frac{d}{dx}\int_{-1}^x f(t)dt=f(x)$이므로

$\frac{d}{dx}\int_{-1}^x (2t^3-t+5)dt=\mathbf{2x^3-x+5}$

4-1 (1) $\int_2^x f(t)dt=2x^2+3x-14$의 양변을 x에 대하여 미분하면

$\frac{d}{dx}\int_2^x f(t)dt=(2x^2+3x-14)'$

$\therefore \boldsymbol{f(x)=4x+}$ **3**

(2) $\int_0^x f(t)dt=4x^3-2x^2+3x$의 양변을 x에 대하여 미분하면

$\frac{d}{dx}\int_0^x f(t)dt=(4x^3-2x^2+3x)'$

$\therefore \boldsymbol{f(x)=12x^2-}$ **$4x$** $\boldsymbol{+3}$

4-2 (1) $\int_1^x f(t)dt=3x^2-2x-1$의 양변을 x에 대하여 미분하면

$\frac{d}{dx}\int_1^x f(t)dt=(3x^2-2x-1)'$

$\therefore \boldsymbol{f(x)=6x-2}$

(2) $\int_{-2}^x f(t)dt=-x^3+x^2-12$의 양변을 x에 대하여 미분하면

$\frac{d}{dx}\int_{-2}^x f(t)dt=(-x^3+x^2-12)'$

$\therefore \boldsymbol{f(x)=-3x^2+2x}$

| 참고 |

(1)에서 $F'(t)=f(t)$라 하면

$\int_1^x f(t)dt=\Big[F(t)\Big]_1^x=F(x)-F(1)$이므로

$\frac{d}{dx}\int_1^x f(t)dt=\frac{d}{dx}\{F(x)-F(1)\}=F'(x)=f(x)$

$\left(\because F(1)\text{은 상수이므로 } \frac{d}{dx}F(1)=0\right)$

셀파 세미나 부정적분과 정적분의 차이

부정적분 $\int f(x)dx$

❶ 구간이 정해지지 않은 적분

❷ $\int f(x)dx$ ⇨ x에 대한 함수

정적분 $\int_a^b f(x)dx$

❶ 구간이 정해진 적분

❷ $\int_a^b f(x)dx$ ⇨ 실수

확인 문제

본문 | 166~178쪽

01-1 셀파 $\int_a^b f(x)dx=\int_a^b f(t)dt=\int_a^b f(y)dy$

(1) $\int_1^2 (3y^2+2y-1)dy=\Big[y^3+y^2-y\Big]_1^2$

$=(8+4-2)-(1+1-1)=\mathbf{9}$

(2) $\int_1^{-2}(x^2-8x+3)dx=-\int_{-2}^1 (x^2-8x+3)dx$

$=-\Big[\frac{1}{3}x^3-4x^2+3x\Big]_{-2}^1$

$=-\left\{\left(\frac{1}{3}-4+3\right)-\left(-\frac{8}{3}-16-6\right)\right\}$

$=\mathbf{-24}$

| 다른 풀이 |

$\int_1^{-2}(x^2-8x+3)dx=\Big[\frac{1}{3}x^3-4x^2+3x\Big]_1^{-2}$

$=\left(-\frac{8}{3}-16-6\right)-\left(\frac{1}{3}-4+3\right)=-24$

01-2 셀파 $\int_1^3 (4x^3-2kx-1)dx$를 k에 대한 식으로 나타낸다.

$\int_1^3 (4x^3-2kx-1)dx=\Big[x^4-kx^2-x\Big]_1^3$

$=(81-9k-3)-(1-k-1)$

$=78-8k$

$\int_1^3 (4x^3-2kx-1)dx>-2$에서 $78-8k>-2$

즉, $-8k>-80$이므로 $k<10$

따라서 정수 k의 최댓값은 **9**

02-1 셀파 $\int_a^b f(x)dx=-\int_b^a f(x)dx$

(1) (주어진 식)$=\int_0^2 (x^2-1)dx-\int_0^2 x^2\,dx$

$=\int_0^2 (x^2-1-x^2)dx=\int_0^2 (-1)dx$

$=\Big[-x\Big]_0^2=\mathbf{-2}$

(2) (주어진 식)$=\int_2^3 \frac{x^2-2}{x+1}dx+\int_2^3 \frac{1}{x+1}dx$

$=\int_2^3 \left(\frac{x^2-2}{x+1}+\frac{1}{x+1}\right)dx=\int_2^3 \frac{x^2-1}{x+1}dx$

$=\int_2^3 \frac{(x+1)(x-1)}{x+1}dx=\int_2^3 (x-1)dx$

$=\left[\frac{1}{2}x^2-x\right]_2^3=\left(\frac{9}{2}-3\right)-(2-2)=\mathbf{\frac{3}{2}}$

(3) (주어진 식)$=\int_{-1}^0 (2x^3-4)dx-\int_1^0 (2x^3-4)dx$

$=\int_{-1}^0 (2x^3-4)dx+\int_0^1 (2x^3-4)dx$

$=\int_{-1}^1 (2x^3-4)dx=\left[\frac{1}{2}x^4-4x\right]_{-1}^1$

$=\left(\frac{1}{2}-4\right)-\left(\frac{1}{2}+4\right)=\mathbf{-8}$

집중 연습

본문 | 168쪽

01 (1) $\int_0^1 3t^2\,dt=\left[t^3\right]_0^1=\mathbf{1}$

(2) $\int_0^1 (x^2+x)dx=\left[\frac{1}{3}x^3+\frac{1}{2}x^2\right]_0^1=\frac{1}{3}+\frac{1}{2}=\mathbf{\frac{5}{6}}$

(3) $\int_1^2 (8x^3+6x)dx=\left[2x^4+3x^2\right]_1^2$

$=(32+12)-(2+3)=\mathbf{39}$

(4) $\int_{-1}^3 (x^3-2x)dx=\left[\frac{1}{4}x^4-x^2\right]_{-1}^3$

$=\left(\frac{81}{4}-9\right)-\left(\frac{1}{4}-1\right)=\mathbf{12}$

(5) $\int_2^3 \frac{x^3-1}{x-1}dx=\int_2^3 \frac{(x-1)(x^2+x+1)}{x-1}dx$

$=\int_2^3 (x^2+x+1)dx$

$=\left[\frac{1}{3}x^3+\frac{1}{2}x^2+x\right]_2^3$

$=\left(9+\frac{9}{2}+3\right)-\left(\frac{8}{3}+2+2\right)$

$=\mathbf{\frac{59}{6}}$

(6) $\int_1^0 (2x+1)(x-3)dx=\int_1^0 (2x^2-5x-3)dx$

$=\left[\frac{2}{3}x^3-\frac{5}{2}x^2-3x\right]_1^0$

$=-\left(\frac{2}{3}-\frac{5}{2}-3\right)=\mathbf{\frac{29}{6}}$

(7) $\int_0^2 (x+1)^3dx=\int_0^2 (x^3+3x^2+3x+1)dx$

$=\left[\frac{1}{4}x^4+x^3+\frac{3}{2}x^2+x\right]_0^2$

$=4+8+6+2=\mathbf{20}$

02 (1) $\int_1^2 (x^2-2x)dx+\int_1^2 (-x^2-2x+3)dx$

$=\int_1^2 \{(x^2-2x)+(-x^2-2x+3)\}dx$

$=\int_1^2 (-4x+3)dx=\left[-2x^2+3x\right]_1^2$

$=(-8+6)-(-2+3)=\mathbf{-3}$

(2) $\int_0^1 (x+1)^3dx-\int_0^1 (x-1)^3dx$

$=\int_0^1 \{(x+1)^3-(x-1)^3\}dx$

→ $x^3+3x^2+3x+1-(x^3-3x^2+3x-1)=6x^2+2$

$=\int_0^1 (6x^2+2)dx=\left[2x^3+2x\right]_0^1=2+2=\mathbf{4}$

(3) $\int_0^1 \frac{1}{t+1}dt=\int_0^1 \frac{1}{x+1}dx$이므로

$\int_0^1 \frac{x^3}{x+1}dx+\int_0^1 \frac{1}{t+1}dt$

$=\int_0^1 \frac{x^3}{x+1}dx+\int_0^1 \frac{1}{x+1}dx$

$=\int_0^1 \frac{x^3+1}{x+1}dx=\int_0^1 \frac{(x+1)(x^2-x+1)}{x+1}dx$

$=\int_0^1 (x^2-x+1)dx=\left[\frac{1}{3}x^3-\frac{1}{2}x^2+x\right]_0^1$

$=\frac{1}{3}-\frac{1}{2}+1=\mathbf{\frac{5}{6}}$

(4) $\int_{-1}^1 (2x+3)dx+\int_1^2 (2x+3)dx$

$=\int_{-1}^2 (2x+3)dx=\left[x^2+3x\right]_{-1}^2$

$=(4+6)-(1-3)=\mathbf{12}$

(5) $\int_0^2 (3x^2-2x)dx+\int_2^3 (3x^2-2x)dx$

$=\int_0^3 (3x^2-2x)dx=\left[x^3-x^2\right]_0^3$

$=27-9=\mathbf{18}$

(6) $\int_{-1}^2 (x^2+x)dx-\int_{-1}^{-2} (x^2+x)dx$

$=\int_{-1}^2 (x^2+x)dx+\int_{-2}^{-1} (x^2+x)dx$

$=\int_{-2}^{-1} (x^2+x)dx+\int_{-1}^2 (x^2+x)dx$

$=\int_{-2}^2 (x^2+x)dx$

$=\left[\frac{1}{3}x^3+\frac{1}{2}x^2\right]_{-2}^2$

$=\left(\frac{8}{3}+2\right)-\left(-\frac{8}{3}+2\right)=\mathbf{\frac{16}{3}}$

(7) $\int_0^1 (t^3-1)dt+\int_2^1 (1-t^3)dt$

$=\int_0^1 (t^3-1)dt-\int_1^2 (1-t^3)dt$

$=\int_0^1 (t^3-1)dt+\int_1^2 (t^3-1)dt$

$=\int_0^2 (t^3-1)dt=\left[\frac{1}{4}t^4-t\right]_0^2$

$=4-2=\mathbf{2}$

03-1 셀파 $\int_a^b f(x)dx=\int_a^c f(x)dx+\int_c^b f(x)dx$

적분 구간 $[0, 2]$를 $x=1$을 기준으로 나누면

$\int_0^2 f(x)dx=\int_0^1 f(x)dx+\int_1^2 f(x)dx$

$0\le x\le 1$일 때 $f(x)=3x$,

$1\le x\le 2$일 때 $f(x)=4-x^2$이므로

$\int_0^2 f(x)dx$

$=\int_0^1 f(x)dx+\int_1^2 f(x)dx$

$=\int_0^1 3x\,dx+\int_1^2 (4-x^2)dx$

$=\left[\frac{3}{2}x^2\right]_0^1+\left[4x-\frac{1}{3}x^3\right]_1^2$

$=\frac{3}{2}+\left(8-\frac{8}{3}\right)-\left(4-\frac{1}{3}\right)=\mathbf{\frac{19}{6}}$

03-2 셀파 구간을 나누어 함수 $f(x)$의 식을 구한다.

$y=f(x)$의 그래프에서 $f(x)=\begin{cases} 2x+6 & (x\le 0) \\ 6 & (x\ge 0) \end{cases}$

적분 구간 $[-3, 2]$에서 $x=0$을 기준으로 구간을 나누면

$\int_{-3}^2 xf(x)dx=\int_{-3}^0 xf(x)dx+\int_0^2 xf(x)dx$

$-3\le x\le 0$일 때 $f(x)=2x+6$,

$0\le x\le 2$일 때 $f(x)=6$이므로

$\int_{-3}^2 xf(x)dx=\int_{-3}^0 x(2x+6)dx+\int_0^2 6x\,dx$

$=\int_{-3}^0 (2x^2+6x)dx+\int_0^2 6x\,dx$

$=\left[\frac{2}{3}x^3+3x^2\right]_{-3}^0+\left[3x^2\right]_0^2$

$=-(-18+27)+12=\mathbf{3}$

04-1 셀파 절댓값 기호 안의 식의 값이 0이 되는 x의 값을 경계로 구간을 나눈다.

(1) $f(x)=|x^2-2x|$라 하면

$x^2-2x=x(x-2)=0$에서 $x=0$ 또는 $x=2$이므로

$f(x)=\begin{cases} x^2-2x & (x\le 0 \text{ 또는 } x\ge 2) \\ -(x^2-2x) & (0\le x\le 2) \end{cases}$

$\therefore \int_0^3 |x^2-2x|dx=\int_0^2 (-x^2+2x)dx+\int_2^3 (x^2-2x)dx$

$=\left[-\frac{1}{3}x^3+x^2\right]_0^2+\left[\frac{1}{3}x^3-x^2\right]_2^3$

$=\frac{4}{3}+\frac{4}{3}=\mathbf{\frac{8}{3}}$

(2) $f(x)=(|x|-1)^2$이라 하면

$|x|=0$에서 $x=0$이므로

$f(x)=\begin{cases} (-x-1)^2 & (x\le 0) \\ (x-1)^2 & (x\ge 0) \end{cases}$

$\therefore \int_{-1}^1 (|x|-1)^2dx$

$=\int_{-1}^0 (-x-1)^2dx+\int_0^1 (x-1)^2dx$

$=\int_{-1}^0 (x^2+2x+1)dx+\int_0^1 (x^2-2x+1)dx$

$=\left[\frac{1}{3}x^3+x^2+x\right]_{-1}^0+\left[\frac{1}{3}x^3-x^2+x\right]_0^1$

$=\frac{1}{3}+\frac{1}{3}=\mathbf{\frac{2}{3}}$

04-2 셀파 $x=0$을 기준으로 구간을 나눈다.

$f(x)=2|x|+k$라 하면

$|x|=0$에서 $x=0$이므로

$$f(x)=\begin{cases}-2x+k & (x\le 0)\\ 2x+k & (x\ge 0)\end{cases}$$

$$\therefore \int_{-1}^{2}(2|x|+k)dx=\int_{-1}^{0}(-2x+k)dx+\int_{0}^{2}(2x+k)dx$$
$$=\Big[-x^2+kx\Big]_{-1}^{0}+\Big[x^2+kx\Big]_{0}^{2}$$
$$=-(-1-k)+(4+2k)=3k+5$$

따라서 $3k+5=14$이므로 $\boldsymbol{k=3}$

셀파 특강 확인 체크 01

(1) $\int_{-1}^{1}x(1-x)^2dx=\int_{-1}^{1}(x-2x^2+x^3)dx$
$$=\int_{-1}^{1}(-2x^2)dx=2\int_{0}^{1}(-2x^2)dx$$
$$=2\Big[-\frac{2}{3}x^3\Big]_{0}^{1}=-\boldsymbol{\frac{4}{3}}$$

(2) $\int_{-3}^{3}(x^2+3)(x^3-x)dx=\int_{-3}^{3}(x^5+2x^3-3x)dx=\boldsymbol{0}$

05-1 셀파 $f(x)$는 우함수, $g(x)$는 기함수이다.

(i) 모든 실수 x에 대하여 $f(-x)=f(x)$이므로 함수 $y=f(x)$는 그래프가 y축에 대하여 대칭인 우함수이다.

$$\therefore \int_{-3}^{3}f(x)dx=2\int_{0}^{3}f(x)dx=2\times 7=14$$

(ii) 모든 실수 x에 대하여 $g(-x)=-g(x)$이므로 함수 $y=g(x)$는 그래프가 원점에 대하여 대칭인 기함수이다.

$$\therefore \int_{-3}^{3}g(x)dx=0$$

(i), (ii)에서

$$\int_{-3}^{3}\{2f(x)-3g(x)\}dx=2\int_{-3}^{3}f(x)dx-3\int_{-3}^{3}g(x)dx$$
$$=2\times 14-3\times 0=\boldsymbol{28}$$

LECTURE 우함수와 기함수의 연산

❶ (우함수)±(우함수) ⇨ 우함수
❷ (기함수)±(기함수) ⇨ 기함수
❸ (우함수)×(우함수) ⇨ 우함수
❹ (기함수)×(기함수) ⇨ 우함수
❺ (우함수)×(기함수) ⇨ 기함수

06-1 셀파 $\int_{0}^{1}f(t)dt=k$ (k는 상수)로 놓는다.

$f(x)=2x^2+4x-\int_{0}^{1}f(t)dt$에서

$\int_{0}^{1}f(t)dt=k$ (k는 상수) ······㉠

로 놓으면 $f(x)=2x^2+4x-k$

이것을 ㉠에 대입하면

$$\int_{0}^{1}f(t)dt=\int_{0}^{1}(2t^2+4t-k)dt$$
$$=\Big[\frac{2}{3}t^3+2t^2-kt\Big]_{0}^{1}=\frac{8}{3}-k$$

즉, $\frac{8}{3}-k=k$에서 $2k=\frac{8}{3}$ $\quad\therefore k=\frac{4}{3}$

따라서 $f(x)=2x^2+4x-\frac{4}{3}$이므로

$f(0)=\boldsymbol{-\frac{4}{3}}$

06-2 셀파 $\int_{0}^{2}tf(t)dt=k$ (k는 상수)로 놓는다.

$f(x)=x^2-3x+\int_{0}^{2}tf(t)dt$에서

$\int_{0}^{2}tf(t)dt=k$ (k는 상수) ······㉠

로 놓으면 $f(x)=x^2-3x+k$

이것을 ㉠에 대입하면

$$\int_{0}^{2}tf(t)dt=\int_{0}^{2}(t^3-3t^2+kt)dt$$
$$=\Big[\frac{1}{4}t^4-t^3+\frac{1}{2}kt^2\Big]_{0}^{2}=-4+2k$$

즉, $-4+2k=k$에서 $k=4$

따라서 $f(x)=x^2-3x+4$이므로

$f(3)=9-9+4=\boldsymbol{4}$

07-1 셀파 $\frac{d}{dx}\int_{2}^{x}f(t)dt=f(x)$, $\int_{2}^{2}f(t)dt=0$

$\int_{2}^{x}f(t)dt=3x^2+2ax-4$ ······㉠

㉠의 양변을 x에 대하여 미분하면

$\frac{d}{dx}\int_{2}^{x}f(t)dt=f(x)$이므로 $f(x)=6x+2a$

㉠의 양변에 $x=2$를 대입하면 $\int_{2}^{2}f(t)dt=0$이므로

$0=12+4a-4$ $\quad\therefore a=-2$

따라서 $f(x)=6x-4$이므로

$f(3)=18-4=\boldsymbol{14}$

07-2 셀파 $\dfrac{d}{dx}\int_a^x f(t)dt=f(x)$

$\int_1^x f(t)dt=xf(x)-x^3+2x^2-3$ ……㉠

㉠의 양변을 x에 대하여 미분하면

$\dfrac{d}{dx}\int_1^x f(t)dt=f(x)$이므로

$f(x)=f(x)+xf'(x)-3x^2+4x$

$xf'(x)=3x^2-4x$에서 $f'(x)=3x-4$

$f(x)=\int f'(x)dx=\int(3x-4)dx=\dfrac{3}{2}x^2-4x+C$

㉠의 양변에 $x=1$을 대입하면

$\int_1^1 f(t)dt=0$이므로

$0=f(1)-1+2-3$에서 $f(1)=2$

$f(x)=\dfrac{3}{2}x^2-4x+C$이므로

$\dfrac{3}{2}-4+C=2 \qquad \therefore C=\dfrac{9}{2}$

따라서 $f(x)=\dfrac{3}{2}x^2-4x+\dfrac{9}{2}$이므로

$f(0)=\mathbf{\dfrac{9}{2}}$

셀파 특강 **확인 체크 02**

$\int_1^x (x-t)f(t)dt=x^3+ax+b$에서

$x\int_1^x f(t)dt-\int_1^x tf(t)dt=x^3+ax+b$ ……㉠

㉠의 양변을 x에 대하여 미분하면

$\int_1^x f(t)dt+xf(x)-xf(x)=3x^2+a$

$\therefore \int_1^x f(t)dt=3x^2+a$ ……㉡

㉡의 양변을 x에 대하여 미분하면

$f(x)=6x \qquad \therefore f(1)=6$

이때 ㉠의 양변에 $x=1$을 대입하면

$0=1+a+b \qquad \therefore a+b=-1$

$\therefore a+b+f(1)=-1+6=\mathbf{5}$

| 참고 |

㉡의 양변에 $x=1$을 대입하면 $0=3+a \qquad \therefore a=-3$

$a=-3$을 $a+b=-1$에 대입하면 $-3+b=-1$

$\therefore b=2$

08-1 셀파 $f'(x)=\dfrac{d}{dx}\int_{-1}^x t(t-1)dt=x(x-1)$

$f(x)=\int_{-1}^x t(t-1)dt$의 양변을 x에 대하여 미분하면

$f'(x)=x(x-1)$

$f'(x)=0$에서 $x=0$ 또는 $x=1$

함수 $f(x)$의 증가와 감소를 표로 나타내면 다음과 같다.

x	…	0	…	1	…
$f'(x)$	+	0	−	0	+
$f(x)$	↗	극대	↘	극소	↗

즉, 함수 $f(x)$는 $x=0$에서 극댓값, $x=1$에서 극솟값을 갖는다.
이때

$f(0)=\int_{-1}^0 t(t-1)dt=\int_{-1}^0 (t^2-t)dt$

$=\left[\dfrac{1}{3}t^3-\dfrac{1}{2}t^2\right]_{-1}^0=-\left(-\dfrac{1}{3}-\dfrac{1}{2}\right)=\dfrac{5}{6}$

$f(1)=\int_{-1}^1 (t^2-t)dt=\int_{-1}^1 t^2\,dt$ ← $\int_{-1}^1(-t)dt=0$

$=2\int_0^1 t^2\,dt=2\left[\dfrac{1}{3}t^3\right]_0^1=\dfrac{2}{3}$

따라서 함수 $f(x)$의 극댓값과 극솟값의 합은

$f(0)+f(1)=\dfrac{5}{6}+\dfrac{2}{3}=\mathbf{\dfrac{3}{2}}$

08-2 셀파 함수 $f(x)$의 극대, 극소 ⇨ $f(x)$를 x에 대하여 미분한다.

$f(x)=\int_0^x t(t-1)(t-2)dt$의 양변을 x에 대하여 미분하면

$f'(x)=x(x-1)(x-2)$

$f'(x)=0$에서 $x=0$ 또는 $x=1$ 또는 $x=2$

함수 $f(x)$의 증가와 감소를 표로 나타내면 다음과 같다.

x	…	0	…	1	…	2	…
$f'(x)$	−	0	+	0	−	0	+
$f(x)$	↘	극소	↗	극대	↘	극소	↗

즉, 함수 $f(x)$는 $x=1$에서 극댓값을 가지므로 극댓값은

$f(1)=\int_0^1 t(t-1)(t-2)dt$

$=\int_0^1 (t^3-3t^2+2t)dt$

$=\left[\dfrac{1}{4}t^4-t^3+t^2\right]_0^1=\mathbf{\dfrac{1}{4}}$

09-1 셀파 $f(x)=k(x-1)(x-4)(k>0)$로 놓는다.

함수 $y=f(x)$의 그래프에서

$f(x)=k(x-1)(x-4)\ (k>0)$

$g(x)=\int_{x}^{x+1} f(t)dt$의 양변을 x에 대하여 미분하면

$$\begin{aligned} g'(x)&=f(x+1)-f(x)\\ &=kx(x-3)-k(x-1)(x-4)\\ &=k(x^2-3x)-k(x^2-5x+4)\\ &=k(2x-4)=2k(x-2) \end{aligned}$$

$g'(x)=0$에서 $x=2$ ($\because k>0$)

닫힌구간 $[0, 3]$에서 함수 $g(x)$의 증가와 감소를 표로 나타내면 다음과 같다.

x	0	$\cdots$	2	$\cdots$	3
$g'(x)$		$-$	0	$+$	
$g(x)$		↘	극소	↗	

이때 $g(x)$는 $x=2$에서 극소이면서 최소이다.

그런데 $g(x)$는 이차함수이므로 함수 $y=g(x)$의 그래프는 오른쪽 그림과 같이 직선 $x=2$에 대하여 대칭이다.

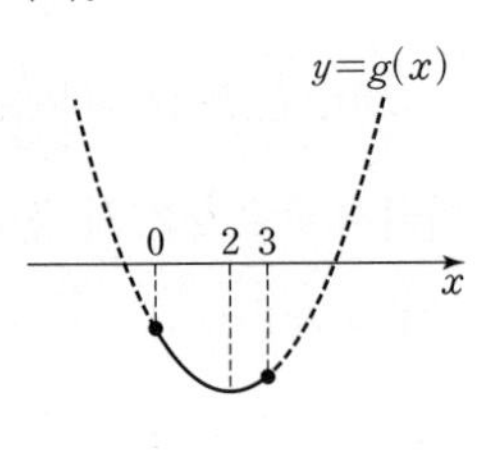

따라서 닫힌구간 $[0, 3]$에서 함수 $g(x)$는 $x=0$에서 최댓값, $x=2$에서 최솟값을 가지므로 $a=0$, $b=2$

$\therefore$ $\boldsymbol{a+b=2}$

10-1 셀파 $\lim_{h\to 0}\frac{1}{h}\int_{a}^{a+h} f(x)dx=f(a)$,

$\lim_{x\to a}\frac{1}{x-a}\int_{a}^{x} f(t)dt=f(a)$

(1) $f(x)=x^3-2x^2+3x$로 놓고 $f(x)$의 한 부정적분을 $F(x)$라 하면

$$\begin{aligned} &\lim_{h\to 0}\frac{1}{h}\int_{1}^{1+h}(x^3-2x^2+3x)dx\\ &=\lim_{h\to 0}\frac{1}{h}\int_{1}^{1+h} f(x)dx\\ &=\lim_{h\to 0}\frac{\Big[F(x)\Big]_{1}^{1+h}}{h}\\ &=\lim_{h\to 0}\frac{F(1+h)-F(1)}{h}\\ &=F'(1)=f(1)\\ &=1-2+3=\mathbf{2} \end{aligned}$$

(2) $f(t)=2t^2+3t-1$로 놓고 $f(t)$의 한 부정적분을 $F(t)$라 하면

$$\begin{aligned} &\lim_{x\to 1}\frac{1}{x-1}\int_{1}^{x^2}(2t^2+3t-1)dt\\ &=\lim_{x\to 1}\frac{1}{x-1}\int_{1}^{x^2} f(t)dt\\ &=\lim_{x\to 1}\frac{\Big[F(t)\Big]_{1}^{x^2}}{x-1}\\ &=\lim_{x\to 1}\frac{F(x^2)-F(1)}{x-1}\\ &=\lim_{x\to 1}\left\{\frac{F(x^2)-F(1)}{x^2-1}\times(x+1)\right\}\\ &=2F'(1)=2f(1)\\ &=2\times(2+3-1)=\mathbf{8} \end{aligned}$$

LECTURE 미분계수의 정의

❶ $\lim_{h\to 0}\frac{f(a+h)-f(a)}{h}=f'(a)$

⇨ $\lim_{■\to 0}\frac{f(a+■)-f(a)}{■}=f'(a)$

→ ■ 부분이 서로 같도록 만들어 준다.

❷ $\lim_{x\to a}\frac{f(x)-f(a)}{x-a}=f'(a)$

⇨ $\lim_{■\to ●}\frac{f(■)-f(●)}{■-●}=f'(●)$

→ ■는 ■끼리, ●는 ●끼리 서로 같도록 만들어 준다.

10-2 셀파 $f(x)=\int f'(x)dx$임을 이용하여 $f(x)$를 구한다.

$f'(x)=3x^2+2x+1$이므로 $f(x)=x^3+x^2+x+C$

함수 $f(t)$의 한 부정적분을 $F(t)$라 하면

$$\begin{aligned} \lim_{x\to 0}\frac{1}{x}\int_{0}^{x} f(t)dt&=\lim_{x\to 0}\frac{\Big[F(t)\Big]_{0}^{x}}{x}\\ &=\lim_{x\to 0}\frac{F(x)-F(0)}{x-0}\\ &=F'(0)=f(0)=C \end{aligned}$$

$\lim_{x\to 0}\frac{1}{x}\int_{0}^{x} f(t)dt=1$이므로 $C=1$

따라서 $f(x)=x^3+x^2+x+1$이므로

$f(2)=8+4+2+1=\mathbf{15}$

01 셀파 $\int_a^b x^n dx=\left[\frac{1}{n+1}x^{n+1}\right]_a^b$

① $\int_0^1 x^2\,dx=\left[\frac{1}{3}x^3\right]_0^1=\frac{1}{3}$

② $\int_2^3 2x\,dx=\left[x^2\right]_2^3=9-4=5$

③ $\int_{-1}^{-2} x\,dx=\left[\frac{1}{2}x^2\right]_{-1}^{-2}=2-\frac{1}{2}=\frac{3}{2}$

④ $\int_{-2}^{3} x^3\,dx=\left[\frac{1}{4}x^4\right]_{-2}^{3}=\frac{81}{4}-4=\frac{65}{4}$

⑤ $\int_{-5}^{5}(x^3+x^2)dx=2\int_0^5 x^2\,dx=2\left[\frac{1}{3}x^3\right]_0^5$

$=2\times\frac{125}{3}=\frac{250}{3}$

따라서 바르게 구한 것은 ④

02 셀파 $f(x)$의 한 부정적분이 $F(x)$이면

$\int_a^b f(x)dx=\left[F(x)\right]_a^b=F(b)-F(a)$

$\int_0^3 f(x)dx=\int_0^3(-3x^2+2x+k)dx$

$=\left[-x^3+x^2+kx\right]_0^3$

$=-27+9+3k=3k-18$

이때 $3k-18=k$이므로 $2k=18$

$\therefore$ $\boldsymbol{k=9}$

03 셀파 $\frac{d}{dx}\int f(x)dx=f(x)$

$f(x)=\frac{d}{dx}\int(4x^3+2x)dx-\frac{d}{dx}\int\left(\frac{d}{dx}3x^2\right)dx$

$=4x^3+2x-\frac{d}{dx}\int 6x\,dx$

$=4x^3+2x-6x=4x^3-4x$

$\therefore \int_0^2 f(x)dx=\int_0^2(4x^3-4x)dx=\left[x^4-2x^2\right]_0^2$

$=16-8=\mathbf{8}$

04 셀파 다항함수 $f(x)$의 차수를 구한다.

$f(x)$를 n차 다항함수라 하면 $\int f(x)dx$는 $(n+1)$차,

$\{f(x)\}^2$은 $2n$차 다항함수이다.

조건 ㈎에서 양변의 최고차항의 계수를 비교하면

$n+1=2n \qquad \therefore n=1$

즉, 조건 ㈎를 만족하는 다항함수는 일차함수이므로

$f(x)=ax+b$ (a, b는 상수)로 놓으면

$\int f(x)dx=\int(ax+b)dx=\frac{a}{2}x^2+bx+C \quad \cdots\cdots ㉠$

$\{f(x)\}^2=(ax+b)^2=a^2x^2+2abx+b^2 \quad \cdots\cdots ㉡$

㉠=㉡에서 $\frac{a}{2}=a^2$, $2a^2-a=0$, $a(2a-1)=0$

이때 $a\neq0$이므로 $a=\frac{1}{2}$

$f(x)=\frac{1}{2}x+b$를 조건 ㈏에 대입하면

$\int_0^2 f(x)dx=\int_0^2\left(\frac{1}{2}x+b\right)dx=\left[\frac{1}{4}x^2+bx\right]_0^2=1+2b$

$1+2b=5$에서 $b=2$

따라서 $f(x)=\frac{1}{2}x+2$이므로 $f(10)=5+2=\mathbf{7}$

05 셀파 $\int_a^b f(x)dx=\int_a^c f(x)dx+\int_c^b f(x)dx$

$\int_{-2}^{0}\{f(x)-2x\}dx$

$=\int_{-2}^{0}f(x)dx-\int_{-2}^{0}2x\,dx$

$=\int_{-2}^{1}f(x)dx+\int_1^4 f(x)dx+\int_4^0 f(x)dx-\int_{-2}^{0}2x\,dx$

$=3+6-5-\left[x^2\right]_{-2}^{0}=4-(0-4)=\mathbf{8}$

06 셀파 $\int_a^b f(x)dx=-\int_b^a f(x)dx$

$\int_0^2 f(x)dx-\int_0^{-2}f(x)dx-\int_{-1}^{2}f(x)dx$

$=\int_0^2 f(x)dx+\int_{-2}^{0}f(x)dx-\int_{-1}^{2}f(x)dx$

$=\int_{-2}^{0}f(x)dx+\int_0^2 f(x)dx+\int_2^{-1}f(x)dx$

$=\int_{-2}^{-1}f(x)dx=\int_{-2}^{-1}(x^2+x+1)dx$

$=\left[\frac{1}{3}x^3+\frac{1}{2}x^2+x\right]_{-2}^{-1}=-\frac{5}{6}-\left(-\frac{8}{3}\right)=\mathbf{\frac{11}{6}}$

07 셀파 $|x-1|=\begin{cases}-(x-1) & (x\le 1)\\ x-1 & (x\ge 1)\end{cases}$

$|x-1|=\begin{cases}-(x-1) & (x\le 1)\\ x-1 & (x\ge 1)\end{cases}$ 이므로

$$f(x)=\begin{cases}2x+1 & (x\le 0)\\ -x+1 & (0\le x\le 1)\\ x-1 & (x\ge 1)\end{cases}$$

$\therefore \int_{-1}^{2} f(x)dx$

$=\int_{-1}^{0}(2x+1)dx+\int_{0}^{1}(-x+1)dx+\int_{1}^{2}(x-1)dx$

$=\Big[x^2+x\Big]_{-1}^{0}+\Big[-\frac{1}{2}x^2+x\Big]_{0}^{1}+\Big[\frac{1}{2}x^2-x\Big]_{1}^{2}$

$=-(1-1)+\left(-\frac{1}{2}+1\right)+\left\{(2-2)-\left(\frac{1}{2}-1\right)\right\}=\mathbf{1}$

08 셀파 구간을 나누어 절댓값 기호를 없앤다.

(1) $x^2-4x+3=(x-1)(x-3)=0$에서

$x=1$ 또는 $x=3$이므로

$|x^2-4x+3|=\begin{cases}x^2-4x+3 & (x\le 1 \text{ 또는 } x\ge 3)\\ -x^2+4x-3 & (1\le x\le 3)\end{cases}$

$\therefore \int_{0}^{3}|x^2-4x+3|dx$

$=\int_{0}^{1}(x^2-4x+3)dx+\int_{1}^{3}(-x^2+4x-3)dx$

$=\Big[\frac{1}{3}x^3-2x^2+3x\Big]_{0}^{1}+\Big[-\frac{1}{3}x^3+2x^2-3x\Big]_{1}^{3}$

$=\left(\frac{1}{3}-2+3\right)+(-9+18-9)-\left(-\frac{1}{3}+2-3\right)$

$=\frac{4}{3}+\frac{4}{3}=\mathbf{\frac{8}{3}}$

(2) $x-2=0$에서 $x=2$, $x-3=0$에서 $x=3$이므로

$|x-2|+|x-3|=\begin{cases}-(x-2)-(x-3) & (x\le 2)\\ x-2-(x-3) & (2\le x\le 3)\\ x-2+x-3 & (x\ge 3)\end{cases}$

$\therefore \int_{2}^{4}(|x-2|+|x-3|)dx$

$=\int_{2}^{3}1\,dx+\int_{3}^{4}(2x-5)dx$

$=\Big[x\Big]_{2}^{3}+\Big[x^2-5x\Big]_{3}^{4}$

$=3-2+(16-20)-(9-15)=\mathbf{3}$

09 셀파 $f(x)$가 우함수, $g(x)$가 기함수이면
$\int_{-a}^{a}f(x)dx=2\int_{0}^{a}f(x)dx$, $\int_{-a}^{a}g(x)dx=0$

$\int_{-2}^{1}(2x^3+3x^2-5x+1)dx-\int_{2}^{1}(2x^3+3x^2-5x+1)dx$

$=\int_{-2}^{1}(2x^3+3x^2-5x+1)dx+\int_{1}^{2}(2x^3+3x^2-5x+1)dx$

$=\int_{-2}^{2}(2x^3+3x^2-5x+1)dx$

$=2\int_{0}^{2}(3x^2+1)dx=2\Big[x^3+x\Big]_{0}^{2}$

$=2\times(8+2)=\mathbf{20}$

10 셀파 (우함수)×(우함수)=(우함수),
(우함수)×(기함수)=(기함수)이다.

$f(x)=f(-x)$에서 $f(x)$는 우함수이다. 이때

(우함수)×(우함수)=(우함수),

(우함수)×(기함수)=(기함수)

이므로 $x^3f(x)$는 기함수, $x^2f(x)$는 우함수, $xf(x)$는 기함수이다.

$\therefore \int_{-2}^{2}(x^3+2x^2-4x)f(x)dx$

$=\underbrace{\int_{-2}^{2}x^3f(x)dx}_{=0}+2\int_{-2}^{2}x^2f(x)dx-4\underbrace{\int_{-2}^{2}xf(x)dx}_{=0}$

$=2\int_{-2}^{2}x^2f(x)dx$

$=4\int_{0}^{2}x^2f(x)dx=4\times 4=\mathbf{16}$

11 셀파 $\int_{0}^{1}f(t)dt=k$ (k는 상수)로 놓고 $f(x)$를 구한다.

$\int_{0}^{1}f(t)dt=k$ (k는 상수) ……㉠로 놓으면

$f(x)=3x^2-6x-k$

이것을 ㉠에 대입하면

$\int_{0}^{1}(3t^2-6t-k)dt=\Big[t^3-3t^2-kt\Big]_{0}^{1}=1-3-k$

즉, $-2-k=k$에서 $k=-1$

$\therefore f(x)=3x^2-6x+1$

$\therefore \int_{-1}^{1}f(x)dx=\int_{-1}^{1}(3x^2-6x+1)dx$

$=2\int_{0}^{1}(3x^2+1)dx=2\Big[x^3+x\Big]_{0}^{1}$

$=\mathbf{4}$

12 셀파 $\int_1^2 f(t)dt$는 상수이다.

㉮ $f(x)=\frac{12}{7}x^2-2x\int_1^2 f(t)dt+\left\{\int_1^2 f(t)dt\right\}^2$에서

$\int_1^2 f(t)dt=k$ (k는 상수)라 하면

$f(x)=\frac{12}{7}x^2-2kx+k^2$

㉯ $\therefore \int_1^2 f(t)dt=\int_1^2\left(\frac{12}{7}t^2-2kt+k^2\right)dt$

$=\left[\frac{4}{7}t^3-kt^2+k^2t\right]_1^2$

$=\left(\frac{32}{7}-4k+2k^2\right)-\left(\frac{4}{7}-k+k^2\right)$

$=4-3k+k^2$

이때 $4-3k+k^2=k$이므로

$k^2-4k+4=0,\ (k-2)^2=0 \qquad \therefore k=2$

㉰ 따라서 $\int_1^2 f(t)dt=2$이므로 $\int_1^2 f(x)dx=$**2**

채점 기준	배점
㉮ $\int_1^2 f(t)dt=k$로 놓고, $f(x)$를 k로 나타낸다.	30%
㉯ $f(x)$를 $\int_1^2 f(t)dt$에 대입하여 k의 값을 구한다.	60%
㉰ $\int_1^2 f(x)dx$의 값을 구한다.	10%

13 셀파 $\int_0^2 g(t)dt,\ \int_0^1 f(t)dt$는 상수이다.

$\int_0^2 g(t)dt=a,\ \int_0^1 f(t)dt=b$ (a, b는 상수)라 하면

$f(x)=x+2+a,\ g(x)=x-1+b$

$\int_0^1 f(t)dt=b$에서 $\int_0^1 (t+2+a)dt=b$이므로

$\left[\frac{1}{2}t^2+2t+at\right]_0^1=a+\frac{5}{2}=b \qquad \cdots\cdots ㉠$

$\int_0^2 g(t)dt=a$에서 $\int_0^2 (t-1+b)dt=a$이므로

$\left[\frac{1}{2}t^2-t+bt\right]_0^2=2b=a \qquad \cdots\cdots ㉡$

㉠, ㉡을 연립하여 풀면

$a=-5,\ b=-\frac{5}{2}$

따라서 $f(x)=x-3,\ g(x)=x-\frac{7}{2}$이므로

$f(1)=-2,\ g(1)=-\frac{5}{2}$

$\therefore f(1)\times g(1)=(-2)\times\left(-\frac{5}{2}\right)=$**5**

14 셀파 $\int_a^a f(x)dx=0$임을 이용한다.

$\int_a^x f(t)dt=x^3-x^2-2x$의 양변에 $x=a$를 대입하면

$\int_a^a f(t)dt=a^3-a^2-2a$

이때 $\int_a^a f(t)dt=0$이므로

$0=a^3-a^2-2a,\ a(a+1)(a-2)=0$

$\therefore a=-1$ 또는 $a=0$ 또는 $a=2$

따라서 상수 a의 값의 합은 $-1+0+2=$**1**

15 셀파 주어진 식의 양변을 x에 대하여 미분한다.

$f(x)=\int_0^x (3t^2+1)dt-\int_0^x 2t\,dt=\int_0^x (3t^2-2t+1)dt$

이므로 $f'(x)=3x^2-2x+1$

$\therefore f'(3)=27-6+1=$**22**

16 셀파 주어진 식의 양변에 $x=1$을 대입한다.

(1) 주어진 식의 양변을 x에 대하여 미분하면

$f(x)=2x+2a$

주어진 식의 양변에 $x=1$을 대입하면

$0=1+2a+3 \qquad \therefore a=-2$

따라서 $f(x)=2x-4$이므로 $f(a)=f(-2)=$**−8**

(2) $\int_0^1 f(t)dt=k$ (k는 상수)로 놓으면

$\int_1^x f(t)dt=x^3+ax+k \qquad \cdots\cdots ㉠$

㉠의 양변을 x에 대하여 미분하면

$f(x)=3x^2+a$

㉠의 양변에 $x=1$을 대입하면

$0=1+a+k \qquad \therefore a=-k-1 \qquad \cdots\cdots ㉡$

$\int_0^1 f(t)dt=k$에서 $\int_0^1 (3t^2-k-1)dt=k$

$\left[t^3-(k+1)t\right]_0^1=1-k-1=k \qquad \therefore k=0$

$k=0$을 ㉡에 대입하면 $a=-1$

따라서 $f(x)=3x^2-1$이므로

$f(a)=f(-1)=$**2**

17 셀파 $\int_a^x (x-t)f(t)dt = x\int_a^x f(t)dt - \int_a^x tf(t)dt$

㉮ $\int_1^x (x-t)f(t)dt = x\int_1^x f(t)dt - \int_1^x tf(t)dt$

$x\int_1^x f(t)dt - \int_1^x tf(t)dt = x^3 - x^2 + ax + 1$의 양변을 x에 대하여 미분하면

$\int_1^x f(t)dt + xf(x) - xf(x) = 3x^2 - 2x + a$

$\therefore \int_1^x f(t)dt = 3x^2 - 2x + a$ ⋯⋯㉠

㉯ ㉠의 양변에 $x=1$을 대입하면

$0 = 3 - 2 + a \quad \therefore a = -1$

㉰ $\int_1^x f(t)dt = 3x^2 - 2x - 1$의 양변을 x에 대하여 미분하면

$f(x) = 6x - 2 \quad \therefore f(3) = 18 - 2 = \mathbf{16}$

채점 기준	배점
㉮ 양변을 x에 대하여 미분하여 $\int_1^x f(t)dt$를 구한다.	40%
㉯ 양변에 $x=1$을 대입하여 a의 값을 구한다.	30%
㉰ $f(x)$를 구하여 $f(3)$의 값을 구한다.	30%

18 셀파 양변을 x에 대하여 미분하여 $f'(x)$를 구한다.

$f(x) = \int_0^x (3t^2 + 3t - 6)dt$의 양변을 x에 대하여 미분하면

$f'(x) = 3x^2 + 3x - 6 = 3(x+2)(x-1)$

$f'(x) = 0$에서 $x = -2$ 또는 $x = 1$

함수 $f(x)$의 증가와 감소를 표로 나타내면 다음과 같다.

x	⋯	-2	⋯	1	⋯
$f'(x)$	+	0	−	0	+
$f(x)$	↗	극대	↘	극소	↗

따라서 함수 $f(x)$는 $x=-2$에서 극댓값, $x=1$에서 극솟값을 갖는다.

$M = f(-2) = \int_0^{-2} (3t^2 + 3t - 6)dt = \left[t^3 + \frac{3}{2}t^2 - 6t\right]_0^{-2}$

$= -8 + 6 + 12 = 10$

$m = f(1) = \int_0^1 (3t^2 + 3t - 6)dt = \left[t^3 + \frac{3}{2}t^2 - 6t\right]_0^1$

$= 1 + \frac{3}{2} - 6 = -\frac{7}{2}$

$\therefore M + 2m = 10 - 7 = \mathbf{3}$

19 셀파 $f(x) = \int_x^{x+a} g(t)dt \Rightarrow f'(x) = g(x+a) - g(x)$

$f(x) = \int_x^{x+2} (t^3 - 4t)dt$의 양변을 x에 대하여 미분하면

$f'(x) = \{(x+2)^3 - 4(x+2)\} - (x^3 - 4x)$

$= (x^3 + 6x^2 + 8x) - (x^3 - 4x)$

$= 6x^2 + 12x = 6x(x+2)$

$f'(x) = 0$에서 $x = -2$ 또는 $x = 0$

반닫힌 구간 $[-2, \infty)$에서 함수 $f(x)$의 증가와 감소를 표로 나타내면 다음과 같다.

x	-2	⋯	0	⋯
$f'(x)$	0	−	0	+
$f(x)$		↘	극소	↗

함수 $f(x)$는 $x=0$에서 극소이면서 최소이다.

따라서 함수 $f(x)$의 최솟값은

$f(0) = \int_0^2 (t^3 - 4t)dt = \left[\frac{1}{4}t^4 - 2t^2\right]_0^2$

$= 4 - 8 = \mathbf{-4}$

20 셀파 $\lim_{x\to a} \frac{f(x) - f(a)}{x - a} = f'(a)$

$f(x) = \int_0^x (t^2 + 4t - 3)dt$의 양변을 x에 대하여 미분하면

$f'(x) = x^2 + 4x - 3$

$\therefore \lim_{x\to 1} \frac{f(x) - f(1)}{x - 1} = f'(1) = 1 + 4 - 3 = \mathbf{2}$

21 셀파 $\lim_{h\to 0} \frac{f(a+h) - f(a)}{h} = f'(a)$

$f(x) = \int_0^x (3t^2 + 2t + 1)dt$의 양변을 x에 대하여 미분하면

$f'(x) = 3x^2 + 2x + 1$

$\therefore \lim_{h\to 0} \frac{f(-2+h) - f(-2-h)}{h}$

$= \lim_{h\to 0} \frac{f(-2+h) - f(-2) - \{f(-2-h) - f(-2)\}}{h}$

$= \lim_{h\to 0} \frac{f(-2+h) - f(-2)}{h} + \lim_{h\to 0} \frac{f(-2-h) - f(-2)}{-h}$

$= f'(-2) + f'(-2) = 2f'(-2)$

$= 2 \times (12 - 4 + 1) = \mathbf{18}$

10. 정적분의 활용

개념 익히기

본문 | 185, 187쪽

1-1 (1) 닫힌구간 $[1, 2]$에서 y [≥] 0이므로 구하는 도형의 넓이 S는

$$S=\int_1^2 x^2\,dx=\left[\frac{1}{3}x^3\right]_1^2=\mathbf{\frac{7}{3}}$$

(2) 닫힌구간 $[0, 2]$에서 y [≤] 0이므로 구하는 도형의 넓이 S는

$$S=-\int_0^2 (x^2-2x)\,dx=-\left[\frac{1}{3}x^3-x^2\right]_0^2$$

$$=-\left(\frac{8}{3}-4\right)=\boxed{\mathbf{\frac{4}{3}}}$$

1-2 (1) 닫힌구간 $[0, 1]$에서 $y\ge 0$이므로 구하는 도형의 넓이 S는

$$S=\int_0^1 x^2\,dx=\left[\frac{1}{3}x^3\right]_0^1=\mathbf{\frac{1}{3}}$$

(2) 닫힌구간 $[0, 4]$에서 $y\le 0$이므로 구하는 도형의 넓이 S는

$$S=-\int_0^4 (x^2-4x)\,dx=-\left[\frac{1}{3}x^3-2x^2\right]_0^4$$

$$=-\left(\frac{64}{3}-32\right)=\mathbf{\frac{32}{3}}$$

2-1 닫힌구간 $[-1, 0]$에서 y [≤] 0,
닫힌구간 $[0, 1]$에서 y [≥] 0
따라서 구하는 도형의 넓이 S는

$$S=-\int_{-1}^0 (x^2+2x)\,dx+\int_0^1 (x^2+2x)\,dx$$

$$=-\left[\frac{1}{3}x^3+x^2\right]_{-1}^0+\left[\frac{1}{3}x^3+x^2\right]_0^1$$

$$=\left(-\frac{1}{3}+1\right)+\left(\frac{1}{3}+1\right)=\boxed{\mathbf{2}}$$

2-2 닫힌구간 $[0, 1]$에서 $y\le 0$,
닫힌구간 $[1, 2]$에서 $y\ge 0$
따라서 구하는 도형의 넓이 S는

$$S=-\int_0^1 (x^2-1)\,dx+\int_1^2 (x^2-1)\,dx$$

$$=-\left[\frac{1}{3}x^3-x\right]_0^1+\left[\frac{1}{3}x^3-x\right]_1^2$$

$$=-\left(\frac{1}{3}-1\right)+\left(\frac{8}{3}-2\right)-\left(\frac{1}{3}-1\right)=\mathbf{2}$$

3-1 닫힌구간 $[-1, 1]$에서 x^2+2 [≥] $3x^2$이므로
구하는 도형의 넓이 S는

$$S=\int_{-1}^1 \{(x^2+2)-3x^2\}\,dx$$

$$=\int_{-1}^1 (-2x^2+2)\,dx$$

$$=2\int_{\boxed{0}}^1 (-2x^2+2)\,dx$$

$$=2\left[-\frac{2}{3}x^3+2x\right]_0^1=2\times\left(-\frac{2}{3}+2\right)=\boxed{\mathbf{\frac{8}{3}}}$$

3-2 닫힌구간 $[0, 2]$에서 $-x^2+3x\ge x$이므로
구하는 도형의 넓이 S는

$$S=\int_0^2 \{(-x^2+3x)-x\}\,dx$$

$$=\int_0^2 (-x^2+2x)\,dx$$

$$=\left[-\frac{1}{3}x^3+x^2\right]_0^2=-\frac{8}{3}+4=\mathbf{\frac{4}{3}}$$

4-1 (1) $\boxed{0}+\int_0^{\boxed{1}} v(t)\,dt=\int_0^1 (2t-1)\,dt$

$$=\left[t^2-t\right]_0^1=\mathbf{0}$$

(2) $\int_0^{\boxed{2}} v(t)\,dt=\int_0^2 (2t-1)\,dt$

$$=\left[t^2-t\right]_0^2=\boxed{\mathbf{2}}$$

4-2 (1) $2+\int_0^2 v(t)dt=2+\int_0^2 (3-t)dt$

$$=2+\left[3t-\frac{1}{2}t^2\right]_0^2$$

$$=2+(6-2)=\mathbf{6}$$

(2) $\int_1^4 v(t)dt=\int_1^4 (3-t)dt$

$$=\left[3t-\frac{1}{2}t^2\right]_1^4$$

$$=(12-8)-\left(3-\frac{1}{2}\right)=\mathbf{\frac{3}{2}}$$

확인 문제

본문 | **188~197** 쪽

01-1 셀파 곡선 $y=f(x)$와 x축으로 둘러싸인 도형의 넓이 S는

$$S=\int_a^b |f(x)|dx$$

(1) $x^3+2x^2=0$에서 $x^2(x+2)=0$

$\therefore x=-2$ 또는 $x=0$

닫힌구간 $[-2, 0]$에서 $y\geq0$이므로

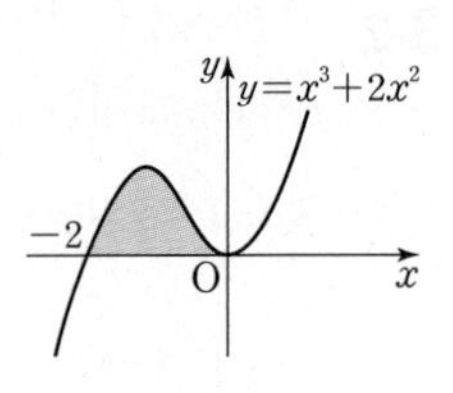

$$S=\int_{-2}^0 (x^3+2x^2)dx$$

$$=\left[\frac{1}{4}x^4+\frac{2}{3}x^3\right]_{-2}^0$$

$$=-\left(4-\frac{16}{3}\right)=\mathbf{\frac{4}{3}}$$

(2) $x^2-4x+3=0$에서

$(x-1)(x-3)=0$

$\therefore x=1$ 또는 $x=3$

닫힌구간 $[1, 3]$에서 $y\leq0$이므로

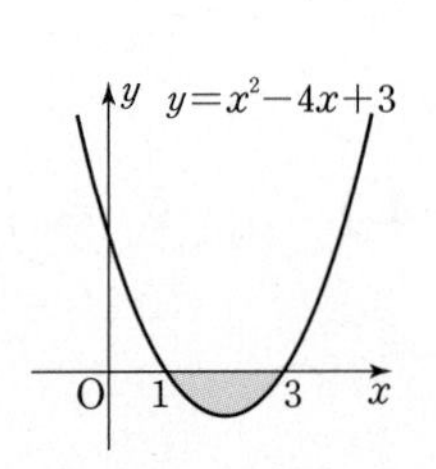

$$S=-\int_1^3 (x^2-4x+3)dx$$

$$=-\left[\frac{1}{3}x^3-2x^2+3x\right]_1^3$$

$$=-(9-18+9)+\left(\frac{1}{3}-2+3\right)=\mathbf{\frac{4}{3}}$$

(3) $x^3-x^2-2x=0$에서

$x(x+1)(x-2)=0$

$\therefore x=-1$ 또는 $x=0$ 또는 $x=2$

닫힌구간 $[-1, 0]$에서 $y\geq0$,

닫힌구간 $[0, 2]$에서 $y\leq0$이므로

$$S=\int_{-1}^0 (x^3-x^2-2x)dx-\int_0^2 (x^3-x^2-2x)dx$$

$$=\left[\frac{1}{4}x^4-\frac{1}{3}x^3-x^2\right]_{-1}^0-\left[\frac{1}{4}x^4-\frac{1}{3}x^3-x^2\right]_0^2$$

$$=-\left(\frac{1}{4}+\frac{1}{3}-1\right)-\left(4-\frac{8}{3}-4\right)=\mathbf{\frac{37}{12}}$$

02-1 셀파 $\int_0^2 (-x^2+kx+4-2k)dx=0$임을 이용한다.

곡선 $y=-x^2+kx+4-2k$와 x축 및 y축으로 둘러싸인 두 도형의 넓이가 같으므로

$$\int_0^2 (-x^2+kx+4-2k)dx=0$$

$$\left[-\frac{1}{3}x^3+\frac{k}{2}x^2+4x-2kx\right]_0^2=0$$

$$-\frac{8}{3}+2k+8-4k=0,\ 2k=\frac{16}{3}$$

$$\therefore \mathbf{k=\frac{8}{3}}$$

02-2 셀파 곡선 $f(x)=(x-a)(x-b)(x-c)$ $(a<b<c)$와 x축으로 둘러싸인 두 도형의 넓이가 같으면

$$\int_a^c f(x)dx=0$$

곡선 $y=x(x-1)(x-a)$와 x축의 교점의 x좌표는

$x(x-1)(x-a)=0$에서 $x=0$ 또는 $x=1$ 또는 $x=a$

이때 $a>1$이므로 곡선 $y=x(x-1)(x-a)$는 오른쪽 그림과 같다.

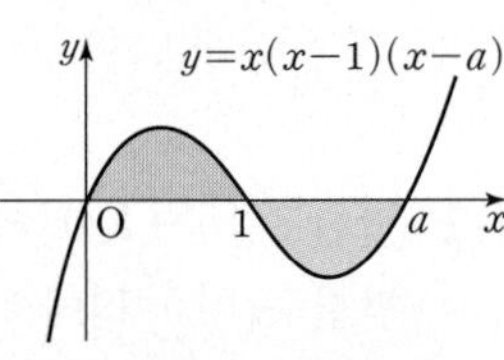

이 곡선과 x축으로 둘러싸인 두 도형의 넓이가 같으므로

$$\int_0^a x(x-1)(x-a)dx=0,\ \int_0^a \{x^3-(a+1)x^2+ax\}dx=0$$

$$\left[\frac{1}{4}x^4-\frac{a+1}{3}x^3+\frac{a}{2}x^2\right]_0^a=0,\ \frac{1}{4}a^4-\frac{a^3(a+1)}{3}+\frac{1}{2}a^3=0$$

$$a^4-2a^3=0,\ a^3(a-2)=0$$

$$\therefore \mathbf{a=2}\ (\because a>1)$$

03-1 셀파 교점의 x좌표가 a, b인 두 곡선 $y=f(x)$, $y=g(x)$로 둘러싸인 도형의 넓이 S는 $S=\int_a^b |f(x)-g(x)|dx$

(1) 두 곡선 $y=x^2+3x$, $y=-2x^2+6$의 교점의 x좌표는

$x^2+3x=-2x^2+6$에서

$3x^2+3x-6=0$

$3(x^2+x-2)=0$

$3(x+2)(x-1)=0$

$\therefore x=-2$ 또는 $x=1$

이때 닫힌구간 $[-2, 1]$에서 $-2x^2+6\ge x^2+3x$이므로

$S=\int_{-2}^{1}\{(-2x^2+6)-(x^2+3x)\}dx$

$=\int_{-2}^{1}(-3x^2-3x+6)dx$

$=\left[-x^3-\frac{3}{2}x^2+6x\right]_{-2}^{1}$

$=\left(-1-\frac{3}{2}+6\right)-(8-6-12)$

$=\frac{7}{2}-(-10)=\mathbf{\frac{27}{2}}$

(2) 두 곡선 $y=x^3-2x^2$, $y=x^2-2x$의 교점의 x좌표는

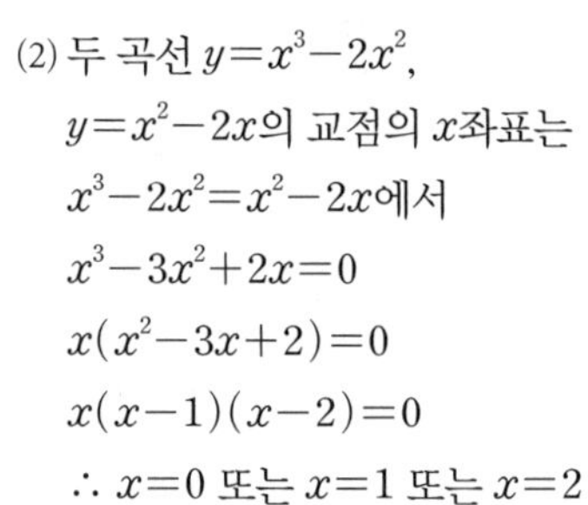

$x^3-2x^2=x^2-2x$에서

$x^3-3x^2+2x=0$

$x(x^2-3x+2)=0$

$x(x-1)(x-2)=0$

$\therefore x=0$ 또는 $x=1$ 또는 $x=2$

이때 닫힌구간 $[0, 1]$에서 $x^3-2x^2\ge x^2-2x$,

닫힌구간 $[1, 2]$에서 $x^2-2x\ge x^3-2x^2$이므로

$S=\int_0^1\{(x^3-2x^2)-(x^2-2x)\}dx$

$+\int_1^2\{(x^2-2x)-(x^3-2x^2)\}dx$

$=\int_0^1(x^3-3x^2+2x)dx+\int_1^2(-x^3+3x^2-2x)dx$

$=\left[\frac{1}{4}x^4-x^3+x^2\right]_0^1+\left[-\frac{1}{4}x^4+x^3-x^2\right]_1^2$

$=\left(\frac{1}{4}-1+1\right)+(-4+8-4)-\left(-\frac{1}{4}+1-1\right)$

$=\frac{1}{4}+\frac{1}{4}=\mathbf{\frac{1}{2}}$

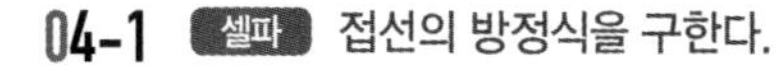

04-1 셀파 접선의 방정식을 구한다.

$f(x)=x^2+1$이라 하면

$f'(x)=2x$이므로 $f'(-1)=-2$

따라서 점 $(-1, 2)$에서의 접선의 방정식은

$y-2=-2(x+1)$ $\therefore y=-2x$

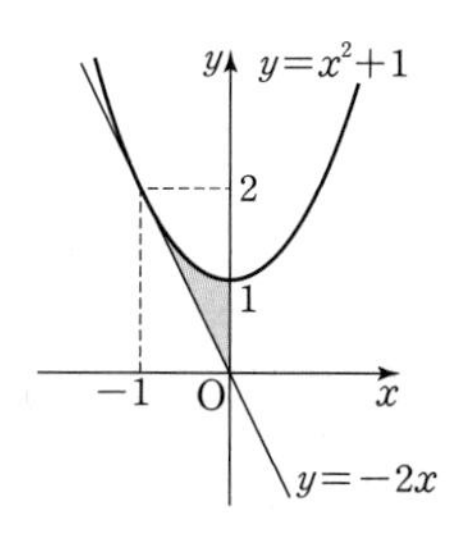

$\therefore S=\int_{-1}^{0}\{(x^2+1)-(-2x)\}dx$

$=\int_{-1}^{0}(x^2+2x+1)dx$

$=\left[\frac{1}{3}x^3+x^2+x\right]_{-1}^{0}$

$=-\left(-\frac{1}{3}+1-1\right)=\mathbf{\frac{1}{3}}$

04-2 셀파 접점의 좌표를 (t, t^2)으로 놓는다.

$f(x)=x^2$이라 하면 $f'(x)=2x$

접점의 좌표를 (t, t^2)으로 놓으면 이 점에서의 접선의 방정식은

$y-t^2=2t(x-t)$ $\therefore y=2tx-t^2$

이 직선이 점 $\left(-\frac{1}{2}, -2\right)$를 지나므로

$-2=-t-t^2$, $t^2+t-2=0$

$(t+2)(t-1)=0$

$\therefore t=-2$ 또는 $t=1$

따라서 두 접선의 방정식은

$t=-2$일 때 $y=-4x-4$

$t=1$일 때 $y=2x-1$

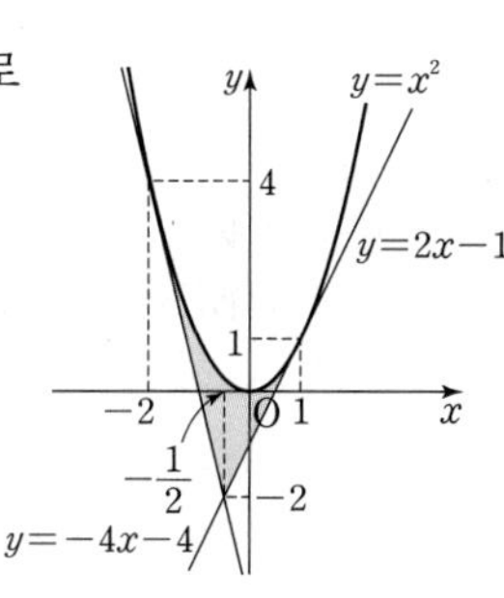

$\therefore S=\int_{-2}^{-\frac{1}{2}}\{x^2-(-4x-4)\}dx+\int_{-\frac{1}{2}}^{1}\{x^2-(2x-1)\}dx$

$=\int_{-2}^{-\frac{1}{2}}(x^2+4x+4)dx+\int_{-\frac{1}{2}}^{1}(x^2-2x+1)dx$

$=\left[\frac{1}{3}x^3+2x^2+4x\right]_{-2}^{-\frac{1}{2}}+\left[\frac{1}{3}x^3-x^2+x\right]_{-\frac{1}{2}}^{1}$

$=\left(-\frac{1}{24}+\frac{1}{2}-2\right)-\left(-\frac{8}{3}+8-8\right)+\left(\frac{1}{3}-1+1\right)$

$-\left(-\frac{1}{24}-\frac{1}{4}-\frac{1}{2}\right)$

$=\mathbf{\frac{9}{4}}$

셀파 특강 **확인 체크 01**

(1) 곡선 $y=x^2-x-2$와 x축이 만나는 점의 x좌표는

$x^2-x-2=0$에서 $(x+1)(x-2)=0$

$\therefore x=-1$ 또는 $x=2$

따라서 곡선 $y=x^2-x-2$와 x축으로 둘러싸인 도형의 넓이 S는

$S=\frac{|1|}{6}\times\{2-(-1)\}^3=\mathbf{\frac{9}{2}}$

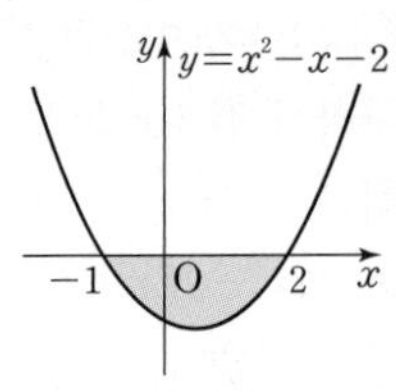

(2) 곡선 $y=x^2$과 직선 $y=-x+2$의 교점의 x좌표는 $x^2=-x+2$에서

$x^2+x-2=0$, $(x+2)(x-1)=0$

$\therefore x=-2$ 또는 $x=1$

$\therefore S=\frac{|1|}{6}\times\{1-(-2)\}^3=\mathbf{\frac{9}{2}}$

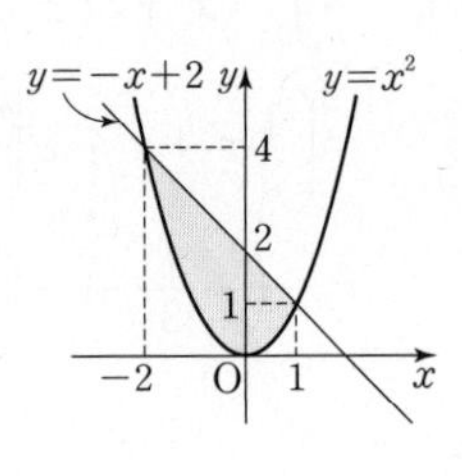

(3) 두 곡선 $y=x^2-6x+4$, $y=-x^2+2x-2$의 교점의 x좌표는

$x^2-6x+4=-x^2+2x-2$에서

$2x^2-8x+6=0$

$2(x-1)(x-3)=0$

$\therefore x=1$ 또는 $x=3$

$\therefore S=\frac{|1-(-1)|}{6}\times(3-1)^3=\mathbf{\frac{8}{3}}$

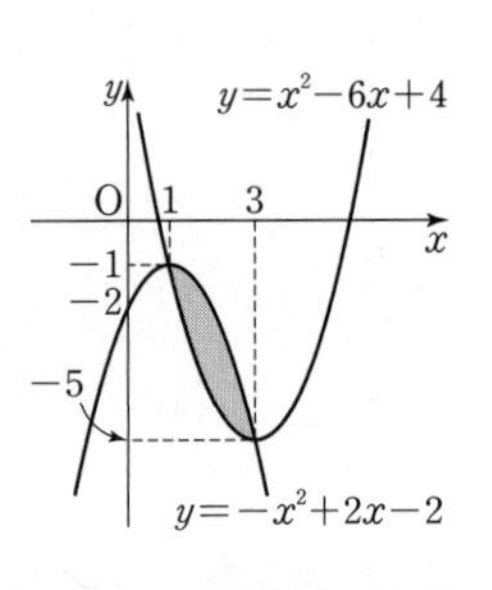

05-1 셀파 곡선 $y=x^2-4x$와 직선 $y=mx$의 교점의 x좌표를 구해 주어진 곡선과 직선의 그래프를 그려 본다.

곡선 $y=x^2-4x$와 직선 $y=mx$의 교점의 x좌표는

$x^2-4x=mx$에서 $x^2-(m+4)x=0$

$x(x-m-4)=0$ $\therefore x=0$ 또는 $x=m+4$

곡선 $y=x^2-4x$와 직선 $y=mx$로 둘러싸인 도형의 넓이를 S라 하면

$S=\int_0^{m+4}\{mx-(x^2-4x)\}dx$

$=\int_0^{m+4}\{-x^2+(m+4)x\}dx$

$=\left[-\frac{1}{3}x^3+\frac{m+4}{2}x^2\right]_0^{m+4}$

$=\frac{(m+4)^3}{6}$

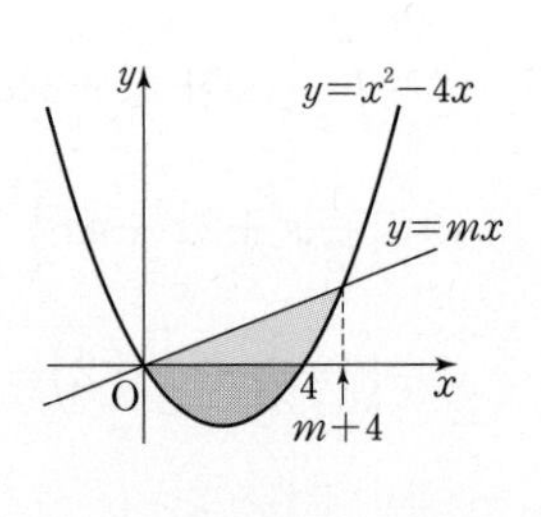

곡선 $y=x^2-4x$와 x축으로 둘러싸인 도형의 넓이를 S_1이라 하면

$S_1=-\int_0^4(x^2-4x)dx$

$=-\left[\frac{1}{3}x^3-2x^2\right]_0^4=\frac{32}{3}$

이때 $S=2S_1$이므로 $\frac{(m+4)^3}{6}=2\times\frac{32}{3}$

$(m+4)^3=128$, $m+4=\sqrt[3]{128}=4\sqrt[3]{2}$

$\therefore \mathbf{m=4(\sqrt[3]{2}-1)}$

05-2 셀파 $P+Q=2\times2=4$

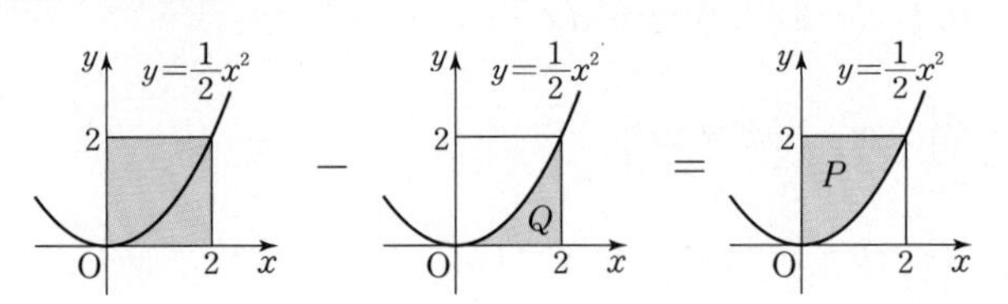

위의 그림에서 네 직선 $x=0$, $x=2$, $y=0$, $y=2$로 둘러싸인 정사각형의 넓이는 4이다.

Q는 곡선 $y=\frac{1}{2}x^2$과 x축 및 직선 $x=2$로 둘러싸인 도형의 넓이이므로

$Q=\int_0^2\frac{1}{2}x^2\,dx=\left[\frac{1}{6}x^3\right]_0^2=\frac{4}{3}$

이때 $P=4-Q=4-\frac{4}{3}=\frac{8}{3}$이므로

$P:Q=\frac{8}{3}:\frac{4}{3}=\mathbf{2:1}$

06-1 셀파 함수 $y=f(x)$의 그래프와 그 역함수 $y=g(x)$의 그래프는 직선 $y=x$에 대하여 대칭이다.

두 곡선 $y=f(x)$, $y=g(x)$는 직선 $y=x$에 대하여 대칭이므로 오른쪽 그림과 같이 곡선 $y=f(x)$와 y축, 직선 $y=12$로 둘러싸인 도형의 넓이를 P, 곡선 $y=g(x)$와 x축, 직선 $x=12$로 둘러싸인 도형의 넓이를 Q라 하면 $P=Q$이다.

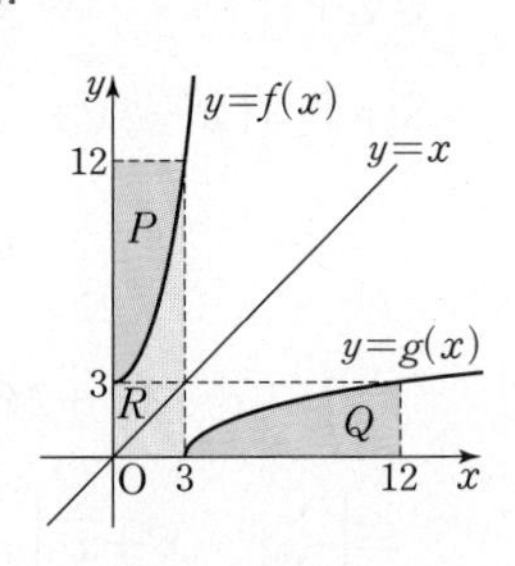

이때 $\int_0^3 f(x)dx=R$라 하면

$\int_0^3 f(x)dx+\int_3^{12}g(x)dx=R+Q=R+P=3\times12=\mathbf{36}$

07-1 셀파 $t=a$에서 $t=b$까지 위치의 변화량 ⇨ $\int_a^b v(t)dt$,

움직인 거리 ⇨ $\int_a^b |v(t)|dt$

(1) $v(t)=3t-t^2$이므로 4초 후 점 P의 위치는

$$\int_0^4 v(t)dt=\int_0^4 (3t-t^2)dt$$
$$=\left[\frac{3}{2}t^2-\frac{1}{3}t^3\right]_0^4$$
$$=24-\frac{64}{3}=\mathbf{\frac{8}{3}}$$

(2) $v(t)=3t-t^2$에서

$0\le t\le 3$일 때 $v(t)\ge 0$,

$3\le t\le 4$일 때 $v(t)\le 0$이므로

4초 동안 점 P가 움직인 거리는

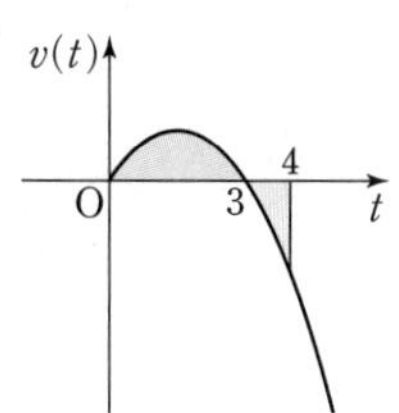

$$\int_0^4 |v(t)|dt$$
$$=\int_0^3 (3t-t^2)dt-\int_3^4 (3t-t^2)dt$$
$$=\left[-\frac{1}{3}t^3+\frac{3}{2}t^2\right]_0^3-\left[-\frac{1}{3}t^3+\frac{3}{2}t^2\right]_3^4$$
$$=\left(-9+\frac{27}{2}\right)-\left\{\left(-\frac{64}{3}+24\right)-\left(-9+\frac{27}{2}\right)\right\}$$
$$=\mathbf{\frac{19}{3}}$$

| 참고 |

속도 $y=v(t)$의 그래프에서 t축 위 색칠한 부분은 점 P가 출발한 방향으로 움직인 거리를 나타내고, t축 아래 색칠한 부분은 출발한 방향과 반대 방향으로 움직인 거리를 나타낸다.

즉, 점 P가 출발한 후 3초까지는 출발한 방향으로 움직이다가 3초가 지나면서 반대 방향으로 움직인다.

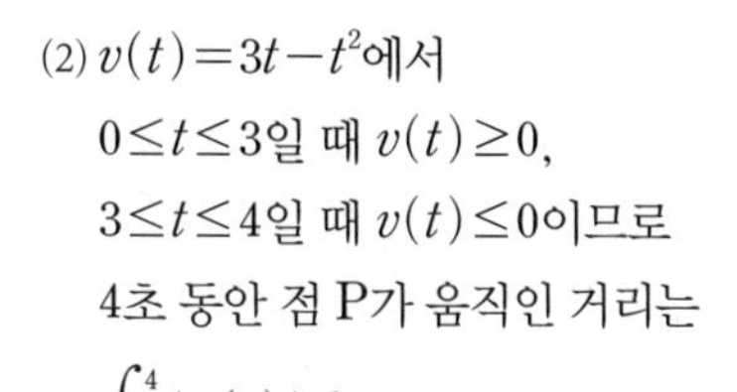

(3) a초 후 점 P가 다시 원점으로 돌아온다면 a초 후 점 P의 위치의 변화량이 0이어야 한다.

$$\int_0^a (3t-t^2)dt=\left[\frac{3}{2}t^2-\frac{1}{3}t^3\right]_0^a=\frac{3}{2}a^2-\frac{1}{3}a^3$$

이므로

$\frac{3}{2}a^2-\frac{1}{3}a^3=0$, $a^2(9-2a)=0$

$9-2a=0$ ($\because a\ne 0$) $\therefore a=\frac{9}{2}$(초)

따라서 점 P가 다시 원점으로 돌아올 때까지 걸린 시간은 $\mathbf{\frac{9}{2}}$**초**

08-1 셀파 점 P가 움직인 거리는 속도 $v(t)$의 그래프와 t축 사이의 넓이이다.

$0\le t\le 6$에서 $v(t)$는 이차항의 계수가 -1인 이차함수이고, t축과 0, 6에서 만나므로

$v(t)=-t(t-6)=-t^2+6t$

오른쪽 그림과 같이 t축 윗부분의 넓이를 A, t축 아랫부분의 넓이를 B라 하면

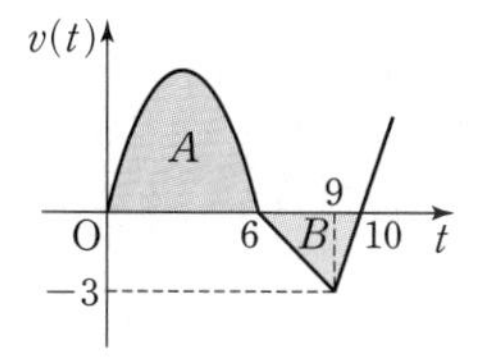

$$A=\int_0^6 (-t^2+6t)dt$$
$$=\left[-\frac{1}{3}t^3+3t^2\right]_0^6=36$$

$B=\frac{1}{2}\times 4\times 3=6$

(1) $0+\int_0^{10} v(t)dt=\int_0^6 v(t)dt+\int_6^{10} v(t)dt$
$=A-B=36-6=\mathbf{30}$

(2) $\int_0^{10} |v(t)|dt=\int_0^6 v(t)dt+\int_6^{10}\{-v(t)\}dt$
$=A+B=36+6=\mathbf{42}$

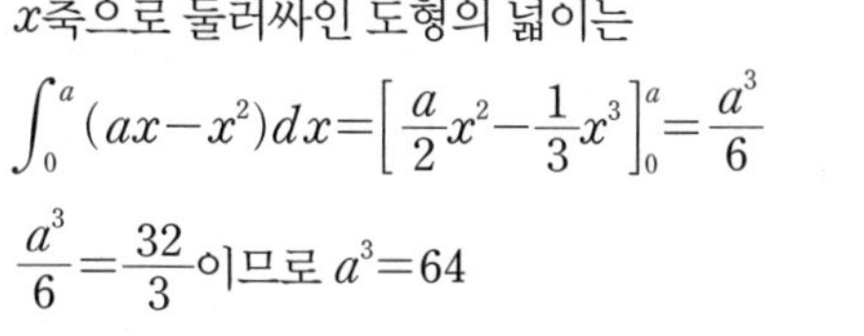

연습 문제

본문 | 198~199쪽

01 셀파 $\int_0^a |ax-x^2|dx=\frac{32}{3}$임을 이용한다.

$ax-x^2=x(a-x)=0$에서 $x=0$ 또는 $x=a$

오른쪽 그래프에서 곡선 $y=ax-x^2$과 x축으로 둘러싸인 도형의 넓이는

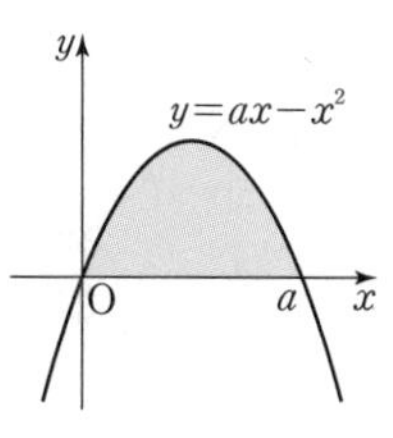

$$\int_0^a (ax-x^2)dx=\left[\frac{a}{2}x^2-\frac{1}{3}x^3\right]_0^a=\frac{a^3}{6}$$

$\frac{a^3}{6}=\frac{32}{3}$이므로 $a^3=64$

$\therefore \mathbf{a=4}$

02 셀파 $\int_{-1}^1 |x^2-3x|dx$를 구한다.

오른쪽 그래프에서 곡선 $y=x^2-3x$와 x축 및 두 직선 $x=-1$, $x=1$로 둘러싸인 도형의 넓이는

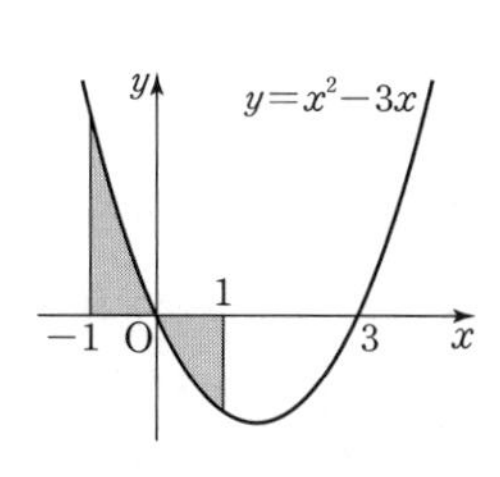

$$\int_{-1}^0 (x^2-3x)dx-\int_0^1 (x^2-3x)dx$$
$$=\left[\frac{1}{3}x^3-\frac{3}{2}x^2\right]_{-1}^0-\left[\frac{1}{3}x^3-\frac{3}{2}x^2\right]_0^1$$
$$=-\left(-\frac{1}{3}-\frac{3}{2}\right)-\left(\frac{1}{3}-\frac{3}{2}\right)=\mathbf{3}$$

03 셀파 $\int_0^a (x^2-ax)dx$를 S로 나타낸다.

오른쪽 그래프에서 곡선 $y=x^2-ax$와 x축으로 둘러싸인 도형의 넓이는

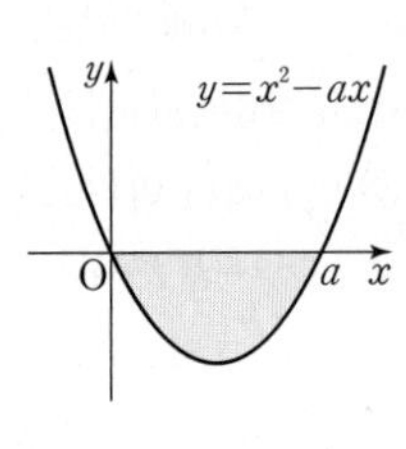

$S=\int_0^a |x^2-ax|dx$

$=-\int_0^a (x^2-ax)dx$

$=-\left[\frac{1}{3}x^3-\frac{a}{2}x^2\right]_0^a=\frac{1}{6}a^3$

따라서 곡선 $y=x^2-ax$와 x축 및 두 직선 $x=-a$, $x=a$로 둘러싸인 도형의 넓이는

$\int_{-a}^a |x^2-ax|dx$

$=\int_{-a}^0 (x^2-ax)dx-\int_0^a (x^2-ax)dx$

$=\left[\frac{1}{3}x^3-\frac{a}{2}x^2\right]_{-a}^0-\left[\frac{1}{3}x^3-\frac{a}{2}x^2\right]_0^a$

$=\frac{5}{6}a^3+\frac{1}{6}a^3=a^3=6S$

따라서 구하는 도형의 넓이는 ②

04 셀파 $\int_0^k (x^2-2x)dx=0$임을 이용한다.

곡선 $y=|x^2-2x|$와 x축 및 직선 $x=k$로 둘러싸인 두 도형의 넓이가 같으므로

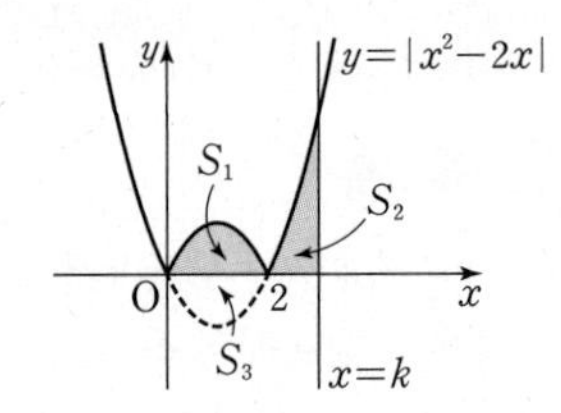

$\int_0^k (x^2-2x)dx=0$

$\left[\frac{1}{3}x^3-x^2\right]_0^k=0$

$\frac{1}{3}k^3-k^2=0$, $\frac{1}{3}k^2(k-3)=0$ $\quad\therefore$ $\boldsymbol{k=3}$ ($\because k>2$)

| 참고 |

위의 그림에서 $S_1=S_2$, $S_1=S_3$이므로

$\int_0^k (x^2-2x)dx=-S_3+S_2=-S_1+S_1$

$=-S_2+S_2=0$

05 셀파 곡선 $y=-x^2+4x+k$는 직선 $x=2$에 대하여 대칭이다.

$A:B=1:2$에서 $B=2A$

$y=-x^2+4x+k$

$=-(x-2)^2+k+4$

이므로 곡선 $y=-x^2+4x+k$는 직선 $x=2$에 대하여 대칭이다.

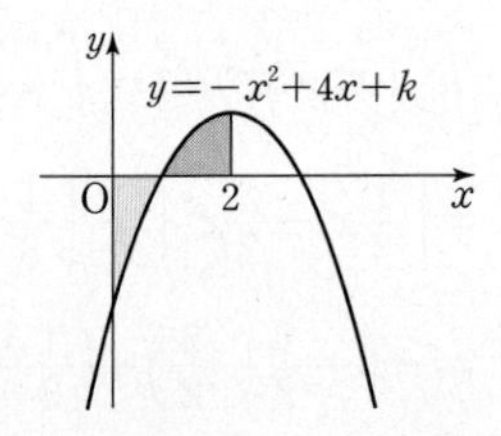

즉, 곡선 $y=-x^2+4x+k$와 x축 및 y축으로 둘러싸인 도형의 넓이 A와 이 곡선과 x축 및 직선 $x=2$로 둘러싸인 도형의 넓이가 서로 같으므로

$\int_0^2 (-x^2+4x+k)dx=0$, $\left[-\frac{1}{3}x^3+2x^2+kx\right]_0^2=0$

$-\frac{8}{3}+8+2k=0$, $\frac{16}{3}+2k=0$ $\quad\therefore$ $\boldsymbol{k=-\frac{8}{3}}$

06 셀파 곡선 $y=f(x)$와 x축으로 둘러싸인 도형의 넓이 S는

$S=\int_a^b |f(x)|dx$

$\int f(x)dx=F(x)$로 놓으면 $f(x)=F'(x)$

$S(t)=\int_3^t f(x)dx$

$=\left[F(x)\right]_3^t=F(t)-F(3)$

$\therefore \lim_{t\to3}\frac{S(t)}{t-3}=\lim_{t\to3}\frac{F(t)-F(3)}{t-3}$

$=F'(3)=f(3)=\boldsymbol{6}$

07 셀파 $f(x)=(x-1)^2$이므로 $f'(x)=2(x-1)$

㉮ $f(x)=(x-1)^2$이므로 $f'(x)=2(x-1)=2x-2$

$y=f(x)$와 $y=f'(x)$의 그래프의 교점의 x좌표를 구하면

$(x-1)^2=2x-2$에서 $x^2-4x+3=0$

$(x-1)(x-3)=0$ $\quad\therefore$ $x=1$ 또는 $x=3$

㉯ 오른쪽 그림에서 두 함수의 그래프로 둘러싸인 도형의 넓이 S는

$S=\int_1^3 \{f'(x)-f(x)\}dx$

$=\int_1^3 \{2x-2-(x-1)^2\}dx$

$=\int_1^3 (-x^2+4x-3)dx$

$=\left[-\frac{1}{3}x^3+2x^2-3x\right]_1^3$

$=(-9+18-9)-\left(-\frac{1}{3}+2-3\right)=\frac{4}{3}$

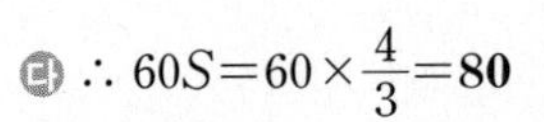

㉰ $\therefore$ $60S=60\times\frac{4}{3}=\boldsymbol{80}$

채점 기준	배점
㉮ 함수 $y=f(x)$와 $y=f'(x)$의 그래프의 교점의 x좌표를 구한다.	30%
㉯ 넓이 S를 구한다.	60%
㉰ $60S$의 값을 구한다.	10%

08 셀파 두 곡선의 교점의 x좌표를 구한다.

두 곡선의 교점의 x좌표를 구하면

$x^2(x-1)=x^2$에서 $x^2(x-1)-x^2=0$, $x^2(x-2)=0$

$\therefore x=0$ 또는 $x=2$

오른쪽 그래프에서 두 곡선 사이의 넓이는

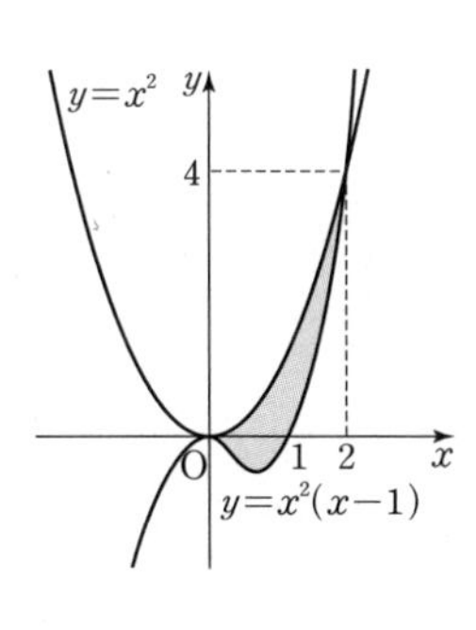

$$\int_0^2 \{x^2-x^2(x-1)\}dx$$

$$=\int_0^2 (2x^2-x^3)dx$$

$$=\left[\frac{2}{3}x^3-\frac{1}{4}x^4\right]_0^2$$

$$=\frac{16}{3}-4=\mathbf{\frac{4}{3}}$$

09 셀파 나누어진 두 부분의 넓이가 같다.

두 곡선 $y=x^4-x^3$, $y=-x^4+x$로 둘러싸인 도형의 넓이가 두 곡선 $y=-x^4+x$, $y=ax(1-x)$로 둘러싸인 도형의 넓이의 2배이므로

$$\int_0^1 \{(-x^4+x)-(x^4-x^3)\}dx$$

$$=2\int_0^1 \{(-x^4+x)-(ax-ax^2)\}dx$$

$$\int_0^1 (-2x^4+x^3+x)dx=2\int_0^1 (-x^4+ax^2+x-ax)dx$$

$$\left[-\frac{2}{5}x^5+\frac{1}{4}x^4+\frac{1}{2}x^2\right]_0^1=2\left[-\frac{1}{5}x^5+\frac{a}{3}x^3+\frac{1}{2}x^2-\frac{a}{2}x^2\right]_0^1$$

$$-\frac{2}{5}+\frac{1}{4}+\frac{1}{2}=2\left(-\frac{1}{5}+\frac{a}{3}+\frac{1}{2}-\frac{a}{2}\right),\ \frac{1}{3}a=\frac{1}{4}$$

$$\therefore \boldsymbol{a=\frac{3}{4}}$$

10 셀파 두 곡선 $y=f(x)$, $y=g(x)$는 직선 $y=x$에 대하여 대칭이다.

오른쪽 그림과 같이 곡선 $y=f(x)$와 y축, 직선 $y=6$으로 둘러싸인 도형의 넓이를 P, 곡선 $y=g(x)$와 x축, 직선 $x=6$으로 둘러싸인 도형의 넓이를 Q라 하면 $P=Q$이다.

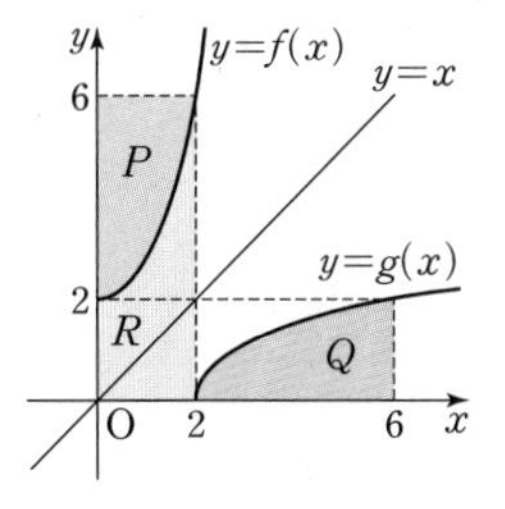

이때 $\int_0^2 f(x)dx=R$라 하면

$P+R=2\times6=12$

$$\therefore Q=P=12-R=12-\int_0^2 (x^2+2)dx$$

$$=12-\left[\frac{1}{3}x^3+2x\right]_0^2=12-\left(\frac{8}{3}+4\right)=\mathbf{\frac{16}{3}}$$

11 셀파 자동차가 정지할 때의 속도는 0이다.

자동차가 정지할 때의 속도는 0이므로

$v(t)=15-5t=0$에서 $t=3$(초)

따라서 자동차가 정지할 때까지 움직인 거리는

$$\int_0^3 |15-5t|dt=\int_0^3 (15-5t)dt$$

$$=\left[15t-\frac{5}{2}t^2\right]_0^3$$

$$=45-\frac{45}{2}=\mathbf{\frac{45}{2}\ (m)}$$

12 셀파 $v(t)$의 부호가 양에서 음 또는 음에서 양으로 바뀌는 순간 점 P는 운동 방향을 바꾼다.

ㄱ. 출발하고 1초 동안 $v(t)=0$인 구간이 없으므로 1초 동안 멈춘 적은 없다. (거짓)

ㄴ. 시각 $t=2$에서만 운동 방향을 바꾸었으므로 움직이는 동안 방향을 1번 바꾸었다. (참)

ㄷ. $\int_0^3 v(t)dt=-\left(\frac{1}{2}\times2\times2\right)+\frac{1}{2}\times1\times2=-1$이므로 $t=3$에서의 위치는 원점이 아니다. (거짓)

따라서 보기의 설명 중 옳은 것은 ㄴ이다.

| 참고 |

ㄱ. 닫힌구간 $[3, 4]$에서는 일정한 속도 2로 운동을 하였으므로 멈춘 적은 없다.

ㄴ. $t=6$에서는 $v(t)$의 부호가 바뀌지 않았으므로 $v(t)=0$이지만 운동 방향을 바꾸지는 않았다.

LECTURE 속도 함수의 그래프 해석하기

점 P의 시각 t에서의 속도 $v(t)$의 그래프를 이용하여 다음 사실을 알 수 있다.

❶ 움직이는 물체가 정지할 때와 운동 방향을 바꿀 때는 속도가 0일 때이다.
또 움직이는 방향과 반대 방향으로 움직일 때는 속도 $v(t)$의 부호가 바뀔 때이다.

❷ 점 P가 출발지로 되돌아 올 때는 위치의 변화량이 0일 때이다.
즉, $v(t)$의 그래프에서 t축 윗부분의 넓이와 아랫부분의 넓이가 같을 때이다.

memo